MW00808723

Elbstürme

Eine hanseatische Familiensaga

Rowohlt Taschenbuch Verlag

13. Auflage August 2023

Originalausgabe

Veröffentlicht im Rowohlt Taschenbuch Verlag, Hamburg,
Mai 2021

Copyright © 2021 by Rowohlt Verlag GmbH, Hamburg

Redaktion Hanne Reinhardt

Covergestaltung FAVORITBUERO, München

Coverabbildung Shutterstock, Magdalena Zyzniewska /
Trevillion Images, Richard Jenkins

Karte Peter Palm, Berlin

Satz aus der Minion Pro
bei Pinkuin Satz und Datentechnik, Berlin

Druck und Bindung GGP Media GmbH, Pößneck

ISBN 978-3-499-00345-5

Für meine Mutter

———•◆•———

Wo gibt es Freiheit, wenn nicht in der Leidenschaft?

GUSTAVE FLAUBERT

PROLOG

*D*er Junge beobachtete den Mond. Heute war er klein und blass, beinahe nur ein Strich, der silbrig über den wogenden Baumwipfeln schwebte. Dafür war die Nacht dunkler als sonst. Die Ecken waren schwärzer. Das Knacken im Gebälk bedrohlicher. Er mochte es lieber, wenn der Mond voll war, sein Licht bis zu ihm ins Zimmer drang. Dann malte er mit seinen Händen Schattenfiguren an die Wände, wie seine Schwester es ihm gezeigt hatte.

Einen Hund. Eine Schlange. Manchmal eine Maus.

Außerdem war da ein Gesicht im Mond, wenn er groß und rund am Himmel stand. Ein freundliches, helles Gesicht, das ihm zuzuzwinkern schien.

Der Junge nannte das Gesicht Freund.

«Hallo, Freund», sagte er leise, wenn er auf die Fensterbank kletterte, und winkte ihm mit seiner kleinen Hand. Und der Mann im Mond über dem Dach des Pferdestalls zwinkerte als Antwort.

Der Junge wusste noch nicht lange, was ein Freund war. Erst die anderen Kinder hier hatten es ihm gezeigt. Hatten ihm erklärt, dass er keine Freunde hatte und deshalb nicht dazugehörte. Richtig verstanden hatte er es nicht, aber er wusste, dass er falsch war. Monster nannten ihn manche der Älteren. Deswegen war er auch nicht mehr bei seiner Familie. Weil sie ihn nicht mehr gewollt hatten. Weil er zu schrecklich aussah, sein Körper nicht so funktionierte wie bei einem richtigen Kind.

Zaghaft blickte er über die Schulter in den Schlafsaal hinter sich. Er musste leise sein. Man durfte ihn nicht hier am Fenster erwischen. Sonst kam die Nachtschwester mit dem Stock. Er beobachtete die Sichel am Nachthimmel. Die Sterne blinkten wie die Glühwürmchen im Sommer daheim im Garten. Er wusste, dass irgendwo dort oben der Sandmann wohnte. Abends kam er auf die Erde, um den Kindern süße Milch in die Augen zu spritzen. Dann hatten sie die ganze Nacht lang wundervolle Träume. Der Junge träumte nicht oft, aber wenn, dann war er in seinen Träumen wieder daheim. Bei seinem Vater, der mit ihm Zinnsoldaten spielte. Bei seiner Mutter und seiner Schwester, die ihm das Märchen vom Sandmann so oft vorgelesen hatten. Er wusste, dass er für sie kein Monster war, aber er verstand nicht, warum er nicht mehr bei ihnen sein konnte. Wenn er von ihnen träumte, wachte er weinend auf. Hatte solche Sehnsucht nach daheim, dass er vor Schluchzen keine Luft mehr bekam. Er weinte und schrie nach seiner Mutter, schlug um sich, brüllte, dass er nach Hause wollte.

Dann sperrten sie ihn in den Keller.

Dort unten war es pechschwarz und kalt. In der Finsternis sah er Gesichter und seltsame Gestalten. Er hörte Geräusche, Knurren und Rascheln, die ihn vor Angst erstarren ließen.

Im Keller wohnten Hexen und Kobolde.

Wenn sie ihn hineinschleiften und die Tür hinter ihm zuwarfen, krabbelte er so schnell er konnte in eine Ecke, presste sich gegen die Wand und steckte die Finger in die Ohren, damit er nicht hören oder sehen musste, was im Dunkeln auf ihn lauerte.

Er hatte schreckliche Angst vor dem Keller.

Deswegen hatte er sich angewöhnt, nachts auf das Fensterbrett zu klettern. «Keine Träume!», sagte er zum Nachthimmel und hoffte, dass das Sandmännchen ihn hörte. Heute war der Mond so schmal, fast war er gar nicht zu sehen. Wo geht er hin?, dachte der Junge und stützte das Kinn in die Hände. Wenn der Mond klein und kleiner wurde, fürchtete er, dass er für immer verschwand.

Letzte Nacht hatte er wieder geträumt. Er war nicht in den Keller gekommen, aber er hatte zur Strafe den ganzen Tag nichts zu essen gekriegt. Vielleicht hat das Sandmännchen nicht richtig verstanden, dachte er jetzt und warf einen Blick hinter sich. Vielleicht musste er es ihm noch einmal erklären.

Alles war ruhig im Schlafsaal, ein Junge murmelte etwas im Traum, ein anderer drehte sich um und warf dabei sein Kissen auf den Boden.

Er wartete einen Moment. Dann öffnete er das Fenster. Die Nacht war kälter, als er gedacht hatte. Ein Schauer erfasste seinen kleinen Körper. Aber er mochte das Gefühl der feuchten Luft auf seinen Wangen. Es roch nach Regen, vielleicht auch ein bisschen nach Schnee. Unten im Stall hörte er ein Pferd schnauben.

Vorsichtig zog er einen Schemel heran und kletterte hinauf. Dann schwang er ein Bein über das Fensterbrett. Mit offenem Fenster erschien ihm alles viel deutlicher. Er hörte den Wind in den Bäumen, spürte das feuchte Holz unter den Fingern. Zaghaft schwang er das zweite Bein herüber und saß nun in der Nacht.

Es war ein herrliches Gefühl. Beinahe schien es, als blinkten die Sterne nur für ihn.

Plötzlich hörte er eine Stimme hinter sich. «Michel, was machst du denn?»

Erschrocken fuhr der Junge herum. Er verlor das Gleichgewicht. Seine Hand rutschte vom Fensterrahmen. Hilflos ruderte er mit den Armen, doch es war zu spät. Er konnte sich nicht mehr halten, nicht einmal schreien.

Michel fiel, lautlos und stumm wie ein Schatten, in die dunkle Nacht hinein.

Über dem Stall blinkten die Sterne, und der kleine Sichelmond verschwand hinter einer Wolke.

Teil 1

Liverpool 1890

1

Lily von Cappeln schob den Schleier ihres Hutes beiseite und blickte dem Schiff nach, das sich langsam seinen Weg aufs offene Meer hinaus bahnte. Der Bug brachte das Wasser des Hafens zum Schäumen, die blau-weiße Kontorflagge der Karsten-Reederei flatterte im Wind. Weit vorne an der Reling stand eine junge Frau in einem grünen Kleid. Die anderen Passagiere winkten und riefen, waren dem Hafen zugewandt, den Menschen, die zurückblieben. Die Frau aber blickte starr nach vorne auf das dunkle Wasser, einen entschlossenen Ausdruck auf dem Gesicht, als gäbe es nur sie und den zu bezwingenden Ozean.

Lily konnte die Augen nicht von ihr lösen. Es war, als betrachtete sie ein Traumbild. *Ich* sollte dort stehen, dachte sie und spürte, wie ein altbekannter Schmerz sie durchströmte. In letzter Zeit war es schwerer geworden, ihn in Worte zu fassen. Er veränderte sich, verlor die scharfen Kanten, war weniger brennend als am Anfang. Aber immer noch nahm er ihr in seiner Heftigkeit den Atem.

Er hatte verschiedene Gesichter, der Schmerz. Meistens das kleine weiße ihres Bruders Michel. Manchmal schoben sich aber auch die warmen und sorgenvollen Augen ihrer Mutter Sylta dazwischen. Oder Lily hatte plötzlich den Duft von alten Büchern in der Nase und sah ihren Vater vor sich. Immer aber war da diese eine Stimme. Dieser eine Geruch. Dieser eine Mensch, der alles überlagerte. Den sie einfach nicht vergessen konnte.

Egal, wie sehr sie es auch versuchte.

Um sie herum herrschte rege Geschäftigkeit. Riesige Dampf-pumpwerke verrichteten am Kai ihre Arbeit, Taue wurden eingezogen, die Gangway zurück an ihren Platz geschoben. Menschen riefen durcheinander, einige weinten, andere wink-ten immer noch. Lily winkte nicht. Es gab auf diesem Schiff niemanden, den sie kannte – wie auf allen anderen, die in den letzten drei Jahren den Hafen von Liverpool verlassen hatten. Trotzdem stand sie beinahe jede Woche am Kai und sah beim Ablegen zu.

Dies war das erste Schiff der Karsten-Reederei, das seit ihrer Flucht nach England hier zu Wasser gelassen wurde. Es würde für die neue Kalkutta-Linie fahren, der ganze Stolz ihrer Familie. Indien, dachte Lily und hatte plötzlich die Stimme ihres Bruders im Ohr: «Es ist so heiß, dass du nicht richtig denken kannst. In den Mangrovensümpfen wimmelt es von Tigern, Leoparden und Giftschlangen. Glitzernde Paläste stehen neben den armselig-sten Schlammhütten, Elefanten verrichten die Arbeiten auf den Feldern, Affen sind zu Leibdienern abgerichtet. Sie haben dort Krankheiten, die dich bei lebendigem Leibe verfaulen lassen. Aber auch Schätze, so unvorstellbar wertvoll, dass wir nicht ein-mal davon träumen können.» Franz hatte immer mit Begeiste-rung, aber auch voller Ehrfurcht von dem fremden Kontinent und der Hauptstadt der britischen Kolonialmacht erzählt, die das neue Ziel der Linie werden sollte. Früher hatte Lily diesen Geschichten sehnsuchtsvoll gelauscht, mit Michel am Kamin-feuer ganze Abende lang über Zeichnungen von Elefanten und Tigern gebrütet und versucht, die seltsamen Tiere nachzumalen, die ihnen vorkamen wie Kreaturen aus einem Märchen. Damals hatte sie heimlich davon geträumt, einmal mitzufahren in die fernen Länder, die die Karsten-Schiffe ansteuerten, Abenteuer zu erleben wie die Protagonisten aus ihren Büchern.

Aber die Fremde interessierte sie nicht mehr. Jetzt wollte sie nur noch eines: nach Hamburg zurückkehren.

Ihr Vater hatte sie in einem Brief über den heutigen Stapellauf informiert.

«Warum sollte mich das kümmern?» Verblüfft hatte sie beim Lesen die Stirn gerunzelt. In den letzten Jahren hatten sich die Konversationen mit Alfred Karsten auf das Nötigste beschränkt.

Ihre Mutter Sylta schrieb Lily beinahe jeden Tag, sammelte die Briefe und schickte dann ein ganzes Bündel auf einmal, das sie stets sehnsüchtig erwartete. Immer roch es nach Syltas Rosencreme, und wenn Lily die Schleife aufgezogen hatte, presste sie sich das Papier an die Nase, roch an jedem einzelnen Umschlag, sog den vertrauten Duft ein, und ein wenig war es in diesen Momenten, als würde ihre Mutter sie umarmen. Von ihrem Vater jedoch hatte sie bisher nur einen einzigen Brief erhalten, direkt nach ihrer Ankunft hier. Darin hatte er mitgeteilt, dass Lilys kleiner Bruder Michel noch lebte. Dass sie seinen Tod vorgetäuscht hatten, damit Lily auf das Schiff nach England ging. Sie sollte ihr uneheliches Kind weit weg von Hamburg bekommen, wo niemand sie kannte.

Wo sie die Ehre der Familie nicht beschmutzte.

Alle waren sie eingeweiht gewesen, sogar ihre Mutter. Sie hatten sie getäuscht, um ihren Willen zu brechen. Lily erinnerte sich noch genau daran, wie es war, die Worte zu lesen. Ihr Körper fühlte sich an wie mit Tausenden kleinen Nadelstichen überzogen, sie bekam kaum Luft, der Schock beinahe genauso schlimm wie zuvor die Nachricht von Michels Tod. Noch nie in ihrem Leben hatte sie sich so verraten gefühlt.

Aber nachdem sich der erste Schmerz, das erste Entsetzen gelegt hatte, war die Freude darüber erwacht, dass er noch lebte. Manchmal dachte sie, dass sie nur deswegen die erste schreckliche

Zeit in Liverpool überstanden hatte. Der Gedanke an sein unschuldiges Gesicht, sein weiches rotes Haar, seinen Kinderduft ließ sie die Hochzeit mit Henry überstehen, die Einsamkeit ertragen.

Ihre Mutter bat sie bald darauf um Verzeihung:

> *Es war die einzige Aussicht, dich eines Tages wieder bei uns zu haben und irgendwann wieder ein normales Leben zu führen. Als Familie. Wenn du mir nicht verzeihen kannst, verstehe ich das. Aber ich würde es wieder tun. Für dich würde ich alles tun, Lily. Für jedes meiner Kinder. Vielleicht wirst du es eines Tages verstehen, wenn du selbst Mutter bist: dass man manchmal das Schlimmste tun muss, um seine Kinder vor noch Schlimmerem zu bewahren. Auch wenn es einem das Herz bricht.*

Und irgendwo, ganz tief in ihrem Inneren, konnte Lily es tatsächlich verstehen. Ihre Eltern waren keine schlechten Menschen, sie hatten aus Verzweiflung gehandelt. Dass sie nur ihren eigenen Standpunkt sahen und andere Möglichkeiten oder Perspektiven nicht zuließen, war nicht zu ändern. Im Laufe der Zeit, als ihr Bauch sich immer stärker rundete, hatte sich etwas in ihr verlagert. Vergessen würde sie es niemals. Aber sie verstand, dass sie nur ihr eigenes Herz vergiftete, wenn sie nicht verzieh.

Ihr Vater jedoch hatte sich nie erklärt oder gar entschuldigt. Er setzte oft ein paar Zeilen unter die Unterschrift ihrer Mutter, blieb aber immer distanziert. Meistens ging es um Geschäftliches, das Haus oder ihre monatliche Zuwendung. So hatte auch Lily nie den ersten Schritt auf ihn zu gewagt, und je mehr Zeit verging, desto unmöglicher schien es zu werden.

Doch nun brannten sich Lilys blaue Augen in den Schriftzug über dem Bug. «Cordelia», flüsterte sie.

Warum hatte er diesen Namen gewählt? Alfred Karsten taufte seine Schiffe schon immer nach weiblichen Shakespeare-Heldinnen. Aber Cordelia, die verstoßene Lieblingstochter? Wollte er ihr damit sagen, dass auch er so enttäuscht von ihr gewesen war, dass er sie verbannen musste? Oder dass er, genau wie König Lear, seine verstoßene Tochter Cordelia schmerzlich vermisste und erkennen musste, dass er ihr unrecht getan hatte? Es konnte doch kein Zufall sein, dass Alfred Karsten gerade dieses Stück gewählt hatte. Es musste eine Botschaft an sie sein, da war sie sich sicher. Nur welche?

Cordelias berühmte Worte kamen ihr in den Sinn: *Ich bin nicht die Erste, die, Gutes wollend, dulden muss das Schwerste.*

Hatte ihr Vater verstanden, dass sie ihn nie hatte verletzen wollen? Dass all die tragischen Ereignisse, die sie in Gang gesetzt hatte, aus Liebe und Freiheitsdrang geschehen waren? Und nicht, um ihn zu hintergehen?

Einen Moment krampften sich ihre Hände in den Rock ihres Kleides. Um sie her schrien die Möwen ihr ewiges klagendes Lied in den Wind. Lilys Blick verlor sich über dem Meer, hielt nicht die Segel des Schiffes fest, sondern den Horizont dahinter, das endlose Wasser, das hier in England winters wie sommers grau zu sein schien. Beinahe meinte sie, in der Ferne die Umrisse einer Stadt ausmachen zu können. Dort waren die fünf Kirchtürme Hamburgs, der grüne Michel, das Rathaus, das aus dem Dunst aufragte. Doch sie wusste, dass es nur ein Trugbild war, Geister der Vergangenheit, die sich sogleich in Rauch auflösen würden.

Das Nebelhorn ertönte, und der tiefe, klagende Ton jagte einen Schauer durch sie hindurch. Eines Tages, dachte sie. Eines Tages stehe ich auch dort oben. Und fahre zurück nach Hause.

Plötzlich schob sich eine kleine Hand in die ihre. Jemand zog sie am Kleid. Rasch nahm Lily ihre Tochter auf den Arm und gab ihr einen Kuss auf die Wange. «Du bist ja ganz kalt!»

Hanna hatte wie immer stumm neben ihr gestanden und mit großen Augen alles um sich her aufgenommen, als sähe sie es zum ersten Mal. Lily zog die Handschuhe aus, um ihr über das Gesicht zu streichen. Hanna hatte Pastries gegessen, die Hälfte des buttrigen Gebäcks war auf ihren rosigen Wangen gelandet. Im Gegensatz zu ihr selbst konnte Hanna von Schiffen nicht genug bekommen, vergaß bei ihrem Anblick alles um sich her. Ihr Großvater wäre darüber sicher hocherfreut gewesen. Nur leider hatte er Hanna nie kennengelernt.

«Da werde ich ja auch noch satt!» Lily lachte und küsste ihrer Tochter ein wenig Marmelade vom Kinn. Hanna kicherte und wand sich in ihren Armen.

Zwei elegante Damen in berüschten Kleidern und mit dicken Pelzhauben, die einige Meter entfernt standen und winkten, rümpften die Nase und warfen ihnen empörte Blicke zu. Es war nicht üblich, dass eine Frau von Lilys Stand in der Öffentlichkeit ihr Kind liebkoste. Genauso wenig war es üblich, dass sie kein Korsett trug.

Lily ließen die Blicke kalt. Sie gab Hanna einen Kuss mitten auf die Nase und stellte sie wieder auf die Füße. Dann strich sie ihr Kleid glatt, fuhr mit den Händen betont langsam über die Taille, die unter ihrem Pelzüberwurf zu sehen war und sich im Umfang deutlich von denen der umstehenden Damen unterschied. Sie sah den Frauen mitten ins Gesicht, hielt ihren Blicken stand, bis sie unsicher zur Seite schauten.

Lilys Mundwinkel zuckten triumphierend. «Lass uns rasch nach Hause gehen. Du erkältest dich sonst.»

«Noch ein Schiff schauen!» Hanna streckte die Hände in

Richtung Wasser, als wollte sie die *Cordelia* darin einfangen, die nur noch ein Fleck am Horizont war.

«Nächste Woche schauen wir wieder eines an», versicherte Lily.

«Papa auch?», fragte Hanna, und das Lächeln auf Lilys Gesicht verschwand. Sie zog den Schleier tiefer, um den pulsierenden violetten Fleck zu verbergen, der sich unter ihrem linken Auge gebildet hatte.

«Nein», erwiderte sie steif. «Papa nicht.»

Weißt du, wer die Sozialdemokraten in Hamburg unterstützt?»

«Nein.» Charlie seufzte und warf Jo einen finsteren Blick zu. «Aber ich habe so ein Gefühl, dass du es mir gleich erzählen wirst.»

Er nahm einen großen Schluck Bier, und es schien, als wollte er sich hinter seinem Glas verstecken. Fiete lachte und klopfte Charlie aufmunternd auf den Rücken. Sie saßen im Verbrecherkeller, ihrer Stammkneipe, und waren bereits bei der vierten Runde angelangt. Wie jeden Abend waren die Fenster des Kellers mit Säcken verhängt, sodass nicht einmal das Licht der Straßenlaternen hereindrang. Rauch kräuselte sich unter der Decke, es war voll und laut, die Kerzen an den Wänden schon halb heruntergebrannt. Die drei Männer hatten sich in eine dunkle Ecke neben dem Klavier zurückgezogen. Klebrige Spielkarten lagen verstreut auf dem Tisch, aber schon eine ganze Weile hatte niemand sie mehr angefasst. Wie immer nach ein paar Bier zog Jo die Diskussion auf eine politische Ebene. Und wie immer versuchte Charlie, dem auszuweichen.

Aber Jo hatte sich bereits in Rage geredet. «Männer zwischen fünfundzwanzig und fünfunddreißig. Und zwar Männer wie ich.

Nicht die wirklich Armen, verstehst du? Nicht die Fleetenkieker und Lumpensammler. Nicht die, die es wirklich brauchen! In Vierteln, in denen die Menschen mit höheren Einkommen leben, haben sie viel bessere Ergebnisse!»

«Woher willst du das denn so genau wissen?», brummte Charlie, und Fiete nickte beifällig. «Genau!»

«Glaub mir, es stimmt, sie haben das untersucht. Aber es ist ja auch logisch, dein Quartier ist dein soziales Umfeld. Die Leute, mit denen du täglich zu tun hast, Nachbarn und Freunde, beeinflussen, was du denkst. Und die Opposition macht immer mehr Boden gut, besonders in unseren traditionellen Hochburgen wie St. Pauli und Ottensen.»

«Na, die Leute werden schon ihre Gründe haben, wenn sie die Sozialdemokraten nicht wollen, was?», fragte Charlie mürrisch.

«Unsinn, du weißt genauso gut wie ich, dass die meisten einfach uninformiert sind. Und die, die es am dringendsten brauchen, dürfen gar nicht erst wählen gehen. Was ist mit *ihren* Gründen?», polterte Jo, und Charlie hob die Augenbrauen.

«Ganz ruhig, Junge!»

«Wir waren lange genug ruhig. Das ist ja das Problem. Die gesamte Arbeiterschaft dieser Stadt ist machtlos, von elf Männern darf einer wählen gehen. Man kann sich das scheiß Bürgerrecht kaufen, aber wer gibt dafür schon einen halben Monatslohn aus, wenn er nicht mal genug zu essen hat, frag ich dich?»

Charlie nickte müde.

«Am Ersten Mai werden wir protestieren!» Jo war in Fahrt. «Ich garantiere euch, das wird großartig!»

«Ihr werdet doch aber nicht so blöd sein wie die drüben in Amerika und mit Bomben um euch werfen?», fragte Fiete und legte den Kopf schief. Er spielte auf die Haymarket-Aufstände vor vier Jahren an – den Beginn der internationalen Arbeiterbewegung. Damals hatte es in Chicago einen mehrtägigen Streik gegeben. Er war von den Gewerkschaften organisiert worden, um eine Reduzierung der täglichen Arbeitszeit von zwölf auf acht Stunden zu erwirken. Hunderttausende Menschen im ganzen Land hatten teilgenommen, aber besonders viele in Chicago.

«*Wir!*», ereiferte sich Jo und sah ihn an. «Nicht *ihr*. Und natürlich ohne Bomben! Aber es ist schon klar, warum gerade dort so viele Menschen teilgenommen haben.»

«Ach ja, und warum?», fragte Charlie lustlos und trank sein Bier aus. Er war offensichtlich nicht im mindesten an dem Thema interessiert. Fiete hingegen lehnte sich aufmerksam vor und forderte Jo mit einem Nicken auf zu erzählen.

Jo kam dem nur zu gerne nach: «Kurz zuvor hatten Arbeiter einer Fabrik sich gegen die Betriebsleitung verbündet und allesamt für bessere Löhne gestreikt. Drei Dollar verdienten sie am Tag, bei Zwölf-Stunden-Schichten. Ich habe gehört, davon konnte man sich in einer Wirtschaft gerade mal ein dürftiges Essen kaufen.» Jo schüttelte wütend den Kopf. «Sie haben die Leute einfach ausgesperrt. Alle Streikenden. Die Arbeit sollten stattdessen gerade eingetroffene Einwanderer machen, die schon Schlange standen. Aber die Arbeiterzeitung hatte dazu aufgerufen, sich mit den Streikenden zu solidarisieren. Wenn sie niemanden finden, der die Stellen besetzt, steht der Betrieb still.» Er haute triumphierend auf den Tisch. «Und siehe da! Es haben sich nur etwa dreihundert gemeldet! Für tausend freie Stellen. Es war ein Riesenerfolg! Das hat die Menschen in Chicago ermutigt. Versteht ihr? Genauso müssen wir es auch machen!»

Fiete schnaubte. «Und woher weißt du das nun wieder alles?»

«Ich lese», erwiderte Jo knapp und trank seinen Schnaps aus. Bei den Worten durchzuckte ihn ein dumpfer Schmerz. Immer noch, nach beinahe drei Jahren, dachte er grimmig und biss die

Zähne so fest zusammen, dass seine Wangen zuckten. Es musste doch irgendwann einmal aufhören! Aber es passierte wieder und wieder, meist ganz unvermittelt. Er schaffte es ein paar Tage lang, alles zu verdrängen – oder besser zu ertränken –, und dann kam es wieder hoch, mit der gleichen Wucht wie zuvor.

Bücher und Zeitungen würden für ihn auf alle Zeit mit Lily verbunden sein. Ohne sie hätte er vielleicht niemals richtig lesen gelernt, ihm wären nie die Augen geöffnet worden.

Lily … Der Name hallte in seinem Kopf nach wie ein Echo aus Schmerz. Er hob die Hand und bestellte bei Pattie eine weitere Runde.

«Mach mal halblang!» Charlie zog seine Hand herunter, aber Jo hob einfach die andere.

«Kümmere dich um deinen eigenen Scheiß», sagte er freundlich, und Charlie seufzte und gab nach. Jo wusste genau, dass er schon vor langer Zeit die Kontrolle über den Alkohol verloren hatte. Er versuchte ja, dagegen anzukommen. Aber wenn er an Lily dachte, konnte er nichts tun. Dann musste er trinken. Und leider hatte er in den letzten drei Jahren ständig an sie gedacht.

An sie.

Und an das Kind.

Er hatte ein Kind … Und er wusste nicht einmal, ob es eine Tochter oder ein Sohn war. Ob es überhaupt lebte.

«Ich bin gespannt, was sich das Innenministerium einfallen lässt. Die werden uns nicht einfach so protestieren lassen», sagte er, bloß um zu reden.

«Da wären sie ja auch schön blöde.» Charlie grunzte.

«Wisst ihr, wie es in Amerika weiterging?», fragte Jo.

Charlie blickte in sein Glas und reagierte nicht, aber Fiete sah ihn aufmerksam an. «Wie?», fragte er neugierig. «Ich weiß nur von der Bombe.»

«Es gab einen tagelangen Streik. Die Polizei versuchte immer wieder einzuschreiten, Arbeiter wurden verletzt, sogar erschossen, aber der Streik löste sich nicht auf. Die Menschen hatten genug, versteht ihr? Es hat sie nur noch mehr aufgewiegelt, dass die Polizei so brutal vorgegangen ist. Trotzdem blieben die Streikenden friedlich. Erst am vierten Tag ist es dann eskaliert. Als die Bombe fiel. Jemand hat sie einfach mitten in die Menge geworfen. Sieben Polizisten starben. Daraufhin haben sie das Feuer eröffnet und wild um sich geschossen.» Jo spürte, wie Wut und Empörung langsam den Schmerz überlagerten. Darum hatte er sich den letzten Jahren mit voller Wucht in den Arbeiterkampf gestürzt. Sie hielt ihn am Leben, die Wut.

«Viele der Männer, die den Streik organisiert hatten, wurden festgenommen. Es gab keine Beweise dafür, dass sie etwas mit der Bombe zu tun hatten. Nicht einen. Aber der Richter hat einfach behauptet, sie hätten den Täter durch ihre Ideen angestachelt. Vier von ihnen wurden erhängt. Nur weil sie protestiert haben. Könnt ihr euch das vorstellen? Weil sie ein besseres Leben wollten. Einer hat sich vorher in seiner Zelle selbst in die Luft gesprengt. Man sagt, er hat eine Revolverpatrone in den Mund genommen und sie angezündet. Hat ihn glatt enthauptet.» Er machte eine bedeutungsvolle Pause und trank den Schaum von dem neuen Krug, den Pattie vor ihn hingestellt hatte.

Fiete pfiff leise durch die Zähne. «Denkst du, das kann hier auch passieren?»

Jo sah Sorge in seinem Blick aufflackern. Fiete war Kesselflicker. Er gehörte damit zu den Ärmsten unter den Hamburger Arbeitern. Sie wurden *Schietgäng* genannt und standen in der Hafenhierarchie ganz unten. «Was ist, wenn hier auch einer querschießt? Dann müssen wir alle es ausbaden!»

«Durch ihre Ideen angestachelt … erinnert mich ziemlich

an Bismarcks Begründung, um damals die Sozialistengesetze durchzuprügeln», knurrte Charlie jetzt, bevor Jo antworten konnte, und er sah überrascht auf.

Charlie hielt sich aus allem Politischen raus. Es war ihm schlicht egal, was da oben vor sich ging. Was auch immer man ihm an Gegebenheiten vorsetzte, er akzeptierte sie stumm wie ein Fisch und machte seine Arbeit, egal zu welchen Konditionen. Das war schon immer so gewesen. Zumindest seit Jo ihn kannte. Er wusste, dass er früher, als Charlie noch in Irland lebte, ein anderer Mensch gewesen war. Aber dieser Mensch, das hatte sein Freund ihm schon oft glaubhaft versichert, existierte nicht mehr. Er war gestorben, zusammen mit der Frau, die er liebte. Und seiner ganzen Familie.

Wenn man alles verliert, verliert man auch sich selbst, dachte Jo und betrachtete seinen besten Freund. Charlie, der Riese mit dem weichen Herz. Gefährlich sah er aus, wie er da saß und in seinen Bierkrug stierte, mit den vielen Ringen in den Ohren, dem wilden roten Bart, den Tätowierungen auf den Armen, dem grimmigen Blick. Aber Jo wusste, dass es keinen loyaleren Menschen auf der Welt gab. Wenn Charlie einen mochte, dann hatte man einen Freund fürs Leben. Jemanden, der alles für einen tun würde. Charlie hatte ihn in den letzten Jahren oft enttäuscht, er kämpfte mit seiner Opiumsucht und schaffte es nicht, ihrer Herr zu werden. Ständig geriet er in Prügeleien, verlor regelmäßig seine Arbeit, die Jo ihm unter vielen Mühen erst verschafft hatte. Aber welches Recht hatte er, über Charles zu urteilen? Wenn Jo nicht noch für seine Mutter, seine Brüder, Alma und ihre Kinder sorgen müsste, wer wusste schon, ob er überhaupt noch hier wäre. Charlie hatte nichts und niemanden mehr, nicht einmal seine Heimat. Jo konnte ihm nicht verübeln, dass er nicht mit demselben Feuer für den Arbeiterkampf brannte wie er.

Er nickte. «Du hast recht, es ist die gleiche Begründung.» Er seufzte. «Einer der erhängten Männer, August Spieß, hatte vorher bei den Streiks in Chicago mehrere Reden gehalten. *Man kann nicht ewig wie ein Stück Vieh leben!* Dieser Satz von ihm ist zu einer Art Streitruf der Arbeiter geworden. Und, verdammt, ein wahreres Wort wurde selten gesprochen.»

Fiete lachte trocken. «Recht hat er!» Er richtete sich auf, und Schmerz zuckte über sein Gesicht. Die Arbeit hatte Fiete kaputt-gemacht. Nicht nur sein Rücken, auch seine Lunge war zerstört, er hustete Tag und Nacht schwarzen Schleim, hatte Nierenpro-bleme und konnte nicht mehr gerade gehen. Er sprach weiter, verfiel dabei aber in die *Kedelkloppersprook*, die Kesselklopfer-sprache, ein verfremdetes Platt – eine Art Geheimsprache, die die Kesselleute unter sich erfunden hatten. Sie benutzten sie, wenn sie in den Kesseln miteinander kommunizieren woll-ten.

«Sprich so, dass wir dich verstehen», murrte Charlie, und Fie-te warf ihm ein halbes Lächeln zu. «Ich sag nur, dass es uns auch nicht bessergeht als denen da drüben», wiederholte er. «Sind ja auch nicht mehr als Vieh. Himmel, das Vieh bekommt wenigs-tens anständig zu fressen, im Gegensatz zu uns!»

«Ja, weil's keinen interessiert, wenn du vom Fleisch fällst», lachte Charlie. «Aus dir wird ja keine Wurst gemacht!»

Fiete brummelte etwas und hustete. Jo betrachtete ihn sor-genvoll. Fiete war klein und krumm, das freundliche Gesicht verhärmt. Er sah aus, als könnte der nächste Windhauch ihn umhauen. Aber er war zäh – einer der Gründe, warum er sich so lange als Kedelklopper gehalten hatte. Eigentlich wurde diese undankbare Aufgabe hauptsächlich von Leiharbeitern verrich-tet, die keine andere Wahl hatten, aber Fiete war wegen seiner schmächtigen Statur für die meisten anderen Arbeiten ungeeignet. Als Kesselklopfer jedoch war er gut zu gebrauchen, dafür musste man klein und wendig sein. Wenn die Dampfschiffe im Hafen ankamen, dauerte es etwa drei Tage, bis die Kessel stark genug abgekühlt waren, um gereinigt zu werden. Für die Reeder zählte aber jede Sekunde, deshalb zwangen sie die Klopper in die Kessel hinein, sobald es ging – wenn diese noch vor Hitze dampften. Die Arbeiter zwängten sich durch die Öffnungen, die «Mannlöcher» genannt wurden und nur etwa vierzig Zentimeter groß waren. Meist war es immer noch unerträglich heiß dort drinnen. Boden und Wände waren mit harten Belägen bedeckt, die die Männer herunterklopfen mussten. Es war eng, stickig, und die Arbeit verursachte einen höllischen Lärm. Deshalb lehnte Fiete sich auch so oft nach vorne, wenn man mit ihm sprach. Er hörte nicht mehr gut.

«Mehr als tausend Männer arbeiten in den Schietgängs», sagte Jo. «Ich schätze, dass wir um die vierhundert Klopper haben. Habt ihr etwa keine Rechte?», fragte er, und Fiete nickte nachdenklich, sah aber aus, als wäre er sich nicht ganz sicher. «Im letzten Jahr gab es sechzehn Kesselexplosionen, achtundzwanzig deiner Kollegen sind gestorben. Es hätte genauso gut dich treffen können!» Jo wurde lauter, als er merkte, dass er Fietes Aufmerksamkeit hatte.

«Aber was können wir schon tun? Die Reeder haben doch das Sagen», warf Fiete unsicher ein.

«Und genau das müssen wir ändern!», rief Jo ein wenig zu heftig, und schlug mit der Faust auf den Tisch. Die Ränder seines Sichtfeldes verschwammen bereits ein bisschen, er sah Charlie und Fiete nicht mehr ganz so deutlich wie noch vor einer Stunde. Diesen Zustand mochte er am liebsten. Er war noch nüchtern genug, um klare Gedanken zu fassen, aber betrunken genug, dass alles nicht mehr so schwer schien. Nicht mehr so einsam.

So hoffnungslos. Betrunken fühlte sich alles leichter an. Morgen früh würde er es natürlich bereuen. Wahrscheinlich würde er mal wieder im Hinterzimmer der Kneipe aufwachen, am Boden zusammengekrümmt zwischen all den anderen Männern, die für ein paar Groschen hier übernachteten. Aber jetzt war ihm das herzlich egal. Er leerte seinen Krug in einem Zug.

Ein kleines Mädchen war hereingekommen. Sie trug ein buntes Kleid, kletterte barfuß auf einen der Tische und begann, mit klarer Stimme ein Lied zu singen. Dabei hielt sie einen bemalten Eimer hoch, in den die Zuschauer Geld werfen sollten. Jo betrachtete sie traurig. Was Lily wohl sagen würde, wenn sie sie hier sähe? Er wusste es genau. Sie würde empört aufspringen und die Kleine vom Tisch runterziehen, sie aus dieser stinkenden Hölle rausschaffen und ihr erst einmal etwas zu essen kaufen. So war sie eben. Hoffnungslos idealistisch.

Die drei Männer lauschten stumm dem Lied, jeder in seine eigenen Gedanken versunken. Jo sah, dass Charlies Augen gefährlich schimmerten. Mit Musik bekam man ihn immer, sein irisches Herz wurde sofort weich, wenn jemand zu singen begann. Er selbst konnte Fiedel spielen wie kein anderer, seine geliebte Mundharmonika hatte er jedoch seit seiner Flucht aus Irland nicht mehr angefasst.

«Eine Schande ist das», brummte Charlie in seinen Bart, und Jo konnte ihm nur zustimmen.

Er wusste, dass die Kleine gefährlich lebte. Nicht nur wegen der vielen betrunkenen Männer, sondern auch wegen anderer skrupelloser Gestalten, die nachts die Gassen unsicher machten. In Hamburg blühte der Frauenhandel. «Hauptausfuhrhafen», hatte es neulich in einem Zeitungsbericht geheißen. Von der Hansestadt aus schiffte man sie in Bordelle nach Südamerika oder Asien. Meistens lockten die Schlepper ledige Frauen aus

Polen oder Rumänien, aber wenn allzu deutlich wurde, dass niemand groß nach einem Mädchen suchen würde …

Nachdem die Kleine fertig gesungen hatte, hob jemand sie vom Tisch, und sie drehte eine Runde durch die Kneipe, hielt den Eimer hin und lächelte verführerisch, wobei sie ihre verfaulten Zähne zeigte. Als sie näher kam, sah Jo, wie dünn sie war. Und er roch den Alkoholdunst, der von ihr ausging. Das Mädchen war keine zehn Jahre alt. Und sturzbetrunken.

Wahrscheinlich der einzige Zustand, in dem sie das Leben noch erträgt, dachte er und kramte in seiner Tasche nach Geld. Das konnte er nur zu gut nachvollziehen. Bevor er die Münzen in den Eimer fallen ließ, hielt er das Mädchen kurz am Arm fest. «Das ist alles, was ich dabeihabe. Wenn ich es dir gebe, versprichst du mir, dass du davon etwas zu essen kaufst?», fragte er.

Sie sah verblüfft auf die vielen Münzen in seiner Hand. Dann nickte sie eifrig. Jo seufzte. Was sollte er tun, er konnte die Kleine ja schlecht mit nach Hause nehmen.

«Und wer zahlt die nächste Runde?», brummte Charlie, kramte aber nun selbst in seiner Tasche.

«Na, du natürlich, wer denn so…», setzte Jo an, doch er brach ab. Sein Atem stockte. Eine Frau war eingetreten, sie trug ein Tuch um den Kopf, und eine Sekunde lang dachte er, sie wäre es.

Lily.

Es war wie ein Faustschlag in den Magen. Im Dämmerlicht wirkte die Szene genau wie damals. Er sah es noch genau vor sich, wie sie in den Keller gekommen war, auf der Suche nach ihm, in ihrem kostbaren Kleid, mit aufgesteckten Haaren und unschuldigem Gesicht. Ihrem wunderschönen Gesicht … An diesem Abend hatten sie sich das erste Mal geküsst. Er starrte die Frau auf der Treppe an wie eine Erscheinung. Doch dann nahm sie das Tuch ab, und der Zauber verflog. «Greta!» Er seufzte.

Die Frau ließ die Augen durch die Menge schweifen. Als sie ihn sah, lächelte sie und schritt auf ihn zu.

Jo hob die Hand und bestellte eine neue Runde für den Tisch.

Eine Stunde später trat Charlie auf die dunkle Gasse hinaus, blieb stehen und rülpste. Er musste mal ein bisschen Luft schnappen. Nicht auszuhalten, wie Greta sich an Jo ranmachte, seine Betrunkenheit ausnutzte, um ihn zu umgarnen. Lily war kaum zwei Wochen fort gewesen, da stand sie schon wieder auf der Matte. Seitdem versuchte sie, Jo dazu zu bringen, mit ihr durchzubrennen. Und wenn er weiter so trank, würde sie es bald schaffen. Himmel, vielleicht war es ja nicht die schlechteste Idee. Der Junge brauchte Ablenkung. Etwas Neues, jemanden, um den er sich kümmern konnte. Aber Greta? Charlie hatte sie nie gemocht. Und sie war verheiratet, Herrgott. Auch wenn sie das nicht wahrhaben wollte. Wann immer ihr Seemannsgatte auf dem Wasser war, krallte sie ihre Klauen in Jo und ließ ihn nicht mehr los.

Charlie schwankte ein wenig und hielt sich an einer Laterne fest. Über den Dächern von Hamburg schien ein kleiner roter Wintermond. Die Schornsteine qualmten stumm in den Nachthimmel, es war eiskalt, und nur wenige Gestalten streunten in den Gassen umher. Aber zumindest überdeckte die kühle Nachtluft den Gestank der modernden Fleete und half ihm, wieder einen klaren Kopf zu bekommen.

Er machte sich Sorgen um seinen Freund. Jo hatte sich nie von seinem Verlust erholt. Aber in letzter Zeit kam zu dem Alkohol eine beinahe manische Politikbesessenheit. Er las jedes Flugblatt, das er in die Finger bekam, ging zu Versammlungen, hielt jeden Abend in den Kneipen glühende Reden. Die progressiven jungen Arbeiter machten sich nun, da Bismarck entlassen worden war, große Hoffnungen, dass sich etwas ändern würde. Sie wollten die Sozialistengesetze endlich kippen. Jo hatte es sich zur Lebensaufgabe gemacht, das System umzukrempeln, dem kleinen Mann zu helfen. Charlie schnaubte. Hoffnungslos idealistisch, das war er. Als ob man etwas ändern könnte. Das Leben war nun mal nicht gerecht. Es gab solche, die hatten, und solche, die nicht hatten. Fertig. Als ob die reichen Pfeffersäcke plötzlich mit Geld um sich werfen würden, nur weil ein paar Arbeiter auf die Straße gingen.

Er legte den Kopf in den Nacken. Ob in seiner Heimat jetzt die gleichen Sterne über dem Dorf blinkten? Einen Moment schloss er die Augen und bekämpfte den glühenden Schmerz, der plötzlich in ihm aufstieg. Er atmete ein paarmal tief ein und aus. Als er die Augen wieder öffnete, war sein Blick hart. Er durfte nicht an sie denken!

Um sich abzulenken, schob er mit der Hand einen der Säcke beiseite, die vor den Fenstern hingen. Durch den Dunst sah er Fiete, Greta und Jo in der Ecke sitzen. Im flackernden Licht der Kerzen wirkten ihre Gesichtszüge tiefer als bei Tag, die Augen dunkler, die Gesten eindrücklicher. Jo war sternhagelvoll, Charlie sah es genau an der Art, wie seine Hände unruhig über den Tisch wanderten, sein Blick sich an nichts festhalten konnte, er den Rücken besonders gerade hielt. Er und Greta stritten schon wieder. Wahrscheinlich würde Charlie ihn wie so oft nach Hause schleppen müssen. Plötzlich musste er lächeln. In letzter Zeit hatten sie die Rollen getauscht: Eigentlich war es immer Jo gewesen, der sich um ihn kümmerte. Aber Charlies Sucht war anders als die nach Alkohol. Leichter zu verstecken.

Er musste daran denken, wie er und Jo sich kennengelernt hatten. Sie hatten im selben Haus gewohnt, Jo mit seiner Familie, er als Schlafgänger bei einer Witwe. Eines Nachts war er von grauenvollem Geschrei geweckt worden. Das Ehepaar in der Wohnung unten stritt sich mal wieder, aber diesmal klang es, als würde der Mann seiner Frau bei lebendigem Leib die Haut abziehen. Er war wütend aus dem Bett gefahren und im gleichen Moment wie Jo vor der Tür der beiden angelangt. Im stummen Einverständnis zweier um ihren dringend benötigten Schlaf gebrachter Arbeiter hatten sie sich den Kerl vorgeknöpft. Und zwar richtig. Danach hatte es nie wieder einen Mucks gegeben aus der Wohnung. Die Frau hatte ihnen noch wochenlang Kuchen gebacken. Und obwohl sie schon lange nicht mehr im selben Haus wohnten, waren er und Jo seitdem Freunde.

Beste Freunde.

Plötzlich zupfte ihn jemand am Ärmel. Als er sich umdrehte, blickte er in das verhärmte Gesicht eines alten Mannes. Seine Nase war rot gefroren, ihm lief der Rotz in den Mund. Der Mann hielt ihm ein Bild hin und sah ihn hoffnungsvoll an. «Ich male Ihre Liebste. Sie erzählen mir, wie sie aussieht, und ich zeichne. Wenn Sie nicht zufrieden sind, kostet es nichts!»

Charlie war bei den Worten erschrocken zusammengezuckt. Jetzt schüttelte er den Kopf. «Ich habe keine Liebste», erwiderte er schroff. Eine Sekunde zögerte er, der Alte trug nur eine dünne Jacke und schlotterte vor Kälte. «Versuch dein Glück woanders, Mann, dadrin wirst du niemanden finden, der für so was Geld ausgibt», brummte er freundlich und klopfte dem Alten kurz auf die Schulter. Dann ging er wieder hinein.

Als ihn im Keller die gewohnte Mischung aus Rauch, Schweiß und Bierdunst in Empfang nahm, blieb er einen Moment stehen. Nervös strich er sich über den Bart. Kurz war er versucht gewesen … Was, wenn der Mann es wirklich konnte? Was, wenn Charlie sie sehen würde? Nach so vielen Jahren. Er hatte kein einziges Bild von ihr. Bei dem Gedanken brach ihm der Schweiß aus. Alles in ihm sehnte sich danach, wieder hinauszulaufen und den Mann anzuhalten. Aber wie sollte es funktionieren? Es war ja unmöglich! Wie sollte er sie beschreiben? Ihre wachsamen, nachdenklichen Augen. Ihr Lächeln, bei dem sie ein wenig die Lippen schürzte, sodass ein Grübchen neben dem rechten Mundwinkel entstand. Die feine Nase, die immer anders aussah, je nachdem, aus welchem Winkel man sie betrachtete.

Manchmal war er selbst nicht mehr sicher, ob er sich richtig erinnerte. Dann versuchte er, sich ihr Gesicht vorzustellen, und es verschwamm vor seinen Augen, löste sich auf und setzte sich neu zusammen, eine Grimasse aus verzerrten Erinnerungen. In diesen Momenten schnürte ihm die Panik den Hals zu. Dann wurde es ihm vollkommen und unwiderruflich bewusst: Er würde sie niemals wiedersehen. Niemals. Ihr Gesicht würde nur immer mehr verschwimmen, verblassen und sich irgendwann ganz auflösen.

Nein, dachte er und schüttelte den Kopf. Es war unmöglich. Und vor allem war es gefährlich. «Tote soll man nicht wecken!», flüsterte er und ging entschlossen zum Tisch zurück.

Aber er merkte, wie seine Handflächen kribbelten.

H aben wir *King Lear* in der Bibliothek?» Lily ließ die Gabel sinken. Der Ananaskuchen mit den glasierten Kirschen, den es zum Nachtisch gab, schmeckte vorzüglich, aber sie wusste, was dieses extravagante Dinner aus importierten Lebensmitteln gekostet hatte, und konnte es nicht genießen. Wenn man einmal in Dreck und Armut gelebt hatte, sah man Verschwendung mit anderen Augen. Doch Henry bestand darauf, dass nur die ausgewähltesten Speisen auf den Tisch kamen. Bezahlt von ihrem Vater, wie alles hier im Hause.

Ihr Ehemann hob den Kopf und sah sie an. Es kam dieser Tage nicht oft vor, dass sie das Wort an ihn richtete, besonders nicht in neutralem oder gar versöhnlichem Ton. Ein Ausdruck der Überraschung huschte über sein Gesicht. Sein Blick blieb eine Sekunde zu lang an ihrem geschwollenen Auge hängen. Er räusperte sich. «Sicherlich», erwiderte er. «Warum fragst du?»

Lilys Mund zuckte. Henry hatte keine Ahnung, welche Bücher in der Bibliothek standen. Er hatte die gesamte Einrichtung einem pleitegegangenen Aktionär abgekauft und seither keines Blickes mehr gewürdigt. In gutem Hause musste man eine Bibliothek haben, das war alles, was ihn interessierte. Lily hatte sich zunächst sehr über die unzähligen Bücher gefreut, aber bald feststellen müssen, dass die Auswahl ganz und gar nicht ihrem Geschmack entsprach. Fast alles lateinische Sachbücher oder Abhandlungen über die Rosenkriege. Auch waren viele der ledergebundenen Reihen Attrappen, wie sie verblüfft feststellte, als sie einen Dickens aus dem Regal ziehen wollte. Die Oberschicht Englands schmückte sich anscheinend gerne mit einer intellektuellen Fassade, war aber nicht bereit, dafür viel Geld zu investieren. Schöner Schein, dachte sie. Genau wie im alten Preußen. Und wie so vieles in Henrys Leben. Sie hätte gewettet, dass er noch nie ein Shakespeare-Stück gelesen hatte.

«Oh, nur so. Ich mag Thomas Hardy», erwiderte sie unschuldig.

Henry nickte ernst. «Ein großartiger Schriftsteller.»

Lily biss sich in die Wangen, um nicht zu lachen. «Welches Buch von ihm gefällt dir am besten?», fragte sie mit einem Augenaufschlag.

Henry schüttelte den Kopf. «Wie soll man sich da entscheiden?»

Sie setzte eine ausdruckslose Miene auf, die ihre Verachtung verbergen sollte. Warum konnte er nicht einfach zugeben, dass er keine Ahnung von Thomas Hardy hatte? Und noch weniger von Shakespeare. Und dass er niemals im Stande wäre, ein Buch auf Englisch zu lesen.

Genau wie Lily nahm Henry seit ihrer Ankunft jede Woche Privatstunden. Sie selbst verschlang inzwischen englische Bücher, hatte großen Gefallen an der Sprache gefunden, als sie merkte, dass es in Großbritannien im Gegensatz zum Kaiserreich unzählige weibliche Schriftstellerinnen gab, deren gesellschaftskritische Bücher ihr die langen nebligen Abende versüßten. Henry hingegen kam nur langsam voran. In Konversation war er passabel geworden, doch seine Kenntnisse reichten bei weitem nicht, um sein Medizinstudium abzuschließen – nur einer der Gründe, warum er in letzter Zeit ungeduldiger und jähzorniger war denn je.

«Ich bitte Mary, es dir herauszusuchen.» Er lächelte sie an. Beinahe sah sie so etwas wie Hoffnung in seinen Augen aufblitzen. Sie konnte seine Gedanken lesen: Sollte es tatsächlich geschehen, dass sie eine normale Unterhaltung am Esstisch führten, wie Mann und Frau, ohne sich zu streiten oder eisern anzuschweigen?

«Danke. Aber da wird sie sich schwertun. *King Lear* ist nämlich von Shakespeare», erwiderte Lily zuckersüß. Sie rückte ihren Stuhl zurück. «Ich bin müde, darf ich mich zurückziehen?»

Henry starrte sie an. Nach einer Sekunde des Erschreckens wurde sein Gesicht dunkel vor Zorn. Er presste die Lippen zu einem weißen Strich zusammen, seine Hand krampfte sich um die Serviette.

Lily machte sich keine Sorgen, er schlug sie nie in nüchternem Zustand. Als er nichts erwiderte, stand sie auf und ging betont langsam um seinen Stuhl herum aus dem Raum.

Du bist ein Biest, dachte sie, sobald sie sich draußen gegen die Tür lehnte. Ein richtiges Biest, Lily Karsten.

Als sie merkte, dass sie von sich selbst immer noch als Lily Karsten dachte, schüttelte sie ungeduldig den Kopf. Sie hatte sich nie an das *von Cappeln* gewöhnen können. Einzig die Tatsache, dass ihre Tochter auch so hieß, versöhnte sie ein wenig damit, dass man ihr die Ehe mit Henry aufgezwungen hatte.

Behände lief sie die samtbezogene Treppe empor und drückte die Tür zur Nursery auf. Hanna schlief wie immer auf dem Rücken, alle viere von sich gestreckt und das Bettzeug trotz der kühlen englischen Winternacht in eine Ecke gestrampelt. Lily trat leise ans Bett.

Wenn er dich nur sehen könnte. Dieser Gedanke schoss ihr mindestens fünfmal am Tag durch den Kopf. Immer noch, auch nach über drei Jahren.

Er wäre so stolz. Dein Vater.

Behutsam knotete sie die Schlafhaube auf, die das Kindermädchen immer viel zu fest um Hannas kleines Kinn zurrte. «Sie kriegt ja keine Luft», protestierte Lily jeden Abend, aber Conny bestand darauf, dass die Haube straff sitzen musste. «Sonst fallen die Haare heraus und verknoten sich.» Es war zu einem Spiel geworden, dass Lily nachts hereinschlich, nach ihrer Tochter sah und die Haube aufmachte. Am Morgen waren Hannas Haare ein wildes Knäuel, aber Lily sah nicht ein, wozu ein kleines Mädchen ordentliche Haare brauchte. Was sie brauchte, war guter Schlaf.

Sie wusste, dass ihre Rebellion auch daher rührte, dass beinahe jeder im Hause mehr über ihre eigene Tochter entscheiden durfte als sie selbst. Henry hatte eine Nanny und eine Erzieherin angeheuert, und da sie für ihn arbeiteten und seinen Anweisungen unterstanden, konnten sie sich in vielen Punkten gegen Lily durchsetzen. Sie hatte von Anfang an gewusst, dass sie in ihrer Ehe keine Rechte und noch weniger Entscheidungsfreiheit haben würde. Was dies für ihre neue Rolle als Mutter bedeutete, war ihr aber erst nach und nach so richtig klargeworden. Hanna war ihre Tochter, sie hatte sie neun Monate lang in ihrem Bauch getragen, bei der Geburt beinahe ihr eigenes Leben verloren. Sie war wie ein Teil von ihr, Lily konnte sich nicht mehr vorstellen, auch nur einen Tag ohne sie zu verbringen.

Und doch hatte sie keinerlei Befugnis, wenn es um Hanna ging.

Lily hatte sie nicht stillen dürfen, hatte eine Pumpe benutzen müssen, weil ihre Milch nicht aufhörte zu fließen, und Hanna wurde durch Fläschchen und von einer Amme ernährt. Sie durfte nicht entscheiden, was sie aß, wann sie schlafen ging und wo sie sich aufhielt. Aber Lily wusste, dass sie dankbar sein musste, dass Hanna überhaupt hier war. Nicht nur hatte sie selbst versucht, die Schwangerschaft zu beenden. Henry, da war sie sicher, hatte damals geplant, Hanna direkt nach der Geburt fortschaffen zu lassen. Nie würde jemand wie Henry das Kind eines anderen Mannes aufziehen – noch dazu vom Liebhaber seiner Frau. Nach der Geburt, als die Amme ihn das erste Mal ins Zimmer holte, hatte Lily sich zu ihm vorgebeugt und ihn am Arm gegriffen. «Wenn du mir meine Tochter wegnimmst», hatte sie geflüstert, die Lippen aufgesprungen vom stundenlangen Schreien, «dann springe ich noch am selben Tag in den Fluss.»

Etwas in ihren Augen musste ihm klargemacht haben, dass sie es ernst meinte. Er war blass geworden, einen Moment lang hatte sein Gesicht jeden Ausdruck verloren. Dann hatte er kaum merklich genickt. Er war aufgestanden, hatte einen Blick auf das kleine Bündel geworfen und war wortlos aus dem Zimmer gegangen. Lily hatte sich kraftlos wieder in die Kissen fallen lassen. Dieses Mal hatte sie gewonnen.

Aber sie konnte ihr eigenes Leben nicht jeden Tag als Druckmittel einsetzen. Und im Großen und Ganzen war ihr Dasein hier erträglich. Genau wie sie suchte Henry sich seine Kämpfe sehr genau aus, ließ ihr in vielem aus reiner Bequemlichkeit ihren Willen. Immer wieder zeigte er ihr aber in willkürlichen kleinen Anflügen von Sadismus die Macht, die er über sie besaß. Als wollte er sich vergewissern, dass sie nicht vergaß, wer ihr Ehemann war.

Er entschied.

Über alles.

2

Emma Wilson stemmte die Arme in die Hüften und sah sich um. «Großartig!», verkündete sie. «Genau wie ich es mir vorgestellt hatte.»

Die elegante alte Dame, zu der sie sprach, schien dies anders zu sehen. Sie untersuchte gerade mit kritischem Blick die frisch verputzten Wände. «Ein bisschen fleckig, findest du nicht?», fragte sie mit geschürzten Lippen und streckte ihren Gehstock aus, um damit an der Farbe zu kratzen. «Das bröckelt ja schon!»

Emma lächelte. «Nun, es ist auch nicht dafür gedacht, dass man daran herumkratzt, Gerda!», erwiderte sie.

Die alte Dame legte den Kopf schief und gab ein leises Zischen von sich. Sie warf sich mit einer herrischen Bewegung ihren Pelzschal über die Schulter und marschierte in den nächsten Raum, wobei ihre perlenbestickten Röcke durch die Sägespäne und den Staub schleiften. Die Arbeiter hatten nicht wirklich sorgfältig hinter sich aufgeräumt.

Emma schüttelte den Kopf und konnte ein halb amüsiertes, halb irritiertes Stöhnen nicht unterdrücken. Rasch lief sie hinter Gerda Lindmann her. «Schau, du musst es dir eingerichtet vorstellen!» Sie blieb in dem Raum stehen und hob die Arme. «Hieraus machen wir den Gemeinschaftsraum. In die Ecke neben dem Ofen kommen ein paar Sessel und Sofas und hierhin ein schöner Tisch. Dann können die Frauen abends zusammensitzen, sticken, klöppeln, Tee trinken. Ich sehe es schon vor mir, es wird richtig gemütlich.»

Gerda folgte mit den Augen ihrem ausgestreckten Zeigefinger, während sie erklärte. Emma wertete ihr Schweigen als Zustimmung und ging weiter ins nächste Zimmer. «Hier ist die Küche. Wie du siehst, haben wir alles ungefähr so gelassen, wie es war.» Sie zeigte auf den Herd. «Dort hinaus geht es in den Hof, der Hühnerstall ist bereits renoviert.»

Gerda sagte noch immer nichts, und Emma beschloss, diese seltene Gelegenheit auszunutzen. Rasch lief sie die Stufen der schmalen Hintertreppe hinauf, die neben dem Küchenofen in das zweite Stockwerk führte. Am Absatz blieb sie kurz stehen und lauschte, ob Gerda ihr folgte. Als sie kurz darauf den dumpfen Klang des Gehstocks auf der unteren Treppenstufe hörte, lächelte sie zufrieden. Wenig später kam Gerda schnaufend im oberen Stockwerk an. Emma lehnte an der Wand und beobachtete sie.

«Werde du erst mal so alt wie ich. Dann will ich dich die Treppe raufhüpfen sehen», sagte sie, sobald sie wieder Luft bekam. Aber sie gab Emma einen gutmütigen Stups mit dem Stock. «Auf geht's, weiter, Frau Doktor, weiter, wir haben nicht den ganzen Tag Zeit! Zeigen Sie mir, wofür Sie mein Geld verschwendet haben», japste sie zwischen zwei Atemzügen.

Emma schmunzelte. «Schön. Entlang der Flure sind die Schlafzimmer. Jeweils für zwei Frauen, mit der Möglichkeit, ein Kinderbett oder eine Wiege hinzuzustellen.» Sie öffnete schwungvoll eine der alten Holztüren. «Die Räume sehen eigentlich alle gleich aus, wir müssen nicht jeden anschauen. Ein Zugofen, ein Waschtisch. Der Austritt ist am Ende des Flurs und …» Emma stockte. Sie war weitergelaufen, aber Gerda war im Türrahmen der kleinen Kammer stehen geblieben. Als sie auf ihr Rufen nicht reagierte, trat Emma näher. «Gerda?»

Gerda Lindmann hob den Blick und sah sie an. «Dieses Zimmer ist nicht größer als eine Hutschachtel», sagte sie leise.

Emma nickte. «Ich weiß, und es ist nicht ideal, dass sie es sich teilen müssen. Aber so können wir mehr Frauen aufnehmen. Und die meisten sind von daheim wesentlich Schlimmeres gewohnt. Immerhin ist es hier warm und sauber.»

Gerda blickte erneut in die winzige dunkle Kammer. Sie öffnete den Mund, um etwas zu sagen, runzelte die Stirn und schloss ihn wieder.

Emma verstand, dass sie schockiert war. Sie selbst hatte nicht nur in den Hamburger Gängevierteln, sondern zuvor auch in London in den Slums von Whitechapel als Ärztin gearbeitet und alles an Elend und Armut gesehen, was man sich überhaupt vorstellen konnte. Gerda kam das erste Mal in ihrem Leben mit diesen Dingen in Berührung. Bisher war das alles Theorie für sie gewesen. Die alte Dame hatte, zusammen mit Sylta Karsten, Geld zur Verfügung gestellt, Spenden organisiert, ein Komitee gegründet, Architekten aufgetrieben und bei der Auswahl des Hauses mitentschieden. Aber Emma erkannte an ihrem Blick, dass sie gerade in diesem Moment erst begriff, worum es hier wirklich ging.

Um echte Armut.

Um Frauen, die nichts mehr hatten. Nicht einmal mehr ein Dach über dem Kopf.

Emma fasste sie vorsichtig am Arm. «Es ist sehr klein und einfach, ich weiß. Aber es ist eine Notunterkunft. Die Frauen erwarten nicht viel. Und sie bekommen hier wichtigere Dinge, medizinische Versorgung, Essen, Rat, Gesellschaft. Jemanden, der sich um sie kümmert. Und vor allem die Kinder ...»

Gerda nickte langsam, und Emma konnte sehen, dass sie sich wieder fing. «Hätte es nicht zumindest für einen Wandschrank gereicht?», fragte sie brüsk.

«Leider nein», erwiderte Emma. «Dafür hätten wir das ganze

Stockwerk umbauen müssen.» Sie lächelte. «Komm, ich zeige dir noch die Untersuchungsräume und den Webstuhl.»

Die alte Dame ließ sich mitziehen, aber es schien ihr gründlich die Sprache verschlagen zu haben. Die ganze weitere Besichtigung über sagte sie so gut wie kein Wort mehr, begutachtete alles schweigend und mit einem seltsam finsteren Gesichtsausdruck, den Emma nicht richtig deuten konnte. War sie verärgert oder bestürzt? Oder beides zugleich?

Als Gerda sich anschickte, die winzige hühnerleiterartige Treppe in den nächsten Stock hochzuklettern, hielt Emma sie erschrocken fest. «Nein! Gerda, dort oben schlafen die Angestellten. Das musst du wirklich nicht …»

Gerda sah sie an, und Emma erschauderte, als der Blick der stahlgrauen Augen sich in die ihren bohrte. Ihr wurde klar, dass eine Dame wie Gerda Lindmann wahrscheinlich nicht sehr oft am Ärmel gezogen wurde. Und noch seltener bekam sie das Wort Nein zu hören.

«Ich will das sehen!», verlangte Gerda in schneidendem Befehlston, und Emma nickte zögerlich und ließ sie los.

«Gut, aber mach langsam. Diese Treppe ist nicht ohne.»

«Nun, wenn ich mir die Beine breche, habe ich ja die richtige Person schon vor Ort, die sie mir wieder richten kann», erwiderte Gerda schnippisch und zog sich keuchend die Stufen hinauf. Die Treppe war so eng, dass ihre weiten Röcke zu beiden Seiten an den Wänden hängen blieben und Emma sie eilig zusammenraffte wie bei einer Braut, die zum Altar geführt wurde.

«Das ist richtig. Aber wenn du dir die Hüfte brichst, wird es nicht ganz so einfach», rief sie.

«Nun, da du mir so eng auf die Pelle rückst, werde ich zumindest weich fallen», keuchte Gerda und blieb auf halber Höhe stehen, um einen Moment zu verschnaufen.

Emma rollte mit den Augen. Gerda war wirklich anders als die meisten Frauen in ihrem Alter. Sie war eine Dame der Gesellschaft, in Hamburgs erlesenen Kreisen hoch angesehen. Und doch tat sie generell, was sie wollte, ohne sich groß darum zu scheren, was andere von ihr dachten. Nun, überlegte Emma, wenn man eine reiche, weitgereiste Witwe ist, hat man sicher tatsächlich mehr Freiheiten als andere Frauen. «Das hat sie aus Übersee mitgebracht!», sagte man, wenn ihr Verhalten nicht den hiesigen Sitten entsprach, und wedelte es ungeduldig, aber schmunzelnd beiseite. Kaum zu glauben, dass sie die beste Freundin von Lilys verstorbener Großmutter gewesen war. Nach allem, was Emma von Kittie Karsten erfahren hatte, konnte man gar keine zwei unterschiedlicheren Damen finden.

Im Obergeschoss angekommen, hörten sie von der Straße Pferdeschnauben und das Knarzen von Rädern. Sie traten nebeneinander ans Fenster und sahen hinaus. Toni sprang vom Bock, um Sylta die Tür der rotbraunen Karsten-Kutsche zu öffnen, und lüpfte die Mütze, als er die beiden Frauen am Fenster erspähte. Sie hoben beide gleichzeitig die Hand und winkten.

«Na endlich», murrte Gerda.

«Du warst früh dran», beschwichtigte Emma.

«Und sie ist zu spät», erwiderte Gerda ungerührt. «Nun, dann alles wieder hinab, was?», seufzte sie und blickte zur Treppe.

«Du kannst auch hier oben warten, und ich hole sie eben schn...», begann Emma, aber Gerda schnaubte.

«Das könnte dir wohl so passen!»

Als sie unten ankamen, stand Sylta Karsten bereits in der Küche und sah sich um. Es war ein seltsamer Anblick, die elegante Frau mit ihrem Federhut inmitten der einfachen Einrichtung und der Sägespäne. Aber Syltas Augen leuchteten.

«Nein, wie sich alles verändert hat!», rief sie und kam zu ihnen, um ihnen Wangenküsse zu geben.

Emma bemerkte, dass sie eine Hand auf den Unterleib presste. «Geht es dir gut?», fragte sie besorgt.

Sylta nickte. «Du weißt ja, Kutsche fahren ist für mich immer unangenehm. Aber es geht sicher gleich vorbei», erwiderte sie lächelnd. Emma sah an ihrer Körperhaltung, dass sie Schmerzen hatte, doch wie immer ließ Sylta sich kaum etwas anmerken.

«So, da du ja nun auch einzutreffen beliebtest, machen wir einen Rundgang?», fragte Gerda und bot Sylta ihren Arm. Die ergriff ihn mit einem Zwinkern, und zusammen wanderten die beiden Damen in Richtung der Wirtschaftsräume.

Emma hörte, wie Gerda Sylta die Dinge erklärte, die sie zuvor von Emma erfahren hatte. Sie lächelte. Seit Lily fort war, hatte Gerda Lindmann sich geradezu rührend um Sylta gekümmert. Sylta war damals nur noch ein Schatten ihrer selbst gewesen. Der Verlust von zweien ihrer drei Kinder hatte ihr jede Lebensfreude genommen. Dazu kamen die körperlichen Beschwerden, die starken – und falschen – Medikamente, die sie nahm. Emma hatte sich in dieser ersten Zeit ernsthaft Sorgen um Syltas Gemütszustand gemacht, sie schwankte zwischen manischen, depressiven und seltsam entrückten Zuständen. Emma hatte ihr immer wieder eingeschärft, dass ihre Kinder noch lebten und sie irgendwann wieder brauchen würden. Dass sie stark sein musste. Dann hatte Alfred gestattet, dass sie Michel ein erstes Mal besuchen konnten. Diesem ersten Mal waren weitere gefolgt, und nun fuhren sie regelmäßig alle paar Wochen zu ihm. Seitdem war eine deutliche Veränderung an Sylta wahrnehmbar. Sie war wieder wacher, ihr Blick klar. Sie nahm am Leben teil. Wenn sich auch ein bitterer Zug in ihr schönes Gesicht geschlichen hatte, die kleinen Falten um ihre Augen tief und ihr Blick hart geworden waren, Sylta hatte sich entschieden weiterzumachen. Und die Freundschaft, die sich zwischen ihr, Emma und Gerda entwickelt hatte, trug ihren Teil zur Genesung bei. So unterschiedlich sie auch waren, die Energie, die entstand, wenn die drei aufeinandertrafen, war inspirierend.

Gerda war unverblümt, sagte, was sie dachte, hatte immer interessante Dinge zu erzählen. Sylta war belesen und klug, besaß eine ruhige, elegante Ausstrahlung, die Emma imponierte. Sie diskutierten über Politik und gesellschaftliche Themen, und Emma musste feststellen, dass Lily und ihre Mutter sich in ihren Ansichten gar nicht so sehr unterschieden. Nur hatte Sylta sie nie über die Wände ihres Salons hinausgetragen, ja sie bisher nicht einmal laut ausgesprochen. Aber im vertrauten Kreise ihrer Freundschaft begann sie, mehr und mehr aufzutauen. Irgendwann hatte Gerda Sylta die Artikel gezeigt, die Lily damals unter dem Pseudonym L. Michel für die *Bürgerzeitung* geschrieben hatte, als sie allein in ihrer kleinen Dachkammer in der Fuhlentwiete lebte. Sylta hatte sie zunächst entsetzt, dann fasziniert verschlungen, konnte nicht glauben, dass ihre Tochter zu so etwas fähig sein sollte. Es war unverkennbar, dass neben ihrem Erschrecken auch Stolz mitschwang.

Emma hatte viel von ihrer Arbeit im Wohnstift erzählt, von dem Elend der Menschen in den Gängevierteln, den katastrophalen hygienischen und menschlichen Bedingungen. Und irgendwann hatte ihr Plan zu reifen begonnen. Sie konnte sich nicht erinnern, wie genau es begann, aber Emma hatte ein paarmal beiläufig erwähnt, dass sie und Lily davon geträumt hatten, eine Anlaufstelle für Frauen in Not zu eröffnen, für junge Mütter und Opfer von häuslicher Gewalt. Zu ihrer großen Überraschung war erst Gerda und dann irgendwann auch Sylta Feuer und Flamme gewesen. Sie wollten das Projekt verwirklichen. Sie drei zusammen. Und nun stand ihr Frauenstift kurz vor der Eröffnung. Emma sah sich noch einmal um. Sollte Gerda meckern, so viel sie wollte, sie war wahnsinnig stolz auf das, was sie geschafft hatten.

Gerade in dem Moment kam ein Schrei aus dem Nebenzimmer. «Oh Gott. Emma, komm schnell!»

Sie stürmte in den Nachbarraum. Sylta war in die Knie gesunken, presste die Hände gegen den Bauch. Ihr Gesicht war weiß, Schweiß stand ihr auf der Stirn.

«Was hat sie?» Gerda lief wie ein aufgescheuchtes Huhn um Sylta herum.

Emma half Sylta sich aufzurichten. «Du musst dich kurz ausstrecken, dann geht es gleich wieder», sagte sie beruhigend und führte Sylta behutsam in den Wirtschaftsraum, wo ein Sofa stand. Sie setzte sich langsam und mit schmerzverzerrtem Gesicht.

Emma betrachtete sie mitfühlend. «Ich hole dir etwas zu trinken, leg einen Moment die Füße hoch.»

Sylta nickte und ließ sich auf das Sofa sinken. Gerda setzte sich neben sie und tätschelte vorsichtig ihre Hand. Emma huschte schnell über die Straße zur Wirtschaft gegenüber, um einen Krug Braunbier zu holen. Wasser sollte Sylta hier lieber nicht trinken, das Frauenstift lag zwar nicht direkt in den Gängevierteln, aber dennoch kam das Wasser aus den Fleeten. Besorgt sah Emma zum Haus zurück. Syltas altes Leiden hatte sich in den letzten Jahren, seit Emma sich um sie kümmerte, sehr gebessert. Die Symptome waren deutlich zurückgegangen und machten ihr nur noch selten zu schaffen. Aber es gab keine Heilung. Sie würde für immer mit der Krankheit leben müssen.

Lily huschte über die neblige Church Street, lief an der pferdegezogenen Tram vorbei und stieß die verzierte Holztür von Huckabee & Huckabee auf. Sie schob den Schleier beiseite und legte die Handschuhe ab. Über ihrem Kopf bimmelte die Ladenglocke, und sofort empfing sie der vertraute Geruch von altem Papier. Es war, als würde sie eine kleine Höhle betreten, die niedrigen Decken des Bookstores ließen es gerade so zu, dass man aufrecht stand. Hunderte und Aberhunderte von Büchern warteten in den staubigen Regalen auf Kundschaft. Dazwischen standen Gläser mit unergründlichem Inhalt. In einer Ecke lehnte ein zerschlissenes Schaukelpferd und funkelte sie aus gelben Glasaugen an, über der Ladenkasse schwebte leise quietschend ein ausgestopfter Albatros in einem Käfig. Die Theke selbst war kaum zu sehen, so bedeckt war sie mit Papieren und anderen Gegenständen, die jede Woche zu wechseln schienen. Huckabee & Huckabee war nicht nur Buchladen und Antiquariat, sondern auch ein Antiquitätengeschäft.

Gerade betrachtete sie neugierig etwas, das aussah wie eine hölzerne Zehenprothese, als Mr. Huckabee hinter einem Vorhang hervorkam. Bei ihrem Anblick legte sich sein runzeliges Gesicht in Hunderte kleine Lachfältchen. «Mrs. von Cappeln. Ich hätte nicht gedacht, dass Sie *Northanger Abbey* schon durchhaben …» Sein Blick blieb an ihrem blauen Auge hängen, und er hielt erschrocken inne.

«Habe ich auch nicht», gestand Lily rasch, bevor er etwas sagen konnte. «Ich tue mich etwas schwer damit. Catherine mit ihren Liebesromanen und dem ausschweifenden Leben … Es ist, als würde ich über mich selbst lesen, noch vor ein paar Jahren war ich genauso. Sie ist sehr witzig und ein bisschen verrückt, aber ich weiß noch nicht, was ich von ihr halten soll.»

Mr. Huckabee schüttelte eifrig den Kopf. «Sie sind noch am

48

Anfang. Warten Sie, bis Catherine aus Bath zurückkommt. Sie macht eine erstaunliche Entwicklung.» Er lächelte. «Ich habe Ihnen das Buch nicht umsonst empfohlen.»

«Das dachte ich mir. Ich werde es auf jeden Fall zu Ende lesen. Haben Sie *King Lear*?», fragte Lily, denn sein Blick zuckte schon wieder zu ihrem Bluterguss.

«Ah!» Mr. Huckabee legte den Kopf schief und musterte sie einen Moment mit einem wissenden Ausdruck in den Augen. «Der alte König, den seine Herrschsucht zur Ungerechtigkeit verleitet. Und die verstoßene Lieblingstochter, die trotz allem, was er ihr angetan hat, zu ihm zurückkehrt», sinnierte er, und sein Blick verlor sich einen Moment in nachdenklicher Ferne. «Ein Stück über die Zerbrechlichkeit menschengemachter Realitäten. Voller Intrigen, die schließlich auch das Gute zu Fall bringen. Es lässt einen vollkommen trostlos zurück, ohne Hoffnung, ohne Erklärung.» Er zwinkerte ihr zu. «Ich habe es immer vorrätig. Sein bestes Werk, wenn Sie mich fragen!»

«Tatsächlich? Mir war es immer viel zu brutal. Ich mag den *Kaufmann von Venedig* am liebsten.»

Mr. Huckabee lehnte sich interessiert über die Theke und zupfte an seiner Hakennase. Seine Augenbrauen zogen sich überrascht zusammen. «Eine ungewöhnliche Wahl. Lassen Sie mich raten, was Sie daran so fasziniert: die schlaue Portia, die alle reichen Verehrer ablehnt, um den armen Bassanio zu heiraten? Und die am Ende vor Gericht gewinnt, weil sie die Genauigkeit der Worte für sich ausnutzt.»

Lily lächelte warm. «Ganz genau. Aber sie gewinnt leider nicht nur, weil sie die Worte richtig für sich auslegt. Sondern weil sie sich als Mann verkleidet. Der einzige Makel an dem Stück.»

«Ahhhh.» Mr. Huckabees Lächeln wurde breiter. Seine Augen funkelten, wie immer, wenn er mit jemandem über Literatur oder Dramaturgie diskutieren konnte. Er tippte mit der Spitze seines langen Zeigefingers auf die Theke. «Doch ist es ein Makel oder einfach ein Spiegel der Zeit? Eine schlau versteckte Kritik an der Gesellschaft?»

«Sicherlich. Aber wäre es nicht großartig gewesen, wenn sie als Frau gewonnen hätte? Vielleicht wären wir viel weiter, wenn schon früher Männer gewagt hätten, Frauen in ihren Werken anders zu inszenieren.»

Mr. Huckabee lehnte sich gegen das Regal hinter ihm, sodass die Bücher gefährlich wackelten. «Nur, wäre es möglich gewesen? Genau wie in der Realität, in der Shakespeare lebte, sind auch seine Figuren an Regeln und Konventionen der Zeit gebunden. Er hatte nur begrenzte Handlungsspielräume. Frauen konnten damals keine Rechtsanwälte werden, genau wie heute. Und die Elisabethanische Zeit war noch engstirniger als die unsrige. Immerhin war Portia eine Herrscherin. Wenn man sich anschaut, wie er ihr Reich darstellt …»

«Eine Märchenwelt voller Mondlicht und Romantik», warf Lily verächtlich ein.

«Im positiven Gegensatz zum Venedig der Männer, in dem alles dem Handel und ökonomischen Fragen untergeordnet ist», konterte er.

«Ich halte nichts davon, die Welten zu trennen.» Nachdrücklich verschränkte Lily die Arme. «Wir leben alle zusammen. Warum muss das eine immer gegen das andere aufgewogen werden?»

Mr. Huckabee strahlte. «Eine der großen Fragen! Sie sehen, wie genial Shakespeare war, dass er genau diese durch seine Figuren aufkommen lässt.»

«Nun, so kann man es natürlich auch auslegen.» Lily schmunzelte. «Es stimmt schon, dass er bestehende Geschlechterkonventionen in Frage stellt.»

«Und so den Zuschauer zum Nachdenken bringt», schloss Mr. Huckabee. «Ich kann verstehen, warum Sie das Stück mögen. Wir suchen uns immer die Helden aus, die uns am nächsten sind. Portia ist eine außergewöhnliche, kluge und belesene Frau, die listig in die Männerwelt eingreift und sich von vorherrschenden Rollen löst. Genau wie Sie!»

Lily lächelte traurig. «Nur hat sie auch wirklich etwas erreicht. Ich hingegen …» Sie zuckte mit den Schultern. «Es ist nicht genug, kein Korsett mehr zu tragen und hinter verschlossenen Türen große Reden zu schwingen. Es gibt immer mehr Frauen, die sich einsetzen, auch im Kaiserreich. Minna Cauer, Hedwig Dohm zum Beispiel … Sie schreiben und veröffentlichen, sie gründen Vereine, fordern Gleichberechtigung, das Wahlrecht.»

«Soweit ich weiß, sind beide bewundernswerten Damen Witwen?»

«Sie kennen sie?», fragte Lily erstaunt.

Er lächelte. «Aber sicher. Ich habe Frau Dohms Essays hier. Wenn ich auch gestehen muss, dass es mir noch schwerfällt, sie zu lesen.»

Lily nickte. «Es stimmt, sie sind Witwen. Aber sie haben auch vorher schon gekämpft …» In einer hilflosen Geste hob sie die Arme.

Der Blick des alten Buchhändlers wurde weich. «Jeder im Rahmen seiner Möglichkeiten, meine Liebe. Jeder im Rahmen seiner Möglichkeiten. Genau das meinte ich vorhin. Auch Sie leben nun mal im Spielraum Ihrer Realität.»

«Wohl eher im Käfig.» Lilys Hand zuckte hinauf zu ihrer Wange. Schnell ließ sie sie wieder sinken.

«Dessen Stäbe Sie bereits geschickt zu biegen wissen.» Er lächelte. «Kommen Sie, setzen Sie sich einen Moment ans Feuer.

Ich suche den *Lear* für Sie heraus. Eine Tasse Tee, während Sie warten? Ich habe auch noch etwas, das ich Ihnen unbedingt zeigen will.»

Bereitwillig ließ Lily sich von ihm zu dem prasselnden kleinen Kamin in der Ecke führen. Sie setzte sich in den alten Sessel, in dem sie schon hundertmal gesessen hatte, nahm die Tasse entgegen, die er ihr reichte, und schnupperte daran. Der herrliche dunkle Assam, den Mr. Huckabee immer auf dem Feuer hatte, war für sie untrennbar verbunden mit den vielen Stunden, die sie schon lesend oder diskutierend in dem kleinen Buchladen verbracht hatte.

Seit sie den Bookstore an einem nebeligen Novembertag entdeckt hatte, kam sie regelmäßig vorbei, um Mr. Huckabee Deutsch beizubringen. Im Gegenzug durfte sie sich von ihm Bücher leihen und in englischer Konversation schulen lassen. Er war ihr ein Freund und Vertrauter geworden, und manchmal dachte sie, dass sie die Jahre in der Fremde ohne ihn sicher nicht überstanden hätte.

Der Dampf kräuselte sich in der Luft, und sie nahm einen großen Schluck. Erst durch den warmen Tee merkte sie, wie kalt ihr war. In England wurde einem niemals wirklich warm, das hatte sie schnell gelernt. Besonders nicht um diese Jahreszeit. Es war zwar nie richtig eisig, aber die Kälte hatte etwas Nagendes, sie kroch einem bis ins Mark. Lily hob den Blick und sah durch das kleine angelaufene Fenster. Draußen waberte Nebel durch die Gassen, die Menschen hasteten mit gesenktem Blick vorbei. Kaum jemand verirrte sich hier herein. Sie war froh darum. Huckabee & Huckabee war ihr Zufluchtsort in einer kalten, dunklen Stadt, in der sie sich nicht zu Hause fühlte.

«So, hier ist der *Lear*. Wenn Sie ihn durchhaben, kommen Sie zurück, damit wir darüber diskutieren können! Ich bin gespannt auf Ihre Meinung, sie ist immer so erfrischend.» Er zwinkerte ihr zu. «Und das hier ist außerdem für Sie.»

Erstaunt betrachtete Lily die flache kleine Blechkapsel, die er ihr mit ernster Miene überreichte. Sie hing an einer Schnur, und Lily hielt sie verwundert ins Licht. «Was ist das?»

«Das ...», Mr. Huckabee machte eine bedeutungsvolle Pause, «ist eine C. P. Stirn! Eine der kleinsten Kameras der Welt. Man nennt sie auch den Stirn'schen Dosenapparat.»

Lily runzelte die Stirn. «Eine Kamera? Das kann nicht sein.»

Vorsichtig nahm er ihr die Dose wieder ab. «Das denkt man, nicht wahr? In der Größe liegt ihr Reiz. Sie ist auch als Detektivkamera bekannt. Man kann sie unter der Weste tragen und so unbemerkt vom begehrten Objekt Fotos machen. Sie glauben gar nicht, wo sie sich überall verstecken lässt, in Handtaschen und Spazierstöcken, sogar in Büchern!» Mit seinen langen Fingern strich er behutsam über die kleine Dose. «Sie ist ziemlich in Verruf geraten, weil sie anscheinend oft benutzt wird, um Damen ... wie soll ich es ausdrücken ... unziemlich nachzuspionieren.» Er hüstelte unbehaglich.

«Das ist ja unglaublich! Ich habe nicht gewusst, dass so etwas überhaupt möglich ist!» Lily war hellauf begeistert.

Mr. Huckabee nickte stolz. «Sie wurde im Deutschen Reich erfunden.»

«Und warum zeigen Sie sie mir?», fragte Lily, die sich beim besten Willen nicht vorstellen konnte, was er damit bezweckte.

«Nun ...», Mr. Huckabee räusperte sich. «Ich dachte, sie könnte Sie bei Ihren Recherchen unterstützen.» Plötzlich bekam er rote Ohren. Nervös drehte er die kleine Kamera in den Händen. «Ein Reporter bei der *Liverpool Echo* möchte Sie kennenlernen. Besser gesagt, er möchte, dass Sie etwas für ihn schreiben. Er fand Ihre Artikel höchst interessant.»

Sprachlos starrte Lily ihn an. «Aber Sie … wie … ich verstehe nicht!»

«Ich hoffe, Sie verzeihen mir, dass ich Ihre Arbeit aus der Hand gegeben habe. Aber ich wollte keine falschen Hoffnungen wecken und habe daher nichts erzählt. Ich dachte, ich versuche mein Glück.»

Lily konnte es nicht fassen. Stumm saß sie da und versuchte zu verarbeiten, was Mr. Huckabee ihr da erzählte.

«Sie sind mir doch nicht böse? Ich wollte mich revanchieren für die vielen Stunden, die Sie so geduldig mein schlechtes Deutsch verbessert haben.»

Lily schüttelte den Kopf. «Im Gegenteil! Ich weiß nur nicht, was ich sagen soll, das kommt so überraschend. Und ich habe jede Minute unseres Unterrichts genossen», fügte sie eilig hinzu.

Mr. Huckabee lächelte. «Genau wie ich! Deswegen wollte ich etwas für Sie tun und habe meine Kontakte genutzt. Der Reporter fand Ihre Artikel großartig. Und wenn Sie ihm gleich Fotografien mitliefern könnten, wäre Ihre Arbeit sicher noch überzeugender. Es wird ja immer mehr mit Bildern gedruckt. Deswegen habe ich sofort zugegriffen, als mir ein Händler letzte Woche dieses kleine Schmuckstück verkaufen wollte.» Geschäftig lehnte er sich vor. «Schauen Sie, es ist ganz einfach. Vorbei sind die Zeiten von stundenlanger Belichtung und riesigen Stativen.»

Neugierig beugte auch Lily sich nach vorne.

«Durch einen selbständig arbeitenden Mechanismus dreht sie sich innen nach jeder Aufnahme um sechzig Grad. So kann man ganze sechs Bilder machen!» Mit leuchtenden Augen erklärte er weiter. «Sie sind nur zweiundvierzig Millimeter groß. Und das Auslösen», schloss er triumphierend, «erfolgt durch diese dünne Schnur hier. Sie brauchen nur daran zu ziehen! Und Sie können die Kamera in Ihrer Tasche verstecken. Auch wenn es sicherlich besser wäre, die Erlaubnis zum Fotografieren einzuholen.» Er zwinkerte amüsiert.

«Einfach unglaublich!» Ehrfürchtig bestaunte Lily den kleinen Apparat, der ihr wie ein Zauberwerk erschien. Sie kannte Fotografieren nur als langwierigen und schrecklich ermüdenden Prozess, bei dem man stundenlang still stehen musste und irgendwann die Gesichtsmuskeln so eingefroren waren, dass man am Ende wie eine mürrische Wachspuppe aussah.

«Ja, es ist wirklich ein Merkmal unserer Zeit, dass man ständig von neuen interessanten Erfindungen erfährt, nicht wahr?», lächelte Mr. Huckabee.

«Und er will, dass ich für die Zeitung einen Artikel schreibe?» Lily fasste sich aufgeregt an die Wangen. «Aber worüber denn?»

«Nun, er stellt sich eine Art Chronik der Armut vor. Das öffentliche Interesse ist groß, ich weiß nicht, ob Sie es mitbekommen haben, aber es gibt in England etwas, das man *Slum Tourism* nennt.»

Lily nickte. «Aber sollte man das nicht unterbinden?»

«Auf jeden Fall. Zumindest in der bestehenden Art. Es ist schrecklich, dass man sich Arme und Kranke zur reinen Unterhaltung anschaut, als wären sie Objekte. Aber es zeigt, dass es Menschen gibt, die sich dafür interessieren, wie die Bedürftigen hier leben. Es ist daraus auch schon viel Gutes entstanden: Wohltätigkeitsstiftungen, Hauserneuerungsprogramme … Wir müssen der Gesellschaft einen Spiegel vorhalten. Die geographische und kulturelle Isolation, in die sich die Besserbetuchten flüchten, hat dazu beigetragen, dass sie gar nicht wissen, was für Abgründe in den dunklen Vierteln ihrer Städte eigentlich existieren. Sie verstecken sich in ihren Prachtstraßen und Villen und wollen mit dem schmutzigen Rest der Stadt nichts zu tun haben. Dabei sind wir alle in der Verantwortung!»

Lily schauderte. Sie musste daran denken, wie Jo sie damals mitgenommen hatte, an jenem heißen Sommertag, als auch sie das erste Mal verstanden hatte, welche Unterschiede es zwischen den Menschen gab. Und wie dunkel das Herz ihrer geliebten Stadt eigentlich war, die ihr immer so prächtig und schön erschienen war.

«Zeigen Sie den Menschen, was Sie sehen!» Mr. Huckabee sah sie auffordernd an. «Und dann schreiben Sie. Sie finden immer wunderbare Worte.»

«Aber … ist diese Kamera nicht unglaublich teuer?» Mit Schrecken dachte Lily an die kleine Summe, die ihre Eltern ihr jeden Monat schickten. Henry wusste nichts von dieser Zuwendung. Lily sah es als Zugeständnis an ihre Situation, als Zeichen, dass ihren Eltern bewusst war, dass sie in einer Ehe lebte, die sie nicht gewollt hatte. Sie hatte jeden Penny gespart. Das Geld steckte in einer Dose, die sie ganz tief im Schrank hinter der Wäsche vergrub. Zwar wusste sie nicht genau, wofür, aber es gab ihr Sicherheit. Sie konnte es nicht hergeben. «Ich kann sie mir nicht leisten», erklärte sie traurig.

Mr. Huckabee nickte ernst. «Sehen Sie sie als Leihgabe. Sie können sie mir zurückgeben, wenn der Artikel abgeschlossen ist.»

«Aber das kann ich nicht annehmen!», rief Lily.

«Selbstverständlich! Das müssen Sie sogar!» Er gab ihr die Kamera und umschloss einen Moment ihre Finger mit seinen großen Händen. «Ich werde ein Nein nicht akzeptieren.»

Eine Stunde später hastete Lily die Stufen zu dem modernen Stadthaus empor, in dem sie mit Henry und Hanna lebte. Es war bereits kurz vor vier, sie musste sich noch umziehen. Zum Tee wurde von ihr erwartet, dass sie auch im Haus ein langes Kleid, Handschuhe und sogar einen Hut trug, wie es hier Tradition war.

Der Hut kam ihr gelegen, so konnte sie den blauen Fleck verbergen. Es war wirklich unbedacht von Henry gewesen, sie ins Gesicht zu schlagen. Normalerweise ging er überlegter vor. Aber gut, sie hatte ihn auch sehr gereizt an jenem Abend. Er war über sich selbst erschrocken gewesen, das hatte sie genau gesehen. Nun erzählten sie allen, sie sei unglücklich gestürzt.

Nachdem sie sich mit Marys Hilfe umgezogen und frisch gemacht hatte, schlüpfte sie in den Drawing Room. Erleichtert atmete sie auf, es war noch niemand hier. Sie wusste nicht, wer heute kommen würde, aber Henry schleppte beinahe jeden Tag neue Menschen an, die sie unterhalten mussten. Meistens angehende Ärzte, die er an der Universität kennengelernt hatte, und deren langweilige Ehefrauen, mit denen Lily nicht das Geringste gemeinsam hatte. Seufzend setzte sie sich auf das bestickte Sofa. Die zarten Tassen des teuren britischen Bone Chinas waren bereits aufgedeckt. Daneben stand ein Silbertablett mit Sandwiches, Scones, Pastries und kleinen Küchlein. Lily konnte Gurkensandwiches nichts abgewinnen. Scones fand sie trocken und Pastries fettig. Wie jeden Tag dachte sie beim Anblick des Essens sehnsüchtig an Hertha und ihren Aprikosenkuchen. Lily wusste, dass sie sich absichtlich gegen England und seine Bräuche und Sitten sperrte. Aber es war ihre ganz persönliche, stumme Rebellion, die ihr ein diebisches Vergnügen bereitete. Wie so oft ist dies die einzige Form des Widerstands, die einer Frau bleibt, dachte sie und betrachtete das Essen. Nun, vielleicht nicht ganz …

Mit einem freudigen Prickeln erinnerte sie sich an die Kamera in ihrer Handtasche. Plötzlich fing sie in dem Spiegel über dem Kamin ihren eigenen Blick auf. Sie erhob sich, trat näher und betrachtete sich einen Moment. Die roten Locken kringelten sich wie immer ein wenig widerspenstig um ihr Gesicht und versuchten, der kunstvollen Frisur zu entkommen. Unzählige Sommersprossen leuchteten hell auf der weißen Haut, ihre blauen Augen wirkten hart im Licht des Salons. «Du hast dich so verändert», sagte Henry oft in seinen ruhigen Momenten, wenn er sie über sein Whiskeyglas beinahe traurig anstarrte, als wollte er ergründen, wen er da eigentlich vor sich hatte. «Von der lieblichen jungen Frau, die ich einmal kannte, ist nichts mehr übrig.»

«Ich war noch nie lieblich», antwortete Lily stets mit kaum verborgener Verachtung in der Stimme. Aber das stimmte nicht ganz. Sie wusste genau, was er meinte. Henry und sie hatten nur verschiedene Bezeichnungen dafür. Lily hätte es naiv genannt, angepasst, unaufgeklärt. Henry meinte die formbare Lily. Die Lily, die er nach seinem Willen beeinflussen konnte, die keine Ahnung hatte von der Welt, von Politik und sozialer Gerechtigkeit.

Davon, wer sie war. Und wer sie sein wollte.

Er hatte recht, sie hatte sich verändert. Sie merkte es selbst, wann immer sie in einen Spiegel schaute. Sie war erwachsen geworden in den letzten Jahren, man sah ihr die schlimmen Dinge an, die sie erlebt hatte. Verbittert, dachte sie. Ich sehe verbittert aus. Und traurig. Sie betastete mit den Fingern den Bluterguss und zuckte zusammen, als sie die empfindliche Stelle berührte.

Plötzlich kam ihr ein Gedanke. Sie wusste selbst nicht genau, warum, aber sie hastete in ihr Zimmer hinauf und wühlte in ihrer Tasche. Dann ging sie zum Spiegel, griff die kleine Kamera, drehte den Kopf zur Seite, zog an der Schnur und machte ein Bild von dem blauen Fleck.

raaanz!» Roswitas schrille Stimme hallte durchs Haus.

Er schloss die Augen, atmete einmal tief durch die Zähne ein und aus, stützte die Hände auf die Kommode und warf seinem Spiegelbild einen entnervten Blick zu.

«Fraaaanz!» Natürlich gab sie keine Ruhe. Sie gab niemals Ruhe. Zwei Sekunden später kam sie hereingerauscht. «Da bist du ja, hast du mich nicht rufen hören?»

Er antwortete nicht, zog nur dünn lächelnd die Augenbrauen hoch. In zwei Jahren Ehe hatte er gelernt, dass es ohnehin keinen großen Unterschied machte, ob er sie ignorierte oder nicht. Sie redete so viel, dass sie es gar nicht bemerkte.

«Was denkst du? Es steht mir, nicht wahr? Oder findest du, die Farbe macht mich blass?» Sie drehte sich einmal um sich selbst, trippelte mit den Füßen und ließ die Röcke ihres neuen Kleides flattern.

Franz verzog die Mundwinkel. Was für eine lächerliche Aufmachung mit diesen riesigen Puffärmeln. Wer hatte ihr nur zu diesem Hut geraten? Und das Korsett war viel zu eng geschnürt, sie sah aus wie ein Weihnachtsschinken. Voller Abscheu betrachtete er ihre unter der Spitze hervorquellenden Brüste.

«Nun, du bist bezaubernd wie immer. Aber jetzt, wo du es sagst … Es macht dich tatsächlich etwas blass. Ist dir nicht gut? Du wirkst ja beinahe ein wenig bleichsüchtig heute!»

Entsetzt starrte sie ihn an. «Mir geht es bestens! Sehe ich wirklich so blass aus?»

Er nickte scheinbar besorgt. «Ein wenig. Aber wenn du sagst, dass es dir gutgeht, ist es wohl wirklich die Farbe. Warum trägst du nicht dein blaues Kleid, das steht dir doch so ausgezeichnet.»

«Aber … das hier ist doch ganz neu», erklärte sie. «Ich habe es extra für den heutigen Abend anfertigen lassen.»

Das wusste er natürlich genau. «Tatsächlich? Ach so … Nun denn.» Er machte eine Pause und fragte dann beiläufig: «Und der Hut ist auch neu?»

«Ja.» Erstaunt sah sie ihn an und fasste an den Crêpe des Hutes, ein monströses Etwas mit viel zu vielen Blumen und Federn. «Natürlich. Warum?»

«Ach …» Er schüttelte den Kopf. «Ich dachte nur … Weißt du, vielleicht sollten wir die Schneiderin wechseln. Ich habe manchmal das Gefühl, dass sie nicht modern genug denkt. Vielleicht ist sie einfach schon zu alt. Ihre Sachen sind doch immer etwas … wie soll ich sagen … einfach nicht nach der neuesten Mode.» Er konnte beinahe dabei zusehen, wie Roswita in sich zusammenfiel.

«Findest du?», flüsterte sie.

Rasch drehte er sich um. «Du siehst in jedem Kleid gut aus, das weißt du doch», versicherte er gönnerhaft. «Ich meinte ja nur, der allerneueste Schrei ist es nicht. Aber vielleicht ist das ja auch das, was du wolltest? Lieber etwas Klassisches?»

Benommen schüttelte sie den Kopf. «Nein, ich … dachte.» Sie befühlte mit den Händen den schweren violetten Stoff. «Nun gefalle ich mir gar nicht mehr», murmelte sie.

«Wenn du dir nicht gefällst, dann zieh dich doch um!» Liebenswürdig strich er ihr über den Arm. «Dann wirkst du auch nicht mehr so blass.»

«Aber … es ist doch keine Zeit mehr!» Rasch rannte sie zum Spiegel und betrachtete sich. Dann schlug sie bestürzt die Hände gegen die Wangen. «Du hast recht, ich kann so nicht rausgehen.»

Franz trat neben sie, zwirbelte zufrieden den kleinen Kaiserbart, den er sich seit einigen Monaten wachsen ließ. «Aber, Liebes, nun übertreib nicht. Violett ist nicht ideal für dich, aber wem wird es schon auffallen? Es schaut doch niemand auf so etwas. Natürlich kannst du so gehen.»

Sie fuhr herum. «Jeder schaut auf so etwas!», rief sie entgeistert, und er sah, dass Tränen in ihren Augen schimmerten. «Was mache ich denn nun?»

«Uns bleibt keine Wahl, jetzt musst du so gehen. Ausgerechnet heute, wo ich dich unseren neuen Investoren vorstellen werde.» Er verzog das Gesicht. «Ich wollte einen guten Eindruck machen.» Als sich ihre Augen erschrocken weiteten, rief er: «Aber ich scherze doch natürlich! Liebes, du machst dir vollkommen unnötige Gedanken. Wenn jemand bemerkt, wie blass du aussiehst, sagen wir einfach, du wärst ein wenig unpässlich. Da ohnehin alle darauf warten, dass du schwanger wirst, wird es niemanden wundern.»

Damit hatte er sie gebrochen. Beinahe zwei Jahre nach der Hochzeit und noch immer kein Kind. Er wusste, wie sehr es sie belastete, wie sehr sie es sich wünschte. Und wie sehr sich alle die Mäuler darüber zerrissen.

Sie biss sich auf die Lippen und nickte stumm. «Ja, das können wir ja sagen», murmelte sie.

Er lächelte falsch und küsste sie auf die Wange. «Du duftest gut, ist das ein neues Parfum?»

«Nein», erwiderte sie dumpf.

«Irre ich mich, oder bist du tatsächlich ein wenig breiter geworden?» Er umfasste ihre Taille, als wollte er den Umfang messen. «Du verheimlichst mir doch nichts?» Er strahlte sie im Spiegel an. Sie sah so entsetzt aus, dass er mit aller Kraft an sich halten musste, um nicht zu lachen.

Wie versteinert stand sie vor dem Spiegel und starrte auf ihren Bauch. Dick war sie geworden, richtig füllig. Aber das wusste sie selbst, er hätte es nicht auszusprechen brauchen. Ihr Gewicht war bei ihr das empfindlichste Thema. «Selbstverständlich nicht», hauchte sie, und er nickte enttäuscht.

Innerlich atmete er auf. Gott sei Dank! Er tat alles dafür, dass sie nicht schwanger wurde. Aber man konnte ja nie sicher sein. Er als Vater ... allein der Gedanke machte ihm Angst. Und daran, dass er bereits einer *war*, durfte er erst recht nicht denken. Irgendwo da draußen gab es einen kleinen Jungen mit seinen Augen. Eine Sekunde lang starrte er zum Fenster hinaus. Ob er die Sache von ihm geerbt hatte ...? Franz schauderte kurz. Dann wischte er die Gedanken beiseite. Ein Kind irgendwo, von dem man nichts mitbekam, war die eine Sache. Aber hier im Haus? Nein, das würde er schon zu verhindern wissen. Zumindest vorerst.

Als er seinen Zylinder nahm und aus dem Zimmer ging, lief Roswita stumm hinter ihm her und nagte an ihrer Unterlippe.

Er konnte ein Grinsen nicht unterdrücken.

Das letzte Aufbegehren des Winters hielt die Hamburger fest in seinem Bann. Morgens waren die Türen der Kutschen zugefroren, Biberpelz wurde gehandelt wie Gold, die Dienstmädchen mussten sich so manche wertvolle Nachtstunde um die Ohren schlagen, um ihren Herrschaften die mit heißen Kohlen gefüllten Metallflaschen im Bett warm zu halten, und tragbare Fußwärmer, kleine mit Kohle gefüllte Kisten aus Holz oder Metall, die die Damen der Oberschicht beim Lesen im Salon unter ihren Röcken platzieren konnten, fanden reißenden Absatz. In der Villa der Karstens ließ man in der Küche das Feuer im gusseisernen Standherd Tag und Nacht brennen, sodass sich auch die Herrschaften öfter als sonst dort wiederfanden, um sich ein wenig aufzuwärmen, da man keinen anderen Raum im Haus so angenehm beheizt bekam wie diesen. Hertha ließ die vergessene Tradition der heißen Morgensuppe wieder aufleben, was alle Hausbewohner begrüßten, und Sylta kaufte dem gesamten Personal gefütterte Unterwäsche und neue Handschuhe. Sonntags nach der Kirche fuhr man Schlitten auf der Binnenalster, stand frierend in Grüppchen zusammen und beschwerte sich darüber, dass es einfach nicht Frühling werden wollte.

An einem solchen Sonntag, als alle außer Agnes beim Schlittenfahren waren, saß Sylta Karsten neben dem prasselnden Kamin im Salon und studierte den Katalog des Hoflieferanten. Sie war schrecklich aufgeregt, es hatte sich wichtiger Besuch angekündigt. Um sich abzulenken, hatte sie soeben beschlossen, neue Sesselpolster in Auftrag zu geben und vielleicht eine Anrichte. Natürlich konnte man nicht einfach bestellen, was einem gefiel. Es gab strenge Vorgaben, der ideale Salon war in ganz Preußen standardisiert, und in Hamburg sah es da nicht anders aus. Sylta hatte die Lippen gespitzt und blätterte mit entschiedenen Bewegungen die Seiten um. Nein, das war nun wirklich nicht nach ihrem Geschmack, sie mochte es dezenter als diesen Prunk, diese bunten Farben. Aber was sollte sie machen, sie konnte ja schlecht beim Schneider vorbeischauen und ihre eigenen Möbelbezüge entwerfen. Das würde einen kleinen Skandal auslösen, dachte sie und trank einen Schluck Kaffee. Sie könnten keinen Besuch mehr empfangen. Sylta musste schmunzeln bei dem Gedanken, dass eine Saloneinrichtung, die nicht dem gängigen Stil entsprach, zwar neben den Skandalen erblasste, die ihre Familie schon durchhatte, aber sich dennoch wahrscheinlich ebenso schnell in der ganzen Stadt herumsprechen würde. Nichts brachte einen so sehr in aller Munde wie Unschicklichkeiten.

Eine neue Tapete würde sich auch nicht schlecht machen, dachte sie und betrachtete die Wände neben dem Kamin. Es war doch undenkbar, dass sie in England immer noch kein Gesetz gegen Arsen in Tapeten erlassen hatten, obwohl man längst wusste, dass es die Menschen vergiftete und sogar töten konnte. Im Kaiserreich war der Verkauf schon länger verboten, aber sie hatte sich große Sorgen gemacht, ob in Lilys Haus in Liverpool auch alles sicher war, und sie mehr als einmal gebeten, alle grünen Gegenstände aus den Zimmern entfernen zu lassen. Früher hatte sie sich manchmal gefragt, ob Michels Krankheit vielleicht einen solchen Auslöser hatte. Eines dieser Dinge, die so harmlos wirkten und über die man irgendwann später herausfand, wie gefährlich sie waren. Sie hatte früher schließlich auch grüne Tapeten im Schlafzimmer gehabt. Es gab so vieles, von dem nach und nach herauskam, dass man es falsch gemacht hatte. Blei in der Wandfarbe, Krankheiten im Wasser, Opium im Hustensaft.

Sie seufzte. Man sagte, Michels Krankheit sei vererbt, aber was bedeutete das schon? Lily und Franz hatten sie nicht, und sie wusste auch von keinem anderen Fall in ihrer Familie, der … Plötzlich stutzte sie. Vielleicht wusste sie nur nichts davon, weil diese Kinder nie groß geworden waren? Weil man sie nach der Geburt weggeschafft hatte, beseitigt oder versteckt, so wie Michel? Schließlich waren solche Dinge früher noch wesentlich skandalträchtiger gewesen als heute. Diese Möglichkeit hatte sie noch nie in Erwägung gezogen.

Sie nahm den Katalog auf und blätterte weiter. Vielleicht sollte sie ein paar Sachen für das Kinderzimmer bestellen? Der Gedanke ließ ihren Magen vor Aufregung hüpfen. Nein, sie durfte sich nicht zu viele Hoffnungen machen.

Es klopfte. Agnes wirkte aufgeregt, sie knickste hastig. «Madame. Dieser Herr will vorsprechen. Sie wissen schon … der *Detektiv*!» Die füllige Hausdame hatte die Hände wie zum Gebet vor der Brust gefaltet und schaute Sylta unter ihrer Haube hervor bedeutungsvoll an.

Sylta stand auf. Ihr Herz klopfte. «Vielen Dank, Agnes, führen Sie ihn sogleich herein.»

Als Herr Naumann den Salon betrat, sah Sylta sofort, dass er Neuigkeiten hatte. Aber es schienen keine guten zu sein, er trug einen bekümmerten Ausdruck auf dem Gesicht. Nervös sah er sich um, nahm seine Melone ab und trat auf sie zu. «Frau Karsten!» Er deutete einen Handkuss an.

«Herr Naumann.» Sylta nickte Agnes zu, die noch an der Tür stand. «Bringen Sie unserem Gast bitte einen frischen Bohnenkaffee», ordnete sie an, und die Hausdame knickste und schloss mit neugierigem Blick die Tür hinter sich.

Der Detektiv wartete, bis sie alleine waren. Dann kam er gleich zur Sache. «Frau Karsten, ich habe Neuigkeiten. Gute und schlechte. Ich habe sie gefunden. Aber das Kind ist … nicht mehr bei ihr.»

Erschüttert bedeutete Sylta ihm, sich zu setzen, und ließ sich dann ebenfalls auf die Chaiselongue sinken. «Wie meinen Sie das?», hauchte sie. «Wo haben Sie sie gefunden? Geht es ihr gut? Und ist der Kleine, ist Otto etwa …?»

Herr Naumann schüttelte rasch den Kopf. «Er ist nicht verstorben, machen Sie sich keine Sorgen. Jedenfalls nicht, soweit wir wissen.»

Sylta stand ruckartig wieder auf und ging unruhig im Zimmer hin und her. «Nun erzählen Sie schon. Was ist mit meinem Enkelsohn?»

Herr Naumann knetete bekümmert seine Melone in den Händen. «Nun, wie es scheint, wurde der kleine Otto … Es schmerzt mich, Ihnen das mitteilen zu müssen.» Er holte tief Luft, und Sylta merkte, wie sie unwillkürlich den Atem anhielt. «Er wurde bereits vor einigen Jahren zur Adoption freigegeben. Man hat ihn ins Ausland vermittelt. Ich habe es bisher nicht geschafft, seinen Aufenthaltsort herauszufinden. Und ich fürchte, dass es mir auch nicht gelingen wird.»

Sylta wich das Blut aus dem Gesicht. Sie atmete scharf ein. «Was?», fragte sie und ließ sich erneut auf einen Sessel sinken.

Herr Naumann nickte sorgenvoll. «Ich habe das Fräulein Seda in bedauernswertem Zustand angetroffen. Sie hat eine Anstellung auf den Kaffeeböden, wohnt in einem Heim für unverheiratete Arbeiterinnen. Gesundheitlich und, wie soll ich sagen … geistig … schien sie mir stark angeschlagen.»

Sylta musterte ihn schockiert. «Ich verstehe nicht. Sie hat doch damals ein gutes Zeugnis von uns bekommen. Warum ist sie denn kein Hausmädchen mehr?», rief sie. «Und was hat das zu bedeuten, geistig angeschlagen? Und mein Enkel, Otto? Warum sollte sie ihn weggeben?» Sie war jetzt vollkommen verwirrt, war sich sicher, dass Herr Naumann die falsche Seda erwischt haben musste. «Haben Sie ihr gesagt, dass ich mit ihr sprechen will? Haben Sie meine … Botschaft überbracht?»

Er nickte ernst. «Selbstverständlich habe ich das. Allerdings hat sie nicht so reagiert, wie wir es uns erhofften.»

Sylta wartete ab, bis er zögerlich weitersprach. «Sie lässt ausrichten, dass sie nie wieder etwas mit der Familie Karsten zu tun haben will. Wie es scheint, macht sie Sie alle für ihr Schicksal verantwortlich und ist nicht bereit, Ihnen zu vergeben. Sie musste Otto zur Adoption freigeben, weil sie ihn alleine nicht ernähren konnte, unverheiratet und mittellos, wie sie war. Sie lässt Ihnen ausrichten …» Herr Naumann wurde rot und brach ab. «Bitte, Frau Karsten, verzeihen Sie mir, aber dies sind nicht meine Worte, sondern die von Fräulein Seda. Sie lässt Ihnen ausrichten, dass Sie … zur Hölle fahren sollen mit Ihrem schlechten Gewissen.»

Auf seine Worte folgte eine dröhnende Stille.

Sylta schluckte schwer, während sie diese Botschaft verdaute. Dann nickte sie. «Nun, das habe ich verdient, nicht wahr?», flüsterte sie.

Herr Naumann schüttelte entrüstet den Kopf. «Aber ich bitte Sie, Frau Karsten. Das Mädchen ist geistig verwirrt. Mir schien es, als wäre sie nicht ganz beisammen, vielleicht trinkt sie auch, das hört man ja öfter aus diesen Kreisen.»

«Und was für Kreise sollen das sein?», fragte Sylta scharf, und er zuckte überrascht zusammen. «Seda war viele Jahre meine Vertraute. Dass sie dieses Schicksal erleiden musste, ist, wie ich Ihnen bereits erklärte, in der Tat die Schuld unserer Familie. Ich verbitte mir also höflichst diesen Ton.»

Herr Naumann fuhr sich nervös mit der Hand über die Halbglatze. «Selbstverständlich. Verzeihen Sie, Frau Karsten.»

«Geben Sie mir bitte die Adresse.» Sylta stand auf.

Herr Naumann starrte sie an. «Aber Frau Karsten, Sie haben doch nicht etwa vor, persönlich dort hinzufahren. Das ist kein Ort für eine Dame. Glauben Sie mir, Sie …»

«Die Adresse, Herr Naumann. Dafür habe ich Sie schließlich bezahlt, oder nicht?», Sylta sah ihm in die Augen. «Ich kann auf mich aufpassen. Machen Sie sich keine Gedanken.»

Herr Naumann nickte zögerlich und zog einen kleinen Zettel aus der Tasche seiner Weste. «Ich habe auch die Adresse der Frau ausgemacht, die den kleinen Otto weitervermittelt hat. Sie steht dort unten. Allerdings war ich bereits zweimal bei ihr, sie weigert sich, seinen Aufenthaltsort herauszugeben. Angeblich muss sie die Familie schützen, sie sagt, sie würde ihr Geschäft verlieren, wenn sich herumspricht, dass sie nicht diskret arbeitet. Sie hat mir aber glaubhaft versichert, dass es sich bei seiner neuen Mutter um eine wohlhabende Dame aus der Schweiz handelt, die keine eigenen Kinder bekommen kann. Es scheint Otto dort sehr gutzugehen.»

Sylta nahm den Zettel entgegen. Als sie mit gerunzelter Stirn las, was darauf geschrieben stand, war es, als liefe Eiswasser durch ihre Venen. «Elisabeth Wiese», murmelte sie ungläubig.

«Ist Ihnen der Name geläufig?», fragte Herr Naumann erstaunt.

Sylta sah auf und begegnete seinem neugierigen Blick. Rasch schüttelte sie den Kopf. «Nein. Woher sollte ich so eine Frau kennen?» Sie war selbst überrascht, wie skrupellos sie dem Detektiv ins Gesicht log. Nun, sie hatte in den letzten Jahren in dieser Hinsicht viel gelernt.

Herr Naumann stand auf. «Wenn ich noch irgendetwas für Sie tun kann.»

«Aber, trinken Sie nicht noch einen Kaffee?», setzte Sylta an, doch er lehnte ab.

«Ich muss leider weiter, dringende Geschäfte. Bitte richten Sie Ihrer Mamsell aus, dass es mir leidtut, dass sie nun umsonst aufgebrüht hat.»

Sylta begleitete ihn zur Tür des Salons und überließ es dann Agnes, die in der Halle wartete, Herrn Naumann hinauszuführen. «Ihr Honorar haben Sie ja bereits», sagte sie zum Abschied. «Meinen aufrichtigen Dank für Ihre Hilfe. Ich verlasse mich auf Ihre Diskretion.»

«Es tut mir leid, dass ich keine besseren Nachrichten überbringen konnte!» Er deutete eine Verbeugung an. «Ich stehe jederzeit zu Ihrer Verfügung, Frau Karsten. Und mein Schweigen sei Ihnen gewiss.»

Als er gegangen war, ließ Sylta sich schwer in den Sessel fallen und starrte einen Moment in die Flammen des Kamins. Elisabeth Wiese. Die Frau, bei der Lily damals den Abort hatte durchführen lassen. Die ihre Tochter durch ihre stümperhafte Arbeit fast getötet hätte, und Hanna gleich mit dazu. Sylta presste die Lippen aufeinander. Ihr war mit einem Mal übel. Alfred hatte damals überall in der Stadt nach der Engelmacherin suchen lassen, aber Frau Wiese war noch am Tag des Unglücks untergetaucht. Sylta war davon ausgegangen, dass sie Hamburg verlassen hatte. Doch wie es schien, war sie noch immer hier und ging ihren sündigen Geschäften nach.

Sie blickte auf den Zettel in ihrer Hand. Nun war diese Frau der vielleicht einzige Mensch auf der Welt, der wusste, wo sich Syltas Enkel befand.

Jo hielt das Glas in die Höhe und betrachtete einen Moment, wie das Licht der Öllampe sich in der dunkelbraunen Flüssigkeit brach. Dann spülte er den Schnaps in einem Zug runter. Er verzog das Gesicht. Patties Selbstgebrannter hatte immer eine beißende Note im Abgang. Aber er tat seine Arbeit. Gedankenverloren wischte Jo sich ein paar Tropfen vom Kinn und registrierte beiläufig, dass er sich mal wieder rasieren müsste. Er ließ den Blick durch den Raum schweifen. Charlie saß in einer dunklen Ecke der Kneipe, zusammen mit einem gebeugten alten Mann, den Jo noch nie gesehen hatte. Sein Freund sprach eindringlich auf den Alten ein, und sein Gesicht trug dabei einen Ausdruck, den Jo nicht kannte. Er schien etwas zu beschreiben, malte mit den Händen in die Luft, redete ohne Unterlass, und seine Augen glänzten fiebrig. Er sah so anders aus heute. Jo runzelte die Stirn. Der Alte hatte ein Blatt auf den Knien. Seine knochigen Hände hielten einen Kohlestift, sie huschten über das Papier, malten, schmierten, verwischten. Sein Blick jedoch ruhte beinahe unablässig auf Charlies Gesicht. Er schien ihm angestrengt zu lauschen, als ginge es nicht um das, was auf dem Blatt passierte, sondern um das, was Charlie erzählte.

«Der Bastard wird sich doch nicht porträtieren lassen», brummte Jo belustigt. Was heckte Charlie jetzt wieder aus? Er wollte rübergehen und sich diese seltsame Sache einmal genauer anschauen, da zog ihn einer seiner Kumpel, mit denen er am Tresen saß, am Ärmel. «Hey, Jo, hast du gehört, dass sie vorhaben, einen Arbeitgeberverband zu gründen?»

Er nickte grimmig. «Klar. Da war schon lange was im Busch! Hoffen wir nur, dass sie es nicht vor dem Ersten Mai schaffen. Wenn sie das wirklich durchziehen, müssen wir damit rechnen, dass sie bei allen zukünftigen Streiks als Einheit zurückschlagen.»

Einige der Männer um ihn her nickten wütend. «Ich sag dir, das gibt richtig Krach!»

«Nicht wenn wir geschlossen zusammenhalten», widersprach Jo.

«Ja, aber wenn man Kinder zu Hause hat, kann man nicht mal eben so für einen Streik alles riskieren», rief einer über die Ecke des Tresens. «Davon verstehst du natürlich nichts, Bolten!»

Jo zuckte zusammen. Am liebsten hätte er dem Mann seinen Bierkrug über den Kopf gezogen. Aber der konnte ja nicht wissen, was seine Worte in ihm auslösten. Er holte tief Luft. «Ich habe auch Familie, um die ich mich kümmere. Gerade deshalb kämpfe ich ja. Dafür, dass wir besser leben können», presste er mühsam beherrscht hervor.

Der Mann schüttelte den Kopf und wandte sich ab. Jo stierte wütend in sein Glas. Er konnte verstehen, dass die Männer Angst hatten. Aber genau das nutzten die ganzen Pfeffersäcke doch aus. Wenn sie alle zusammenhielten, könnten sie jede Forderung stellen, die sie wollten. In den letzten Jahren hatte es wieder zu brodeln begonnen in der Hansestadt. Beinahe dreißig Streiks und Aussperrungen hatte es gegeben. Und er konnte mit Stolz sagen, dass er daran nicht vollkommen unschuldig war. Ein kleines Rädchen im Getriebe, sicher. Aber jeder Einzelne zählte.

«Ich denke, wir sollten ...», setzte er an, doch er wurde unterbrochen.

«Jo, komm schnell. Charlie, er ... Ich weiß nicht, was er hat.» Fiete stand plötzlich vor ihm und deutete mit verschreckter Miene in die Ecke, in der Charlie mit dem alten Mann gesessen hatte.

Jo hob den Blick und folgte seinem ausgestreckten Zeigefinger. Er zuckte zusammen. Dann sprang er auf und war mit ein paar schnellen Schritten bei seinem Freund. «Charles, was ist los?» Besorgt kniete er vor ihm nieder.

Mit Charlie stimmte etwas ganz und gar nicht. Er wirkte, als hätte er den leibhaftigen Tod gesehen, sein Gesicht war kreidebleich, die Augen hatte er weit aufgerissen. Als Jo ihn am Arm fasste, merkte er, dass seine Hände zitterten. Charlie hielt etwas umklammert – ein Blatt Papier. Jo erinnerte sich, dass der Alte etwas gezeichnet hatte. Er versuchte, es seinem Freund abzunehmen, aber Charlie ließ nicht los.

«Sie ist es, Jo!», flüsterte er jetzt, und seine Stimme klang rau und gleichzeitig seltsam dünn und kraftlos.

«Wer ist was?», fragte Jo verständnislos. «Lass doch mal sehen!» Energisch zog er an dem Blatt und konnte es schließlich aus Charlies Klammergriff lösen.

Als er es entfaltete, blickte er in die Augen einer jungen Frau, die ihn streng und gleichzeitig belustigt zu mustern schien. Ihn überlief ein Schauder. Sie wirkte so echt, als würde sie jeden Moment aus dem Papier steigen und zu sprechen beginnen.

«Sie ist es, ich weiß nicht, wie er es gemacht hat. Vielleicht kann er zaubern», wisperte Charlie. Er strich sich mit beiden

Händen über den Bart, die Augen immer noch angstvoll aufgerissen. Sein Blick hing jetzt an dem Bild. Er war noch blasser
geworden, sah aus, als müsste er sich jeden Moment übergeben.
«Ich habe ihm alles erzählt, wie sie war, wie sie gelacht hat. Aber
trotzdem kann er es doch nicht wissen. Er kann doch nicht wissen, wie sie –» Plötzlich beugte Charlie sich vor, legte das Gesicht
in die Hände und begann, hemmungslos zu schluchzen.

Jo und Fiete starrten ihn schockiert an. Jo wusste nicht, wie er
reagieren sollte. Um sie her erstarben die Gespräche, die Leute
drehten sich um und betrachteten erschrocken Charlies zucken-
de Schultern. «Lass uns ihn schnell hier rausschaffen», knurrte
Jo, und Fiete nickte stumm.

Sie packten Charlie unter den Armen, zogen ihn hoch – keine
leichte Aufgabe, da er sogar Jo um ein ganzes Stück überragte –
und trugen ihn mehr, als dass sie ihn schoben, aus der Kneipe.
Die ganze Zeit über hielt Charlie das Bild der jungen Frau umklammert.

Jo wusste jetzt, wer sie sein musste. Claire. Charlies einzige
große Liebe. Besorgt betrachtete er seinen Freund.

Claire war vor über neun Jahren gestorben.

3

Wie immer, wenn Lily sich dem Brownlow Hill Workhouse näherte, erschauderte sie beim Anblick des riesigen dunklen Gebäudes. Die Türme, die zu beiden Seiten der
Hauptflügel aufragten, kamen ihr wie stumme Wächter vor,
die unzähligen Fenster schienen sie feindselig anzustarren. Das
Haus war so groß, dass es einem eigenen Stadtviertel glich. Über
ein Jahr arbeitete sie nun schon hier. Und obwohl sie keinen Tag
missen wollte, würde es trotzdem immer auch ein schrecklicher
Ort für sie bleiben.

Sie war gespannt, wo Kate sie heute einteilen würde. Letzte
Woche hatte Lily Neuankömmlinge baden müssen. Sie fröstelte
noch immer bei der Erinnerung. Die von Kälte, Hunger und
Krankheiten gezeichneten Körper hatten eine Mischung aus
Ekel und Mitgefühl in ihr hervorgerufen. Trotzdem, es war
immer noch besser als im «Lunatics Ward», wie die Abteilung
für Verrückte offiziell genannt wurde. Inoffiziell nannten sie den
Flügel nur die Irrenhölle.

Als sie die Tür zum Nebengebäude aufstieß, in dem die Verwaltung untergebracht war, blieb sie überrascht stehen. Es
herrschte heilloses Chaos, alle rannten hektisch durcheinander.

«Was ist denn los?», rief sie, aber es war zu laut, niemand be-
merkte sie. Entschlossen drängelte Lily sich durch die Menschen.
Auf dem Flur kam ihr Kate entgegen. Sie trug einen riesigen
Haufen Schmutzwäsche und ächzte unter dem Gewicht.

«Oh, Lily, Gott sei Dank, wir brauchen jede Hand. Uns wurde

zugespielt, dass es bald eine Untersuchung des *Poor Law Inspectors* geben wird!» Kates Wangen waren gerötet, ihre Haare strähnig. «Wir sind hoffnungslos überbelegt! Aber was sollen wir machen, wir können die armen Menschen doch nicht auf die Straße jagen.»

Lily eilte neben ihr her. «Was habt ihr vor?», fragte sie und nahm Kate im Laufen einen Teil der Wäsche ab.

«Schadensbegrenzung. Wo es nur geht. Du kannst mit mir kommen. Wir müssen zumindest im Jungenflügel ein paar Betten rausschaffen. Einen der Übungsräume haben wir bereits geleert, dorthin werden wir sie verlegen», erklärte sie, während die beiden Frauen rasch um die nächste Ecke bogen.

Als sie die Türen zum Jungenflügel aufstießen, wehte ihnen ein starker Ammoniakgeruch entgegen. Dieser Teil des Brownlow war der überfüllteste und gleichzeitig der mit der schlechtesten Belüftung. Hinzu kam, dass viele der Kinder nachts das Bett nässten. Teils weil sie sich fürchteten oder von Albträumen geplagt wurden, teils weil sie es nicht wagten, in der Dunkelheit die weit entfernten Waschräume aufzusuchen. Das Personal schaffte es nicht, die Laken jeden Tag zu wechseln. Unter manchen Matratzen begann bereits der Boden zu schimmeln, weil er so regelmäßig mit Urin getränkt wurde. Aber Lily wusste, dass dies noch eines der kleinsten Probleme war. Das Brownlow beherbergte zurzeit beinahe viertausend Menschen. Zugelassen war es für allerhöchstens dreitausendsechshundert, Kapazitäten hatte es für noch weniger. Unterbesetzt waren sie immer, aber bei mehr als vierhundert Schlafplätzen zu viel kam niemand mit seiner Arbeit hinterher.

Lily krempelte die Ärmel ihres Kleides hoch und versuchte, den stechenden Geruch zu ignorieren. Die meisten der Jungen waren um diese Tageszeit in anderen Flügeln, wo sie unterrichtet und ausgebildet wurden. Nur vereinzelt ragte ein kleiner Kopf unter einer Decke hervor. Sie ließ den Blick durch den Raum schweifen. Die Betten standen so eng beieinander, dass nicht einmal eine Hand dazwischen passte. Viele waren für drei Kinder ausgelegt, die einzelnen Kojen nur durch Tücher voneinander getrennt. Das schaffen wir niemals, dachte sie, als ihr klarwurde, dass sie beinahe die Hälfte der Betten würden entfernen müssen, um den Auflagen zu genügen.

Kate hatte bereits mit der Arbeit begonnen. Sie lief durch die Reihen, blieb bei einem Bett stehen, dessen Zustand ihr offensichtlich missfiel, und zog mit hektischen Bewegungen die Laken ab. Lily hatte nicht einmal Zeit gehabt, sich umzuziehen, trug noch ihr gutes Promenadenkleid, aber sie zögerte keine Sekunde. Behutsam strich sie einem der Jungen über den kahlen Schädel, der zur Läuseprävention geschoren worden war, und begann, Kate zu helfen. Im Eiltempo inspizierte sie die Betten und zog die schlimmsten Laken herunter. Dabei musste sie immer wieder hinter vorgehaltener Hand würgen, denn nicht wenige waren mit Kot verschmiert. Viele der Jungen waren noch klein, und Windeln gab es nur für Säuglinge. Als sie fertig waren, packten die beiden Frauen die überzähligen Betten und trugen sie mit zusammengebissenen Zähnen den Gang hinunter in den freigeräumten Übungsraum. Hier wurden sonst die Webstühle aufbewahrt, an denen die Kinder nach dem Unterricht arbeiteten.

Schon nach einer halben Stunde war Lily in Schweiß gebadet. «Kann uns nicht jemand helfen?», fragte sie und hielt sich den schmerzenden Rücken.

Kate schüttelte mit verbissener Miene den Kopf. «Sie sind in allen Flügeln dabei, zumindest die gröbsten Missstände zu beseitigen, das ganze Haus steht Kopf», erklärte sie und arbeitete bereits weiter.

Lily nickte erschöpft. Das hatte sie sich schon gedacht. Voller Bewunderung betrachtete sie Kate. Lily hatte noch nie ein Wort der Klage von ihr gehört, egal, wie schwer die Arbeit wurde. Das wäre an sich schon außergewöhnlich gewesen, doch es wurde noch unglaublicher, wenn man in Betracht zog, dass Kate eine der reichsten Frauen der Stadt war. Als sie jetzt sah, dass Lily kurz verschnaufte, stemmte sie sich, ohne mit der Wimper zu zucken, alleine gegen eines der schweren Eisenbetten und schob es zur Tür. Ihre schmalen Arme zitterten. Lily holte noch einmal tief Luft, dann trat sie neben Kate und packte mit an.

Drei Stunden später ließ sie sich erschöpft am Tisch im großen Speisesaal nieder. Jeder Knochen im Leib tat ihr weh. Sie hatten die Betten rausgeschafft und die Böden so gut es ging mit Chlor gereinigt, um den Geruch zumindest eine Weile zu überdecken. Ihre Hände waren aufgesprungen, ihr Kleid fleckig. Sie roch ihren eigenen Schweiß.

Kate näherte sich mit bleichem Gesicht und lächelte ihr müde zu. Sie balancierte ein Tablett in den Händen. Wortlos schob sie Lily einen Teller zu. Darauf war ein grauer *Milk Pottage*, eine Art Eintopf, in dem kleine Gemüsestückchen schwammen. Daneben lagen ein Stückchen Fleisch und eine Scheibe Brot. Es sah alles andere als appetitlich aus, aber der Geruch ließ Lilys Magen rumpeln. Sie nahm den Löffel und begann, genau wie Kate ihr gegenüber, das Essen in sich hineinzuschaufeln, ohne wirklich etwas zu schmecken. Sie trank einen Schluck warmes Bier und sah sich um. Wenn Henry mich hier sehen könnte, ich dürfte das Workhouse nie wieder betreten, dachte sie wie so oft. Wahrscheinlich würde er sie daheim in einen Wandschrank sperren und den Schlüssel wegwerfen. Zum Glück wäre er nicht einmal im Traum auf die Idee gekommen, sie hier zu besuchen.

Nachdem Lily sich von Schwangerschaft und Geburt erholt und in ihrem neuen Dasein als junge Mutter eingelebt hatte, war sie schon nach wenigen Wochen unruhig geworden. «Ich muss irgendwas tun!», hatte sie Henry eines Tages angeschrien, der jeden ihrer Versuche, sich wohltätig zu engagieren, schon im Keim erstickte. «Wir haben eine Amme und eine Nanny, eine Köchin und Hauspersonal. Ich kenne niemanden hier, habe keine Freunde, was soll ich den ganzen Tag machen?»

«Was machen denn die anderen Frauen?», antwortete er beinahe hilflos. «Sicherlich gibt es viele Aufgaben, die …»

«Gibt es nicht!» Lily unterbrach ihn grob. «Es gibt nicht das Geringste zu tun.»

«Ich habe extra die ganzen Bücher gekauft, damit du beschäftigt bist!» Er war ungehalten geworden, wie immer, wenn es um dieses Thema ging. «Es kommt nicht in Frage, dass du rausgehst und in der Gosse nach irgendwelchem Abschaum suchst, an dem du dein Gewissen erleichtern kannst. Du hast den Ruf meiner Familie schon einmal ruiniert, du wirst es kein zweites Mal tun, hast du gehört?» Er schüttelte sie. An seinem Gesicht konnte sie sehen, dass er kurz davor war, die Beherrschung zu verlieren. Also nickte sie nur und sagte kein Wort mehr. Bei Henry musste man wissen, wann die Grenze erreicht war. Und die hing von seinem Alkoholpegel ab.

Als er die Tür hinter sich zugeknallt und den Salon verlassen hatte, merkte Lily, dass sie sich in die Wange gebissen hatte. Sie schmeckte Blut. Mit steinernem Gesicht schüttete sie sich einen Whiskey ein, spülte den Mund aus und spuckte die rote Flüssigkeit ins Feuer, das als Antwort wütend zischte. Sie musste anders vorgehen, das war ihr soeben klargeworden. Mit Bitten und Betteln würde sie nicht weiterkommen. Henry war sehr großzügig, wenn es um Dinge ging, die den Schein aufrechterhielten, an den sie sich alle so verzweifelt klammerten. Er kaufte ihr, was auch immer ihr gefiel, ging mit ihr ins Theater und in die Oper, obwohl die Stücke ihn langweilten. Aber alles, was auch nur ansatzweise nicht der Norm entsprach, machte ihn wahnsinnig.

Drei Wochen nach diesem Streit hatte die wohlhabende junge Witwe von nebenan sie beide zum Supper eingeladen, und Lilys Leben hatte sich von Grund auf verändert. Sie erinnerte sich noch oft an ihren ersten Eindruck von Kate, das imposante Haus, das wunderschöne Seidenkleid, das kunstvoll geschminkte Gesicht. Auch Henry war beeindruckt gewesen, hatte den ganzen Abend vor Charme nur so gesprüht. «Meine Frau findet hier keinen rechten Anschluss. Können Sie vielleicht ein Komitee empfehlen?», hatte er gefragt und sein verführerischstes Lächeln aufgesetzt. «Sie soll sich nicht überanstrengen, aber ihr wird doch etwas langweilig, so alleine daheim.»

Kate sah nicht ihn, sondern Lily an, als sie antwortete. «Ein Komitee? Nein, ich denke nicht … Aber Sie können mich gern einmal begleiten. Ich arbeite ehrenamtlich in einem Workhouse. Hauptsächlich machen wir die Verwaltung», erklärte sie dann rasch an Henry gerichtet und lächelte zuckersüß und unschuldig.

«Na, das wäre doch etwas für dich!», rief Henry sofort begeistert. «Und wenn unsere reizende Nachbarin dich unter ihre Fittiche nimmt, muss ich mir auch keine Sorgen um deine Sicherheit machen!» Dass es ihm nicht um ihre Sicherheit, sondern um den Ruf der Familie ging, musste er nicht aussprechen, es war allen im Raum sonnenklar.

Mit Verwaltung hatte die Arbeit im Brownlow nicht das Geringste zu tun, das hatte Lily schon auf dem Weg dorthin erfahren. «Ich weiß nicht, was Sie bisher gemacht haben, aber die Arbeit wird Sie vielleicht schockieren», hatte Kate vorsichtig begonnen, und Lily beschloss, direkt reinen Tisch zu machen.

Sie vertraute Kate, sie hatte etwas an sich, das sie an Emma erinnerte. Also erzählte sie ihr von der Zeit, in der sie allein in den Gängevierteln gelebt und als Journalistin gearbeitet hatte.

«Ich bin in die Fischfabriken gegangen, in die Armenhäuser. Ich weiß, wie es ist», erklärte sie. «Wir wollten ein Frauenhaus eröffnen, meine beste Freundin und ich. Das war unser großer Traum. Aber die … *Umstände* haben es nicht erlaubt.»

Kates Augen waren groß geworden, während Lily erzählte. Sie klatschte in die Hände. «Ich habe es mir doch gleich gedacht. Man sieht es Ihnen an. Dass Sie anders denken, meine ich.»

Das war auch etwas, das Lily über die Jahre gelernt hatte: Gleichgesinnte erkannten sich meist schnell. Man spürte es, merkte es an den Zwischentönen, an den Dingen, die nicht gesagt wurden, eher als an den ausgesprochenen.

Als sie jetzt ihre Teller leerkratzten, erzählte Lily Kate von der Kamera und dem Artikel. «Aber das ist großartig!» Kate fasste sie am Arm. «Lily, so eine Chance!»

Sie nickte. «Aber ich weiß gar nicht, wo ich anfangen soll. Eine Chronik der Armut … Das kann alles bedeuten.»

Kate schüttelte den Kopf. «Ich weiß genau, wo du hinmusst. In den Norden. Die Arbeiterviertel. Dort leben all die Kinder, die in den Fabriken schuften, die Ärmsten der Armen. Es ist grauenvoll dort. Noch viel schlimmer als hier. Dort musst du anfangen.»

Franz hörte das leise Weinen in der Dunkelheit und unterdrückte ein Stöhnen. Musste er jetzt wirklich nachfragen, was sie hatte? Eine Weile lag er da und blickte auf die Falten der Bettvorhänge. Das Licht des Mondes warf Schatten auf die geblümte Tapete, irgendwo unten im Haus hörte er es rumoren. Wahrscheinlich die Mädchen, die noch in der Küche zu tun hatten. Das Feuer im Kamin war beinahe vollständig heruntergebrannt und knackte leise vor sich hin. Wie immer, wenn er mit seiner Frau geschlafen hatte, fühlte er sich gleichzeitig schmutzig und seltsam zufrieden. Wieder einmal geschafft, jetzt hatte er ein paar Wochen Ruhe. Der Whiskey, den er davor immer gläserweise runterkippte, half ihm dabei, an Kai zu denken. Er war selbst überrascht, wie gut er es immer wieder hinbekam. Dennoch hätte er jetzt am liebsten das Bettzeug von sich gestrampelt und sich am ganzen Körper gewaschen. Es fühlte sich einfach falsch an, ihr Bauch war so weich, ihre Schenkel groß und fleischig. Und sie roch so … nach Frau. Es schüttelte ihn. Er hatte Durst, aber wenn er jetzt aufstand und zur Karaffe ging, wusste sie, dass er nicht schlief.

Roswita neben ihm röchelte leise und zog die Nase hoch. Sie drehte sich im Bett um, und daran, wie ruckartig ihre Bewegungen waren, erkannte er, dass sie ihn aufwecken wollte. Er seufzte leise und sah zu ihr hinüber. Sie lag auf der Seite, das Laken spannte über ihrem ausladenden Hinterteil. Wann war sie so schrecklich dick geworden? Bei der Hochzeit hatte sie doch nicht so ausgesehen? Er hasste es, wenn Menschen sich gehenließen. Dabei aß sie immer, wenn er dabei war, wie ein Spatz, ließ sich von Sylta geradezu eine zweite Portion aufdrängen, weil die sich Sorgen um ihren Appetit machte. Stets gab es ein Aufheben darum, wie wenig sie zu sich nahm. Er wusste, dass sie die Aufmerksamkeit genoss, und sagte meist so etwas wie: «Mutter, lass sie doch, sie kann das durchaus selbst entscheiden. Noch nagt sie ja nicht am Hungertuch.» Roswita sah ihn dann jedes Mal verletzt an, und er lächelte unschuldig, als wüsste er nicht, was solche Bemerkungen in ihr anrichteten. Dann schob sie erst recht ihren Teller von sich und weigerte sich, noch einen weiteren Bissen zu sich zu nehmen. Hertha nahm ihr die Zurückweisung des

Essens bereits übel, das konnte er genau sehen. Und sein Vater war ebenfalls am Rande der Geduld mit seiner Schwiegertochter, wenn er das auch nie aussprechen würde. Er ignorierte Roswita in aller Regel einfach, wie Franz selbst es auch vorzog.

Sie weinte jetzt lauter. Dachte sie wirklich, er durchschaute das nicht? Wenn er sich zu ihr umdrehte, es wäre keine einzige Träne in ihren Augen zu sehen, da war er sicher. Aber er hatte sich geschworen, hoch und heilig geschworen, dass er ihr seinen Hass niemals direkt zeigen würde. Sie war Oolkerts Tochter. Und sie sollte keinen Grund haben, sich über ihn zu beschweren. Nein, er ging subtiler vor.

Er rollte ein letztes Mal mit den Augen, holte tief Luft und setzte sich im Bett auf. «Roswita?», flüsterte er.

Ihr Schniefen verstummte sofort.

«Roswita? Liebes, bist du wach?» Beinahe musste er über sich selbst lachen. Als ob man ihr theatralisches Geseufze nicht zwanzig Meter weit gehört hätte.

«Nein», antwortete sie gereizt, und er presste die Lippen zusammen, um nicht loszuprusten.

«Nein?», fragte er und war überrascht, wie liebevoll seine Stimme klang. «Und wer spricht dann da?»

Jetzt musste sie lächeln, er konnte es an ihrer zuckenden Wange sehen.

«Was ist denn los, Liebes?» Sanft strich er ihr eine Haarsträhne vom Ohr. «Ich habe dir doch nicht ... weh getan?», fragte er vorsichtig.

Er wusste genau, dass er sie hart anfasste, ja seine Aggressionen gegen sie und die Welt bei diesen Gelegenheiten manchmal ein wenig zu sehr auslebte. Aber anders konnte er es mit ihr nicht. Und sie hatte zum Glück keine Ahnung, wie diese Dinge zwischen Mann und Frau funktionierten. Wie es sich für ein

Mädchen ihres Standes gehörte, war sie vollkommen unwissend in die Ehe gegangen, und es war ihm überlassen worden, sie aufzuklären. Und das hatte er getan. Allerdings vielleicht ein wenig anders, als man es erwarten würde.

«Nun sag mir doch, was mit dir los ist», bat er und schaffte es sogar, ihr einen Kuss auf die Wange zu hauchen. Ein wenig gefiel er sich ja auch in der Rolle des sorgenden Ehemannes. An ihm war ein Schauspieler verlorengegangen, darüber hatte er bereits des Öfteren sinniert in letzter Zeit. Aber wenn man bedachte, dass er schon sein halbes Leben lang schauspielerte, und zwar jeden Tag, war es nicht weiter verwunderlich, dass er geübt darin war, seine wahren Gefühle zu verstecken.

Endlich drehte sie sich um und setzte sich auf. Die Bettvorhänge waren nur halb vorgezogen, und er sah, wie verquollen ihr Gesicht war. Sie hatte wirklich geweint. Ihre Nachthaube war verrutscht und hing ihr schief im Haar. Nun, kein Wunder, er hatte sich auch nicht zurückgehalten. Ein paarmal war ihr Kopf sogar gegen die Bettkante geknallt, was ihm ein geradezu lächerliches Vergnügen bereitet hatte. In den Schatten sah ihre Nase noch größer aus als sonst. Nein, eine Schönheit ist meine Frau wirklich nicht, dachte er, während er darauf wartete, dass sie endlich antwortete. Er betrachtete ihre verkniffenen Lippen, ihr dunkles Haar über der schmalen Stirn und musste sich eingestehen, dass er selten jemanden unattraktiver gefunden hatte. Er hätte einen Orden verdient für das, was er hier täglich leistete.

«Doch», gab sie schließlich zu und wischte sich mit beiden Händen die Tränen von den Wangen. «Aber ich weiß ja, dass das dazugehört», fügte sie dann beinahe fragend an und warf ihm einen schüchternen Seitenblick zu.

Er nickte. «Das stimmt leider, Liebes. Diese Dinge sind nicht dazu da, dass die Frau sich an ihnen vergnügt. Sie *sollen* sogar unangenehm sein, das weißt du doch. So hat Gott es nun mal vorgesehen. Fleischeslust ist alleine dem Manne überlassen. Ich habe dir doch dieses Buch gegeben, in dem alles erklärt ist.»

Sie nickte wieder. «Ich weiß ja. Aber, Franz ... bist du dir wirklich sicher, dass wir es ...» Sie stockte. «Dass wir es richtig machen?», setzte sie dann flüsternd hinzu und schlug sogleich erschrocken die Augen nieder.

Jetzt konnte er ein Auflachen nicht mehr unterdrücken. So dumm war sie gar nicht. Natürlich durfte sie es unter keinen Umständen erfahren, aber tatsächlich war die Wahrscheinlichkeit, dass sie von dem, was er mit ihr anstellte, schwanger wurde, ungefähr so hoch wie die für Erdbeeren im Dezember. Als sie ihn entsetzt ansah, besann er sich. «Entschuldige, Liebes, ich finde nur deine Unschuld amüsant, so charmant sie auch ist.»

«Ich meine ja nur ...» Er konnte sogar in der Dunkelheit sehen, dass sie rot anlief. «Es ist so furchtbar ... unangenehm. Und es sind jetzt beinahe zwei Jahre vergangen. Ich bin immer noch nicht schwanger. Vielleicht, na ja. Machen wir ja doch etwas falsch?»

Jetzt wurde er ärgerlich. Es war mitten in der Nacht, er hatte wie immer einen harten Arbeitstag vor sich, hatte gerade den letzten Rest Selbstachtung über Bord geworfen, um seine Frau ruhigzustellen, und nun kam sie ihm noch so. «Nun, wenn du meinst, dass ich meine ehelichen Pflichten nicht richtig erfülle, warum fragst du dann nicht deine Freundinnen, was sie mit ihren Männern machen?», fragte er kalt. Erschrocken sah sie ihn an. Er wusste genau, dass sie das niemals wagen würde, vor Scham würde sie im Erdboden versinken. «Ich kann dir versichern, dass sie keine anderen Geschichten zu erzählen haben. Und dass sie dich in deiner Naivität auslachen werden.»

«Ich meinte doch nicht …», stotterte sie hilflos, aber er witterte ihre Unsicherheit und legte sofort nach.

«Ziemlich einfach, die Schuld bei mir zu suchen, nicht wahr?», fragte er mit eisiger Stimme. «Vielleicht liegt es ja auch an dir, hast du darüber mal nachgedacht?»

«Wie meinst du das?», presste sie zitternd hervor, überrascht von seiner schnellen Gefühlswandlung.

«Vielleicht solltest du endlich vernünftig essen, anstatt bei Tisch so zu tun, als könntest du keinen Bissen runterkriegen, und dann in der Stadt heimlich zum Konditor zu gehen», rief er, ein wenig zu laut.

Sie starrte ihn so entsetzt mit offenem Mund an, dass er beinahe wieder lachen musste. «*Was?*», hauchte sie.

«Meinst du denn, ich bin blöde? Du isst kaum etwas, aber nimmst immer weiter zu. Deine Kleider passen ja kaum noch. Das geht doch nicht mit rechten Dingen zu. Man muss vernünftig essen, wenn man ein Kind austragen will.»

«Ich war *noch nie* alleine beim Konditor!», quiekte Roswita jetzt schrill und raubte ihm damit den letzten Nerv, den er noch aufbringen konnte.

«Ja, was ist es denn dann?», brüllte er. «Glaubst du denn, ich will keinen Erben? Ich tue, was ich kann. Und du musst auch deinen Beitrag leisten. Mutter meint auch, dass du isst wie ein kleines Mädchen und sie sich deine Leibesfülle nicht erklären kann. Vielleicht bist du krank. Vielleicht sollten wir einen Arzt aufsuchen.»

Roswita wich nun alles Blut aus dem Gesicht. «Du hast … mit *deiner Mutter* darüber gesprochen?», flüsterte sie vollkommen entsetzt.

«Was soll ich denn sonst tun?», spielte er jetzt den Verzweifelten. «Ich mache mir doch auch Sorgen. Glaubst du, du bist die Einzige, die merkt, dass etwas nicht stimmt? Glaubst du, ich denke nicht darüber nach, dass ich eine Frau geheiratet habe, die mir vielleicht kein Kind schenken wird? Dass unser Name mit mir ausstirbt, wenn du deine Pflicht nicht erfüllst?» Jetzt übertrieb er vielleicht etwas – aber wenn sie schon einmal darüber sprachen, konnte er auch ordentlich auftrumpfen. «Es ist jedenfalls ein starkes Stück von dir, die Verantwortung auf mich abwälzen zu wollen. Die Frau wird nicht schwanger, und der Mann ist schuld, hat man so was schon gehört …» Empört warf er sich im Bett herum und schlug sein Kissen auf. «Ich muss jetzt jedenfalls schlafen. Im Gegensatz zu dir muss ich nämlich morgens aufstehen und eine Aufgabe erfüllen. Trotzdem komme ich meinen Pflichten nach. Und dann muss ich noch meine Kompetenzen als Ehemann in Frage stellen lassen. Du kannst ja wach bleiben und darüber nachgrübeln, wem du die Schuld für dein Versagen zuschieben kannst. Gute Nacht!», zischte er, warf sich auf die Seite und zog die Decke hoch.

Roswita bewegte sich nicht. Er dachte erst, dass er nun so sehr in Rage war, dass er niemals würde schlafen können, aber eigentümlicherweise spürte er schon bald, wie ihn eine seltsame Zufriedenheit überkam. Es hatte gutgetan, sich zur Abwechslung einmal richtig abreagieren zu können. Jetzt hatte sie wenigstens wirklich einen Grund zum Weinen. Und er konnte sicher sein, dass sie damit niemals zu ihren Eltern rennen würde. Dafür war ihr das Ganze viel zu peinlich. Und selbst wenn sie es tat, ganz sicher würde sie keine Details darüber auspacken, was im ehelichen Schlafzimmer passierte. Er hatte also erst mal Ruhe. Franz lächelte und merkte schon bald, wie ihn der Schlaf überkam und in eine wohlige Tiefe zog.

Roswita saß im Bett, die Augen aufgerissen. Sie zitterte am ganzen Körper. Ihr Magen war ein saurer Klumpen. Erstarrt lauschte sie auf den immer tiefer werdenden Atem ihres Mannes und musste an sich halten, um ihren eigenen zu beruhigen, der stoßweise in kleinen unterdrückten Schluchzern aus ihr herausbrach. Sie hatte beide Hände auf den Mund gepresst, saß da und starrte in die Dunkelheit. Erst als sie sicher war, dass Franz schlief, konnte sie sich wieder bewegen. Leise schwang sie die Beine über die Bettkante. Sie griff nach ihrem Morgenmantel, zog ihn mit kalten Händen über und verließ das Zimmer. Seine Worte brannten wie Schläge auf ihrer Haut, sie konnte sich nicht erinnern, sich schon einmal so geschämt zu haben. Wie naiv sie gewesen war. Sie hatte geglaubt, es wäre niemandem aufgefallen, wie sehr sie zugenommen hatte. Dass das Korsett und die vielen Röcke es verdeckten. Hatte extra bei Tisch kaum etwas gegessen. Wie schrecklich dumm sie doch war. Sie lachten heimlich über sie, wahrscheinlich zerriss sich das ganze Haus die Mäuler über die dicke Roswita, die nicht schwanger werden konnte. Es war unerträglich. Die Tränen liefen ihr jetzt ungehemmt über die Wangen.

Sie schlich die Treppe hinunter. In der großen Halle kam sie an dem riesigen Spiegel vorbei, der über dem Kamin hing. Wie magisch angezogen blieb sie stehen und trat näher, betrachtete ihr Abbild. Es war dunkel in der Halle, dennoch sprang ihr die eigene Hässlichkeit geradezu entgegen. Ihre Wangen waren rot und fleckig, die Augen verquollen. Sie war noch nie hübsch gewesen, darüber machte sie sich keine Illusionen. Aber heute sah sie wirklich grauenvoll aus. Vielleicht war es besser, dass sie kein Kind bekommen konnte. Dann vererbte sie niemandem diese Nase, diese niedrige Stirn, die sie wie einen Frosch aussehen ließ. Roswita kniff sich in die Wange und zog an ihrer Haut. Schlaff und speckig kam sie ihr vor. Sie drückte an ihrer Nase herum, strich die Haare zurück, die strähnig und wirr unter der Haube hervorstanden. Wie eine Hexe sah sie aus. Kein Wunder, dass Franz sie so verabscheute.

Sie schlich über den eisigen Boden in Richtung Küche. Nicht einmal ihre Kaninchenfellpantoffeln konnten die Kälte vertreiben, die von den Marmorfliesen aufstieg. Doch als sie die Tür öffnete und sich vorsichtig umsah, stieß sie einen erleichterten Seufzer aus. Hier drin war es warm. Wie immer hatte Hertha abends noch ein paar dicke Scheite in den Kamin gelegt, damit sie am Morgen leichter anheizen konnten und der Raum nicht zu sehr auskühlte. Es roch nach Brot und Kuchen. Auf der Anrichte stand schon das Hefegebäck für den Morgen bereit, das über Nacht aufging.

Sie liebte die Küche. Hier war der einzige Ort im Haus, an dem sie sich wirklich wohlfühlte. Mittlerweile kam sie mehrmals die Woche hier herunter. Sie träumte heimlich davon, die Villa einmal ganz für sich zu haben, einen großen Teller ihrer Lieblingsspeisen bereiten zu können und ihn einfach in aller Ruhe am Tisch zu essen, ohne Angst, entdeckt zu werden. Aber das würde niemals geschehen. Stattdessen musste sie raffiniert vorgehen.

Leise schlich sie zur Anrichte. Mit vor Gier gläsernem Blick nahm sie eine Wurst vom Haken und säbelte ein Stück ab. Groß genug, um einen guten Mund voll abzugeben, aber zu klein, als dass man es bemerken würde. Das Gleiche machte sie mit dem Speck und dem Schinken. Während sie kaute, starrte sie aus dem Fenster in die Dunkelheit. Sie schmeckte kaum etwas, hatte einen bitteren Belag im Mund. Trotzdem ging sie zur Anrichte. Ein Stück Kuchen, eine Scheibe Brot mit Schmalz. Sie aß alles nacheinander, legte immer eine Sache wieder weg, bevor sie die nächste nahm. Es war nachts noch nie jemand hier heruntergekommen, die Mädchen hatten nur ein paar wertvolle Stunden, um zu schlafen, und nutzten diese auch. Aber man konnte ja nie wissen. So würde sie nur mit einer Kleinigkeit in der Hand erwischt werden und nicht mit einem ganzen Teller. Sie schlich in die Kammer und öffnete die Dosen, aß sich nacheinander durch ein Stück Gewürzkuchen, ein wenig Fisch vom Abendessen, eine kalte Kartoffel. Sie naschte an der Butter und schlürfte sogar ein wenig Brühe aus dem Topf, tauchte einen Finger in den Honig und leckte ihn ab, steckte ihn dann ein paarmal in den Zuckersack.

Ihre Gedanken waren abgeschaltet, wie immer bei diesem Ritual. Sie dachte an alles und nichts gleichzeitig, den Blick noch immer glasig entrückt. Sie wusste, was sie hier tat, gleichzeitig weigerte sie sich, allzu genau darüber nachzudenken. Sie handelte einfach, machte, was ihr Körper von ihr verlangte, und geriet dabei beinahe in eine Art Rauschzustand.

Danach saß sie am Tisch, im Schein einer einzelnen kleinen Kerze, und stützte das Kinn in die Hände. Jetzt kam die Scham. Brach in Wellen über sie herein, die sie in ihrer Wucht schüttelten. Sie zitterte trotz der Wärme im Raum, ihr war schwindlig. Aber es würde nicht lange dauern.

Sie wartete noch eine Minute, dann stand sie auf, ging zum Kübel in der Ecke, hob den Deckel, beugte sich darüber, steckte sich so tief sie konnte einen Finger in den Rachen und erbrach spuckend und würgend, was sie soeben zu sich genommen hatte. Immer wieder rammte sie sich erbarmungslos die Hand in den Mund, bis sie nur noch orangene Magenflüssigkeit ausspuckte und sicher war, dass sie nichts von dem Essen mehr in sich hatte. Sie musste die letzten Monate nicht genug losgeworden sein, es war noch Essen in ihrem Magen geblieben, das sie dick gemacht hatte. Zitternd wischte sie sich die Tränen aus den Augenwinkeln, ging zum Herd, nahm einen Kochlöffel und steckte ihn in den Kübel, rührte ihr Erbrochenes unter die Essensreste und den Abfall, bis sie sicher war, dass man nichts mehr davon sehen konnte. Dann wusch sie den Löffel ab und hängte ihn wieder zu den anderen. Sie ging zum Bierfass und trank hastig eine Kelle voll, um den Geschmack von der Zunge zu vertreiben, wischte einen Rest Zucker von der Ablage, vergewisserte sich, dass der Deckel wieder auf dem Honig lag. Dann pustete sie die Kerze aus, raffte schützend ihren Morgenmantel um sich und huschte aus der dunklen Küche.

Wenn Henry neben ihr schlief, murmelte Lily manchmal Jos Namen in die Dunkelheit. Versuchte, sich an sein Gesicht zu erinnern. Beinahe jede Nacht holte sie die kleine Figur hervor, die er ihr geschnitzt hatte – das einzig Greifbare, das sie noch von ihm besaß. Sie hatte verstanden, dass es zwei Männer gab. Den Jo, der ihr vertrauter war als jeder andere Mensch. Den sie vermisste. Den sie in Hamburg zurückgelassen hatte.

Und den, der er seit ihrer Trennung geworden war.

Jo würde nicht mehr der sein, den sie kannte, sollten sie sich eines Tages wiedersehen. Genau wie auch sie nicht mehr dieselbe war.

Emma hatte ihr einige Wochen nach ihrer Ankunft in England geschrieben, dass Jo noch in Hamburg war. Sie hatte von ihm reden hören – er war offensichtlich im Arbeiterkampf aktiv geworden. Das passte zu ihm, dachte Lily. Jo hatte einen ausgeprägten Sinn für Recht und Unrecht. In den letzten Jahren hatte er anscheinend seine Stimme gefunden, verstanden, dass man nicht immer alles hinnehmen musste. Lily dachte, dass sie daran vielleicht auch einen kleinen Anteil hatte, dass er durch sie und den Frauenzirkel gesehen hatte, dass es oftmals durchaus die Wahl gab, ob man den Kopf beugte oder sich zur Wehr setzte.

Tausendfach malte sie sich ihr Wiedersehen aus, ließ es wieder und wieder in ihren Gedanken ablaufen. Sie saß beim Essen, lauschte Henry, wie er von seinem Tag erzählte, und ihr Blick glitt nach innen. Plötzlich sah sie Jos Gesicht, hörte seine Stimme, roch seine Haut. An anderen Tagen spielte sie mit Hanna, und er war da, stand hinter ihr und sah ihnen zu, lachte über das ganze Gesicht, sodass die kleinen Fältchen auf seinen Wangen entstanden, die sie so liebte. Und doch wusste sie, dass dies der alte Jo war. Diesen anderen Mann, der sie einfach hatte gehenlassen, der nie nach ihr und seinem Kind fragte, nicht nach ihnen suchte, sie vergessen und aus seinem Leben geschnitten hatte – diesen Mann kannte sie nicht.

Anfangs hatte sie sich gefühlt, als hätte jemand ein Stück aus ihr herausgerissen. Als sei sie nur noch eine Hälfte, wo vorher ein Ganzes gewesen war. Wenn sie etwas las, von dem sie dachte, dass es ihn interessieren würde, sah sie von ihrem Buch auf, um es ihm zu erzählen – und fand den Platz neben sich leer. Wenn sie etwas erlebte, das sie aufwühlte oder mitnahm, brannte sie darauf, ihm davon zu berichten, seine beruhigenden Worte zu hören, seine Meinung, die sie so oft überraschte, seinen anderen Blickwinkel auf die Dinge, der dann auch den ihren zu verrücken vermochte. Jo hatte sie verstanden wie niemand sonst auf der Welt. Und sie ihn.

Und dann war irgendetwas geschehen, das sie bis heute nicht richtig greifen konnte. Es war der größte Fehler ihres Lebens gewesen, nach England zu gehen und Henry zu heiraten. Das wusste sie nun. Sie musste es Franz zugestehen, es war ein sehr kluger Schachzug gewesen, ihr Michels Tod vorzuheucheln. Und für Hanna hatte es damals in ihrem Kopf nur die eine Möglichkeit gegeben, nur die eine Sicherheit.

Sie hatte getan, was sie für richtig hielt.

Nun, da sie wieder zu sich gefunden hatte, da sie sich stärker und härter fühlte als jemals zuvor, sah sie die Dinge anders. Sie hätte es auch in Hamburg geschafft. Sie hatte Freundinnen, kluge, starke Frauen, die ihr geholfen hätten. Sie hatte ihr Wissen, ihren Verstand. Sie konnte arbeiten bis zum Umfallen, war sich für nichts zu schade. Sie hätte sich und ihr Kind irgendwie durchgebracht. Aber ihre Entscheidung war unumkehrbar: Sie war verheiratet. Hanna gehörte damit Henry. Genau wie sie.

Jos Gesicht flimmerte nachts in der Dunkelheit, war manchmal so real, dass sie die Hand ausstreckte, um danach zu greifen. Und doch verschwamm es immer mehr. Die Erinnerungen schienen aus Luft, verschwanden, noch bevor sie sich richtig zusammensetzten.

Nur im Traum war er noch da, erschien er ihr fast jede Nacht auf die eine oder andere Weise. Meistens suchte sie ihn in der Stadt, rannte durch den Hafen, die Gängeviertel, rief verzweifelt seinen Namen. Sie war gehetzt in diesen Träumen, getrieben, spürte die Anspannung in jeder Faser ihres Körpers. Lily wusste, dass er da war, irgendwo in den Gassen und Winkeln, den Twieten und Hinterhöfen. Aber die Stadt war seine Verbündete, versteckte ihn, verbarg ihn vor ihr. Es war, als fühlte Hamburg selbst sich von ihr verraten. Er war immer in Reichweite und doch nicht zu greifen. Seine Anwesenheit war wie ein Duft in der Luft, wie ein warmes Laken, auf dem soeben noch jemand gelegen hatte, das Echo einer Stimme, die gerade verstummt war. Manchmal sah sie ihn schemenhaft in der Ferne. Wusste, dass er hinter der nächsten Ecke wartete, und der nächsten, und der nächsten …

Sie warf sich unruhig im Bett herum in diesen Nächten, knirschte mit den Zähnen, strampelte die Decke von sich. Henry hatte sie schon oft ungeduldig geweckt. «Du sagst seinen Namen», zischte er und rüttelte sie schmerzhaft. Manchmal sprang er wütend auf und verließ das Zimmer. Sie spürte, dass sie geweint hatte, die Kehle war ihr wie zugeschnürt, sie bekam kaum Luft.

Am schrecklichsten war es aufzuwachen, ohne ihn gefunden zu haben.

Manchmal versteckte er sich auch absichtlich vor ihr. Das waren die schlimmsten Träume. Die Träume, in denen sie wusste, dass er nicht von ihr gefunden werden wollte.

Manchmal aber, und diese Nächte waren wie ein Geschenk, manchmal war alles wie früher. Dann träumte sie, dass sie wieder in ihrer kleinen Wohnung in der Fuhlentwiete waren, zusammen am Feuer saßen und lasen, im Bett lagen und redeten, sich liebten. Diese Träume trugen sie durch die Tage, ließen sie die Einsamkeit ertragen, Henrys Wut, seine Erniedrigungen.

Anfangs hatte sie geglaubt, dass sie es nicht aushalten würde. Aber sie war stärker, als sie gedacht hatte. Sie hatte das getan, was sie schon ihr ganzes Leben lang tat: Sie suchte Zuflucht in den Büchern. Wie besiegten die Menschen in den Romanen ihren Liebeskummer? Wie endeten ihre Geschichten?

Madame Bovary hatte Gift getrunken. Heathcliff wurde verbittert und grausam. Einzig Jane Eyre gab ihr ein bisschen Hoffnung. Aber welches Leid mussten sie und Rochester durchstehen, bevor ihnen ein bisschen Glück gegönnt wurde? Elizabeth und Mr. Darcy fanden schließlich die Liebe, genau wie Edmund und Fanny. Doch die Geschichten hinterließen einen schalen Geschmack. Nicht realistisch, dachte Lily wütend, wenn sie die Bücher zuklappte, und warf sie in eine Ecke. Ihr schien, dass die

Geschichten vor allem die sehnsüchtigen Herzen der Leserinnen bedienen wollten und nicht so endeten, wie die gesellschaftlichen Regeln es diktiert hätten. Sie trösteten sie nicht, sondern ließen sie mit einem Gefühl des Betrogenseins zurück.

Also ließ sie die Liebesromane bald in den Ecken liegen, in die sie sie geworfen hatte, und las stattdessen *Die Schatzinsel*, ging mit Jim Hawkins auf Abenteuer an Bord der *Hispaniola*, kämpfte mit Alice gegen die Herzkönigin, weinte um den sterbenden Onkel Tom, verschlang alles, was sie ablenkte. Sie wusste, dass es eine Liebe wie die zwischen ihr und Jo nicht oft gab. Vielleicht nur einmal im Leben. Dass sich zwei Menschen, die aus so unterschiedlichen Welten kamen, fanden … Es war beinahe ein Wunder. Und obwohl sie jetzt Hanna hatte, war sie einsam. Isoliert.

Lilys Blick, der weich geworden war, während sie im Salon saß, ins Feuer sah und sich erinnerte, wurde wieder hart, als sie an ihre Tochter dachte. Ja, sie hätte es auch in Hamburg geschafft. Sie setzte sich gerade auf, fuhr sich durch die Haare. Aber sie hatte nun ein neues Leben. Und dieses Leben schützte Hanna, es ließ sie in Sicherheit und Wohlstand aufwachsen. Sie und Jo würden nie wieder zusammen sein können. Sie musste sich damit abfinden.

Und doch konnte sie nicht anders, der Gedanke, dass sie eines Tages wieder zueinanderfinden würden, war wie ein kleiner warmer Ball, den sie in ihrem Inneren trug. Er ließ sie alles ertragen.

Sie hob den Ovid auf, den sie gerade las, aber schon nach wenigen Sekunden legte sie ihn wieder beiseite. Stattdessen griff sie unter das Sofakissen und holte das andere Buch hervor, das sie darunter versteckt hatte. Einen Moment lauschte sie, ob Mary oder Conny in der Nähe waren, dann begann sie zu lesen. Abenteuerromane waren momentan nicht das Einzige, was Lily in

Atem hielt. In der Bibliothek hatte sie beim Stöbern eine Reihe Bücher gefunden, die sie seither heimlich verschlang: erotische Literatur. Eine ganze Regalreihe war dieser Art von Unterhaltung gewidmet. Seit ihrer Entdeckung verbrachte Lily noch mehr Zeit als sonst im Sessel am Kamin. Die Bücher sagten ihr, dass sie nicht alleine war mit ihren Sehnsüchten. Emma hatte ihr zwar wieder und wieder versichert, dass eine Frau sich nicht dafür schämen musste, wenn sie Vergnügen an diesen Dingen fand, aber für Lily war das nicht so einfach. Sie war in einer Welt aufgewachsen, in der körperliche Liebe schlicht nicht existierte. Daher war sie ihr auch später immer wie etwas Verbotenes erschienen. Und das war es streng genommen ja auch. Schließlich stand in den Lehrbüchern, dass Frauen keine Lust empfinden sollten, dass es sündig war, darüber nachzudenken oder sich gar danach zu sehnen. Mit Jo hatte sie gelernt, dass sie gar nicht anders konnte, als die Liebe zu genießen. Während ihrer Ehe aber hatte sie verstanden, dass der Akt zwischen Mann und Frau auch ganz anders sein konnte, schmerzhaft, entwürdigend, beschämend. Und sie hatte gelernt, dass der Körper einen eigenen Willen hatte, sich nicht immer vom Verstand beherrschen ließ. Denn manchmal vergaß sie im Dunkeln, dass sie Henry hasste. Sie ließ sich mitreißen, genoss es, seinen Mund auf ihrer Haut zu spüren, seinen Körper an ihrem – und verachtete sich später dafür.

Liebe und Lust hingen nicht so stark zusammen, wie sie immer angenommen hatte. Emma hatte schon damals versucht, ihr das zu erklären. Die meisten Bücher waren anonym verfasst, und die Menschen darin taten die seltsamsten, phantasievollsten, aufregendsten, manchmal verstörendsten Dinge. Heute Vormittag hatte sie bereits den *Marquis de Sade* ausgelesen. Doch das Buch, das sie gerade in den Händen hielt, war anders als alles, was sie kannte. Ihre Wangen glühten. *The Sins of the Cities of the*

Plain handelte von etwas wahrhaft Skandalösem. Lily hatte gehört, dass es so etwas geben sollte – Männer, die andere Männer begehrten, ja liebten. Es stand unter Strafe. Doch in dem Buch wurde es als etwas Natürliches beschrieben. Etwas, das man sich nicht aussuchen konnte, das aber dennoch von der Gesellschaft verachtet wurde. War es nicht falsch, etwas zu verurteilen, mit dem jemand geboren wurde? Lily war so in ihre Grübelei vertieft, dass sie nicht merkte, wie Mary hereinkam.

Plötzlich hörte sie ein entsetztes Keuchen. «Frau von Cappeln!» Mary stand mit aufgerissenen Augen hinter ihr und starrte auf das Buch in Lilys Händen.

Sie fuhr in die Höhe. «Mary. Ich habe Sie nicht kommen hören», stotterte sie und presste die Seiten an die Brust. Doch sie war so durcheinander, dass ihr das Buch aus den Händen rutschte und vor Mary auf den Teppich fiel.

Die Hausdame bückte sich langsam und hob es auf. Sie betrachtete es einen Moment, dann starrte sie Lily an.

Lily wurde knallrot. «Ich habe …», begann sie, doch Mary unterbrach sie.

«Frau von Cappeln, diese Dinge sind sündhaft!»

Lily nickte rasch. Mary durfte auf keinen Fall Henry davon erzählen. «Ich habe es in der Bibliothek gefunden …», stammelte sie. «Ich wusste nicht, was es ist, ich habe einfach angefangen, und dann …»

Plötzlich machte Mary eine verständnisvolle Miene. «Ich habe sie beim Abstauben schon gesehen. Schändlich ist so etwas. In gutem Hause hat das nichts verloren! Ich weiß ja nicht, wessen Bibliothek Herr von Cappeln da erworben hat, aber es war offensichtlich ein kranker Mann.»

Lily nickte mechanisch.

Mary streckte die Hand aus, und sie reichte ihr das Buch, wie ein kleines Kind, das beim Stehlen ertappt worden war. «Besser, wir beseitigen es gleich, bevor es noch Gerede gibt», sagte Mary mit komplizenhaft hochgezogenen Augenbrauen. Dann ging sie zum Kamin und warf das Buch ins Feuer.

4

Anfangs redete er mit ihr. Verbrachte ganze Stunden damit, dazusitzen und Claire alles zu erzählen, was er in den letzten Jahren erlebt hatte. Charlie schlief ein, den Blick auf ihr Gesicht gerichtet, und wenn er aufwachte, wanderten seine Augen automatisch zu ihr, um sich zu vergewissern, dass sie noch da war. In den ersten Tagen war er glücklich. Nun war er nicht mehr allein.

Aber dennoch war sie nicht bei ihm.

Irgendwann begann er, wütend zu werden. Wütend darauf, dass sie nicht antwortete. Dass sie ihn immer nur ansah, stumm, vorwurfsvoll, wunderschön. Dass er sie wiederhatte und sie doch nicht hatte, dass sie nun in seinem Kopf war, seinem Herzen, dass er an nichts anderes denken konnte und doch gleichzeitig wusste, dass es kein Zurück gab. Mehr als dieses Stück Papier würde er niemals von ihr in den Händen halten. Und nun musste er all den Schmerz von damals noch einmal durchleben.

Claires Gesicht verfolgte ihn, wo auch immer er hinging. Während der Arbeit sah er sie in seinen Gedanken, auf dem Heimweg wurde sein Schritt schneller, weil er an sie dachte. Doch kurz bevor er ankam, überfiel ihn manchmal beinahe so etwas wie Furcht. Vor der Tür musste er innehalten, sich wappnen, bevor er den Schlüssel umdrehte. Er wusste nicht genau, wovor er sich fürchtete. Davor, sie nicht mehr vorzufinden, oder davor, sie zu sehen. Das Bild hatte etwas, das ihn bis ins Innerste seiner Seele erschütterte.

Dabei war es nicht einmal so, dass die Frau haargenau aussah wie Claire. Sie war es … und doch war sie es nicht. Manchmal schien es ihm, als habe jemand das Gesicht einer anderen Frau über das ihre gelegt, sodass sie sich vermischten, eins wurden und trotzdem ständig wieder auseinanderschwammen. Dort stand sie, auf dem kleinen Waschtisch, und starrte ihn an. Ihr Blick folgte ihm durch den Raum. Ab und an hatte er das Gefühl, aus den Augenwinkeln zu sehen, wie sie sich bewegte. Doch wenn er sich umdrehte, war sie stumm und reglos. Gefangen auf dem Papier. Wunderschön und schrecklich zugleich. Claire und doch nicht Claire.

Bald verfolgte sie ihn in seine Träume. Wenn der Mond schräg durch das Fenster fiel, war es ihm manchmal, als würden sich ihre Züge verändern, ihr Blick sich vor Wut verzerren. Mehr als einmal wachte er schreiend und verschwitzt auf, weil sie sich im Schlaf über ihn gebeugt hatte. Jetzt trug sie nicht mehr das Gesicht seiner geliebten Claire, sondern das der anderen Frau, ihr Lächeln wurde zu einer wütenden Grimasse mit leeren Augenhöhlen, die ihn anschrie, ihn fragte, warum er sie hatte sterben lassen. Warum er ihr nicht geholfen hatte.

«Ich konnte doch nicht!», rief er dann und wurde davon wach, dass ihm die Tränen über das Gesicht liefen.

Er begann, das Bild zu verfluchen. Irgendwann, es zu fürchten. Trotzdem betrachtete er es jeden Tag. Nun blieb er ganze Nächte von zu Hause fort, arbeitete immer nur so viel, dass er sich die nächste Opiumpfeife leisten konnte. Doch nicht einmal hier fand er Frieden. Wenn er im Halbdunkel zwischen den anderen Süchtigen auf der Pritsche lag, sah er im sich blau kräuselnden Rauch an der Decke ihr Gesicht. Er wusste, dass er das Bild vernichten musste, wenn er weiterleben wollte. Und er wusste auch, dass er das niemals schaffen würde.

«Hey, Quinn!»

Charlies Kopf ruckte herum. «Was will der, zur Hölle?», brummte er durch die Zähne, als er den Mann über den Steg auf sich zukommen sah. Er tat so, als hätte er nichts gehört, richtete den Blick wieder auf den schmutzigen Boden, schob verdrossen seine Zigarette vom rechten in den linken Mundwinkel. Charlie schrubbte gerade ein Schiffsdeck, beseitigte die Reste des letzten Fangs. Bei Fischerbooten war das immer eine besonders undankbare Aufgabe, der Gestank war grausam. Aber wenigstens war es Winter. Wenn die Fische im Sommer vor sich hin moderten, kotzten die Arbeiter regelmäßig über die Reling.

«Hey, Quinn, beweg mal kurz deinen Arsch hier rüber!»

Charlie grunzte unwillig und warf den Besen in einen Haufen zermatschter Garnelen.

Brenner, einer der Hafenvorarbeiter, stand am Dock und winkte zu ihm rüber. «Ich hab 'ne Aufgabe für dich!»

«Ich habe Arbeit», brummte Charlie und trat näher. «Kein Interesse.»

«Hör's dir erst mal an», rief Brenner.

Fünf Minuten später schüttelte Charlie ungläubig den Kopf. «Ich soll *was*?»

«Tauchen», erwiderte Brenner ungerührt und zündete sich ebenfalls eine Zigarette an. «Pass auf, es ist ganz einfach. Gestern ist jemandem 'ne Kiste mit extrem teurer Ausrüstung ins Wasser gefallen. Natürlich haben wir für so was die Berufstaucher. Aber eben nur drei, für den ganzen scheiß Hafen. Zwei sind in der Speicherstadt im Einsatz, die müssen den ganzen Tag an den Schleusen arbeiten. Und einer hatte letzte Woche einen kleinen Unfall und ist … außer Gefecht. Wir könnten eins der privaten Tauchunternehmen anheuern, aber die nehmen ein Schweinegeld.»

«Was für 'nen Unfall?», fragte Charlie, aber Brenner winkte ab.

«Braucht dich nicht zu kümmern. Normalerweise lassen wir natürlich nur Profis runter. Aber du sollst ja nichts reparieren. Sollst nur 'n Tau um die Kiste binden, es an die Winde koppeln und wieder hochkommen.»

«Aber … warum ich?», fragte Charlie erstaunt.

Brenner betrachtete ihn eine Sekunde mit scheelem Blick. «Weil's kein anderer machen will», gab er dann schulterzuckend zu und nahm einen tiefen Zug von seiner Zigarette. «Haben alle Schiss. Kann's auch verstehen, mich würden keine zehn Pferde da runterkriegen. Aber du machst ja jeden Job. Dir ist doch alles scheißegal. Außerdem brauch ich jemand Kräftiges, musst ja die Kiste hochnehmen. Was sagst du? Kriegst 'nen Tageslohn extra obendrauf. Ist für mich immer noch 'n Bruchteil von dem, was diese Abzocker von der Tauchfirma nehmen.»

Charlie betrachtete ihn einen Moment. Dann drehte er sich um und blickte auf das dunkle Wasser der Elbe. Der Fluss war grünschwarz, kein Lichtstrahl drang hinein. Ihn überlief ein Schauer. Es gab schon gute Gründe, warum er nie als Seemann angeheuert hatte. Vor tiefem, dunklem Wasser hatte er immer schon einen Heidenrespekt.

Er schüttelte den Kopf. «Wie weit geht's runter?», fragte er trotzdem.

«Nicht sehr. Vielleicht fünf Meter oder so. Schaffst du locker, da ist es wahrscheinlich nicht mal richtig dunkel», versicherte Brenner. «Sonst würde ich dich ja nicht fragen. Ist kein Hexenwerk. Und zum Glück ist ja letzte Woche das Eis geschmolzen. Durch den Schlauch kriegst du Luft, du hast den Signalmann und die Pumpenleute an deiner Seite, wenn was ist, ziehen sie dich einfach wieder hoch.»

Charlie wollte nein sagen. Ausgeschlossen. Aber dann dachte er an das Bild. An Claire. Von dem Geld konnte er mindestens fünf Nächte im Chinesenviertel in süßer Umnachtung verbringen.

Er sah Brenner an und verschränkte die Arme vor der Brust. «Du kriegst also keinen anderen?», fragte er, und Brenner nickte freudig in Erwartung einer Zusage.

«Richtig.»

«Gut», erwiderte Charlie. «Drei Tageslöhne. Und ich will 'nen richtigen Job bei dir, wenn ich hier fertig bin. Hab genug von dem Gestank.»

Brenner zog eine Grimasse. Einen Moment dachte Charlie schon, er habe es überreizt. Dann streckte Brenner ihm die Hand entgegen. «Scheiße, einverstanden.» Sie schlugen ein. «Jetzt müssen wir dich nur noch in den Anzug kriegen. Zum Glück war der verunglückte Taucher auch nicht gerade ein Zwerg. Wird schon gehen.»

«Moment mal. Verunglückt? Du hast doch gesagt …»

Aber Brenner war schon losgelaufen und winkte nur abfällig über die Schulter. «Mach deinen Scheiß hier fertig und komm in Halle vier!», rief er und polterte mit schweren Schritten davon, die den Steg zum Schwanken brachten.

Über den kahlen Rosenbüschen im Garten der Karsten-Villa hing ein Schleier Nachmittagsnebel. Es tröpfelte leise, die Luft roch nach Regen und nassem Laub. Hagebutten blitzten aus dem Braun der Hecken, ein paar verschrumpelte Äpfel warteten noch immer im knochigen Geäst der Bäume, wie vergessene Erinnerungen an den Sommer. Es dämmerte. Sylta stand auf der Terrasse, atmete tief ein, füllte ihre Lungen mit dem letzten

Hauch des Winters und stellte sich vor, wie der Garten aussehen würde, wenn es endlich wieder wärmer wurde. Der Fluss, auf dem sich die Sonne spiegelte, die Laube, überwachsen mit dicken Büscheln der Glyzinien.

Und Michel und Lily auf einer weißen Decke, umgeben von Büchern und Spielsachen … Sie schloss einen Moment die Augen.

Nein, das würde es nie wieder geben. Diese Zeiten waren für immer verloren. Und Otto, ihr kleiner Enkel, auf den sie sich solche Hoffnungen gemacht hatte, würde die Villa niemals betreten.

Beinahe sah sie es noch vor sich, ihr altes Leben als Mutter. Beinahe hörte sie sie noch, wie sie lachten und redeten. Zog da nicht Lilys Stimme durch den Nebel? Und hatte Michel sie nicht eben laut aufgefordert, mit ihm Fangen zu spielen?

«Gnädige Frau, Sie werden sich ja den Tod holen!» Hertha trat mit besorgter Miene hinter ihr auf die Terrasse und zog fröstelnd die Schultern hoch.

Sylta blinzelte. Mit einem entrückten Lächeln drehte sie sich zu der Köchin um. «Oh, ich wollte nur einen Moment den Garten riechen», erklärte sie. «Ich mag es, wenn die Luft noch so schwer ist vom Winter. Ist es nicht herrlich, wie das Moos duftet, Hertha?», fragte sie, und die dünne Köchin schaute sie verwundert an.

«Nun, ich ziehe den Duft meiner Heißwecken vor», erwiderte sie pragmatisch und musterte Sylta besorgt, als wäre sie sich nicht sicher, ob ihre Herrin noch ganz bei Verstand war. «Die sind nämlich soeben fertig geworden, und ich wollte fragen, wo ich der gnädigen Frau servieren darf?»

Sylta seufzte leise. «Ach, so ganz alleine habe ich gar keinen rechten Appetit.»

Hertha zog die Augenbrauen hoch. «Kommt denn das Fräulein Roswita nicht hinunter?»

Sylta schüttelte den Kopf. «Sie ist heute ein wenig schwermütig und hat sich zurückgezogen, um zu ruhen. Man kann es ihr nicht verdenken, dieser Nebel schlägt aufs Gemüt, so schön er auch ist», sagte sie und blickte in den Garten.

«Darf ich Ihnen dann im Salon anrichten, wenn Sie heute ganz allein sind?»

Keine von beiden sprach darüber, dass sich der Ruf der Familie noch immer nicht von Lilys Skandal erholt hatte. Eine Tochter, die alleine und unverheiratet in den Gängevierteln lebte, durch die Stadt lief und wie ein Mann arbeitete! Sylta wurde geschnitten und ausgegrenzt. Zwar sprach niemand offiziell aus, dass sie nicht mehr dazugehörte, aber deutlicher hätte man es ihr gar nicht zeigen können. Zur Blütezeit ihrer Familie war beinahe jeden Tag jemand zum Tee oder zum Abendessen gekommen, die Villa war immer erfüllt von Lachen und Reden, die Kutschen standen die ganze Einfahrt hinunter. Sylta hielt Salons und Spieleabende ab, Stickkränzchen, Lesezirkel und Sommerfeste, es wurde gesungen, getanzt, deklamiert. Sie und Alfred waren fester Bestandteil von Hamburgs Elite. Und auch wenn sie es nun geschafft hatten, wieder einigermaßen akzeptiert zu werden, war Besuch eine Seltenheit geworden. Gelegenheit zur Renommage hatten sie keine mehr. Sylta verbrachte die meisten Nachmittage allein im Salon. Hätte sie Emma und Gerda nicht gehabt, sie wäre zugrunde gegangen, das hatte sie in den letzten Jahren oft gedacht. Manchmal sah sie sich um und erinnerte sich an jene glitzernden Abende, an den Geruch der vielen Kerzen und Parfums, die sich mit den Stimmen und dem Gelächter mischten. Aber im Grunde war es ihr egal. Sie hatte keine Lust mehr auf das, was man allgemein «Haus machen» nannte. Im

Laufe der Jahre hatte sie gemerkt, dass sie auch leben konnte, wenn sie nicht ganz oben an der Spitze der Gesellschaft stand. Es war ohnehin ein leeres und sinnloses Dasein, das man dort fristete. Aber allein fühlte sie sich doch.

Sylta nickte. «Also gut, da sie schon einmal fertig sind. Wo steht geschrieben, dass man Heißwecken nicht auch ohne Gesellschaft genießen darf?», fragte sie, und die beiden Frauen gingen zusammen ins Haus.

«Wann kommen denn Ihre Freundinnen einmal wieder vorbei? Frau Wilson und Frau Lindmann?», fragte Hertha. «Die beiden haben immer einen so gesegneten Appetit!»

Sylta lächelte. «Sie sind momentan sehr beschäftigt, das Frauenstift ist bezugsbereit, und Gerda stürzt sich geradezu in die Arbeit. Ich würde natürlich helfen», erklärte sie, ein wenig traurig, «wenn Alfred mich nur ließe.»

«Ist sicher besser so. Für eine Dame wie Sie ist das kein Umgang», erklärte Hertha schroff. «Wer weiß, mit was für Gesindel Sie es da zu tun bekommen.»

«Aber Hertha!» Sylta lachte, ein wenig schockiert.

Die Köchin schürzte die Lippen. «Wo kommen wir denn da hin, wenn jetzt die gnädigen Frauen alle anfangen, sich um die Armen und Kranken zu kümmern? Dafür gibt es schließlich Personal. Am Ende holen Sie sich noch was.»

Sylta seufzte. «Womit soll ich denn sonst meine Zeit verbringen? Ich bin doch zu nichts nütze, meine Kinder sind fort, das Personal arbeitet selbständig … Ich habe ja gar keine Funktion mehr.»

Hertha sah sie erschrocken an. «Aber Frau Karsten, was reden Sie denn da!», rief sie. «Sie sind doch die Seele des Hauses. Wir wären doch alle verloren ohne Sie!»

«Ach ja?» Sylta strich ihre Röcke glatt und setzte sich an den

Kamin. «Es ist galant, dass Sie das sagen, Hertha. Aber was mache ich denn schon groß, außer im Salon zu sitzen?»

Herthas Augen wurden so groß wie Suppenteller. «Madame!», tadelte sie atemlos, doch Sylta winkte ab.

«Ich rede doch bloß vor mich hin», erklärte sie rasch, denn sie sah, dass die Köchin ihre Gedankengänge ganz und gar nicht nachvollziehen konnte und sie ihr Weltbild anscheinend ein bisschen zu sehr ins Wanken brachten. «Holen Sie mir jetzt eine von Ihren Wecken? Es duftet ja schon ganz herrlich!»

Genau wie ihre Tochter nur wenige Jahre zuvor, hatte Sylta entdeckt, dass Bücher nicht nur unterhalten und durch lange dunkle Winterabende bringen konnten. Sie konnten einen auch vollkommen durcheinanderwirbeln, aufrütteln, einen das eigene Leben in Frage stellen und Dinge sehen lassen, die vorher nicht da gewesen waren.

Irgendwann im letzten Jahr hatte Sylta begonnen, nachts, wenn sie nicht schlafen konnte, die Zimmer ihrer verlorenen Kinder aufzusuchen. Sie saß eine Weile auf Michels Bett und betrachtete seine Kinderzeichnungen an der Wand, seine Zinnsoldaten auf der Anrichte. Dann schlich sie in Lilys Zimmer hinauf, strich mit den Fingern über den Schreibtisch, zog ein paar Romane aus dem Regal und blätterte darin, ging auf den Balkon hinaus und starrte auf die dunkel glitzernde Alster, fragte sich, wann ihr schönes, ruhiges Leben eine derart schreckliche Wendung genommen hatte. Sie kam sich vor wie ein Geist. Das stille Haus umgab sie wie ein trügerischer Kokon aus verschwommenen Erinnerungen. Vergangenheit und Gegenwart schienen sich zu überlagern in diesen Nächten. Es war alles wie immer … und doch war alles anders.

Sogar Kittie vermisste sie, wer hätte das für möglich gehalten? Ihre Schwiegermutter, das war Sylta nach Kitties Tod klargeworden, war ein stützender Pfeiler gewesen, eine Hüterin der Ordnung, Wächterin der Sitten. Sylta hatte den Einfluss ihrer Anwesenheit unterschätzt. Sie war überzeugt, dass manches anders gekommen wäre, hätte Kittie weitergelebt. Mit ihr war ein Stück der alten Welt gestorben, die ihnen Halt gegeben hatte. Die Gesellschaft war im Begriff, sich zu wandeln. Und ihre Familie konnte diesem Wandel nicht standhalten.

Einmal erhielt sie einen besonders langen Brief von Lily. Dadurch vermisste sie ihre Tochter noch schlimmer als sonst, und es zog sie wie so oft des Nachts in ihr Zimmer hinauf. Wie immer, wenn sie die Klinke hinunterdrückte, meinte sie für eine Sekunde, ein Flüstern hinter der Tür zu hören. Das Echo eines Lachens wahrzunehmen, einen kaum merklichen Hauch von Lilys Parfum. Doch als sie die Tür ganz aufschob, lag der Raum wie immer dunkel und verlassen da, die Möbel unter den weißen Tüchern gespenstische Silhouetten im fahlen Mondlicht. Sie wusste, dass es die Echos der Vergangenheit waren, die sich in ihren Kopf eingebrannt hatten. Ihr Verstand würde wahrscheinlich noch viele Jahre vertraute Bilder und Gerüche erwarten, wenn sie die Tür öffnete. Sie saß lange Zeit auf dem Bett und starrte vor sich hin, versank beinahe in eine Art Trance. Irgendwann schweiften ihre Augen über die Kisten, die die Hausmädchen neben dem Schrank gestapelt hatten.

Emma und Gerda fanden Sylta am nächsten Tag in ihrem kleinen Salon, umgeben von Flugblättern, Zeitschriften und Büchern. Ganz aufgewühlt war sie, ihre Wangen glühten. Sie hatte Dinge gelesen, von denen sie in ihren kühnsten Träumen nicht gedacht hätte, dass jemand sie aussprechen, ja aufschreiben würde! Diese Frauen waren so unverblümt, so ganz und gar schamlos. Was sie alles forderten. Wie sie über Damen wie Sylta schrieben. Voller Verachtung für ihre inhaltslosen Leben. Zuerst war sie empört gewesen, hatte immer wieder den Kopf geschüttelt, beim Lesen unwillig mit der Zunge geschnalzt. Aber irgendwann hatte sie zu ihrer eigenen Überraschung festgestellt, dass sie so etwas wie Scham empfand. Es stimmte ja. Alles, was dort geschrieben stand, stimmte. Wie wenig Frauen wie sie beitrugen zur Gesellschaft, zum Leben, zum Alltag, zu überhaupt allem.

Dass sie im Grunde voll und ganz überflüssig waren.

Nach dieser Lektüre stimmte sie Gerdas und Emmas Plan vom Frauenstift sehr viel begeisterter und schneller zu als für sie üblich. Und mit einem Mal war sie nicht mehr zufrieden mit ihrem Leben. Was hatte sie heute schon getan? Sie hatte sich angekleidet, das Frühstück eingenommen, das ihr serviert worden war, sich mit Lises Hilfe umgezogen, mit Agnes den Waschtag besprochen, sich erneut umgezogen, das Mittagessen mit Franz und Roswita hinter sich gebracht und ein wenig geruht. Sie schlief, sie aß, sie grübelte. Mehr passierte nicht. Es war beschämend. Sie war immer eine Mutter gewesen, und nun blieb nichts mehr übrig.

Hertha hatte die Heißwecken aus der Küche geholt und stellte das silberne Tablett vor Sylta ab. Mit geübten Fingern schnitt sie eines der dampfenden süßen Gewürzbrötchen auf und bestrich es mit der üblichen Creme aus Butter, Zucker und Zimt.

Sylta, die mit glasigem Blick vor sich hin geträumt hatte, lächelte. «Wunderbar, Hertha, ich danke Ihnen.»

Da die Köchin keinerlei Anstalten machte zu gehen, sondern sie mit aufforderndem Blick ansah, biss sie ein Stück ab. «Köstlich!», versicherte sie, obwohl die schwere Creme ihr gar nicht gut bekam. «Heute Abend gibt es Pannfisch?»

Hertha nickte. «Lise hat die Senfsoße schon angesetzt.»

«Wunderbar», Sylta legte das Wecken wieder auf den Teller. «Und bald sollten wir einmal wieder Aalsuppe mit Mehlklößen machen, es ist ja Alfreds Leibgericht! Er arbeitet in letzter Zeit so hart. Dr. Selzer sagt ihm immer wieder, dass er sich zurücknehmen soll, aber wir kennen ihn ja …» Sie plauderte, denn sie wollte plötzlich nicht, dass Hertha wieder ging und die Stille des Salons sie erneut einhüllte. Gerne hätte sie die Köchin gebeten, sich einen Moment zu setzen und ihr Gesellschaft zu leisten. Aber das wäre nun wirklich ein wenig zu modern. «Ich musste neulich an diese herrlichen roten Früchte denken, die wir im Sommer probieren durften. Wie hießen sie noch gleich?»

«Tomaten», erwiderte Hertha. «Ich verstehe nicht, was an ihnen so herrlich sein soll, sie haben doch nur nach Wasser geschmeckt.»

«Ach nein, aber das ist ja nicht wahr!», rief Sylta lächelnd. «Sie waren ganz süß und fruchtig. Ich hoffe jedenfalls, dass wir dieses Jahr vielleicht wieder ein paar ergattern, ich muss Alfred sagen, dass er darauf achtet, wenn ein Schiff aus Italien kommt.»

«Nun, ich weiß wirklich nicht, was man daraus Schmackhaftes zubereiten soll. Aber Sie haben ja auch eine viel feinere Zunge», erklärte Hertha ernst.

Sylta blinzelte, sie wollte etwas erwidern, Hertha für diesen unsinnigen Gedanken tadeln, aber sie wusste, dass es keinen Sinn hatte. Es war ein weit verbreiteter Glaube, dass es biologische Ursachen gab, die die Herrschaft vom Personal unterschieden. Vielleicht, dachte Sylta und naschte ein wenig von der Zimtcreme, denn Herthas Augen hingen schon wieder auf dem beinahe unangerührten Teller, vielleicht ist es auch leichter, die Umstände zu akzeptieren, wenn man sich einredet, dass es eine höhere Ordnung gibt, die sie so vorgesehen hat.

«Nun, wie dem auch sei», sagte sie also stattdessen.

Hertha räusperte sich. «Frau Karsten. Bitte verzeihen Sie meine Neugierde. Ich kann nicht an mich halten. Was ist denn nun aus ihnen geworden? Aus Seda und dem kleinen Otto?» Gespannt sah die Köchin sie an.

Sylta faltete die Hände im Schoß. «Nun, leider gibt es da sehr schlechte Neuigkeiten, Hertha. Otto wurde zur Adoption freigegeben. Er hat eine neue Familie im Ausland, und Herr Naumann konnte ihn nicht finden. Die Frau, die ihn vermittelt hat, fürchtet um ihren Ruf und weigert sich, seinen Aufenthaltsort zu verraten.»

Hertha fasste sich an die Brust. «Herrgott!», flüsterte sie.

Sylta nickte bekümmert. Und plötzlich hörte sie sich sagen: «Aber ich werde persönlich zu der Frau fahren, die ihn vermittelt hat, und ihr einen Preis anbieten, den sie nicht ausschlagen kann. Ich werde ihn finden, Hertha. Ich muss einfach!» Bis zu diesem Moment hatte sie nicht gewusst, dass sie das vorhatte. Aber es fühlte sich richtig an. Sie hatte genug davon, das Leben an sich vorbeiziehen zu lassen.

Die Köchin sah sie an. Sylta erwartete, dass sie ihr sagen würde, sie solle es gut sein lassen, dass eine Dame wie sie sich nicht mit diesen Dingen abgeben sollte.

Aber Hertha sagte: «Seda war immer ein gutes Mädchen.»

Sylta hielt ihrem Blick einen Moment stand. Dann senkte sie die Augen.

«Ich muss zurück zum Fisch.» Hertha holte tief Luft, aber dann knickste sie und schickte sich an, den Raum zu verlassen.

«Sie wissen ja, dass mein Mann und mein Sohn von diesen Dingen vorerst nichts erfahren dürfen?», fragte Sylta.

Hertha hielt inne. «Sie können sich auf uns verlassen, Frau Karsten», sagte sie ernst, und Sylta wusste, dass das stimmte.

Sie sah der Köchin nach und wartete, bis sich die Tür hinter ihr geschlossen hatte. Dann zog sie den Teller mit den Wecken zu sich. Plötzlich hatte sie Appetit.

S iehst ja aus wie ein Schneemann, Quinn! Steht dir, die Aufmachung.»

«Schmucker Fetzen, was?» Charlie grinste. Er stand in seiner weißen Ganzkörper-Wollunterwäsche da und ließ den Spott der Männer gleichgültig über sich ergehen. Als der Signalmann ihm das Zeichen gab, trat er in den Taucheranzug, der am Boden lag.

«So, und jetzt heb das Ding bis zu den Knien an! Wollen mal sehen, ob wir dich durch den Gummikragen gezwängt kriegen.»

Charlie tat, wie ihm geheißen. Vier Männer der Taucher-truppe bildeten einen Kreis um ihn. Sie stützten sich gegenseitig an den Ellbogen ab, zogen den Anzug gleichzeitig bis auf seine Brusthöhe hoch und dehnten den Kragen auf.

«Wird knapp», brummte Bernhard, der Signalmann. Er nahm ein seltsames gusseisernes Instrument zur Hand. «Keine Sorge, ich schlitze dich nicht auf. Ist ein Manschettenweiter. Damit dehne ich die Ärmel», erklärte er. «Hast ein paar mehr Muskeln als unsere anderen Taucher.» Als er schließlich zufrieden damit war, wie der Anzug saß, sagte er: «Passt schon. Normalerweise würde ich das nicht durchlassen. Aber ist ja nur für 'nen kleinen Tauchgang.»

Charlie nickte und stieg dann in die gusseisernen Schuhe, die schon bereitstanden. Beinahe wäre er gestolpert, er hatte nicht damit gerechnet, dass sie so schwer waren und einfach stehen blieben, wenn er seine Füße bewegen wollte.

«Vorsicht, jeder Schuh wiegt acht Kilo», mahnte Bernhard.

Er grinste schief. Der andere Taucher schien riesige Treter zu haben, Charlie schwamm in den Schuhen. Na, dachte er. We-nigstens klemm ich mir nicht die Zehen ab.

Die Männer schnürten jetzt Lederriemen um seine Beine, um die Schuhe wasserdicht mit dem Anzug zu verbinden. Als sie danach mit dem riesigen dunklen Helm auf ihn zukamen, wurde ihm flau im Magen. Wenn er nicht von einer Traube Schaulustiger umgeben gewesen wäre, er hätte auf der Stelle einen Rückzieher gemacht.

«Hier ist der Lufteinsatz-Stutzen», erklärte Bernhard. «Daran schließen wir den Schlauch an. Und hier links entweicht die Luft wieder aus dem Helm. Mit dem Kopf betätigst du das Auslassventil, ist ganz einfach. Nur nicht zu viel rauslassen, sonst kommt unten Wasser rein.»

«Na, schönen Dank», knurrte Charlie. Ihm wurde schlecht.

«Keine Angst, Quinn, es ist ja nicht tief hier. Wird ein Kinderspiel. Wenn was ist, ziehst du an der Signalleine, und wir holen dich rauf. Kann nichts passieren!»

«Und wie tief war der, dem dieser Anzug gehört?», fragte Charlie.

Plötzlich wollte ihm niemand mehr in die Augen sehen. «Tiefer», knurrte der Signalmann nur, und die Männer hoben den Helm an und stülpten ihn Charlie über. Weil er so groß war, mussten sie sich auf die Zehenspitzen stellen. Es wurde dunkel um ihn, und ein beißender Geruch stieg ihm in die Nase. Er kämpfte gegen die Panik an, die in ihm aufwallte.

«Alles klar da drinnen?» Bernhard klopfte gegen das Sichtfenster, und Charlie zuckte zusammen.

Er hob einen Daumen. Am liebsten hätte er gerufen, dass sie ihn sofort wieder rausholen sollten. Die Männer begannen, den Helm mit dem Anzug zu verschrauben. Jetzt wurde ihm heiß, dabei war es eiskalt hier draußen. Er fühlte sich gefangen, sein Körper begann zu kribbeln.

«Nun noch die Gewichte. Wir müssen sie an Rücken und Brust gleichzeitig anbringen, sonst schlägt der Helm aus und poliert dir die Fresse», Bernhard lachte.

Charlie grunzte. Sie legten ihm die schweren Eisengewichte über die Schultern. «Zum Teufel, wie viel wiegt das Zeug?», rief er.

«Jeweils etwa neunzehn Kilo! So, jetzt einmal den Schrittgurt zwischen den Beinen durch …»

«Hey, hey, Vorsicht da unten!», rief er erschrocken, als sie den Gurt, der die beiden Gewichte miteinander verband, zwischen seinen Beinen durch und dann straff anzogen. «Wollt ihr mich kastrieren, oder was?»

Die Männer lachten. «Ist mir auch kein Vergnügen, da rumzufummeln, Quinn, glaub mir», meinte Bernhard grinsend. «So, wir sind bald fertig, mach dich schon mal bereit.»

«Charles! Du willst das doch nicht wirklich durchziehen!» Wie aus dem Nichts war Jo aufgetaucht und baute sich wie eine Wand vor ihm auf.

«Scheiße», knurrte Charlie in den Helm hinein.

«Das kann nicht dein Ernst sein!»

«Ist doch nichts dabei», erwiderte er unbekümmert und war selbst erstaunt, wie sicher seine Stimme klang. Sie hatte durch den Helm ein kleines Echo.

«Nichts dabei? Du kriegst doch so schon kaum Luft!», rief Jo wütend. Dann wandte er sich an den Signalmann. «Er hat eine zerfetzte Lunge. Sie können ihn unmöglich da runterlassen.»

Es stimmte, seine Lunge war ganz und gar nicht mehr intakt, seit er sich vor ein paar Jahren mal als Trockenmieter versucht hatte. Man wohnte in neu gebauten Häusern, deren Wände eigentlich noch nicht genug durchgetrocknet waren, um darin zu leben. Eine böse Entzündung war das gewesen. Seither machte ihm die Atmung zu schaffen, und besonders im Winter war es kein Vergnügen. Ein Grund mehr, warum er die Finger vom Opium lassen sollte.

«Jo, halt dich da raus!», brüllte Charlie, aber Jo beachtete ihn nicht.

«Das ist unverantwortlich!», regte er sich auf. «Brenner hätte ihn niemals fragen dürfen.»

«Tja, also … Er sagt, es geht.» Bernhard kratzte sich nachdenklich am Kopf. «Ich mache hier nur meine Arbeit. Muss Quinn schon selber wissen, oder nicht?»

«Genau. Ist meine Sache, Bolten!», polterte Charlie. «Halt dich da raus.»

«Du bist doch nicht ganz dicht. Willst du wirklich im Hafenwasser verrecken wie eine elende Kanalratte?» Jos Wangen zuckten. Charlie konnte sehen, dass er kurz davor war auszurasten.

«Ist wirklich nicht so 'ne große Sache», beruhigte ihn einer der Männer. «Er muss nicht lange unten bleiben. Sie können ja zuschauen, wenn Sie wollen.»

«Darauf könnt ihr Gift nehmen.» Jo schüttelte den Kopf. «Ich weiß nicht, was mit dir los ist», zischte er Charlie zu. «In letzter Zeit bist du noch seltsamer als sonst!»

«Ach, reg dich ab», gab Charlie nur zurück. «Das wird lustig, wirst sehen!»

Wenn er da mal nur selbst so sicher wäre. Aber jetzt, wo Jo hier war, kam ein Rückzieher noch weniger in Frage. Er war zwar sein bester Freund, aber das Gesicht verlieren wollte er vor ihm nicht. Das war ihm schon zu oft passiert.

*D*ie Arbeit ist die Quelle allen Reichtums und aller Kultur …»
Isabel knallte ihre Tasse auf den Tisch. Sie hatte laut von einem Plakat vorgelesen, das für die Aufhebung der Sozialistengesetze warb. Ganz oben war ein Bild von Marx zu sehen. Sie hielt das Plakat hoch und betrachtete es. «Wie wahr!»

Martha trank einen Schluck Kaffee und lächelte in ihre Tasse. «Nun, vielleicht nicht *allen* Reichtums.»

«Natürlich nicht!» Isabels stahlblaue Augen funkelten. Emma blickte zwischen den beiden hin und her. Die Luft knisterte. «Aber wenn man keine hat oder nicht arbeiten oder nicht für bessere Löhne streiken darf oder für gleiche Bezahlung oder für eine Schichtlänge, die einen nicht innerhalb von zehn Jahren umbringt, dann durchaus! Solange diese furchtbaren Gesetze es verbieten, für solche Dinge auf die Straße zu gehen, haben wir keine Chance.»

Martha nickte, die dunklen Locken fielen ihr ins Gesicht. «Ich weiß nicht, warum du so giftig bist, wir sind doch einer Meinung.»

Sofort beruhigte Isabel sich, und einer ihrer Mundwinkel zuckte versöhnlich. «Sicher.»

Emma lächelte. Ihr kleiner Frauenzirkel hatte sich in den letzten Jahren halbiert. Nun waren nur noch sie drei übrig. Aber das hieß bloß, dass Martha, Isabel und sie ihre Leidenschaft für die proletarische Frauenbewegung noch glühender auslebten. Jetzt mussten sie auch für die anderen mitkämpfen, die geheiratet hatten oder, wie Luise, weggezogen waren. Manchmal sprudelte diese Leidenschaft so über, dass sie in Streits zwischen ihnen endete – was nur daran lag, dass sie so eingeschränkt wurden, so viele Pläne hatten, die sie nicht umsetzen durften. Gerade Isabel kam Emma manchmal vor wie ein Tier in einem Käfig, sie hatte so viel Energie und einen Kampfeswillen, den sie nicht ausleben konnte. Sie war noch schöner geworden, ihre blonden Haare leuchteten mit ihren Wangen um die Wette. Auf der Straße klebten die Blicke der Männer geradezu an ihr. Aber sie hatte nur Augen für die Sache.

Isabel und Martha lebten inzwischen zusammen in einer kleinen Kammer im Schanzenviertel. Martha hatte ihre Wohnung aufgeben müssen und Isabel ihre verloren, als die Vermieter herausfanden, dass sie alleinstehend war – und Sozialistin. Auch darum bekamen sich die beiden Frauen ständig wegen Nichtigkeiten in die Haare: Sie hatten keinen Platz, um sich aus dem Weg zu gehen. Und kein Geld. Isabel arbeitete weiterhin als Lehrerin am Johanneum, ihre Anstellung dort war jedoch in ständiger Gefahr. Es hätte ihre sofortige Entlassung zur Folge, wenn ihr Engagement bekannt würde. Alles, was sie verdiente, steckte sie in Flugblätter, Plakate, Bücher, die Unterstützung politischer Flüchtlinge im Ausland. Martha lebte nach wie vor von der Zuwendung ihrer Familie, doch die wurde kleiner und kleiner. Die abtrünnige Tochter war den Eltern peinlich, sie hatten den Kontakt abgebrochen und bezahlten Martha im Grunde dafür, dass sie sich fernhielt und ihnen keinen weiteren Skandal bereitete. Das bedeutete aber auch, dass sie ihr Engagement nicht öffentlich auslebte. So war der Eifer beider Frauen, der ohnehin von den Sozialistengesetzen des Kaiserreichs unterdrückt wurde, zusätzlich in Schellen gelegt.

Dennoch machten sie weiter, im Untergrund. Gingen auf Versammlungen anderer Frauenvereine, schrieben Briefe und Petitionen an das Kultusministerium.

«Man sollte doch meinen, dass die Frauen endlich verstehen, dass sie zusammenhalten müssen, um sich gegen das autoritäre Patriarchat zu wehren!», donnerte Isabel jetzt.

«So einfach ist es eben nicht, das weißt du», versuchte Emma zu beschwichtigen. «Dafür braucht es erst mal ein Bewusstsein, dass es auch anders sein könnte.»

Isabel nickte wütend. «Ich war letzte Woche in einer Baumwollspinnerei und habe die Arbeiterinnen dort nach ihrem Lohn befragt.» Sie zog einen Zettel hervor und las ab: «Dreiundsechzig

Pfennige pro Schicht.» Sie sah auf. «Und ein ungelernter Mann?» Die beiden blickten sie abwartend an, denn sie wussten, dass Isabel die Antwort gleich mitliefern würde. «Eine Mark und neun Pfennige.» Sie machte eine bedeutungsvolle Pause. «Aber das ist normal, das kennen wir ja. Das Schlimme war, dass sie überhaupt nichts dabei fanden. Sie meinten, dass sie zu Hause ja auch den ganzen Tag arbeiten. Sie sind froh, bezahlt zu werden. Nur dass sie jetzt die Hausarbeit noch zusätzlich machen, wenn sie aus der Fabrik heimkommen. Die meisten von ihnen schlafen gerade einmal vier Stunden pro Nacht.»

Emma seufzte. «Dieser bürgerliche Glaube, dass der Mann die Familie ernähren muss und die Frau allenfalls ein Taschengeld hinzubringen kann, ist so tief verwurzelt. Wenn die Frauen nicht mal auf die Idee kommen, dass es ungerecht sein könnte, für dieselbe Arbeit nur den halben Lohn zu bekommen, dann ist es natürlich schwer, dagegen vorzugehen. Und dass die Männer abends nach Hause kommen und die Füße hochlegen, während sie nach der gleichen Arbeit noch bis spätnachts den Haushalt machen und die Kinder versorgen, ist für sie auch eine Selbstverständlichkeit.»

Isabel nickte. «Genau das müssen wir ändern. Sie müssen aufwachen! Aber ich bin nur auf taube Ohren gestoßen. Sie haben mich bloß müde angestarrt. Ich konnte in ihren Gesichtern lesen, dass sie mich für verrückt hielten. Das Geld, das sie verdienen, dürfen sie nicht einmal selbst verwalten. Und sie finden nichts dabei!»

«Wir brauchen unbedingt eine gesetzliche Begrenzung des Arbeitstages. Die Fabriken schießen wie Pilze aus dem Boden, immer mehr Frauen gehen arbeiten, zusätzlich zu allem, was sie ohnehin schon leisten müssen, und es gibt keine Gesetze, die sie beschützen. Nicht einmal die Mütter! Das sollte doch das

Mindeste sein, oder nicht? Und Kinder dürfen neben der Schule auch immer noch arbeiten.»

Martha winkte ab. «Solange die Männer nicht mitziehen und auch umdenken, wird sich nichts ändern. Sie fühlen sich weder für Haus noch Kinder mitverantwortlich, aber die Gesellschaft wandelt sich nun mal. Wenn die Frauen jetzt alle arbeiten gehen, muss sich auch in den Familien etwas verlagern. Man kann nicht dreizehn Stunden in der Fabrik stehen und danach noch alles andere stemmen, an dem man vorher auch schon ohne Arbeit fast kaputtgegangen ist.»

«Solange die *Bestimmung der Frau* bei Haus und Kind liegt, wird sich nichts ändern.» In Isabels Stimme lag purer Hohn.

Emma nickte. «Frauenwahlrecht muss endlich Parteiprogramm werden. Es ist überfällig.»

«Die Gründung der Zweiten Internationale letztes Jahr war ein erster Schritt. Wie gerne wäre ich selbst in Paris gewesen! Clara Zetkin hatte schließlich auch einen großen Anteil daran.» Isabels Gesicht hatte einen träumerischen Ausdruck angenommen. Sie sprach vom Internationalen Sozialistenkongress; der ausgewiesene Wilhelm Liebknecht hatte die deutsche Delegation geleitet. Sie war die stärkste des ganzen Kongresses gewesen, obwohl die Sozialistengesetze die Teilnahme natürlich verboten – eigentlich. Aber da er ohnehin schon des Deutschen Reichs verwiesen worden war, hatte das Liebknecht wohl nicht allzu sehr gekümmert. Es schien, als hätten die Maßnahmen des Kaisers, um die Sozialisten zurückzudrängen, die umgekehrte Wirkung gezeitigt: Der Widerstand wurde stärker und stärker.

Liebknechts Bild hing neben dem von Clara Zetkin und anderen sozialistischen Wegbereitern in der kleinen Wohnung von Martha und Isabel über dem Esstisch an der Wand und verdeckte die Risse in der Blumentapete.

Isabel war erneut aufgestanden, sie konnte einfach nie still sitzen. «Erst gestern Abend habe ich in der Wirtschaft einen Mann reden hören. Er hat nur so geglüht vor Leidenschaft, ist irgendwann einfach auf den Tisch gesprungen, und die Männer haben ihm wirklich zugehört. Ihm ist es auch verboten, aber es schert ihn nicht!»

«Die Frauen sind nun mal abends nicht in der Wirtschaft, sondern daheim am Herd», warf Martha ein. «Wo wir sie nicht erreichen können.»

«Dann müssen wir eben dahin gehen, wo sie sind!» Isabel fuhr herum.

«Die einzigen Orte, an denen sie zusammenkommen, sind die Märkte. Das wäre nun wirklich Irrsinn», sagte Emma besorgt. «Wir würden sofort verhaftet.»

«Aber denk nur, wie viele wir vielleicht vorher erreichen könnten.» Ihre Besorgnis stieß bei Isabel auf taube Ohren.

«Isabel, werd nicht unvorsichtig!» Emma stand ebenfalls auf, stemmte die Hände auf den Tisch. «Du bist schon einmal verhaftet worden und konntest deine Arbeit gerade so behalten. Wovon wollt ihr leben, wenn dein Einkommen wegbricht?»

«Wir finden schon einen Weg!»

«Du nutzt niemandem, wenn du ausgewiesen wirst.»

«Liebknecht wurde auch ausgewiesen. Und sieh, was er geleistet hat!»

«Er ist ein *Mann*, Isabel. Ich sage es nicht gerne, aber du weißt, welchen Unterschied das macht. Er hat Rückhalt von unzähligen Politikern aus aller Herren Länder.»

«Dann mache ich eben im Untergrund weiter, so wie Lily. Du weißt, was sie uns geschrieben hat. Es ist großartig, dass sie wieder veröffentlicht. Sie lässt sich nicht den Mund verbieten.»

Emma nickte langsam. «Das stimmt. Aber Henry weiß nichts

davon. Sie spielt mit dem Feuer. Wenn er es herausbekommt, kann er ihr Hanna wegnehmen und ihr das Leben zur Hölle machen. Mit einem Kind hat man eine ganz neue Fessel.»

«Und trotzdem macht sie es!» Isabel reckte das Kinn vor.

Emma sah sie an. «Ja. Ich weiß nur nicht, ob ihr klar ist, welchen Preis sie dafür vielleicht zahlen wird», sagte sie leise.

Isabels Blick flackerte. Sie machte eine Geste, die die ärmliche Kammer umschloss. «Nun, wir zahlen alle unseren Preis.»

C harlie sank wie ein Stein. Beinahe sofort wurde es dunkel. Das Wasser legte sich um ihn wie Sirup. Es war ein grauenvolles Gefühl, in die kalte Tiefe zu sinken und nichts dagegen tun zu können.

Tja, wie hatte Brenner vorhin noch gesagt? «Runter geht's ganz von allein!»

Sein eigener Atem dröhnte in seinem Kopf. Immer tiefer sank er. Es musste doch bald aufhören! Nie und nimmer sind das nur fünf Meter, dachte er panisch. Er atmete viel zu schnell, hörte sein Herz schlagen. War das Wasser, das da an der Seite in seinen Helm sprudelte? Schnell tastete er nach dem Schlauch. Nein, er bildete es sich nur ein. Plötzlich kam er hart auf dem Boden auf. Ihm entfuhr ein überraschter Laut, beinahe wäre er vornübergekippt. Es fühlte sich an, als stünde er knietief im Schlamm. Um ihn war es stockfinster. Tastend streckte er die Arme aus. «Du bist verrückt, Quinn, vollkommen übergeschnappt», murmelte er und versuchte, seinen Atem zu beruhigen. «Nun mal halblang, alter Junge, die Hälfte hast du schon geschafft. Schlimmer wird's nicht mehr!», versuchte er, sich selbst Mut zu machen. Aber das war natürlich Quatsch.

Es ging sogar noch viel schlimmer.

Die Leine könnte reißen, und er könnte hier festsitzen. Der Helm könnte platzen und ihn jämmerlich ersaufen lassen. Plötzlich fiel ihm auf, wie still es hier unten war. Kein einziges Geräusch, außer seinem eigenen rasselnden Atem und dem Pochen seines Herzens. So muss es sein, wenn man lebendig begraben wird, dachte er, und ein Schauer erfasste ihn am ganzen Körper, als ihm klarwurde, dass er genau das war: lebendig begraben in der Elbe. Ihm fielen die Märchen von den Flussgeistern ein, die die Männer im Hafen erzählten. Von schönen Frauen, die die Fischer mit ihrem Gesang in die Tiefe ziehen wollten. Von ertrunkenen Seeleuten, die sich an den Lebenden rächten; heimtückischen Wassermännern, die mit ihrem Weinen in die Irre führten. Von riesigen Fischen mit messerscharfen Zähnen. Was, wenn es sie doch gab? Wenn sie hier wohnten und ihn zu sich holen wollten? In der stummen Finsternis schien ihm alles möglich. Scheiße, er musste diese Kiste finden. Er wurde sonst irre hier unten.

Langsam setzte er einen Fuß vor den anderen, streckte dabei die Arme aus wie ein Schlafwandler. Immer wieder stolperte er, der Boden war uneben. Wahrscheinlich lag hier haufenweise Zeug, das über die Jahre ins Wasser geworfen worden war. Würde ihn nicht wundern. Wenn die Hamburger etwas verschwinden lassen mussten, versenkten sie es in der Elbe. Er wollte gar nicht so genau wissen, worin er da gerade rumwatete.

Sie hatten ihn angeblich genau da runtergelassen, wo die Kiste war. «Sinkst wahrscheinlich direkt drauf», hatte Brenner noch gerufen, bevor er ins Wasser gelassen worden war. Nun, von einer scheiß Kiste war hier nichts zu sehen. Gut, zu sehen war sowieso nichts. Genau in diesem Moment stieß sein Knie gegen etwas, und er schrie leise auf. Die Kiste. Er hatte sie tatsächlich gefunden. Die Erleichterung ließ ihn beinahe euphorisch werden. Jetzt nur das Seil darum schlingen und dann wieder hoch, ins Licht, ins Warme. Er hätte nicht gedacht, dass er den Anblick des Hafens mal so vermissen könnte. Rasch machte er sich daran, die Bretter abzutasten und das Seil zu befestigen. Dabei musste er sich vollkommen auf seine Hände verlassen. Als er endlich sicher war, dass es relativ stabil saß, nahm er den Haken für die Winde aus seinem Gürtel und hängte ihn ein.

Plötzlich hörte er eine Stimme.

Er ruderte mit den Armen, sein Kopf ruckte herum. Keuchend sah er sich um, aber er hätte die Augen auch genauso gut geschlossen haben können, so dunkel war es. Hatte da nicht eben jemand seinen Namen gesagt?

«Hallo?», rief er krächzend. Dann wurde ihm klar, was er da tat.

Er befand sich in fünf Metern Tiefe im Hafenbecken. Hier unten konnte niemand sprechen.

«Es war dein eigener dämlicher Schädel, Quinn. Du hast dir mit dem Opium das Hirn rausgeblasen», murmelte er.

«*Charlie!*»

Er fuhr herum.

Die Stimme.

In dem dunklen Wasser vor ihm formte sich ein Gesicht. Es waberte, schillerte wie Sonnenstrahlen auf dem Fluss. War da und doch nicht da. Er schrie auf.

Claire.

Sah er sie wirklich? Oder waren es Lichtfetzen, die doch nach hier unten drangen? Ihm wurde schwindelig, das Blut rauschte laut in seinen Ohren. Das Gesicht verschwamm, wenn er es mit den Augen festhalten wollte. Und trotzdem sah er es.

«*Charlie … Bleib bei mir!*» Ihre Stimme, leise und bittend.

Was geschah nur mit ihm? Vielleicht eine Nebenwirkung vom

Opium, dachte er. Oder der Wasserdruck? Er hatte am Vorabend ziemlich viel getrunken, vielleicht hatte er noch zu viel Schnaps im Blut? Bekam er nicht genügend Sauerstoff?

Vielleicht, dachte er und merkte plötzlich, wie ihm die Sinne schwanden: Vielleicht war all der Schmerz in den letzten Jahren ihr Weg, um mir zu sagen, dass ich zu ihr kommen soll.

Vielleicht sollte er hierbleiben … Hier unten war es zumindest friedlich. Friedlich und still. Kein Schuften mehr. Keine Einsamkeit. Mit einem Mal schien es ihm verlockend. Vielleicht verschwimmen hier unten die Welten, dachte er und blinzelte. Vielleicht vermischen sie sich hier, und die Toten können mit den Lebenden sprechen.

Sie konnte nicht hier sein. Irgendwo am Rande seines Bewusstseins wusste er das ganz genau.

Und doch war sie es.

«Verdammt, ich hab es euch gesagt, oder nicht? Ich habe gesagt, das ist Irrsinn!»

Jemand brüllte. Charlie hörte die Möwen in seinem Kopf kreischen. Er blinzelte. Hatte einen seltsamen Geschmack im Mund. Plötzlich musste er husten. Und dann würgen. Er drehte sich auf die Seite und ein ganzer Schwall Wasser schoss aus ihm heraus. Hilflos spuckte und keuchte er, ein neuer Schwall kam und ihm drehte sich der Magen um, sein Frühstück kam gleich mit heraus, ergoss sich über den Steg. Alles in ihm schien zu zittern und nicht mehr da zu sein, wo es hingehörte. Er fühlte sich schrecklich schwach.

«Brenner, ich werde eine offizielle Beschwerde einreichen! Das war unverantwortlich. Er wäre da unten beinahe verreckt!»

«Jetzt brüll doch nicht so, Jo», keuchte Charlie. Er drehte sich wieder auf den Rücken und ließ sich auf das Holz fallen, alle viere von sich gestreckt. Über ihm kniete die Tauchtruppe. Er blickte in vier bleiche Gesichter. Darüber beugten sich Jo und Brenner, nicht weniger besorgt. Letzterer hatte eine Zigarette im Mundwinkel und die Augenbrauen zusammengekniffen.

«Alles noch heile, Quinn? Was machst du denn für einen Scheiß?», fragte er, aber es klang nicht wütend, sondern erschrocken.

«Was meinst du?», fragte Charlie. Seine Stimme war rau, er schmeckte sein Erbrochenes.

Jo schob jetzt die anderen grob zur Seite, kniete sich neben ihn und wischte ihm sanft, aber bestimmt das Wasser aus dem Gesicht. «He», sagte er.

«He», antwortete Charlie, und sie konnten nicht anders, als sich kurz anzugrinsen.

«Was hast du denn da unten nur gemacht?», fragte jetzt auch Jo im selben Tonfall wie Brenner eben. Sein Gesicht wurde wieder ernst, die dunklen Augen bohrten sich forschend in seine. Er sah aufgewühlt aus.

«Was meint ihr? Ich kann mich an nichts erinnern.» Das stimmte nicht ganz. Vor seinem inneren Auge blitzte ein Gesicht auf … aber daran wollte er jetzt lieber nicht denken. Über Jo strahlte der blaue Winterhimmel. Er war seltsam erleichtert, ihn zu sehen.

«Der Schlauch war rausgerissen, Charles», sagte Jo jetzt leise. «Wir haben es gerade noch rechtzeitig bemerkt und dich hochgezogen. Der Helm war schon fast komplett geflutet. Einen Moment länger da unten …» Er schüttelte den Kopf, presste die Lippen zusammen und zog den Kragen seines dicken Seemannspullovers enger, als wollte er sich vor dem Gedanken schützen.

«Der Schlauch war rausgerissen?» Charlie ließ den Kopf zurück aufs Holz fallen. «Aber wie kann das passieren?»

«Das fragen wir uns auch», brummte Bernhard. «Das Ding

ist … Es geht eigentlich gar nicht. Er ist festgeschraubt. Und ich hab ihn höchstpersönlich reingedreht. Er saß. Das weiß ich genau.»

Charlie blinzelte. Die Männer sahen ihn an, warteten auf eine Erklärung. «Bist du irgendwo hängengeblieben?», fragte Jo. Er kniete immer noch neben ihm. Charlie sah jetzt, dass sowohl sein Pulli als auch Hose und Arbeitsstiefel komplett durchnässt waren. Er musste geholfen haben, ihn aus dem Wasser zu ziehen.

«Wenn er hängenbleibt, löst sich aber nicht die Verschraubung …», brummte einer der Männer.

«Und was wollt ihr damit sagen?», fragte Jo, mit einem Mal wütend, und fuhr herum. Die Männer blickten betreten zu Boden. Niemand antwortete.

«Schluss jetzt mit dem Scheiß. Ist doch egal, er lebt, er ist oben, wir haben die Kiste. Was wollt ihr mehr?» Brenner stand auf.

Jo erhob sich ebenfalls. «Er bekommt eine Woche bezahlten Urlaub», sagte er schroff.

Brenner stockte. «Wie bitte?» Er lachte ungläubig. «Ist ja nicht mal bei mir angestellt!»

«Trotzdem wäre er gerade beinahe für dich gestorben», erwiderte Jo ungerührt. «Eine Woche. Bezahlt.»

Er musste die Drohung, die in der Luft hing, nicht aussprechen. Die Männer waren vom Posten her gleichgestellt, aber alle im Hafen wussten, dass Jo Ludwig Oolkert, dem reichsten Mann der Stadt, besonders nahestand.

Eigentlich verstanden sie sich. Aber jetzt kam Brenner einen Schritt auf Jo zu. «Nimmst dir ein bisschen viel raus in letzter Zeit, Bolten, findest du nicht?» Er zog langsam an seiner Zigarette. Die beiden funkelten sich lauernd an.

«Und was willst du mir damit sagen?» Jo wirkte vollkommen unbeeindruckt.

«Will sagen, dass dein Ruf auch nicht mehr der beste ist. Dein Boss ist vielleicht der Letzte, der es noch nicht mitbekommen hat, aber wir alle wissen, dass du an der Flasche hängst.»

Jo verzog keine Miene. «Eine Woche, Brenner.»

Brenner betrachtete einen Moment Jos regloses Gesicht. Dann spuckte er ins Hafenbecken. «Schön», sagte er verächtlich. «Dann bleib daheim im Bettchen, Quinn. Aber am Dienstag stehst du bei mir auf der Matte und machst den Job, den ich dir gebe, und zwar ohne zu murren, verstanden?»

Charles nickte. «Solange ich nicht mehr da runtermuss», murmelte er.

Brenner stiefelte davon, und auch die Männer des Tauchtrupps zogen einer nach dem anderen ab.

Jo reichte Charlie die Hand und half ihm auf. Einen Moment standen sie sich gegenüber, und der Blick, mit dem Jo ihn durchbohrte, ging ihm bis ins Mark. «Was war das?», fragte er leise.

Eine Sekunde lang war Charlie versucht, ihm alles zu erklären. Aber wie sollte er es in Worte fassen? Seit das Bild da war, hatte er das Gefühl, dass sich die Sonnenstrahlen, die durch das Fenster fielen, nicht mehr richtig im Raum verteilten. Dass die Luft im Zimmer sich bog, das Licht des Mondes von der Finsternis in den Ecken aufgefressen wurde. Es war, als ob die Realität sich an den Rändern auflöste, mit Träumen verschwamm. Mit Wünschen. Sehnsüchten. Wenn er sich vor der angelaufenen Spiegelscherbe den Bart schnitt, meinte er, darin ein Flimmern wahrzunehmen.

Als würde sie die Wirklichkeit nicht mehr richtig reflektieren.

«Gar nichts!», sagte er schroff. Aber er sah Jo nicht in die Augen.

Der nickte stumm. Dann klopfte er ihm auf die Schulter. «Los, wir brauchen jetzt was zum Aufwärmen.» Entschlossenen

Schrittes ging er in Richtung der Kaischuppen und zündete sich im Gehen eine Zigarette an. «Kommst du?», rief er und hielt inne, als er merkte, dass Charlie sich nicht rührte.

«Ja, ich komme», murmelte Charlie leise. Einen Moment blickte er noch auf das dunkle, schillernde Wasser der Elbe. In seinem Kopf hörte er eine Stimme. Ein Schauer erfasste seinen Körper. Dann drehte er sich um und folgte seinem Freund.

5

Wo warst du heute Nachmittag?»

Lily sah von ihrem Teller auf. «Im Bookstore, wie immer. Das hatte ich dir doch gesagt.»

Henry verzog das Gesicht. «Du verbringst ja kaum noch Zeit mit deinem Kind.»

Lily holte tief Luft. Das war so ungerecht, dass sie ihm am liebsten ins Gesicht gesprungen wäre. Stattdessen legte sie ihren Löffel hin, nahm die Serviette und wischte sich bedächtig über den Mund.

«Findest du?», fragte sie langsam. «Wenn du das so siehst, werde ich sofort aufhören, mit Kate zu arbeiten. Dann musst du mir aber natürlich zusichern, dass ich Hanna auch sehen darf. Vielleicht sollten wir Conny dann wieder entlassen?»

Henrys Augen wurden schmal. Er durchschaute sofort, was sie tat: Sie führte ihm absichtlich vor, wie widersprüchlich seine Äußerungen waren. «Das wird nicht nötig sein. Ein Kind muss lernen selbständig zu werden. Die Nanny bleibt. Hanna ist ohnehin viel zu anhänglich. Ich meinte nur, dass du deine freie Zeit nicht auch noch außer Haus verbringen musst. Wir haben schließlich die Bibliothek hier, was musst du denn ständig in der Stadt herumrennen und in Buchläden gehen.»

Lily seufzte leise. «Ich nehme dort Unterricht, das weißt du doch. Schau dir an, wie gut ich schon geworden bin. Aber wie gesagt, ich richte mich da ganz nach dir; wenn du willst, dass ich mehr Zeit mit Hanna verbringe, dann arbeite ich weniger.»

Er schnaubte, halb verächtlich, halb amüsiert. «Selbstverständlich richtest du dich nach mir. Ich bin dein Mann.»

Lily schlug unschuldig die Augen auf. «Daran musst du mich
nicht erinnern», erwiderte sie. «Nur wissen wir beide, dass es mir
nicht guttut, wenn ich den ganzen Tag untätig herumsitze. Wenn
ich also nicht mehr arbeite, muss ich Hanna sehen. Meinen Unterricht kann ich nicht ausfallen lassen, ich muss doch Englisch
lernen. Wenigstens einer von uns sollte die Sprache beherrschen,
findest du nicht?» Sie konnte es sich einfach nicht verkneifen.

Henry wurde weiß. Er stand auf. «Arbeite du nur weiter. Das
macht dich weniger launisch. Aber Unterricht kannst du auch
hier nehmen. Ich werde eine Lehrerin engagieren, die ins Haus
kommt», sagte er, und sie konnte sich gerade noch davon abhalten, hochzufahren und auf ihn loszugehen.

Ihre Hand krallte sich um die Gabel. «Das ist nicht nötig», erwiderte sie, so ruhig sie konnte.

«Das entscheidest nicht du!» Henry warf seine Serviette hin
und verließ den Raum.

Hanna hatte mit großen Augen das Gespräch verfolgt. Sie
starrte Henry nach, den kleinen rosigen Mund erstaunt geöffnet.
Lily legte ihr sanft zwei Finger ans Kinn. «Weiteressen», sagte sie
liebevoll, und Hanna begann wieder zu kauen.

«Papa ist wütend», sagte sie und spießte mit ihrer kleinen
Gabel ein Stück Braten auf.

Lily schob ihren eigenen Teller von sich. Sie hatte keinen
Hunger mehr. «Ja», sagte sie. «Papa ist wütend. Aber das macht
nichts. Er beruhigt sich schon wieder.» Sie lächelte. «Mama
spricht gleich noch einmal mit ihm. Er hat etwas falsch verstanden.»

Hanna runzelte die Stirn, und zwischen ihren Augenbrauen
erschien der kleine Kreis, den auch Lily hatte, wenn sie ange-

strengt nachdachte. Bei Hanna zeigte er sich jedoch auch, wenn sie wütend oder traurig war.

Lily wusste, dass sie zu Kreuze kriechen musste. Bei dem Gedanken bekam sie einen sauren Geschmack im Mund. Die Stunden bei Mr. Huckabee im Laden waren ihr die wichtigsten der ganzen Woche, sie würde sie auf keinen Fall aufgeben. Nur musste sie dafür wahrscheinlich einen hohen Preis zahlen, vielleicht sogar mit Henry schlafen. Sie verzog den Mund. Dass man sich in seiner eigenen Ehe prostituieren konnte, war auch etwas, das sie schmerzhaft gelernt hatte, seit sie in England waren. Aber es war eines ihrer wenigen kostbaren Druckmittel.

Hanna spießte mühevoll eine Kartoffel auf die Gabel und schob damit ein paar Erbsen über den Tellerrand, die über das Tischtuch kugelten.

«Hopsa!» Lily sammelte sie wieder ein, und Hanna lachte, als ein paar davonrollten. Rasch schob sie mit der Gabel noch ein paar hinterher. «He! Also so eine Frechheit!» Lily stemmte spielerisch die Arme in die Hüften, und Hanna bog sich vor Lachen. Als sie sah, wie sehr ihre kleine Tochter sich freute, wurde ihr leichter ums Herz. Sie stand auf, beugte sich über sie und bedeckte ihr Gesicht und ihren Hals mit Küssen. Hanna lachte noch mehr, weil Lily sie kitzelte. «Na warte nur, du freche Laus!», rief Lily und küsste sie noch wilder.

«Madame!» Mary stand mit dem Nachtisch in der Tür und sah sie schockiert an.

Lily räusperte sich und richtete sich wieder auf. «Kommen Sie herein, Mary. Wir haben nur kurz gespielt.»

Missbilligend verzog Mary die Lippen. Sie liebte Hanna, aber Spielen verdarb ihrer Meinung nach das Gemüt. Als sie die Erbsen sah, die überall auf dem Tischtuch verteilt lagen, warf sie Lily einen tadelnden Blick zu.

«Das war ich, mir ist die Gabel ausgerutscht», erklärte Lily sofort und machte ein schuldbewusstes Gesicht. «Sie können das später beseitigen.»

Sie setzte sich wieder hin und tat, als würde sie weiteressen. Aber während Mary die Nachspeise auf die Anrichte stellte und ihnen den Rücken zudrehte, beugte sie sich hinüber und drückte Hanna schnell noch einen letzten rebellischen Kuss auf die Wange. Als Mary wieder hinausging, lachten sie beide wie zwei Kinder, die bei einer Unartigkeit ertappt worden waren.

Glücklich betrachtete Lily das strahlende Gesicht ihrer kleinen Tochter. In Momenten wie diesen konnte sie sich kaum noch vorstellen, dass es einmal so schwierig gewesen war mit Hanna.

Sich in die Mutterrolle einzufinden war ihr nicht leichtgefallen. Ihr Leben lang hatte man ihr erzählt, dass es die Bestimmung einer Frau sei, Kinder zu bekommen, es nichts Natürlicheres und Schöneres gebe. Für sie war nichts daran natürlich.

Und anfangs auch nichts schön.

Obwohl sie so viel Hilfe hatte, durchlebte sie die ersten Wochen nicht nur in einem Nebel aus Erschöpfung und Schmerzen, sondern auch in einem Strudel ständiger Überforderung. Wie konnte es sein, dass ein so kleines Wesen so viel brauchte? Dass es so wenig schlief, so viel weinte? Sie hatte das Gefühl, dass die Mutterschaft nur ein weiterer Kampf war, den sie durchstehen musste. Ihr Körper war ihr fremd geworden, ihre Brüste pulsierten, weil sie die Milch loswerden wollten, die sich in ihnen ansammelte, sie blutete wochenlang, konnte nur unter Schmerzen laufen. Ihr Bauch hatte kleine blaue Risse bekommen und war immer noch dick und weich, obwohl das Kind doch längst geboren war. Sie roch seltsam, konnte nicht schlafen, war tagsüber trübsinnig und schlecht gelaunt, weinte bei jeder Gelegenheit und wusste nicht, warum. Alles in ihr schien durcheinander.

Henry ließ einen Arzt nach dem anderen kommen, aber sie nahmen ihre Beschwerden nicht ernst, sagten, sie sei hysterisch von der Geburt und müsse sich nur beruhigen und mehr schlafen. Lily wünschte sich in dieser Zeit Emma so sehr herbei, dass es weh tat. Emma hätte sicher gewusst, was ihr fehlte, hätte sie nicht ausgelacht oder angeschrien, sie solle sich zusammenreißen. Sie hätte sie ernstgenommen, sie mit ihrer ruhigen, klugen Stimme getröstet. Aber Emma war nicht hier, sie war eine halbe Welt entfernt in Hamburg.

Ständig machte Lily sich Sorgen um Hanna. Sie kämpfte um jede Minute mit ihr, stritt mit Henry, schrie und drohte. Aber wenn sie dann Zeit mit ihr verbringen durfte, war ihre Tochter ihr fremd. Sie betrachtete das kleine zarte Gesicht, das sich so oft wütend zusammenzog, und fragte sich, wie sie hierhergekommen war.

Ob sie sie jemals lieben würde.

Sie bestand darauf, Hanna selbst ins Bett zu bringen. Aber wenn sie in ihren Armen ruhig geworden war, schrie sie wie am Spieß, sobald Lily sie ablegen wollte, sodass sie meist irgendwann erschöpft aufgab und doch die Amme übernehmen ließ. «Was willst du denn?», rief sie, wenn Hanna brüllte und brüllte. Sie hasst mich, dachte sie dann, und ihre Kehle brannte. Sie hasst mich, sie weiß, dass ich sie nicht wollte.

«Mit dem Kind stimmt was nicht», verkündete Henry manchmal kopfschüttelnd, wenn Hanna wieder den ganzen Tag und die ganze Nacht geweint hatte.

«Mit ihr ist alles in Ordnung, Kinder weinen nun mal», antwortete Lily erbost. «Du hast doch keine Ahnung von diesen Dingen!»

Seine Ablehnung verbündete sie mit Hanna. Wenn Henry sie nicht mochte, musste Lily sie beschützen. Sie konnte zwar selbst nichts mit diesem schreienden kleinen Wesen anfangen, aber kritisieren durfte Henry es ganz sicher nicht.

Und irgendwann wurde es besser. Irgendwann gab es Momente des Friedens. Wenn sie zusammen im Schaukelstuhl saßen und Hanna ihr plötzlich tief in die Augen sah und mit blütenzarten Händen nach ihrer Nase griff, ihre Züge erkundete, als hätte sie ein Wunder vor sich. Als das erste echte Lächeln das Gesicht ihrer Tochter überzog und sie Lily voller Erkennen und Freude anstrahlte, schossen ihr Tränen der Rührung in die Augen. Sie begann, Hanna zum Einschlafen vorzulesen, und es schien, als würde ihre Stimme sie beruhigen. Stundenlang lief sie im Zimmer auf und ab, wiegte sie hin und her, las laut aus Hugo und Dickens – alles, nur keine Liebesgeschichten. Ihre Tochter sollte früh lernen, dass man sich mit diesen Lügenmärchen nicht das Herz vergiften durfte. Hanna lag mit wachen Augen an ihrer Schulter, ihre kleine Faust in den Mund gestopft, und hörte scheinbar aufmerksam zu. Manchmal sah Lily sie an, und eine Welle der Zuneigung rollte durch sie hindurch, so intensiv und roh, dass es sich anfühlte wie eine Wunde in ihrem Herzen. Sie begann, ein Tagebuch zu führen, in dem sie Hannas Entwicklung festhielt. Nicht einmal vor sich selbst gestand sie es sich ein, aber insgeheim hoffte sie doch, dass Jo es vielleicht irgendwann lesen würde.

Je älter Hanna wurde, desto mehr verliebte Lily sich in ihre Tochter. Zum zweiten Geburtstag schenkte sie ihr ein selbstgemachtes Bilderlotto. Unzählige Abende hatte sie voller Konzentration im Salon gesessen. Während der Wind um das Haus heulte, der Kamin neben ihr knackte und Henry wer weiß wo war, hatte sie mit feinen Pinselstrichen Bilder auf kleine Karten gemalt, von denen sie hoffte, dass sie Hanna gefallen würden, Hasen und Katzen, ein wuscheliges Küken. Hanna war eigentlich noch zu klein für dieses Erinnerungsspiel, aber wenn sie die Karten auf dem Tisch ausbreiteten und Lily eine hochhielt und ihr sagte, dass sie das entsprechende zweite Bild dazu finden musste, dann gelang es ihr fast immer. Und Lily bedeckte stolz ihr Gesicht mit Küssen und sagte ihr, dass sie das schlaueste Mädchen der Welt war und sicher einmal studieren würde, so wie ihre Tante Emma, die sie hoffentlich irgendwann kennenlernen durfte. Wenn sie zurück nach Hause fuhren.

Je älter Hanna wurde, desto stärker ähnelte sie auch ihrem Vater. Daher überraschte es Lily umso mehr, dass Henry Hanna liebgewann. Sie hatte erwartet, dass er sie mit den Jahren immer mehr hassen würde, besonders als klarwurde, dass sie Jos braune Haare und seine dunklen Augen geerbt hatte. Als sie noch ganz klein war, sah Lily manchmal, wie Henry Hanna musterte und ein finsterer Ausdruck sich in seine Züge stahl. In diesen Momenten schien er sich daran zu erinnern, dass er sich ein Kuckuckskind ins Nest hatte legen lassen. Dann schauderte sie vor Angst.

Dennoch konnte man nicht leugnen, dass er zumindest versuchte, Hanna ein guter Vater zu sein. Er fand Gefallen daran, ihr beim Lernen und Wachsen zuzusehen, freute sich beinahe genau wie Lily über ihre ersten Worte, trug sie auf seinen Schultern durch den Garten, ließ sie auf seinem Schoß sitzen. Wenn sie in die Kirche gingen, führte er sie stolz an der Hand, ging langsam, um mit ihren unsicheren Schritten mitzuhalten, stellte sie den Damen vor, die sich aus den Bänken beugten und Hanna verliebt anstrahlten.

Auch das machte Lily Angst.

Sie hätte es lieber gehabt, wenn sie die alte Allianz behalten hätten, sie und ihre Tochter gegen den Rest der Welt.

Dass Henry Hanna aber nicht hasste – dass er im Gegenteil

immer größeren Gefallen an ihr fand? Das erfüllte sie mit einem seltsam unruhigen Gefühl. Was, wenn er sie ihr irgendwann wegnahm? Wenn er Hanna gegen sie ausspielte? Ihr Lügen über sie erzählte?

Was, wenn er ihr die Wahrheit sagte?

Aber Henry war zu launisch. An einem Tag trug er Hanna auf Händen, am nächsten war er grüblerisch und impulsiv, trank zu viel, tigerte unruhig im Haus auf und ab, explodierte bei der kleinsten Kleinigkeit. Hanna nahm ihm seine Unbeständigkeit übel. Es war, als wüsste sie, dass sie sich auf ihn nicht verlassen konnte, dass seine Liebe zu ihr nicht beständig war.

Er schlug Hanna nicht. Doch er wurde ungerecht und gemein, schimpfte laut und brachte sie damit zum Weinen, wurde dann noch lauter und ungehaltener, weil ihr Weinen ihn irritierte. Darum zog Hanna Lily immer vor, wollte zu ihr und schrie, wenn Henry sie nicht gehenließ. Wenn er gute Laune hatte, spürte sie es und ließ sich von ihm hochnehmen, patschte mit ihren kleinen Fingern in sein Gesicht, zog an seinem Bart. Meistens jedoch drehte sie sich weg, wenn er mit ausgestreckten Armen auf sie zukam, um sie hochzunehmen. Sie schüttelte den Kopf, dass die Locken nur so flogen. Als sie größer war, verschränkte sie die Arme vor der Brust, sodass sie aussah wie eine wütende Puppe. Sie stemmte die Füße mit den kleinen Lackschuhen in den Boden und schrie, bis ihr Gesicht rot anlief.

«Ich bin dein Vater! Wenn ich sage, dass du herkommen sollst, dann kommst du gefälligst!», brüllte Henry beinahe genauso laut wie Hanna. Aber die dachte nicht daran.

Lily freute sich heimlich, auch wenn sie vor Hanna nie ein schlechtes Wort über Henry verlor. «Du wirst einmal eine ganz wunderbare Kämpferin für Frauenrechte», flüsterte sie ihr ins Ohr, wenn Hanna sich mal wieder blau geschrien und Henry es schließlich aufgegebenen hatte und türenschlagend verschwunden war. «Wir dürfen uns nichts gefallen lassen. Und wer weiß, wenn du groß bist, musst du das vielleicht auch nicht mehr. Vielleicht haben die Dinge sich bis dahin geändert.»

Natürlich musste Lily es ausbaden. «Sie verbringt zu viel Zeit mit dir, du hetzt sie gegen mich auf», rief Henry, und in den nächsten Tagen durfte sie Hanna dann meist nur wenige Stunden oder überhaupt nicht sehen. Lily lernte, wie sie ihn manipulieren konnte. Wenn sie etwas von ihm wollte, war sie freundlich und anschmiegsam. Henry fiel jedes Mal darauf rein. Beinahe tat er Lily leid. Du bist so dumm, dachte sie, wenn sie ihn mal wieder dazu gebracht hatte, die gerade erst aufgestellten Regeln zurückzunehmen. Weißt du denn nicht, wie sehr ich dich hasse? Glaubst du wirklich, dass ich eines Tages aufgebe und wir eine echte Familie sein werden?

Dass er mehr und mehr trank, kam ihr zugute. Es machte ihn weinerlich und weich. Nur ab und zu, wenn Lily im falschen Moment etwas Unbedachtes sagte, wurde der Alkohol ihr zum Verhängnis. Dann ließ er seine ganze aufgestaute Wut und Frustration an ihr aus. Er entschuldigte sich nie, aber in den Tagen danach war er meist besonders umgänglich, erlaubte ihr, Hanna zu sehen, wann immer sie wollte, ging mit ihnen in die Stadt und kaufte Hanna neue Spielsachen, ein Puppenhaus, einmal sogar eine kleine Dampfmaschine. Hanna freute sich kurz, aber nach ein paar Tagen lagen die Sachen vergessen in der Ecke. Stattdessen wollte sie, dass Lily ihr Geschichten erzählte.

Da es so gut wie keine Bücher für kleine Kinder gab, begann sie irgendwann, selbst welche zu erfinden, sich kleine Verse und Erzählungen auszudenken und sie aufzuschreiben. Abends las sie sie Hanna vor.

Das waren die glücklichsten Stunden.

Aber es erinnerte sie auch jeden Tag an ihren kleinen Bruder. Sie musste ihn verdrängen, um sich auf Hanna konzentrieren zu können. Trotzdem schrieb sie ihm jede Woche einen Brief, sie fertige kleine Zeichnungen an, die sie mitschickte, und ab und an kopierte sie einen der Verse oder eine kurze Geschichte, die sie für Hanna geschrieben hatte. Michel war jetzt beinahe zehn, aber seine Krankheit ließ ihn langsamer reifen als andere Kinder. Er würde sich sicher darüber freuen. Wenn er sie jemals zu hören bekam. *Ich gebe dem Personal dort deine Briefe, aber ich weiß nicht, ob sie sie ihm vorlesen. Er darf nicht zu sehr an sein altes Leben erinnert werden, sonst macht es ihn traurig*, schrieb Sylta ihr, und Lily zerknüllte den Brief zornig in den Händen.

Manchmal dachte sie, dass es einfacher für sie gewesen wäre, in England anzukommen, wenn Michel und Jo tot wären. Dann zuckte sie schuldbewusst zusammen und kniff sich kurz in den Arm. So etwas durfte man nicht denken! Aber zu wissen, dass ihr kleiner Bruder nun schon seit drei Jahren ohne sie lebte, an einem Ort, an dem ihn niemand liebte und sich um ihn sorgte, ließ sie nachts wachliegen und mit einem Ziehen in der Brust an die Decke starren. Und zu wissen, dass Jo noch immer in Hamburg war, im Hafen arbeitete, abends am Feuer saß und las, mit seiner Kappe auf dem Kopf durch die Straßen lief, wahrscheinlich mit einer neuen Frau zusammen war … Es war wie Gift für sie. Vielleicht hat er inzwischen auch geheiratet, dachte sie, weil sie einfach nicht anders konnte, als sich weiter zu quälen. Vielleicht diese Färberin von damals. Ob er mit ihr genauso war wie mit ihr? Ob sie den Geruch seiner Haut auch so mochte? Die vielen kleinen Falten um seine Augen, wenn er lachte? Ob sie auch stundenlang über Sozialismus und Frauenrechte diskutierten, sich stritten und ankeiften, sich dann wieder versöhnten und miteinander schliefen? Sicher nicht, dachte sie dann. Sicher war es mit uns etwas Besonderes. Für *mich* war es etwas Besonderes. Nun, es ist ohnehin egal, oder nicht?, sagte sie sich und versuchte, die Traurigkeit wegzuschieben, die ganz hinten in ihrer Kehle drückte und ihr die Tränen in die Augen zwingen wollte. Es machte keinen Unterschied. Was sie gehabt hatten, *war* einzigartig und besonders gewesen.

Aber es war vorbei.

G reta seufzte tief und strich sich die Haare aus der verschwitzten Stirn. «Das war unglaublich», stöhnte sie zufrieden und drehte sich zu ihm. Sie atmete schwer und lächelte ihn verliebt an.

«Du warst ganz schön laut», brummte Jo und tastete auf dem Boden neben dem Bett nach seinem Tabak.

«Ja und?», sie zuckte belustigt mit den Schultern.

«Die Nachbarn haben zweimal gegen die Decke gehauen.» Er grinste und rollte sich eine Zigarette.

«Ach, wirklich?» Sie streichelte seinen Bauch. «Habe ich nicht gehört.»

«Das wundert mich nicht.» Er setzte sich auf, und ihre Hand fiel von ihm herunter.

«Wenn es dich stört, musst du eben behutsamer sein», neckte sie, und er zog eine Grimasse.

«Behutsam ist nicht so mein Ding», erwiderte er, beugte sich vor und biss ihr in die Schulter. Sie kreischte theatralisch und versuchte, ihn von sich hinunterzuschubsen. «Tu nicht so, ich weiß genau, dass dir das gefällt», brummte er und begann, ihre Brüste zu küssen. Sie stöhnte genussvoll auf.

«He, Vorsicht mit der Zigarette», rief sie dann erschrocken.

Er lag halb auf Greta und hatte die Hand mit der Zigarette zur

Seite ausgestreckt. «Ich pass schon auf», erwiderte er gelassen und nahm einen Zug.

Greta zog ihn zu sich und küsste seinen Hals. «Du bist ganz verschwitzt», lachte sie und leckte ihm über die Bartstoppeln.

«Ja, kein Wunder, wenn du mich auch so hart rannimmst!»

Sie lachte schallend, sah aber gleich darauf erstaunt auf, als er sich erhob und nach seiner Hose angelte. «Was machst du?»

«Muss los», erwiderte er.

«Jetzt?» Entsetzt starrte sie ihn an. «Es ist mitten in der Nacht.»

«Arbeit», sagte er nur und schloss seinen Gürtel. Er warf ein Scheit in den kleinen Kamin und zog seinen Pullover über. Am Fenster hatten sich Eisblumen gebildet. Auf dem Wasser würde es grauenvoll kalt sein. Wann hörte dieser Winter endlich auf? Der Frühling war längst überfällig. Er kramte zwei Paar Strümpfe aus der Kiste.

«Aber dann bin ich ganz allein», maulte sie. Er hatte sich aufs Bett gesetzt, um die Stiefel anzuziehen, und sie richtete sich jetzt auf und umschlag seinen Oberkörper mit den Armen, presste ihren nackten Körper gegen seinen Rücken, sodass er ihre harten Brustwarzen auf der Haut fühlte. «Kannst du nicht doch bleiben?»

Er merkte, wie Gereiztheit in ihm aufstieg. Mit zwei Fingern angelte er nach der Kümmelflasche, die neben dem Bett stand, hob sie an die Lippen, nahm einen tiefen Schluck, der in seiner Kehle angenehm brannte. «Nein», erwiderte er nur.

Sie versteifte sich, als sie seinen harten Ton wahrnahm. «Bitte!», flüsterte sie maulig und biss ihm ins Ohrläppchen.

Reflexartig drehte er die Schulter und schüttelte sie mit einer ruppigen Bewegung ab. Sie fiel aufs Bett und gab einen erschrockenen Laut von sich. «Was bist du denn jetzt so eklig?», rief sie gekränkt.

Er seufzte, nahm einen weiteren Schluck aus der Flasche. Dann beugte er sich übers Bett, fasste sie unter dem Knie und zog sie mit einem Ruck an sich heran, sodass sie jetzt unter ihm auf dem Rücken lag. «Ich muss einfach los», erklärte er und küsste sie. Sofort merkte er, wie sie sich entspannte. «Wenn ich wiederkomme, machen wir da weiter, wo wir aufgehört haben, okay?», fragte er und rang sich ein Lächeln ab. Dann stand er auf. «Verriegel hinter mir!», mahnte er, nahm sein Messer, sein Geld und seine Mütze. Dann drehte er sich um und ging ohne ein weiteres Wort hinaus.

«Dir auch einen schönen Abend!», rief sie beleidigt hinter ihm her, aber er ignorierte sie und warf die Tür hinter sich zu.

Jo atmete tief ein. Die Luft war so klar, dass man sie hätte trinken können. Aber er hatte recht gehabt, auf dem Wasser spürte man die Kälte noch zehnmal mehr. Sie kroch ihm in jede Pore, ließ seine Hände zittern und den Rücken verkrampfen. Seine Mutter hatte ihm erst vor kurzem den dicken Schafwollpullover gestrickt, aber die Luft war feucht, und er hing nun klamm an ihm, schien die Kälte eher noch zu verstärken. Sehnsüchtig dachte er an sein warmes Bett zurück. Trotzdem hoffte er, dass Greta verschwunden sein würde, wenn er nach Hause kam.

Er nahm die Schnapsflasche, die zu seinen Füßen stand, trank drei große Schlucke und reichte sie dem Mann, der in der Dunkelheit neben ihm saß.

Roy nahm sie wortlos und setzte sie an die Lippen. Es war Patties Selbstgebrannter, der sich wie Feuer durch Jos Eingeweide wühlte. Aber er wärmte sofort.

Über ihnen stand ein fahler Neumond am Himmel. Jo beobachtete die schmale Sichel durch den Dampf seines Atems hindurch, der sich in der Luft kräuselte. Genau wie im Hafen fand er auch im Mond eine Konstante, die ihn beruhigte. Es gab nicht viel, worauf er sich verlassen konnte, aber der Mond war da, auch wenn man ihn manchmal nicht sehen konnte. Jeden Tag war er eine neue Version seiner selbst. Manchmal schwach und durchscheinend, dann wieder stark und leuchtend. Karl hatte oft gesagt, dass dort oben das Sandmännchen wohnte, und bei Vollmond aus dem Fenster geschaut und dem Gesicht gewunken, das ihnen entgegenzublinzeln schien.

Jos Herz verkrampfte sich, als er an seinen toten Bruder dachte. Er erhob sich schwankend. «Fiete, lass mich mal rudern», sagte er schroff und schob den kleinen Mann zur Seite. Er setzte sich auf seinen Platz, und schon nach wenigen Schlägen spürte er, wie die Bewegung seine erstarrten Glieder wieder ein wenig aufwärmte. Es war dunkel auf der Elbe, sie waren schon zu weit draußen, als dass die Uferlampen zu ihnen hätten herüberleuchten können. Aber in der Ferne sahen sie schon den Steg auf sich zukommen. Nur noch einmal um die Mole herum, an den zwei großen Dampfern vorbei, und dann waren sie da. Wie so oft, wenn er nachts auf dem schwarzen Fluss unterwegs war, starrte Jo ins Wasser und fragte sich, wie es wäre, hineinzuspringen und allem ein Ende zu setzen. Mit den dicken Pullovern und schweren Stiefeln, die er anhatte, würde es sicher nicht lange dauern, bis sie sich vollgesaugt hatten und ihn in die Tiefe zogen. Er stellte es sich beinahe warm vor.

Er würde hinabsinken, von Stille und Dunkelheit verschluckt werden und endlich Frieden finden. Er würde einfach verschwinden, im dunklen, schäumenden Wasser des Hamburger Hafens, den Pulsschlag der Stadt in den Ohren, während sich seine Lungen langsam mit der Elbe füllten. War das nicht ein passender Tod für einen Mann wie ihn, der hier mit Leib und Seele verwurzelt war? Er stellte sich vor, wie er mit offenen Augen in der Stille vor sich hin trieb, auf den Grund sank und im Hafenschlamm unterging. Über ihm würden die Schiffe vorbeiziehen, die Gezeiten ihr ewiges Auf und Ab von Sog und Schwell fortsetzen, und er würde zu einem Teil des großen Ganzen werden.

Und könnte endlich vergessen.

Nein, dachte er und trank noch einen Schluck. Wenn er irgendwann starb, wollte er nicht in eine Holzkiste eingesperrt und verscharrt werden, damit die Würmer ihn auffressen konnten. Hier gehörte er her, zum Fluss, zum Mond, zum Hafen.

Er sah auf und bemerkte, dass sie fast angekommen waren. Auf dem Steg lief einer der Nachtwärter auf sie zu, um das Tau auszuwerfen.

«Scheiß Tidenhub», brummte Roy neben ihm. Es war Niedrigstand, der Kai ragte beinahe vier Meter aus dem Wasser.

Jo erwiderte nichts. Sie legten die kleine Jolle an der Mauer an und zogen sich einer nach dem anderen ächzend die Leiter empor, die nur bis auf Brusthöhe zu ihnen herunterragte und mit kleinen Muscheln und Algen verkrustet war. Jo legte beide Hände ineinander, Fiete stieg mit einem Fuß hinein, und er wuchtete ihn in die Höhe. Er war zu klein und schmächtig, um sich allein hochzuziehen. Ungeduldig wartete Jo, bis der Rest der Truppe von Bord war, dann zog er sich selbst an der Kaimauer empor. Als die Narbe an seinem Bauch durch die Streckung schmerzhaft auseinandergezogen wurde, knurrte er unwillig. Es war doch ironisch, dass der Mann, der ihm vor knapp drei Jahren ein Messer in den Leib gerammt hatte, jetzt keine zwei Meter entfernt auf Jo wartete. Aber Roy war für das Geschäft unabdingbar. Roy würde für Geld alles tun. Und genau solche Männer brauchte Jo.

Er kletterte die Leiter empor und versuchte, das Ziehen in seinem Bauch zu ignorieren. Als er oben ankam, waren seine

Handflächen von kleinen Schnitten übersät, wo die scharfen Muschelkanten sich in seine Haut gebohrt hatten. Er schmierte das Blut an seinem Pullover ab und nickte dem Wachmann zu, der auf ihn gewartet hatte. «Alles klar?», fragte er und kramte in seiner Hosentasche. Er gab dem Mann ein paar Münzen, und der brummte zufrieden.

«Alles bestens, Bolten. Ruhige Nacht. Es sind nur ein paar Wartungsleute an Bord und Reinigungsmänner, aber die kümmern sich um ihren eigenen Scheiß. Bis Schichtwechsel dauert es noch, und sie wird erst morgen früh gelöscht. Ihr könnt sofort anfangen.»

Sie arbeiteten zügig und stumm, waren bereits eingespielt, konnten sich aufeinander verlassen. Jo hatte die Männer der kleinen Truppe mit höchster Sorgfalt ausgesucht. Als hätten sie in ihrem Leben nie etwas anderes gemacht, gingen sie an Bord des riesigen Schiffes und betraten die Mannschaftsunterkünfte. Jo nickte den wenigen Arbeitern zu, die an Bord waren. Falls sie sich fragten, was er hier tat, ließen sie es sich nicht anmerken. Man kannte ihn und stellte seine Autorität nicht in Frage. Er hatte Geschäfte zu erledigen, die die Männer nichts angingen, so einfach war das. Im Hafen wusste man, wann man wegzusehen hatte.

Es stank grauenvoll. Die Männer waren bei der Überfahrt unter Deck eingepfercht wie Vieh, und er hatte vor ein paar Jahren, als die Kalkutta-Linie aufgebaut wurde, selbst mit angehört, wie Franz Karsten und Oolkert planten, die Unterkünfte der Mannschaft noch kleiner zu machen, damit sie Platz fanden für das Opium.

Das Opium, das Jo heute Nacht stehlen würde.

Er ging zwischen den Hängematten hindurch und leuchtete mit einer Öllampe den Weg. Das Schiff war erst letztes Jahr fertiggestellt worden, und es gab elektrisches Licht an Bord. Aber er wollte lieber nicht zu viel Aufmerksamkeit auf sich ziehen, auch wenn die Bullaugen so klein waren, dass der Schein wohl kaum über die Elbe hinweg zu sehen sein würde. Vereinzelt lagen noch Decken in den schmalen Kajüten, in denen sich ein Mann gerade so zusammenkrümmen konnte, dass er eine halbwegs bequeme Schlafposition fand. An den Wänden standen Fässer mit Wasser, und Jo hatte den Verdacht, dass der bestialische Gestank vor allem von dort aufstieg. Jetzt, am Ende der langen Überfahrt, waren sie beinahe vollkommen leer, und die letzten dreckigen Reste des Wassers, mit dem sich die Mannschaft jeden Tag gewaschen hatte, faulten vor sich hin.

Er blieb vor einer der Wände stehen und leuchtete sie mit der Lampe ab. Dann drückte er gegen den Balken, von dem er wusste, dass er die Öffnung verbarg. Er musste sein ganzes Gewicht dagegenstemmen. Fiete sprang herbei und half ihm, die anderen warteten stumm. Schließlich gab der Balken nach, und Jo leuchtete in den Hohlraum hinein. Da lagen sie, die unzähligen Ballen. «Los, fasst mit an», brummte er über die Schulter, und die Männer setzten sich wortlos in Bewegung.

Wenig später saßen sie wieder in der Jolle und ruderten zurück, zwischen ihren Füßen das Opium, das sie in der Stadt verteilen würden. Roy hatte die Kontakte geknüpft, die Jo brauchte, er wusste, welche Opiumhöhlen Oolkert nicht belieferte, welche von der Konkurrenz betrieben wurden, von einzelnen Kleinkriminellen, die eine Chance gewittert hatten im Geschäft mit dem Mohnsaft.

Und er hatte Jo geholfen, seine eigenen Keller zu eröffnen.

Hatte die nötigen Räume gefunden, die Chinesinnen, die für ihn arbeiteten, hatte alles organisiert, stumm und mit mürrischem Gesicht, wie immer, aber zuverlässig und absolut diskret. Ja, dachte Jo bitter und spuckte über den Rand des Bootes ins dunkle Wasser. Er, Johannes Bolten, der Junge aus der Steinstraße, war nun nicht mehr nur Lieferant und Vermittler, er war selbst eingestiegen ins Geschäft, hatte mittlerweile vier eigene Keller in den dunklen Hinterhöfen der Stadt, in denen reiche Hanseaten, Seeleute und gestrandete Seelen aus aller Welt sich nebeneinander aus ihrer schmerzhaften Realität davonträumen konnten. Er war nur froh, dass er Charlie nichts gesagt hatte. Es war seltsam, ihn nicht an seiner Seite zu haben, aber er wollte seinen Freund vor diesen Dingen bewahren. Und Charlie hasste Roy bis aufs Blut. Es war ein alter schwelender Hass, und er war sich sicher, dass Charlie nicht verstehen würde, dass Jo nun mit seinem Erzfeind zusammenarbeitete.

Er tat es nicht aus Habgier. Im Gegenteil. Alles, was übrig blieb, steckte Jo sofort in den Arbeiterkampf, unterstützte die SAP, wollte nichts mit dem Gewinn zu tun haben. Er tat es, weil er wusste, dass er Ludwig Oolkert nur an einer Stelle wirklich treffen konnte.

Beim Geld.

Morgen würde er zur Schicht auf der Werft erscheinen, und der Tallymann, der eingestellt war, um die Ware zu wiegen und zu überprüfen, würde zu ihm kommen und ihm mitteilen, dass die Listen schon wieder nicht stimmten. Jo würde Oolkert persönlich mit grimmiger Miene Bericht erstatten, die Mannschaft zur Rede stellen – oder zumindest so tun. Natürlich wusste er, dass er mit dem Feuer spielte. Wenn Oolkert das alles herausfand – und es war nur eine Frage der Zeit, bis er das tat –, war Jo geliefert. Aber es war ihm egal, er wollte sich rächen an dem Mann, der ihm Lily genommen hatte. Und sein Kind.

Sie luden alles direkt vom Boot in einen Kellerraum am Wasser, den Jo angemietet hatte. Dann verteilte er die Wochenrationen. «Du gehst in die Schmuckstraße.» Er warf Fiete ein Bündel zu. «Und du zur Sternschanze.» Roy nahm seinen Anteil, nickte und verschwand. Jo verteilte den Rest unter den Männern und schulterte dann selbst einen dicken Sack. Er würde ebenfalls nach St. Pauli gehen, aber eher Richtung Vergnügungsmeile als ins Chinesenviertel. Dort waren zwei seiner Keller, die er am liebsten selbst belieferte. Dann konnte er gleich nach dem Rechten sehen.

Wenig später lief er durch eine schmale Twiete. Dunst hing in der Luft, eine Katze miaute kläglich. Er sah nach oben, aber der Mond wurde von den Häusern verdeckt, die hier so eng standen, dass man nur die Arme ausstrecken musste, um an beiden Wänden zugleich entlangzustreifen. Aufmerksam sah er sich um, hob die schwere Holzklappe, die den Eingang verdeckte, und ging die Stufen hinunter.

Wie immer, wenn er hier war, bemühte er sich, nicht allzu genau hinzusehen. Überall lagen sie, auf alten Sesseln, verschlissenen Diwanen und notdürftig zusammengezimmerten Holzpritschen. Sie hatten für ihn immer noch etwas Gespenstisches, diese Menschen, die lebten, atmeten, aber nicht wirklich da waren.

Das Geschäft lief gut, Roy hatte ganze Arbeit geleistet. Obwohl sie erst seit kurzer Zeit geöffnet hatten und warten mussten, bis sich die Neuigkeit herumsprach, war der Keller voll.

Mit grimmigem Gesicht wedelte er den bläulichen Rauch zur Seite, der ihm in Nase und Lunge kroch. Er hasste den Geruch, er erinnerte ihn daran, wie Charlie beinahe vor seinen Augen in seiner eigenen Kotze verreckt wäre. Er wollte so schnell wie möglich wieder hier raus.

Auf einem Stuhl in einer dunklen Ecke saß eine kleine Chinesin. Als sie ihn mit dem Sack hereinkommen sah, stand sie auf und kam auf ihn zu. Er nickte zur Begrüßung, und sie gingen um eine Ecke ins Hinterzimmer. Jo gab ihr die Ration, wortlos verstaute sie die Bündel in der dafür vorgesehenen Kiste, schloss sie ab, hängte sich den Schlüssel um den Hals und ließ ihn in ihrem Dekolleté verschwinden. Jo grinste zufrieden. Sie sprach kein Deutsch, sie konnten sich nur mit Zeichen verständigen. Das war so gewollt, verschwiegene Mitarbeiter waren die besten Mitarbeiter, und wer war verschwiegener als jemand, der die Sprache nicht beherrschte? Jo gefiel es trotzdem nicht, dass er nicht mit ihr sprechen konnte, irgendwie fand er, es entmenschlichte sie. Und die Sprachlosigkeit machte sie angreifbar. Er sorgte sich, dass jemand übergriffig würde, wenn er mitbekam, wie hilflos sie war. Das Opium machte seltsame Dinge mit den Menschen, raubte ihnen den Verstand. Die meisten wurden glückselig, klappten einfach in sich zusammen und versanken in süßen Träumen. Aber es machte auch gierig nach Sex.

Seine Höhlen waren keine Bordelle. Und er wollte auf keinen Fall, dass seine Mitarbeiterinnen von den Männern belästigt wurden. Ich werde jemanden einstellen, der Wache halten kann, dachte er. Nur für den Fall. Mit dem Arm machte er eine Geste in den Raum hinein. «Alles gut?», fragte er leise. «Niemand frech geworden?»

Sie verstand sofort und lächelte, wobei sie eine Reihe fauliger Zähne entblößte, die ihr ansonsten schönes Gesicht entstellten. Sie beugte sich hinab und zeigte ihm ein kleines, dünnes Messer, das in ihrem Stiefel verborgen war.

Er nickte zufrieden. «Gut», sagte er, etwas beruhigt. «Du weißt dir zu helfen.» Er gab ihr ein paar Münzen. Sie würde dafür sorgen, dass die Pfeifen der Kunden immer gut gefüllt waren, und kontrollieren, dass keine Schwelbrände entstanden. Er wandte sich zum Gehen und durchquerte den Raum.

Plötzlich blieb er stehen. In einer Ecke blitzte etwas Rotes auf. Er sah noch einmal hin. Dann stöhnte er auf. Das durfte nicht wahr sein. Nicht schon wieder.

«Charles», knurrte er unwillig.

Es war wie ein Déjà-vu. Sein bester Freund lag mit entrücktem Blick auf einer der kleinen Pritschen und starrte an die Decke. Er hielt die Pfeife, die seinen Geist in andere Sphären versetzt hatte, noch in der Hand, aber sie war zur Seite gerutscht und lag schlaff neben seinem Bein.

Jo schüttelte fassungslos den Kopf. Dann versetzte er seinem Freund einen Tritt gegen das Schienbein. Charlie gab einen seltsamen Laut von sich, reagierte aber nicht weiter. Jo rieb sich mit den Händen übers Gesicht. «Ich dachte, du bist davon los, Mann!», flüsterte er in die Dunkelheit. Scheiße, auch das noch, dachte er voller Schuldgefühle und seufzte leise. Nicht hier, nicht in seinem eigenen Keller. Er blickte sich um. Ein neuer Kunde war gerade hereingekommen und sah sich suchend nach der Chinesin um. «He, du!», rief Jo. «Hilf mir mal!»

Henry saß in Elenors kleiner Wohnung im Stadtteil Abercromby, ließ ein Bein über die Sessellehne baumeln und fragte sich, womit er das alles verdient hatte. Er lebte in einem kalten, verregneten Land, dessen Sitten und Sprache ihm fremd waren, konnte seine Ausbildung nicht beenden, wohnte auf Kosten eines anderen Mannes in einem Haus, in dem nichts wirklich ihm gehörte, mit einem Kind, das nicht sein eigenes war. Seine Frau hasste ihn, er durfte sie nur anfassen, wenn er ihr quasi mit dem Tod drohte. Und seine Geliebte, die er extra mit dem Schiff aus Hamburg hatte kommen lassen, litt unter Depressionen und lenkte sich mit geradezu krankhaftem Einkaufswahn ab – den er bezahlen musste. Eine geschlagene halbe Stunde wartete er jetzt schon hier. Dabei hatte er den ganzen Tag an nichts anderes denken können als an ihre seidige Haut, in die er so gerne hineinbiss. Er seufzte und trank einen Schluck Mulled Wine. Der neblige Abend passte genau zu seiner unterirdischen Stimmung. Wo steckte sie nur? Wahrscheinlich war sie wieder bei einer Schneiderin und gab einen Haufen Geld für Kleider aus, die sie nicht brauchte. Mit einem neuen Muff war sie letzte Woche angekommen, dabei hatte sie schon zwei! Er hatte wirklich an sich halten müssen, um nicht laut zu werden. Sie verstand seine Lage einfach nicht, sah nur das große Haus, die Äußerlichkeiten und wollte nicht einsehen, dass sie davon nicht auch etwas abbekommen sollte. Er beugte sich vor und stocherte im Kamin herum. Nicht mal das Feuer hatte sie ordentlich am Lodern gehalten, er hatte selbst ein Scheit nachlegen müssen, wie ein Lakai. Hatte sich einen Splitter eingezogen. Was tut man nicht alles für guten Sex, dachte er jetzt und merkte, wie seine Laune immer tiefer sank.

Da niemand Elenor in die Gesellschaft eingeführt hatte, sie nur ein paar Brocken Englisch sprach und sich außerdem bedeckt halten sollte, hatte sie in den zwei Jahren, die sie nun hier lebte, kaum Kontakte in Liverpool geknüpft. Henry war das nur recht, sie war schließlich für ihn hier. Für Elenor jedoch war es ein Grund für andauerndes Jammern. «Ich fühle mich wie eine Gefangene!», warf sie ihm vor, wenn ihre Laune ganz miserabel wurde. Er seufzte dann und musste sich zwingen, nicht aus der Haut zu fahren. «Du bist frei zu gehen, wo auch immer du hinwillst, Liebling!»

«Ja, aber ich habe keine Beschäftigung. Was soll ich denn den ganzen Tag tun? Ich kenne hier keine Menschenseele!»

Dann brauchst du ja auch all die teuren Kleider nicht, dachte er dann, hütete sich aber davor, es auszusprechen. Elenor hatte Temperament. Und sie war sehr schön. Eine Frau, nach der sich viele Männer umdrehten. Er wusste, dass es ihr nicht schwerfallen würde, sich jemand anderen zu suchen, der sie aushielt. Deswegen musste er einlenken, so gut es ging. Sie beschwerte sich über alles. Die Wohnung, das Hausmädchen, das Wetter – besonders das Wetter –, die Menschen, die Sprache, die Kleidung, das Essen. Wenn er so darüber nachdachte, konnte er sich an kein positives Wort erinnern, das sie bisher über England verloren hatte. Aber gut, besonders viel Positives fand er ja selbst nicht an dem Leben hier. Nur hatte das bei ihm andere Gründe.

Himmel, sie konnte wirklich anstrengend sein. Trotzdem gehörten die gemeinsamen Stunden, die sie vor dem Kamin in ihrer kleinen Wohnung verbrachten, zu den schönsten hier. Er liebte es, sie an sich zu drücken, ihren Duft einzuatmen, ihre warme Haut zu spüren, liebte es, wie das Licht der Flammen Schatten auf ihren wunderschönen Körper zauberte. Sie war wirklich wie für die Liebe gemacht, ihre großen Brüste, ihr zarter Bauch, der noch nicht von einer Schwangerschaft ruiniert war, ihr kehliges Lachen, das er so mochte. Mit ihr fühlte er sich für ein paar Stunden weniger einsam.

Die Farce, die seine Ehe war, belastete ihn. Er liebte Lily wirklich, das war ihm mit den Jahren klargeworden. Aber es war eine egoistische Liebe. Er liebte sie wie einen wertvollen Besitz, den man um nichts in der Welt hergeben möchte. Wenn es nach ihm ginge, er hätte sie irgendwo weit weggebracht, in ein fernes Land, auf eine einsame Insel vielleicht, wo die Gefahr, dass sie ihm eines Tages doch noch davonlief, gebannt war. Wenn er mit anderen Frauen sprach, langweilten sie ihn tödlich. Es schien ihm, als würde er mit Kindern sprechen. Lily aber war mit ihm auf

Augenhöhe. Ja, manchmal hatte er das beunruhigende Gefühl, dass sie ihm weit voraus war, sich heimlich über ihn amüsierte. Sie wusste Dinge über die Welt, von denen er selbst noch nichts mitbekommen hatte, las Zeitungen, informierte sich über die politischen Geschehnisse, hatte eine eigene Meinung, konnte auf eine Weise mit den Männern diskutieren, dass es ihnen oft genug die Sprache verschlug. In den letzten Jahren war sie vor seinen Augen zu einer anderen Person geworden, einer Frau ohne Koketterie und Angst, die für sich einstand, für ihre Rechte kämpfen konnte wie eine Wildkatze. Er hatte Respekt vor ihr, auch wenn er das nicht einmal vor sich selbst gerne zugab. Doch eines war ihm sonnenklar: Gäbe es Hanna nicht, Lily würde keine Sekunde ihres Lebens mit ihm verbringen. Er wusste, dass er diese Frau niemals dazu bringen würde, ihn ebenfalls zu lieben. Oder auch nur zu mögen.

Und das machte ihn gleichzeitig unglaublich wütend und unglaublich verzweifelt.

In diesem Moment ging die Tür auf, und Elenor kam herein. Er erhob sich sofort und eilte ihr entgegen. Regentropfen perlten von ihrem Umhang, hingen ihr in den feuchten Locken. Wie immer war sein erster Gedanke, wie schön sie doch war, ihr fein geschnittenes Gesicht, die Katzenaugen. Aber heute schien sie verändert.

«Liebes. Da bist du ja endlich. Ich warte schon eine halbe Ewigkeit», maulte er ein wenig jammerig und half ihr aus dem Mantel.

Elenor drückte ihm einen Kuss auf die Wange, erwiderte aber nichts. Ihre Haut war kühl, der Geruch von Haarteilen und Pferd stieg ihm in die Nase. Sie musste Droschke gefahren sein. «Ich hatte vergessen, dass du kommst», sagte sie schließlich und legte langsam die Handschuhe ab.

Na vielen Dank auch, dachte Henry, lächelte aber. «Das hört man doch gern», scherzte er und setzte sich wieder. Was war bloß los mit ihr? Sie wirkte so seltsam, zerstreut, als würde sie über irgendetwas nachdenken, das sie bedrückte. Erstaunt beobachtete er, wie Elenor im Zimmer auf und ab lief. Sie blieb kurz vor dem Fenster stehen und starrte in die dunkle Regennacht, dann machte sie kehrt, kniete sich vor den Kamin und blickte suchend in die Flammen, als gäbe es darin etwas zu sehen.

«Sagst du mir, was los ist?», fragte er. «War der Kutscher wieder unfreundlich?»

Sie sah auf und runzelte die Stirn, als hätte er etwas Dummes gesagt. Dann erhob sie sich, baute sich vor ihm auf und stemmte die Arme in die Hüften. «Da hast du etwas Schönes angerichtet!», sagte sie, und er sah erstaunt, dass sie sauer auf ihn war. «Ich bin schwanger, Henry!»

Die Worte brauchten einen Moment, um zu ihm durchzudringen. Dann fuhr er erschrocken in die Höhe. «Wie bitte?»

Sie zuckte zurück, ihr Blick verfinsterte sich. «Du hast ganz richtig gehört. Ich bin schwanger!»

Henry fuhr sich durch die Haare. «Aber wie ist das möglich? Wir haben doch extra diese sündhaft teuren, unbequemen Dinger benutzt, damit das nicht passiert.»

Elenor verschränkte beleidigt die Arme vor der Brust. «Nun, anscheinend waren sie fehlerhaft!»

Henrys Augen wurden schmal. «Du hintergehst mich doch nicht?», fragte er und packte sie hart am Arm. «Du vergisst vielleicht, dass ich schon ein Kind habe, das nicht meines ist. Wenn du mit einem anderen geschlafen hast, dann schwöre ich, dass ich …»

«Wie kannst du es wagen?» Sie stieß ihm beide Hände vor die Brust, das Gesicht vor Empörung verzerrt.

Sofort knickte er ein. «Schon gut, es war nur … He, komm her, es tut mir leid!» Er holte tief Luft und drückte sie an sich.

Anfangs wehrte sie sich, dann aber ließ sie es geschehen. Er streichelte ihr übers Haar und versuchte, sein eigenes klopfendes Herz zu beruhigen. Ein Kind. Er wurde Vater. Richtiger Vater. Und das bedeutete vor allem eins: horrende Kosten. Nun musste er nicht nur eine Mätresse bezahlen, sondern auch noch ihren Nachwuchs finanzieren. Das war eine ungeheure Verpflichtung. Er schluckte. Elenor alleine hätte er jederzeit loswerden, sie durch eine jüngere, weniger fordernde Mätresse ersetzen können. Aber so? Niemand heiratete eine alleinstehende Frau mit Kind, die nicht Witwe war. Sie hatte sich damit alle Chancen auf ein anderes Leben genommen – und er war nun für den Rest *seines* Lebens für sie und das Kind verantwortlich. Ihm wurde schwindelig, wenn er daran dachte, was ihn das kosten würde. «Verdammt», murmelte er leise. Es wurde höchste Zeit, dass sie nach Hamburg zurückgingen und er sein Studium beenden konnte. Oder er musste sich überlegen, wie er aus der Nummer wieder herauskam.

Als Henry gegangen war, starrte Elenor noch eine Weile ins Feuer. Sie streifte die Schuhe von den schmerzenden Füßen, lehnte sich im Sessel zurück und griff nach dem Glas mit dem Mulled Wine, das Henry hatte stehenlassen. Sanft strich sie sich mit den Händen über den Bauch. Sie wusste es schon eine ganze Weile. Eigentlich erstaunlich, dass er nichts gemerkt hatte, ihre Brüste waren riesig, und ihr Bauch begann bereits, sich zu runden. Aber Männer waren da alle gleich, man schnurrte ihnen irgendwas ins Ohr, ließ die Kleider fallen, und schon nahmen sie nichts mehr richtig wahr. Und nun war es definitiv zu spät, um das Kind noch loszuwerden.

Genau wie sie es geplant hatte.

Er war verheiratet, Elenor würde immer die zweite Wahl bleiben. Sie näherte sich bereits gefährlich der Dreißig, bald würde kein Mann sie mehr anschauen. Sie hatte kein Geld, keine vermögende Familie und absolut keinen Willen, sich ihr Leben lang den Buckel krumm zu arbeiten. Aber auch ihre Schönheit hatte ihr keinen vermögenden Mann einbringen können, und langsam war sie panisch geworden. Irgendwann würde Henry sie fallenlassen, das stand fest. Aber mit einem Kind sah die Sache anders aus. Er war ein ehrenhafter Mann, niemals würde er sein eigen Fleisch und Blut verstoßen. Und seine Frau konnte wohl keine Kinder mehr bekommen, darüber hatte er sich schließlich endlos bei ihr beschwert. Sie lächelte. Wenn Henry wüsste, dass sie die Kondome mit der Sticknadel bearbeitet hatte … Elenor trank einen Schluck Wein, blickte ins Feuer, und ein Lächeln umspielte ihre Lippen.

Nun, er würde es nie erfahren.

6

Alfred Karsten ließ den Blick über die Elbe schweifen. Von seinem Bürofenster im Rosenhof-Kontor hatte er die beste Sicht. Kleine Eisschollen trieben auf dem Wasser, wurden hin und her geschoben von den Ewern und Schuten, den Dampfschiffen und Kähnen, die sie zu weißen Inseln zusammendrängten, nur um sie im nächsten Moment wieder auseinanderzupflügen. Es wimmelte auf dem Wasser, wo man auch hinsah, herrschte Geschäftigkeit. Über der ganzen Szenerie, den Hunderten Masten, Segeln, Kränen und Stegen, wirbelte wie immer der weiße Rauch aus den Schiffsschornsteinen stumm dem Himmel entgegen. Auf der Straße vor dem Fenster klapperten Kutschen über den Dovenfleet. Ach ja, dachte er und nahm einen Schluck von dem dampfenden Bohnenkaffee, den die Sekretärin ihm eben gebracht hatte. Wie sehr er es doch liebte … Es war früher Morgen, und seine Stadt erhob sich zum Handel.

Hier im Hafen, an der Waterkant, schlug der Puls der Metropole. Hier waren die Heuerbüros, die Bugsiergeschäfte, die Tavernen und Kaffeeklappen. Das ewige Hin und Her, das Sprachgewirr der Arbeiter, die morgens zu Hunderten um Arbeit anstanden. Im Hafen ruhte das Leben nie. Nur nachts war es ein wenig langsamer. Dann verwandelte das silbrige Licht der Bogenlampen an den Ufern den Zollkanal in eine dunkel glitzernde Schlange, die träge dem Morgen entgegenglitt. Er hatte es als junger Mann genossen, nachts am schwarzen Fluss zu stehen und den Geräuschen zu lauschen. Wenn man die Kähne nicht sah, sondern nur die Ruderschläge hörte, ab und an ein Platschen, ein Rufen. Heutzutage waren die Ufer beleuchtet. Aber auch das war ein Anblick, den man nur bestaunen konnte.

Eine Fähre fuhr vorbei, und er beobachtete die Passagiere an Deck. Neben dem Pegelmesser wehte die Hamburger Admiralitätsflagge. Seit die HADAG gegründet worden war, die Hafendampfschiffahrts-Actien-Gesellschaft, war endlich ein wenig Ordnung eingekehrt in den Personenverkehr. Vorher war es das reinste Chaos gewesen, die fünf Fährpächter jagten sich gegenseitig die Passagiere ab, anstatt sich auf einen Fahrplan zu einigen. Seit der Senat die Konzessionen neu vergeben hatte, lief alles geregelter. Das war auch dringend notwendig, durch die immer weiter voranschreitende Trennung der Wohn- und Arbeitsgebiete waren mehr Menschen denn je auf den Fährverkehr angewiesen. Gerade war man sogar dabei, Drehkreuze an den Anlegern zu installieren, damit die Schwarzfahrer endlich kein so leichtes Spiel mehr haben würden. Die Erweiterung des Hafens machte sich überall bemerkbar, meist in kleinen Details wie diesen. Seit die Speicherstadt fertiggestellt war, war auch endlich der Baulärm ein wenig abgeflaut. Wie viele zusätzliche Hafenbecken in den letzten Jahren entstanden waren, wie viele neue Kaianlagen und Verkehrswege! Allein der Segelschiffhafen, der Asiakai mit fünf Schuppen, der Amerikakai mit vier. Er war ja unbedingt für den Wandel, hatte den Bau der Speicherstadt wirklich begrüßt. Aber um den Wandrahm war es doch trotzdem sehr schade. Die herrlichen alten Barockhäuser, in denen die reichen Tuchhändler gewohnt hatten, eines der schönsten Viertel der Stadt, einfach verschwunden. Seit vierhundert Jahren war es von den holländischen Emigranten, die dort lebten, gewässert und aufgehöht worden. Und nun … Er seufzte und stellte klirrend seine Tasse ab. Nun war er fort. Abgerissen. Und an seine Stelle war etwas

Neues gerückt. Das war der Lauf der Dinge, man konnte sich ihm nicht widersetzen. Einen neuen Kaiser hatten sie schließlich auch. Und man hatte ja gesehen, wie es gehen konnte. Ein Dreikaiserjahr, dass er so etwas mal erleben sollte. Erst starb der alte und dann, ein paar Wochen später, der neue. Und nun hatten sie Wilhelm II. auf dem Thron sitzen. Alfred hatte ihn selbst gesehen, als der Kaiser im Oktober vor zwei Jahren nach Hamburg gekommen war, um den Freihafen einzuweihen. Gerade mal vier Monate war er da inthronisiert gewesen. Die Unsicherheit stand ihm ins Gesicht geschrieben.

Er wandte sich seinem Schreibtisch zu und setzte sich schwerfällig. Man musste eben lernen, mit den Veränderungen umzugehen. Das galt für das deutsche Volk und seinen Kaiser genau wie für ihn und seine Reederei. Auch er musste lernen, mit den Neuerungen zu leben. Die Welt, die Stadt, alles war im Wandel, wurde immer schneller und moderner. Beinahe war es ihm, als würden sich das Geschäft und die Bedingungen, unter denen sie arbeiteten, täglich ändern. Der Freihafen selbst, wer hätte es vorhergesehen, hatte zwar anfangs für einen rasanten Anstieg der Preise gesorgt, aber auch sehr schnell den Warenumschlag im Hafen gesteigert. In den letzten Jahren um beinahe eineinhalb Millionen Tonnen. Zusammen mit Cuxhaven steuerte Hamburg auf einen Anteil von vierzig Prozent am deutschen Seeschiffsverkehr zu. Sie würden einer der führenden Häfen der Welt werden, wenn nicht *der* führende Hafen. Gut, Antwerpen und Rotterdam wussten mitzuziehen, man durfte sich vielleicht doch keine allzu großen Hoffnungen machen, aber er musste zugeben, dass der Freihafen für die Reederei bisher einen großartigen Aufschwung bedeutet hatte. Das Auswanderergeschäft nahm stetig zu, Hamburg wurde buchstäblich zu einem Tor für die Welt. Sie hatten in der Reederei ihre Fühler in alle Richtungen ausgestreckt, versuchten, ganz oben mitzuspielen. Aber das Geschäft war immer ein Glücksspiel, die Bedingungen unberechenbar. Man konnte noch so viel arbeiten, noch so hart kalkulieren und die Konkurrenz ausstechen, man war den Strömungen des Weltmarktes, des Handels, ja des Wetters hilflos ausgeliefert. Und nun hatten sie auch noch die neue Kalkutta-Linie, die ein enormes Risiko barg, und das neue Projekt, das Franz' ganze Aufmerksamkeit beanspruchte. Der Junge lebte geradezu dafür, hatte sich förmlich hineingestürzt. Hoffentlich würde alles gutgehen mit der *Luxoria*. Noch nie hatten sie in ein einzelnes Schiff so viel Geld gesteckt.

Alfreds Blick fiel auf den Schreibtisch. Die Pläne für die *Artesia*. Das erste Schiff, das sie damals nicht in Liverpool oder Flensburg, sondern in Hamburg, auf der Oolkert-Werft, hatten bauen lassen. Auf Franz' Wunsch. So lange hatte Alfred dagegen gekämpft, hatte eisern an den Traditionen festgehalten. Doch er hatte irgendwann keine Kraft mehr gehabt, sich seinem Sohn zu widersetzen. Und nachdem Oolkert sich die Mehrheit an der Aktiengesellschaft für die Linie gesichert hatte, hatte er auch nicht mehr viele Argumente in der Hand gehabt. Er schüttelte den Kopf. Listig war er gewesen, der alte Fuchs. Listig und skrupellos. Und er hatte am Ende gewonnen. Nun waren sie eine Familie, Roswita lebte in seinem Haus. Vor einer Zusammenarbeit hatte es kein Entkommen gegeben.

Beinahe der gesamte Fuhrpark der Kalkutta-Linie war nun bei der Oolkert-Werft geplant, nur einige wenige Schiffe sollten noch in Liverpool und Flensburg gebaut werden. Unter anderem die *Cordelia*, die gerade fertig geworden war. Er fragte sich, ob Lily wohl zum Stapellauf gegangen war. Ob sie verstanden hatte, was er ihr sagen wollte und nicht sagen konnte. Er seufzte. So ganz verstand er es ja selbst nicht. Wie hieß es im *King Lear* doch? *Wehe, wer zu spät bereut.*

Der König war wahnsinnig geworden über dem Schmerz, konnte seiner Tochter erst sagen, dass er ihr unrecht getan hatte, als es bereits keine Hoffnung mehr gab.

Manchmal fürchtete er, dass es auch für ihn bereits zu spät war.

Gedankenverloren betrachtete er die Pläne, die vor ihm lagen. Franz hatte immer stärker das Kommando übernommen in den letzten Jahren, Alfred wurde mehr und mehr an den Rand seines eigenen Unternehmens gedrängt. Aber so war es schließlich auch gedacht, irgendwann würde er das Zepter abgeben müssen. Und der Junge konnte ja nichts dafür, aber was für ein Pech hatten sie gehabt mit der Pacific-Linie. Wenn er nur daran dachte, spürte er ein Ziehen in der Brust. Es hatte damit zu tun, dass Lily fort war. Sie hatte das Glück mitgenommen. Sein Glück zumindest, das wurde ihm immer deutlicher.

Es kam freilich immer wieder zu Verlusten, das war normal und der Lauf der Dinge. Aber dieses Pech, das sie in den letzten Jahren verfolgte, schien beinahe etwas Schicksalhaftes an sich zu haben.

Es hatte begonnen mit der *Olympia*. So ein stolzes Schiff. Ein eiserner Schraubendampfer, zwei Masten, Schonertakelung, vierhundertfünfzig Pferdestärken. Er konnte alle Details auswendig aufsagen, obwohl es die *Olympia* schon lange nicht mehr gab. Zwischen zwei Amerikareisen wurde sie im baltischen Küstendienst eingesetzt. Sie war mit einer Ladung Sesam unterwegs nach Aarhus in Dänemark, als sie im Kattegat in Treibeis geriet. Beinahe sofort wurde sie eingeschlossen, das Eis war unerbittlich.

Seine schöne *Olympia*.

Sie war einfach in der Mitte durchgebrochen.

Zum Glück hatte sich wenigstens die Besatzung retten kön-

nen. In der Nähe hatte ein britischer Dampfer ebenfalls fest-
gesteckt und die Männer aufgenommen.

Dann war die *Miranda* an der Reihe gewesen. Viertausend
Tonnen Tragfähigkeit, das größte Schiff, das je unter dem
Karsten-Wimpel gefahren war – und dann gleich ein Totalver-
lust. Der Kapitän hatte Quessant angesteuert, und obwohl das
Leuchtfeuer an dem Abend nicht zu sehen gewesen war, hatte
er geglaubt, auf dem richtigen Kurs zu sein, war ohne zu loten
direkt auf die Felsen gefahren. Es schauderte ihn, wenn er daran dachte. Danach war die *Cleopatra* in der Magellanstraße bei
Cape Virgins gestrandet.

Er glaubte nicht an Vorsehung. Aber inzwischen flößte ihm
diese Pechsträhne doch Angst ein. Er seufzte und rieb sich den
schmerzenden Nacken. In letzter Zeit hatte er verstärkt körperliche Beschwerden. Langsam machte sich sein Alter bemerkbar, immer wieder hatte er ein Stechen in der Brust, das in Hals,
Kiefer und Schulterblätter strahlte. Er war oft müde, litt unter
Schwindel, manchmal fast so etwas wie Atemnot. Dr. Selzer riet
ihm schon seit einer Weile kürzerzutreten, sich nicht zu überanstrengen. Aber er arbeitete nicht zu viel. Er wusste genau, dass
es einen anderen Grund gab. Er war ganz einfach seit über drei
Jahren nicht mehr glücklich gewesen. Seit Michel und Lily fort
waren, schien es, als wäre etwas in ihm erloschen. Er ging zur
Arbeit, er tat, was er immer getan hatte, und er tat es gerne. Aber
wofür? Was war ein Vater ohne seine Kinder? Manchmal war es
fast, als hätte er keine Familie mehr. Er kämpfte nicht mehr mit
demselben Feuer, derselben Leidenschaft für sein Lebenswerk.
Es gab Tage, da dachte er, dass es keinen Unterschied machte, ob
er ins Büro im Rosenhof ging oder nicht. Franz lebte ohnehin nur
auf den Moment hin, in dem Alfred die Arbeit ganz niederlegen
würde. Tatsächlich spürte er in letzter Zeit immer deutlicher, wie

sehr ihn der Druck belastete, die Reederei, die neuen Linien, die *Luxoria*, in die sie so viel Geld gepumpt hatten, dass es ihm bei dem Gedanken schwindelte. Und jetzt sah es so aus, als hätten sie schon wieder ein Schiff verloren …

Müde strich er sich über die Stirn. Von der *Artesia* gab es seit Tagen keine Meldung. Wieder die Magellanstraße … Es würde doch kein zweites Mal passieren, so schnell nacheinander? Unruhig fuhr er mit den Händen über die Pläne. Er wusste auch nicht genau, warum er sie sich hatte bringen lassen. Dem Schiff würde es auch nicht mehr helfen, wenn …

Genau in dem Moment klopfte es laut an der Tür, und Franz trat herein. Er sah bleich aus. «Ein Telegramm. Sie wissen Bescheid!», sagte er, und Alfred sah sofort, dass er keine guten Neuigkeiten hatte. «Sie ist gesunken», verkündete sein Sohn auch sogleich. «Bei Passage Point. In der Elizabeth Bay.»

Alfred nahm einen tiefen Atemzug. Da war er wieder, der Schmerz in seiner Brust. «Wie?», fragte er nur, aber Franz schüttelte den Kopf.

«Ich weiß nicht viel. Sie hatten das Salpeter und ihr Stückgut in Valparaiso schon geladen und waren auf dem Rückweg. Haben die English Narroways passiert und sind dann aber wohl bei Long Reach auf einen zu nördlichen Kurs gekommen. Sie sind auf ein Riff gefahren. Der Schiffer hat überlebt, wie auch einige der Besatzung. Es heißt, sie waren in fünf Faden Wasser, als es passiert ist. Der erste Steuermann hatte das Kommando …»

«Wie das?» Alfred horchte auf. Er fühlte sich plötzlich so müde. Seine Brust drückte, er wäre am liebsten aufgestanden und hätte das Fenster geöffnet.

Franz schüttelte den Kopf. «Es war in den frühen Morgenstunden, der Schiffer hatte sich hingelegt …»

«Was?! Aber das ist unverantwortlich!» Erschrocken schlug

Alfred mit der Hand auf den Schreibtisch. «Wenn das stimmt, müssen wir ihm die Zulassung entziehen. Er kann sich doch in so schwierigem Gewässer nicht einfach zurückziehen!»

«Ich weiß, Vater. Wir werden das überprüfen.»

«Manchmal denke ich, wir wären verflucht», murmelte Alfred. Schwer ließ er sich in seinen Stuhl zurücksinken.

«Vater, es gibt dort Stromschnellen ... Riffe! Das hat nichts mit Unglück zu tun, es ist einfach eine gefährliche Route.»

Alfred nickte erschöpft. Warum tat nur sein Arm plötzlich so weh?

«Ist dir nicht gut? Du bist so bleich.» Sorgenvoll musterte Franz ihn.

Plötzlich bekam er keine Luft mehr. Er lockerte seine Krawatte. «Ist nur ein bisschen heiß hier drin», wollte er sagen, aber seine Stimme machte seltsame Dinge, gehorchte ihm auf einmal nicht mehr. Er erhob sich und wollte zum Fenster gehen, um es zu öffnen, doch er hörte gerade noch, wie Franz hinter ihm erschrocken aufschrie, da spürte er einen stechenden Schmerz in der Brust, der in seinen Arm, seinen Bauch und seinen Kopf schoss. Keuchend hielt er sich am Schreibtisch fest und sank langsam in die Knie.

Dann wurde es schwarz um ihn.

Roswita, meine Liebe, du siehst ... bezaubernd aus.» Erstaunt betrachtete Sylta ihre Schwiegertochter. Sie trug ein silbernes an der Brust gerafftes Kleid. Über den gepufften Ärmeln fielen Spitzen wie ein Vorhang herab. Die dunklen Haare hatte sie gescheitelt, am Hinterkopf aufgesteckt und mit echten Rosen geschmückt, um die Ohren kringelten sich kleine Korkenzieherlöcken. Ihre schwarzen Schuhe wurden mit Samtbändern gehalten, und zarte Spitzenstrümpfe schauten hervor. Es war, mit einem Wort: viel!

Wie geschmacklos sie ist, dachte Sylta und setzte ein Lächeln auf. «Ein neues Kleid?»

Roswita nickte und setzte sich zu ihr in den Salon. Sylta sah sofort, dass sie etwas bedrückte, und seufzte. Was hatte ihr Sohn jetzt wieder angestellt? Lise kam und schenkte Roswita auf Syltas Wink Tee ein. Wohlwollend beobachtete Sylta, wie gut das Mädchen ihre Arbeit machte.

Sie hatten Seda in der Villa nie ersetzt. Nachdem Lily gegangen und Kittie gestorben war, hatte es einfach nicht genug Arbeit gegeben für zwei Kammermädchen. Aber natürlich hatte das für Lise bedeutet, dass sie nun mehr zu tun hatte als vorher. Doch sie beklagte sich nie. Sylta rechnete ihr das hoch an, gab ihr jeden Sonntag frei und versuchte, ihr so oft es ging durch kleine Gesten zu zeigen, wie zufrieden sie mit ihr war. Sie wusste, dass Seda und Lise sich sehr gut verstanden hatten und Lise sich nun einsam fühlte. Dennoch war sie immer aufmerksam, immer höflich und zuvorkommend, fleißig und still. Ganz im Gegensatz zu Klara.

Roswita hatte natürlich ihre eigenen Angestellten mitgebracht, als sie nach der Hochzeit mit Franz zu ihnen in die Villa gezogen war. Und ihr Mädchen, Klara, war seitdem nicht nur Sylta ein Dorn im Auge. Sie war ein grobes Ding, mit einem Gesicht wie ein Gewitter, dem man die raue Natur ansah. Beinahe noch schlechter erzogen als ihre Herrin. Klara machte Syltas eigenes Personal, auf das sie so stolz war und das immer so gut zusammenarbeitete, das Leben schwer und wirbelte das Haus durcheinander.

Als Roswita die Tasse entgegennahm, würdigte sie Lise keines Blickes.

«Danke, meine Liebe», sagte Sylta an ihrer statt. «Du kannst uns alleine lassen.» Sie zwinkerte Lise aufmunternd zu, und das Mädchen erwiderte die Geste mit einem kleinen Lächeln und einem Knicks.

«Gnädige Frau», murmelte sie und verließ so schnell sie konnte den Salon.

Sylta wusste genau, dass die Angestellten nicht nur mit Klara, sondern auch mit Roswita ihre Probleme hatten. Und sie verstand es gut. Roswita war nicht bösartig, sie hatte schlicht kein Benehmen, verlangte viel, dankte wenig. Was erstaunte, wenn man bedachte, dass ihr Vater einer der reichsten Männer Hamburgs war. Sylta hatte mehr von Oolkerts Tochter erwartet, das musste sie zugeben. Aber die Zeiten hatten sich geändert, wer Geld hatte, legte heutzutage auf gute Sitten nicht mehr allzu viel Wert. Hatte das Kittie nicht immer gesagt? «Neureich» nannten die Menschen das. Nun, auch Sylta war neureich, im strengeren Sinne. Dennoch wusste sie, wie man sich benahm. Allein wie Roswita hier saß, geschmückt und zurechtgemacht wie eine Puppe. Lily würde einen Lachanfall bekommen, wenn sie sie so sehen könnte.

«Was bedrückt dich denn, Liebes?» Sylta legte ihrer Schwiegertochter eine Hand aufs Knie. «Und wofür hast du dich so … schön gemacht?»

Roswita seufzte, und mit einem Mal standen ihr Tränen in den Augen. «Ach», seufzte sie theatralisch, und Sylta musste ihre Ungeduld zügeln.

«Hat Franz dich wieder versetzt?», fragte sie und hatte anscheinend ins Schwarze getroffen, denn Roswita zog sogleich ein kleines Spitzentuch aus ihrer Perltasche und tupfte sich die Augen.

«Wir wollten in die Belle Alliance», schniefte sie. «Er sollte mich abholen. Es gibt dort heute ein Konzert mit Tanz. Wir wollten essen und es uns gemeinsam ansehen. Aber nun sind wir schon viel zu spät.» Sie schnäuzte sich geräuschvoll, und Sylta zog schockiert die Augenbrauen hoch. Wenn Kittie jetzt hier wäre, dachte sie, und musste über sich selbst schmunzeln.

«Nun, meine Liebe, es wird sicher etwas Wichtiges in der Reederei gegeben haben. Er würde nicht grundlos zu spät auftauchen», versicherte sie, dabei wusste sie ganz genau, dass ihr Sohn sehr wohl dazu fähig war, seine Frau absichtlich zu versetzen. «Und ich muss sagen, der Lustgarten … Also das ist doch auch wirklich etwas gewagt, findest du nicht? Deine Mutter würde es sicher nicht gutheißen!»

Roswita machte eine wegwerfende Handbewegung. «Alle gehen dorthin, es ist nicht mehr so wie noch vor ein paar Jahren.»

Sylta erwiderte nichts, dachte sich aber ihren Teil.

«Wenn wir nur ein Telefon hätten!», beschwerte sich Roswita nicht zum ersten Mal. «Papa hatte schon lange eines im Palais. Seit zehn Jahren gibt es Telefone in Hamburg, ich verstehe nicht, was daran so schwer ist.»

Sylta presste die Lippen zusammen. «Nun, wir sind nicht in Harvestehude, sondern in der Bellevue. Aber du hast ja recht», beschwichtigte sie, als Roswita sie erschrocken ansah. «Es wird wirklich Zeit, dass man aus dem Kontor anrufen kann. Die halbe Welt können sie erreichen, nur ihre eigene Familie nicht», sie lächelte nachsichtig. «Ich werde mit Alfred reden. So, und jetzt hör auf zu weinen, ich bin sicher, Franz wird jede Minute kommen.»

Aber Roswita konnte sich nicht beruhigen. Einmal in Fahrt, sprühten die Tränen nur so aus ihr heraus. Sylta war klar, dass es nicht allein das verpasste Konzert war, das ihr Kummer bereitete. Franz konnte Roswita nicht leiden. Sie alle hatten das gewusst, auch schon vor der Hochzeit, er hatte nie einen Hehl daraus gemacht. Aber genau wie Sylta hatten sie wohl gehofft, dass er sich an sie gewöhnen, sie vielleicht sogar lieben lernen würde, wie man es eben machte in der Ehe. Sie hatte nie verstanden, warum er der Hochzeit, gegen die er sich zuvor mit Klauen und Zähnen gewehrt hatte, so plötzlich doch zustimmte. Aber sie hatte so ein Gefühl, dass es etwas mit der neuen Kalkutta-Linie zu tun hatte und den vielen Schiffen, die sie in den letzten Jahren auf der Werft von Ludwig Oolkert hatten bauen lassen. Nun, eine Heirat war immer in erster Linie ein Geschäft. Man tat, was nötig war. Franz arbeitete seitdem mit Ludwig eng zusammen. Dennoch sah jeder mit Augen im Kopf, dass ihr Sohn seine Frau verachtete. Und langsam konnte Sylta es ihm nicht mal mehr verübeln. Wenn sie doch nur endlich schwanger werden würde, dann hätte sie etwas zu tun und würde ihr nicht pausenlos auf die Nerven gehen mit ihrem Gejammer.

Sylta betrachtete das Mädchen an ihrer Seite nachdenklich. Wie anders die jungen Leute heute doch waren, so gefühlvoll. So – laut. Niemals hätte sie sich in ihrer Jugend so verhalten wie Roswita, es wäre einfach nicht möglich gewesen. Nicht in der Öffentlichkeit, nicht vor ihrer Schwiegermutter! Bei ihnen gab es keine Emotionen. Jeder Anflug von Gefühlsduselei war ihnen sofort ausgetrieben worden. Sie erinnerte sich nicht daran, dass ihre Mutter sie auch nur ein Mal geküsst hätte.

Während Sylta ihrer Schwiegertochter den Arm streichelte und beruhigend auf sie einmurmelte, musste sie an ihre Kindheit denken, die strenge Erziehung ihrer Großmutter. Wie viele bittere Tränen hatte sie geweint. Aber wenn sie sich Roswita so ansah, war sie fast dankbar für die harte Hand. Sicher, ihre Eltern hätten liebevoller sein können. Aber sie hatte noch gelernt, Dinge selbst zu machen. Und sich zu benehmen. Hier sah man, was passierte, wenn man es mit dem Verhätscheln übertrieb. Roswita konnte gerade mal mit weinerlicher Stimme nach einer Tasse Tee verlangen.

«Liebes, vielleicht musst du einfach eine Kleinigkeit zu dir nehmen. Eine Stärkung? Bestimmt bist du so feinfühlig, weil es dir an Kraft fehlt. Hertha hat frisch gebacken, und du hast beim Kaffee gar nichts gegessen.»

Sie stand auf und wollte nach Lise klingeln, aber Roswita rief hastig: «Nein, auf keinen Fall, ich will nichts essen! Wir wollen doch dort …», stotterte sie, als Sylta sie erstaunt ansah, brach aber gleich darauf ab, weil sie erneut zu weinen begann.

Sylta presste die Lippen aufeinander und setzte sich wieder.

Roswita schluchzte eine Weile, dann hob sie plötzlich den Kopf. «Darf ich … vielleicht etwas fragen?» Sie wirkte plötzlich seltsam schüchtern. Ihre Wangen glühten, sie rutschte unruhig hin und her.

Sylta nickte überrascht. «Aber sicher, jederzeit.»

«Es ist jedoch … *privat*!» Roswitas Augen wurden ganz rund, sie sah beinahe ängstlich aus.

Sylta zuckte zusammen. «Nun, Liebes, falls es um meinen Sohn geht, solltest du vielleicht lieber mit deiner Mutter sprechen?» Sie lächelte mitfühlend. «Das wäre doch sonst etwas unschicklich, findest du nicht?»

Roswita nickte. «Sicher, das wollte ich ja schon. Aber Mutter ist so … Sie ist immer so laut und … Ich weiß einfach nicht weiter. Und ich dachte …»

«Du weißt, du kannst immer zu mir kommen. Wir sind jetzt eine Familie.» Sylta beugte sich vor. «Aber wenn es um eine Angelegenheit geht, die … nun, das *Ehebett* betrifft», flüsterte sie, «solltest du doch vielleicht mit jemand anderem sprechen.»

Roswita wurde rot wie ein Apfel. Sie nickte kaum merklich.

Sylta hatte ins Schwarze getroffen. Sie seufzte. «Ist es denn etwas Akutes?», fragte sie mit Unbehagen. Über diese Dinge zu sprechen schickte sich nun wirklich nicht, besonders nicht im Salon und schon gar nicht mit der eigenen Schwiegermutter. Aber sie wusste selbst, wie verwirrend das Eheleben zuweilen sein konnte, wie einen der eigene Körper und seine seltsamen Bedürfnisse beschämen und durcheinanderbringen konnten. Sie hatte damals auch niemanden gehabt, mit dem sie sprechen konnte.

Roswita nickte erst, dann schüttelte sie den Kopf. «Nein, eigentlich ist es ein eher altes Problem», wisperte sie.

Sylta nickte. «Liebes, ich würde dir wirklich gerne Rat geben, aber wenn es warten kann, würde ich vielleicht vorschlagen, dass du einmal mit Emma Wilson sprichst? Du kennst sie ja.»

Roswita sah erschrocken auf. «Diese seltsame Person? Sie hat doch nicht einmal einen Mann, was soll sie mir denn raten können?», stieß sie hervor.

«Roswita!», rief Sylta empört. «Diese *seltsame Person* ist eine meiner besten Freundinnen, wie du sicher weißt. Sie ist Ärztin, sie kann …»

«Aber doch keine *richtige* Ärztin!», unterbrach Roswita abfällig. Dann sah sie erschrocken aus. «Verzeih, ich wollte nicht … Ich meine doch nur.»

Sylta war mit ihrer Geduld am Ende. Sie stand auf. «In meinem Haus verbitte ich mir jedes negative Wort über Frau Wilson. Ich biete dir an, sie zu fragen, ob sie mit dir spricht. Mir hat sie in der Vergangenheit unbezahlbare Dienste geleistet. Aber wenn du meinst, es besser zu wissen, kann ich dir natürlich nicht helfen.»

Roswita sah sie mit großen Augen an. Und auch Sylta fragte sich einen Augenblick, ob sie zu streng gewesen war. Nun, dachte sie. Irgendwer muss ja mal damit anfangen.

In diesem Moment ging die Tür auf, und Agnes kam ins Zimmer gestürmt, ohne anzuklopfen. Sylta fuhr herum. Die Hausdame war kreidebleich. «Madame! Bitte verzeihen Sie», stotterte sie. Mit beiden Händen umklammerte sie einen Telegrammzettel. «Es ist etwas passiert! Sie müssen sofort kommen. Es ist das Krankenhaus.»

Mit grimmigem Gesicht drängelte Jo sich durch die schmalen Gassen des Altstädter Gängeviertels. Der Lärm war unglaublich, und es stank zum Gotterbarmen. Das Tauwetter brachte nicht bloß wärmere Tage, es brachte vor allem faule Luft. Die Rinnsteine in der Mitte der Straße waren hier noch immer nicht zugekippt worden, und die Exkremente sickerten in einem braunen Strom zwischen den Füßen der Hamburger Arbeiterschicht hindurch und bahnten sich ihren Weg Richtung Fluss. Die Gassen waren so eng, dass oft nicht mal ein Karren hindurchpasste. Natürlich probierten einige es trotzdem und verursachten damit zusätzliches Gedränge. Morgens ab fünf ergoss sich tagtäglich ein regelrechter Strom aus Menschen durch die Viertel, die Männer brachen zu ihren Schichten im Hafen auf, Frauen eilten in die Fabriken, Kinder in die Schule oder ebenfalls zur Arbeit, Hausmädchen gingen zum Markt, aus dem Umland kamen die Verkäufer mit ihren Waren.

Ich hätte später losgehen sollen, dachte er, als er einem Brotkarren auswich und um ein Haar gestolpert wäre. Aber auch er musste mittags auf der Werft zur Arbeit antreten.

An der Badeanstalt Anfang Steinstraße bog Jo rechts ab, eilte dann ein paar Stufen hinab und trat unter dem Vorderhaus hindurch in eine enge Gasse. Hier war er mitten im Herzen der Armut. Die Querverbindungen von Stein-, Spitaler- und Niedernstraße waren so eng, dass kaum zwei Männer aneinander vorbeikamen, ohne die Schultern zu drehen. Hunderte dieser schmalen Gassen, die teilweise unter den Häusern und Höfen verliefen, verbanden sich miteinander zu einem undurchschaubaren Gewirr aus Tunneln und Durchgängen. Wer sich nicht auskannte, war verloren. Man konnte die endlos langen Gassen oft erst wieder auf den großen Straßen verlassen, sie führten rechts und links nur in Hinterhöfe und in wieder andere Gassen. Auch abseits der Stoßzeiten bewegten sich hier Massen von Menschen, Hunderte Wäscheleinen zwischen den Häusern schirmten die Sonne ab, Horden von Kindern spielten zwischen Abfällen, Ratten und anderem Ungeziefer. Er schätzte, dass zwischen Steinstraße und Jakobikirche allein etwa acht- bis neuntausend Menschen lebten, zusammengepfercht wie Vieh. Die Häuser wurden immer höher gebaut, Stockwerk türmte sich auf Stockwerk, und selbst die Hinterhäuser hatten Keller und mehrere Obergeschosse. Die meisten Wohnungen waren dadurch stockduster, nur wenn man ganz oben wohnte, bekam man ein wenig Tageslicht ab. Doch die Entvölkerung der Innenstädte nahm rasant an Fahrt auf. Man munkelte, dass es bereits Pläne gab, die Quartiere hier abreißen zu lassen und durch neuen, teureren Wohnraum zu ersetzen. Er konnte es beinahe verstehen, die Gängeviertel waren der faule Kern der Stadt, und sie waren gefährlich nah am Hafen. Man brauchte die Quartiere, um auszubauen – aber die Arbeiter brauchten sie als Wohnraum. In der Neustadt, wo Lily damals in der Fuhlentwiete gelebt hatte, war es sogar noch erbärmlicher. Lange würde es nicht so weitergehen. Schon jetzt wurden neue Straßen durch die Gängeviertel gezogen, mehr und mehr Kontor- und Warenhäuser eröffneten. Die Stadt platzte aus allen Nähten, es wurde saniert, wo man nur konnte, der Hafen immer stärker erweitert, und in den Vororten entstanden immer neue Arbeiterviertel. Das Stadtbild hatte sich allein in den letzten zehn Jahren schon so stark gewandelt, dass nur hier, in den Straßen seiner Kindheit, alles noch schien wie früher.

Als er in Almas Hinterhof ankam, liefen ihm Marie und Hein schon entgegen. Wie immer versetzte ihm der Anblick der beiden einen Stich, sie erinnerten ihn zu sehr an Lily. Alma und ihre Kinder waren das Verbindungsglied gewesen, das sie beide zusammengebracht hatte. Nun hat Lily sich auch von ihnen abgewandt, dachte er verbittert. Dabei wusste er, dass sie wahrscheinlich gar keine Möglichkeit gehabt hatte, Alma zu kontaktieren, die in den letzten Jahren mehrfach umgezogen war, in immer kleinere, engere und billigere Zimmer. Aber es ging ihm besser, wenn er wütend auf Lily sein konnte. Die Wut machte es ein bisschen leichter.

Hein und Marie freuten sich unbändig über seinen Besuch. Aber er sah sofort, dass es ihnen nicht gutging. Marie hatte dunkle Ringe unter den Augen, ihre Zöpfe waren strähnig, und Hein war so dünn, dass seine Kleidung an ihm schlotterte. Jo kümmerte sich darum, dass sie regelmäßig zu Essen bekamen, aber er konnte die verlorenen Jahre nicht aufholen, die sie in Armut gelebt hatten. Wie alle Kinder hier hatten die beiden krumme Beine. Aber das war normal. Wer gerade gewachsen war, wurde von allen bestaunt und ehrfurchtsvoll «Herrschaftskind» genannt. Dass Marie und Hein keine Herrschaftskinder waren, sah man auf den ersten Blick. Obwohl Jo Alma seit Jahren finanziell aushalf, hatten sie von der Mangelernährung Rachitis. Die schlechte Luft in den Wohnungen und die Arbeit, die sie verrichteten, um ihrer Mutter zu helfen, forderten ebenfalls ihren Tribut.

«He, na, ihr zwei? Warum seid ihr so früh schon draußen?» Jo fasste Marie kurz liebevoll am Kinn.

Alma war mit den Kindern etwa vor einem Jahr hier ins Hinterhaus gezogen. Der Hof selbst war ein dunkles Verlies, auf das Dutzende Türen hinausgingen. Die Kinder spielten den ganzen Tag in diesem dreckigen Schlund, sodass die Mütter, die oft Flickarbeiten oder andere Aushilfstätigkeiten annahmen, die man von daheim erledigen konnte, sie aus den Fenstern sehen konnten. Der Lärm war auch hier trotz der frühen Stunde unbeschreiblich.

«Mutter geht es nicht gut», erklärte Marie und schaute besorgt zu dem niedrigen Eingang im Erdgeschoss.

Jo folgte ihrem Blick und runzelte die Stirn. Der Milchmann stand vor der Tür, neben ihm sein Ziehhund, angeschirrt an den Karren, der mit Butter und Quarkkäse beladen war. Der Mann klopfte ungeduldig, offensichtlich schon länger.

«Sie hat gesagt, wir sollen spielen gehen, aber wir haben noch nicht einmal etwas gegessen!» Hoffnungsvoll zog Hein ihn am Ärmel.

Jo wuschelte ihm noch einmal abwesend durch die Haare und gab ihnen ein paar Münzen. «Dann lauft rasch zum Markt. Aber kommt gleich zurück, hört ihr! Und immer zusammenbleiben.» Die beiden rannten davon, gefolgt von einer Traube anderer Kinder, die das Gespräch mit glänzenden Augen mit angehört hatten, und Jo dachte, dass sie sicherlich nur Karamellen kaufen würden und er später selbst noch einmal würde losgehen müssen.

«Frau Herder macht nicht auf», brummte der Milchmann, als Jo näher trat und dem müden Hund vor dem Karren kurz über den Rücken streichelte. «Dabei nimmt sie jeden Morgen was.» Er deutete auf den Eimer, der neben ihm stand. «Muss doch auffüllen, sonst haben die Kinder ja nichts.»

Jo schob ihn mit einem freundlichen Nicken zur Seite und

klopfte an die Tür. «Alma? He, Alma?», rief er. Als niemand antwortete, drückte er die Klinke. «Ich bin's Jo! Ich komme rein!»

Das Zimmer war winzig und dunkel. Im Herd brannte kein Feuer. Er ging zu dem einzigen Fenster neben der Tür und öffnete den Laden.

Alma lag voll bekleidet auf dem Bett in der Ecke. Sie hatte das Gesicht zur Wand gedreht und den Körper zusammengekrümmt. Ihr Atem ging pfeifend.

Mit klopfendem Herzen trat Jo näher. Die Schwindsucht war mit den Jahren immer schlimmer geworden. Alma war inzwischen so abgemagert, dass die Haut an ihren Wangen schlaff herabfiel. Emma hatte ihm damals prognostiziert, dass sie sechs, vielleicht zehn Jahre mit der Krankheit leben konnte, die langsam ihre Lunge zerlöcherte wie Motten die Wolle. Alma hatte sich danach strikt geweigert, Emma wiederzusehen, aber die Ratschläge, die sie damals gegeben hatte – immer gut zu lüften, Spuckschalen zu verwenden, Abstand von den Kindern zu halten, die Wäsche abzukochen und Rindfleisch wegen der Rindertuberkulose zu meiden –, hatte sie weitestgehend befolgt. Ihren Säugling hatte sie nicht retten können. Und auch die Krankheit konnte es, wie Emma schon damals vorausgesagt hatte, nur aufhalten. In letzter Zeit hatte Alma immer wieder Blut gehustet.

Als Jo sie vorsichtig an der Schulter fasste, spürte er ihre Knochen durch den Stoff. Sie regte sich, und er trat schnell einen Schritt zurück. Er hatte Emmas Warnung von damals, Alma nicht zu nahe zu kommen, nie vergessen.

Als die Frau sich zu ihm umdrehte, erschrak er. Es waren nur etwa zwei Wochen vergangen, seit er sie zuletzt gesehen hatte, aber in diesen Wochen hatte sie sich beinahe bis zur Unkenntlichkeit verändert. Jo konnte sein Entsetzen nicht verbergen. Die

Krankheit machte ihrem Namen alle Ehre: Alma schwand buchstäblich vor seinen Augen dahin. Sie sah ihn an, aber es lag kein Erkennen in ihren fiebrig glänzenden Augen.

«Alma, ich bin's!», flüsterte er leise.

Sie antwortete nicht.

«Hallo? Ich muss weiter!», rief der Milchmann ungeduldig von draußen.

Jo drehte sich um und ging zur Tür. «Geben Sie mir den Eimer. Sie ist krank, Sie sollten nicht hereinkommen.» Er nahm die Milch, füllte die Kanne in der Ecke auf und bezahlte den Mann. Als er gegangen war, stand Jo einen Moment ratlos da. In der Wohnung war schon lange nicht mehr sauber gemacht worden, verkrustete Töpfe standen auf dem Herd, und es herrschte ein heilloses Durcheinander. Alma lag noch immer reglos auf dem Bett, nur ihr pfeifender Atem zeigte, dass sie noch lebte, ihre Brust hob und senkte sich langsam, es schien, als bekäme sie nicht genug Luft in die Lungen, was, so dachte Jo schaudernd, wahrscheinlich auch so war.

Er beseitige rasch die gröbste Unordnung. Dann ging er hinaus und zog die Tür hinter sich zu. Er wusste, dass es aussichtslos war, dennoch konnte er Alma nicht einfach so in ihrem Elend liegen lassen. Eigentlich musste er weiter, er hatte nur rasch vorbeischauen und nach den Kindern sehen wollen. Seine Stirn legte sich in sorgenvolle Falten, als er daran dachte, dass es allein seine Verantwortung war, sich um die Familie zu kümmern. Sie hatten sonst niemanden.

Der Arzt, der sich zwei Stunden später über Alma beugte, machte sich nicht einmal die Mühe, sie zu untersuchen. «Sie stirbt», sagte er mit ausdruckslosem Gesicht. «Ich gebe ihr noch ein paar Tage.»

Jo konnte ein Stöhnen nicht unterdrücken. Er hatte es bereits geahnt, und trotzdem war es ein Schock.

«Wundert mich, dass die Kinder noch leben», sagte der Mann mitleidslos und stand auf. Auch er hatte tiefe Ringe unter den Augen und sah aus, als hätte er wochenlang nicht geschlafen. Jo hatte ihn quasi auf Knien anflehen müssen zu kommen.

«Nicht alle. Sie hatte noch einen Säugling. Er ist vor zwei Jahren an der Krankheit gestorben», erwiderte er, und der Arzt nickte. «Die Kleinen trifft es zuerst.» Er warf noch einen letzten Blick auf Alma, die mit wächsernem Gesicht und geschlossenen Augen dalag und leise keuchte. Dann zuckte er die Achseln und ging schon wieder Richtung Tür.

Jo, der ihm eine horrende Summe für den Hausbesuch bezahlt hatte, hielt ihn erschrocken am Ärmel fest. «Moment. Was soll ich jetzt tun?»

Der Arzt blieb stehen. «Gar nichts. Warten, bis sie stirbt. Es wird nicht lange dauern.»

«Und die Kinder?», fragte Jo verzweifelt.

«Kommen ins Heim. Wenn sich keiner kümmert.» Damit ging er hinaus und ließ Jo stehen, der ihm wie gelähmt nachstarrte.

Wenig später hämmerte Jo an die nächste Tür eines ganz ähnlichen Hinterhofs. «Charles. Mach sofort auf, ich weiß verdammt nochmal, dass du da bist!» Er hörte die beißende Ungeduld in seiner Stimme.

Er hatte Alma etwas Milch eingeflößt und dann eine der Frauen aus der Nachbarschaft bezahlt, damit sie sich um sie kümmerte. Er wusste, dass sie damit Gefahr lief, sich anzustecken, und hatte es ihr auch gesagt, aber sie hatte nur die Achseln gezuckt und gierig das Geld eingesteckt. Schwindsucht war weit verbreitet, man konnte sich sowieso nicht aus dem Weg gehen in der Enge der Gängeviertel. Und Jo konnte Marie und Hein nicht mit ihrer sterbenden Mutter alleine lassen. Er hatte ihnen einen Beutel Rundstücke und etwas Käse gekauft und versprochen, am nächsten Tag wiederzukommen. Was neben der Arbeit kaum zu schaffen war. Seit er die Tür hinter sich zugezogen hatte, irrten seine Gedanken verzweifelt umher, auf der Suche nach einer Lösung. Hein und Marie würden auf der Straße landen, wenn er sich nicht kümmerte. Das Hamburger Waisenhaus auf der Uhlenhorst war hoffnungslos überfüllt, mehr als siebenhundert Kinder lebten dort. Viele hielten es nicht lange aus, sondern zogen es vor, in die gewohnten Straßen zurückzukehren, wo sie mit ihren Freunden spielen konnten. Nachts krochen sie unter die Treppen der Hinterhöfe. Hein und Marie würden sich einreihen in Hunderte, wenn nicht Tausende ähnliche Schicksale, und niemand würde auch nur mit der Wimper zucken. Wahrscheinlich würden ihnen die Nachbarinnen und Almas Freundinnen eine Weile aus Mitleid ein wenig Essen geben, aber niemand hatte genug, um auf Dauer zwei weitere Kinder durchzubringen. Sie würden anfangen zu stehlen und zu betteln und irgendwann an Kälte, Hunger und Mangelernährung elendig zugrunde gehen. Jo hatte es schon so oft gesehen. Und er konnte das nicht geschehen lassen.

Aber im Augenblick wusste er nicht, was er tun sollte, um dieses Schicksal abzuwenden.

«Charles! Ich schlag die Tür ein, wenn du nicht sofort aufmachst!», brüllte er. Wann war er eigentlich für die ganze verdammte Stadt verantwortlich geworden? Er hatte wirklich genug eigene Sorgen.

«Ruhe, verdammt!», schrie es aus der Wohnung nebenan.

Jo verdrehte die Augen. Charlie wohnte im Hasenmoor, einem Hinterhof für Gelegenheitsarbeiter in der Neustadt, der beinahe noch finsterer war als der von Alma. Bretterbuden waren dilettantisch und, wie es schien, in aller Eile übereinandergebaut worden. Schmale Leitern führten wie in Hühnerställen in die oberen Geschosse. Es roch nach zu vielen Menschen auf zu engem Raum. Jo hatte länger als gewöhnlich gebraucht, um hierherzukommen, der Schaarmarkt war mal wieder überflutet gewesen, und er hatte einen Bogen machen müssen. Nun war er spät dran. Er hatte Charlie seit Tagen nicht gesehen. Abends war er nicht in den Kneipen, mittags nicht in der Klappe, in der sie sich häufig zum Essen trafen. Er hatte bei einigen anderen Vizen gefragt, bei denen Charlie oft als Gelegenheitsarbeiter anheuerte, aber niemand wusste, wo er steckte.

Jo wollte es gerade aufgeben, da öffnete sich plötzlich die Tür. Charlie sah schrecklich aus. Er hatte lila Schatten unter den Augen, sein Gesicht war weiß und glänzte. Er sagte kein Wort, hielt Jo nur die Tür auf und ließ ihn eintreten.

«Scheiße, hier riecht's, als wäre was gestorben!», keuchte Jo und wedelte sich mit der Hand vor dem Gesicht. Das Zimmer war so niedrig, dass die beiden Männer kaum aufrecht stehen konnten.

«Hab's mit dem Magen», erwiderte Charlie nur. Er ließ die Tür zufallen und schleppte sich zurück zum Bett.

Jo verschränkte die Arme vor der Brust. «Du bist krank?»

«Kann man so sagen.» Charlie warf sich auf die zerwühlten Laken und bedeckte das Gesicht mit dem Unterarm. «Es ist immer so, wenn ich … versuch aufzuhören.»

Jo seufzte leise. Da fiel sein Blick auf das Bild. Von dem kleinen Waschtisch in der Ecke aus starrte Claire ihn an. Jo durchfuhr ein Schauer. Es wirkte so echt, ihre Augen gingen einem durch und durch. Kein Wunder, dass das Bild Charlie verrückt machte.

Wütend durchquerte er den Raum mit zwei Schritten. «Dieses verdammte Porträt ist schuld daran, dass es dir so schlecht geht. Seit du es hast, bist du nicht mehr der Alte!» Er nahm es an sich und machte Anstalten, das Bild zu zerreißen.

Charlie fuhr so schnell in die Höhe, dass Jo zusammenzuckte. «Nicht!», brüllte er, drückte Jo mit voller Wucht gegen die Wand und rammte ihm den Arm in die Kehle. Jo entfuhr ein würgender Laut, erschrocken riss er die Augen auf. Charlie entwand ihm das Bild, dann ließ er los.

Jo hustete, einen Moment sah er helle Lichtflecken vor seinen Augen tanzen. Er stützte die Hände auf die Knie, sein Atem ging keuchend. «Spinnst du?», fragte er, als er wieder sprechen konnte.

«Es ist zerknickt! Du hast es zerknickt!» Mit zitternden Händen strich Charlie immer wieder über das Bild. Er hockte sich hin, legte es auf den Boden und versuchte, es auf den Brettern glatt zu streichen.

Jo starrte ihn an. Charlie war völlig außer sich. «Was ist denn nur mit dir los?», fragte er. Sein Kehlkopf brannte, wo Charlie ihm den Arm gegen den Adamsapfel gerammt hatte. «Charles, es kann so nicht weitergehen.» Jo trat, immer noch schwer atmend, auf ihn zu. «Du musst dieses Bild loswerden! Sie ist tot, hörst du? Sie kommt nicht mehr zurück, egal, wie viel du sie auch anstarrst! Du musst sie endlich vergessen.»

Charlie sah zu ihm auf. Seine Augen waren dunkel. Beinahe erkannte Jo ihn nicht, so verzerrt waren seine Züge. «Verschwinde», knurrte er.

Jo schüttelte den Kopf. «Nein.»

«Raus hier!», brüllte Charlie. Er stand auf und kam drohend auf ihn zu.

«Schön!» Jo brüllte zurück. «Dann verreck doch in deinem

scheiß Drecksloch. Vielleicht ist es ja das, was du willst. Ich kann dir jedenfalls sagen, dass niemand anderes an deine Tür klopfen wird, um dich hier rauszuholen! Ich hab verdammt nochmal genug andere Sorgen, als meinen einzigen freien Tag zu opfern, um durch die halbe Stadt zu wandern und dann von dir rausgeschmissen zu werden!»

Charlie sah ihn einen Moment an, einen Ausdruck wütender Verwirrung auf dem Gesicht. Beinahe tat er Jo leid. Er öffnete den Mund, wie um etwas zu sagen, und schloss ihn wieder. Schließlich ging er zur Tür und hielt sie wortlos auf.

Jo stand noch einen Moment unentschlossen da, dann lief er an ihm vorbei. Als er draußen war, schmetterte Charlie die Tür in seinem Rücken zu.

7

L utz, noch eine Runde, dann kommst du raus. Du erkältest dich!»

Ludwig Oolkert verdrehte die Augen Richtung Decke, nickte seiner Frau Eva aber zu. «Du weißt, dass ich hier runterkomme, um zu entspannen?», fragte er seufzend.

«Na sicher, Liebling», antwortete Eva spitz, rührte sich aber nicht von der Stelle. Sie stand voll angekleidet in einem bauschigen Rüschenensemble am Beckenrand und beobachtete ihn. Er seufzte wieder und watete weiter durch das eiskalte Wasser. Sie hatten den Kneipp-Raum damals extra in das Palais einbauen lassen, auf Empfehlung seines Arztes. Es hielt ihn angeblich jung und sein Herz frisch. Nun, dazu konnte er nicht viel sagen, aber er mochte es, hier seine Runden zu drehen und dabei den Park zu beobachten, den man durch die Panoramafenster sehen konnte. Männer wie er hatten wenig Zeit für sich. Wenig Zeit abzuschalten. Er arbeitete immer, und wenn er nicht arbeitete, dann grübelte er über die Arbeit nach. Aber hier unten gelang es ihm meist, zumindest für ein paar Minuten einfach zu sein. Das Wasser war so eisig, dass es sich wie Nadelstiche auf der Haut anfühlte und jeden anderen Gedanken als den an die Kälte vertrieb. Genau das mochte er. Es belebte ihn, er fühlte sich wacher, energievoller. Er genoss diese Zeit, um aufzutanken. Und Eva hatte das anscheinend irgendwie mitbekommen und war nun entschlossen, es zu boykottieren.

«Du weißt, dass heute die Söderlunds zum Skat kommen?»

«Du hast es mir bereits beim Frühstück mitgeteilt», erwiderte er ruhig. Warum zum Teufel konnte sie ihn nicht einfach mal in Ruhe lassen?

«Gregor, das Handtuch. Es ist genug! Seine Lippen sind ja schon ganz blau. Wie eine Pflaume schaust du aus, ganz schrumpelig.» Eva winkte dem Diener, der gehorsam das riesige Trockentuch ausbreitete, um Oolkert in Empfang zu nehmen.

Seufzend stieg er aus dem Becken. «Sagtest du nicht, dass du heute so viel zu tun hast, Eva?», fragte er seine Frau und trat zum Armbecken. Er beugte sich vor und legte seine Unterarme in das eiskalte Nass. Ein Prickeln fuhr seinen Rücken hinab, aber er verzog keine Miene. Als sie mit schriller Stimme weitersprach, hätte er am liebsten auch seinen Kopf unter Wasser getunkt. Er liebte seine Frau, aber es reichte ihm, wenn er sie bei den Mahlzeiten sah.

«Dr. Bogert sagt, dass das Kneippen auch gegen Krampfadern hilft.» Eva zog die Augenbrauen hoch.

«So?», fragte er und wusste genau, worauf sie anspielte.

«Wir sollten einen Besuch anmelden», sagte sie auch sogleich.

«Liebes, das schickt sich nicht. Es ist doch gerade erst passiert. Wir warten, bis Alfred wieder daheim ist.»

«Aber sie sind doch nun Familie, sollten wir nicht …»

Oolkert schüttelte entschlossen den Kopf. Er hob die Arme aus dem Becken, und Gregor stand sofort bereit, um sie ihm abzutrocknen. «Wir warten», entschied er. «Danke, Gregor. Bringen Sie mir gleich meinen Tee auf die Terrasse!»

«Liebling, es ist eiskalt draußen», protestierte seine Frau.

«Und ich werde mir etwas anziehen. Aber ich trinke gerne nach dem Wassertreten meinen Tee an der frischen Luft», erwiderte er und schlüpfte in seinen Frotteebademantel. «Möchtest du mir Gesellschaft leisten?»

«Um Himmels willen, da hole ich mir ja den Tod. Und du auch, du wirst schon sehen», rief sie.

Er nickte zufrieden. «Dann geh am besten wieder hinauf.»

Sie schürzte beleidigt die Lippen. «Du immer mit deinem Tee. Lass dir doch einen Bohnenkaffee machen, der schmeckt wenigstens nicht wie Spülwasser.»

Er lachte auf, schüttelte gutmütig den Kopf, antwortete aber nicht.

«Was bedeutet das für die Reederei? Alfreds Krankheit?», fragte Eva, und er sah, dass sie nicht so schnell aufgeben würde.

«Es bedeutet zunächst gar nichts, Liebes. Franz wird ihn vertreten. Er ist absolut dazu in der Lage.»

Sie nickte nachdenklich. «Es geht mir nur um Roswita», sagte sie. «Es ist schließlich auch ihre Zukunft, die auf dem Spiel steht.»

«Nichts steht auf dem Spiel, Eva. Franz und ich arbeiten eng zusammen, ich kann dir versichern, dass er seinen Vater würdig vertritt. Und er hat ja mich, ich helfe ihm schon, die richtigen Entscheidungen zu treffen.» Die, die ich für richtig halte, dachte er zufrieden. «In ein paar Jahren wird Alfred ohnehin abdanken. Besser, der Junge lernt jetzt schon, alleine zurechtzukommen.» Und wir haben endlich Ruhe vor dem alten Bock mit seinen verstaubten Idealen, setzte er in Gedanken hinzu. «Für Roswita ist gesorgt, sie hat im Zweifelsfall immer noch uns.»

Eva zog ärgerlich die Augenbrauen zusammen. «Ich meinte nicht das Geld, Lutz. Natürlich können wir ihr da Rückhalt bieten. Aber was sollen die Leute denken, wenn ihr Mann das Geschäft in den Ruin treibt? Willst du vielleicht, dass man über sie lacht?»

Oolkert seufzte leise. «Du machst dir vollkommen umsonst Sorgen, Liebes! Wie immer.»

Eva presste einen Moment die Lippen aufeinander. «Du weißt, dass sie nicht glücklich ist?», fragte sie dann, und er ließ überrascht den Griff der Terrassentür wieder los.

«Was meinst du?»

«Unsere Tochter, Lutz!» Eva wurde jetzt ungeduldig «Hörst du mir eigentlich jemals zu? Sie ist unglücklich in ihrer Ehe.»

«Hat sie dir das gesagt?»

«Nicht mit Worten. Aber eine Mutter spürt so etwas. Sie ist noch immer nicht schwanger. Franz arbeitet ohnehin schon so viel, und nun muss er auch noch für seinen Vater einspringen. Wie sollen sie denn da die Ruhe finden ...»Sie brach ab und errötete, wechselte rasch das Thema. «Ich denke, sie hat Heimweh. Sie ist so blass. Irgendwie sah sie ungesund aus gestern. Und sie war so still. Und außerdem ... nun ... du hast es ja gesehen. Sie ist wirklich speckig geworden, findest du nicht? Sicher isst sie zu viel, weil ihr Mann sie vernachlässigt.»

Oolkert seufzte. Eva musste gerade reden, ihre schlanke Taille hatte sich schließlich auch schon vor Jahren verabschiedet. Aber gut, sie hatte auch etliche Kinder geboren. «Wenn es dich beruhigt, dann rede ich einmal mit Franz. Aber sie sind noch so jung. Und frisch verheiratet. Man braucht eben, bis man sich aneinander gewöhnt. Das war bei uns auch nicht anders.» Er zwinkerte Eva zu und gab ihr einen schnellen Kuss auf die Wange, die sich, wie er überrascht bemerkte, ein wenig rau anfühlte. «Vielleicht muss er erst lernen, wie man als Ehemann seinen Pflichten nachkommt. Aber du weißt ja, unsere Roswita ist auch nicht einfach!»

Eva nickte besorgt. Sie wollte noch etwas sagen, doch in diesem Moment kam Gregor mit dem Tee, und sie klappte den Mund wieder zu.

Oolkert ließ sie stehen und trat auf die ausladende Steinterrasse hinaus, blickte über den kahlen Rosengarten und das Heckenlabyrinth seines Palais und genoss den Geruch nach nassem Laub und Erde. Eva musste immer übertreiben, es war keineswegs kalt. Nach dem eisigen Wasser kam ihm die Luft geradezu mild vor. Endlich konnte man den Frühling riechen.

Gedankenverloren schwenkte er seinen Tee und beobachtete, wie der Dampf sich über der Tasse kräuselte. Die Sache mit dem fehlenden Opium machte ihn nervöser, als er zugeben wollte. Er hatte einfach keine Erklärung dafür und auch noch keinen rechten Plan, wie er mit dem Problem umgehen sollte. Irgendwo gab es eine Lücke in der Kette.

Aber eigentlich war das nur eine winzige Sorge im Vergleich zu allem, was gut lief. Alfreds Krankheit spielte ihm geradezu kosmisch in die Hände, er hatte gestern in Volksdorf einen riesigen Bock geschossen, sein Husten war abgeklungen, und Eva würde in Kürze zur Erholung an die See fahren und ihn für zwei ganze glorreiche Wochen in Ruhe lassen. Eigentlich war doch alles bestens. Bei dem Gedanken, dass sie sich von irgendetwas erholen musste, schnaubte er belustigt. Aber Frauen waren ja immer beunruhigt und aufgewühlt. Diese ganzen kleinen Hysterien des Alltags, die ihn gar nicht tangierten, setzten ihnen unglaublich zu. Vielleicht sollte er ein wenig verständnisvoller werden, Frauen waren eben einfach von der Biologie her grundsätzlich anders. Er konnte nicht nachvollziehen, was sie fühlten und dachten, aber das war ja ganz natürlich.

Er würde wirklich einmal mit seinem Schwiegersohn ein Wörtchen reden müssen. Ob er eine Schwangerschaft absichtlich verhinderte, weil er Angst hatte, dass sie eine Missgeburt bekommen würden, wie sein kleiner Bruder eine war? Das war zumindest eine Möglichkeit. Aber er hatte ihm bereits gesagt, dass er sich in dem Fall um das Kind kümmern würde. Roswita musste Nachwuchs bekommen, die Leute würden bald anfangen zu reden. Besser sie wurde schwanger und verlor das Kind dann nach der Geburt, als dass sie gar nicht schwanger wurde. Aber natürlich wünschte er sich einen gesunden Enkel. Er wollte, dass seine Tochter glücklich war. Franz würde seiner Pflicht nachkommen müssen.

Oolkert genoss den Geschmack des starken Tees auf der Zunge und dachte an die Worte seiner Frau. «Du immer mit deinem Tee.» Ihn faszinierte der Gedanke, dass die Dinge, die man sah, abhängig waren von der Welt der eigenen Gedanken, vom Wissen, das man angesammelt hatte. Seine Frau verstand nicht, warum er Tee so mochte, ihn dem duftenden Kaffee vorzog, den sie stets servieren ließ.

Er sah die Geschichte dahinter.

Oolkert schmunzelte. Wenn man es so betrachtete, konnte man sagen, dass die Sucht der Briten nach Tee das chinesische Volk von Opium abhängig gemacht hatte. Zumindest hatte sie einen beträchtlichen Anteil daran. Die Briten waren gierig gewesen nach der chinesischen Seide, aus der sich die Ladys ihre Roben fertigen ließen, nach dem Tee, den sie in ihren Salons anbieten konnten, dem zarten Porzellan, in dem man ihn servierte. Und mussten dafür anfangs teuer bezahlen. Das warme, fruchtbare China mit seiner autarken, jahrtausendealten Wirtschaft hatte kaum Interesse an den Handelswaren, die das verregnete England im Tausch für den begehrten Tee zu bieten hatte, und bekam daher im Gegenzug vor allem Silber für seine Exportgüter. Doch irgendwann fanden die Briten eine lohnende Alternative. Opium. Opium, das die Eliten des Landes schon zuvor für sich entdeckt hatten und in ihre Pfeifen füllten, in denen sie sonst Kampfer und Safran rauchten. Da sich die Opiumsucht in China bald durch die gesamte Oberschicht zog, verbot der Kaiser die Droge. Doch wie es mit allen Dingen war, von denen man abhängig wurde, reichte ein Verbot nicht aus. Das Britische Empire verstand irgendwann, dass man in der Droge etwas gefunden hatte, das die Chinesen ihnen nur zu gerne abkauften, Verbot hin oder her. Natürlich stieg die staatliche Obrigkeit in London nicht selbst in den Handel ein, das überließ man privaten Unternehmern. Es waren Unternehmen, wie Oolkert eines hatte, die den Grundstein für den Drogenhandel legten.

Das Opium bekamen die Engländer auch damals schon aus Indien, besser gesagt aus Kalkutta. Die East India Company, eine Vereinigung vermögender britischer Händler und Kaufleute, beherrschte damals den Subkontinent. Sie ließen den Mohnsaft in Indien von ausgebeuteten Arbeitern in riesigen Fabriken herstellen und von Unterhändlern über das Meer an die chinesische Küste schaffen. Dort wurde die Ware ins Landesinnere verteilt und vor allem den Feinden des Kaisers zugespielt. In China war der Handel zwar verboten, die Strafen aber wurden nicht hart genug durchgesetzt. Oolkert hatte gehört, dass so mancher Händler, der erwischt wurde, mit einer abgeschnittenen Oberlippe bezahlen musste, viel mehr passierte aber nicht. Es war und blieb überall das Gleiche, Bestechung funktionierte immer. Unter anderem mit Opium. Einfach herrlich, wenn man die verschlungenen Pfade nachzeichnete, beinahe mutete es komisch an. Als hätte das Opium einen eigenen Willen, hatte es sich wie eine Seuche langsam und heimtückisch ausgebreitet.

Er sah es kommen, es würde nicht mehr lange dauern, vielleicht noch ein paar Jahre, dann würden sie den Verkauf auch hier im deutschen Kaiserreich verbieten. Konzessionen waren schon jetzt nicht leicht zu bekommen. Deswegen hatte er sich so beeilt, hatte den Handel mit allen Mitteln vorangetrieben. Es war Hamburgs Blütezeit des Opiums, er hatte für diese Dinge einen untrüglichen Riecher. Man musste das Geschäft etablieren und ausnutzen, solange man konnte. Mit eigenen Augen hatte er gesehen, was diese Droge mit den Menschen anstellte. Sie unterwanderte die Gesellschaft. Klammheimlich stahl sie sich von den Schiffen und Hafenkneipen in die Salons der Oberschicht. Das Mittel war einfach zu berauschend, die Wirkung zu stark, man wurde zu schnell süchtig. In China hatten sie schon vor einer ganzen Weile verstanden, dass man der Droge Einhalt gebieten musste. Dort hatte sie das Land zersetzt, war zum Narkotikum für das breite Volk geworden, hatte sogar die Armee unterwandert, sodass die Soldaten teilweise unfähig waren zu kämpfen. Zwei Kriege hatte China geführt, um die Droge aus dem Land zu verbannen. Man nannte sie die Opiumkriege, aber genauso gut hätte man sie auch Teekriege nennen können, denn mit dem Tee hatte schließlich alles angefangen. Oolkert nahm einen tiefen Schluck. Die Niederlagen für China waren schmachvoll. Die Briten hatten nicht vor, auf diese sichere und lukrative Einkommensquelle zu verzichten. Man konnte es ihnen nicht verdenken. Nach der Niederlage im Zweiten Opiumkrieg hatte der Kaiser aufgegeben, die Droge legalisiert und sein Land dem Handel geöffnet. Ja, er hatte mit den Steuern, die aufs Opium erhoben wurden, sogar den Ausbau der Eisenbahnnetze finanziert und versucht, das Militär zu stärken. Und schließlich seine eigenen Bauern dazu angehalten, Schlafmohn anzubauen, um zumindest den Handel aus Indien einzudämmen. Das hatte aber nur zur Folge, dass die Menschen noch süchtiger wurden. Das Opium hatte China seine jahrtausendealte Unabhängigkeit gekostet, es zu einem kläglichen Opfer des Imperialismus gemacht. Dem chinesischen Volk war das Opium von den Kolonialherren regelrecht eingeflößt worden.

Doch die Welle, die ebendiese Kolonialherren ausgelöst hatten, brandete nun langsam wieder zu ihnen zurück. Durch die chinesischen Kulis, die als billige Arbeitskräfte missbraucht wurden, verbreitete sich die Droge langsam auch in Amerika und Europa. Und so gelangte das Opium über verschlungene Pfade in die Hafenstädte der Welt. Auch durch Kaufleute wie ihn, Oolkert. Zwar gab es Opium auch hier natürlich schon lange, jede bürgerliche Frau hatte ein Fläschchen Opiumtinktur als Allheil- und Beruhigungsmittel auf dem Nachttisch stehen, es konnte in jeder Apotheke in verschiedenen Zusammensetzungen erworben werden. Doch der berückende Rausch der Pfeifen musste den Hanseaten erst nähergebracht werden. Und das musste mit Vorsicht und Strategie vonstattengehen. Hier im Westen gab es immer mehr Antiopiumbewegungen. Christliche Missionare versuchten, über die Folgen aufzuklären, und es gab erste Bestrebungen, den Verkauf nur für medizinische Zwecke zu erlauben. Es würde noch dauern. Aber Männer wie er sahen alles, man musste nur genau hinschauen, die Zeichen der Zeit lesen. Mit etwas Glück verlief die Verbreitung so schleichend, der Handel so geheim, dass man erst in zehn, vielleicht fünfzehn Jahren ernsthaft durchgreifen würde. Bis dahin war er im Ruhestand, und Franz konnte sich mit den Folgen herumschlagen.

Das Opium hatte Oolkert auch seine chinesischen Arbeitskräfte beschert: die Kulis, die er für den Guano-Düngerabbau angeheuert hatte, der vor vielen Jahren den Grundstein seines Vermögens legte. Auf ihren Rücken hatte er seinen Reichtum aufgebaut. Als die Häfen Chinas infolge der Niederlage geöffnet wurden, reisten sie aus, um sich auf der Welt Arbeit zu suchen. Und später brachten sie die Opiumpfeifen mit, ließen ihn überhaupt erst auf die Idee des Handels kommen.

Die Hafenbehörde achtete streng darauf, dass sich die Chinesen hier nicht ansiedelten, aber die Männer tauchten unter, lebten in der Illegalität in St. Pauli. Er schätzte, dass es nur einige hundert waren, vielleicht sogar weniger. Aber das würde nicht so bleiben. In Amerika waren sie bereits Grund für Hetzkampagnen. Dort lebten schon Tausende chinesische Arbeiter, vielleicht schon an die hunderttausend. Und bald würde der *Chinese Exclusion Act* auslaufen, der vor zehn Jahren beschlossen worden war und festlegte, dass Amerika keine weiteren chinesischen Arbeiter mehr aufnehmen würde. Er war gespannt, wie es dort weiterging. Es war immer auch ein Indikator dafür, was hier passieren konnte. Er liebte es, über Weltpolitik und Handel zu sinnieren, fand es faszinierend, ja amüsant, wie wenig die breite Masse doch von diesen Dingen verstand. Wussten die feinen englischen Herrschaften, dass ihr Tee den Untergang eines Kaiserreichs mit zu verantworten hatte? Wussten die eleganten Hamburger Gattinnen, welches Leid in den kleinen Glasfläschchen steckte, die ihre Mädchen in der Apotheke erwarben? Wie hatte George Fleming China in seinen Reiseaufzeichnungen gleich noch beschrieben? Kranker Mann Asiens. Nun, das traf es ziemlich genau. Und dieser kranke Mann war nun über den Ozean auch zu ihnen gereist. Oolkert hatte ihn eingeladen. Hatte ihm die Überfahrt finanziert, ihm eine Heimat geschaffen in den Hafenkneipen, den Wäschereien in der Schmuckstraße, den Grünwarenläden, den dunklen Gassen und Hinterhöfen Hamburgs. Er würde dafür sorgen, dass er sich hier wohlfühlte. Und dass er bleiben wollte. Wenn es nach ihm ging, für immer.

*A*lles ist im Fluss, und jedes Bild wird gestaltet, während es vorübergeht.» Lily murmelte die Worte, ließ sie auf der Zunge zergehen. Dann legte sie den Ovid beiseite und starrte aus dem Fenster.

«*Jedes Bild wird gestaltet, während es vorübergeht …*»

Wie konnte man nur so wunderschön in einem einzigen Satz die tiefste, traurigste Essenz des Lebens beschreiben? Sie beobachtete den Nebel, der draußen vorbeiwaberte. Er drückte gegen die Scheiben, ließ sie weiß und undurchsichtig erscheinen, tauchte das Zimmer in ein schummriges Licht. Im Kamin war das Feuer hoch geschichtet, es loderte und knisterte. Das Haus war seltsam still. Hanna schlief, Henry war wer weiß wo. Wahrscheinlich bei seiner Geliebten. Es war ihr nur recht, sollte er so lange fortbleiben, wie er wollte.

Sie seufzte, nahm das Buch wieder auf, aber sie konnte sich nicht konzentrieren. Immer noch hallten die Worte in ihrem Kopf nach. Sie hatten etwas tief in ihr berührt, und ihre Gedanken waren bereits auf der Suche.

Es stimmte. Nichts war beständig, alles veränderte sich jeden Tag, jede Minute, noch während es entstand, verging es wieder. Man blinzelte, und der Herbst war zum Winter geworden, man blinzelte erneut, und die Krokusse blühten. Ereignisse, denen man entgegengeblickt hatte, waren bereits wieder Erinnerungen. Nichts machte das deutlicher, als einem Kind beim Wachsen zuzusehen.

Hanna veränderte sich jeden Tag. Und jeder Tag, der verging, bedeutete einen weiteren Tag, den Jo verpasste. Den nichts und niemand jemals zurückholen konnte. Er würde nie erfahren, wie seine Tochter als Neugeborene ausgesehen hatte. Wie sie gerochen hatte, so süß und warm und ganz und gar einzigartig. Er würde niemals ihr erstes Wort hören, niemals ihre ersten Schritte sehen, niemals wissen, wie es sich anfühlte, ihre winzigen Zehen zu streicheln. Jeder Tag ließ sie älter werden. Und jeder Tag entfernte sie und Jo mehr voneinander.

Plötzlich ging die Tür auf, und Henry kam herein. Sie sah, dass er betrunken war, noch bevor die Welle aus Alkoholdunst, die ihn umgab, bei ihr ankam. Ihr Magen zog sich zusammen, trotzdem blieb sie ruhig an ihrem Platz.

«Guten Abend», begrüßte sie ihn höflich, auch wenn sie wusste, dass es ihn in diesem Zustand besonders reizte, wenn sie freundlich zu ihm war.

Henry knallte die Tür hinter sich zu und zog sich die Handschuhe von den Fingern. Seine Wangen waren gerötet, in seinen Haaren glitzerten Nebeltropfen. Irgendetwas war vorgefallen. Ihr schien es, als wäre die Luft im Raum plötzlich weniger, als rückten die Wände näher an sie heran.

«Elenor ist schwanger», verkündete er. Eine Mischung aus Stolz und Wut schwang in seinen Worten.

Lily reagierte nicht.

«Hast du gehört?», er trat auf sie zu. «Elenor. Ist. Schwanger. Mein erstes eigenes Kind. Und von wem? Von meiner Mätresse.»

Lily blinzelte. «Das … freut mich», sagte sie langsam.

Henry starrte sie an. «Es freut dich?», fragte er ungläubig. Seine Stimme war gefährlich ruhig. «Es *freut* dich?»

Lilys Haut begann zu prickeln. «Ich meinte doch nur …», begann sie, aber mit zwei Schritten war er bei ihr. Er packte ihr Kinn und presste sie mit seinem ganzen Körpergewicht ins Sofa.

«Bist du von Sinnen? Es freut dich?», brüllte er, und kleine Spucketropfen landeten auf ihren Wangen. «Du bist meine Frau, Herrgott noch eins. Und es freut dich, wenn ich eine andere schwängere? *Du* solltest schwanger sein. Du!»

Lily konnte nichts erwidern, sie versuchte, ihn abzuwehren, aber er packte mit der anderen Hand ihren Arm und drückte ihr das Knie in den Bauch. Es tat schrecklich weh, aber sie gab keinen Laut von sich.

«Schämen solltest du dich. Zwei Jahre und noch immer kein Kind.»

Lily wusste, dass Henry gehofft hatte, mit dieser Nachricht eine Reaktion von ihr zu bekommen, ein Zeichen, dass er ihr doch etwas bedeutete. Ihre Gleichgültigkeit machte ihn so wütend wie nichts zuvor. Plötzlich packte er sie an den Haaren. Es tat so weh, dass sie aufschrie. Er begann, mit groben Bewegungen ihre Röcke nach oben zu schieben, und als sie verstand, was er vorhatte, griff kalte Panik nach ihr.

«Henry, hör sofort auf!», presste sie hervor. Sie wehrte sich mit aller Kraft, doch er drückte ihr Gesicht in das Polster des Sofas. Mit Entsetzen wurde ihr klar, dass sie nichts tun konnte. Er war so viel stärker.

Sie zwang sich, ruhig zu bleiben, auch wenn das Herz in ihrer Brust raste. Es war nicht so, dass es noch nie zuvor passiert wäre. Wäre es nach ihr gegangen, sie hätten einander niemals angefasst. Aber er hatte schon vor der Ehe klargestellt, was er in dieser Hinsicht von ihr erwartete. Trotzdem versuchte sie zu entkommen, wann immer es ging, schob Unterleibsschmerzen oder Krämpfe vor, Erschöpfung und Übelkeit, war so giftig und abweisend zu ihm, dass er oft selbst keine Lust auf sie hatte. Und seit er Elenor hatte einschiffen lassen, musste sie seine Berührungen nicht mehr allzu oft über sich ergehen lassen. Aber wenn sie sich zu hartnäckig weigerte, er zu viel getrunken hatte, sie ihn zu sehr reizte, waren Szenen wie diese schon vorgefallen. Und er hatte das Recht, so zu handeln. Sexuelle Gewalt in der Ehe gab es – juristisch gesehen – schließlich nicht.

Sie biss die Zähne zusammen und dachte daran, wie viele Frauen diese Dinge tagtäglich über sich ergehen lassen mussten. Er kam gerade von Elenor. Das hier diente einzig dem Zweck, sie zu erniedrigen. Er wollte, dass sie bettelte, wütend wurde, Angst bekam. Und obwohl alles in ihr schrie und er ihr furchtbar weh tat, dachte sie: Diesen Gefallen werde ich dir nicht tun.

Als er fertig war, fiel er auf ihr zusammen wie ein nasser Sack. Sie lag einen Moment da und horchte in sich hinein. Ich bin immer noch ich, dachte sie, und das gab ihr Kraft. Er konnte ihr mit seiner Gewalt nichts nehmen. Solange er sie nicht irgendwann totschlug, würde sie es überstehen, wie sie es auch die letzten Jahre überstanden hatte. Eine Sekunde dachte sie an die alte Lily, das junge Mädchen von damals, dem Henry Ohrringe und Gedichte geschenkt hatte. Die so unschuldig und naiv gewesen war, so hungrig auf das Leben und die Liebe. Für einen Wimpernschlag sah sie sie vor sich. Sie stand da, die Hände vor den Mund gepresst, zitternd vor Entsetzen.

Nun, du musstest es irgendwann lernen, du hattest keine Ahnung vom Leben, dachte sie. Sie blinzelte, und das Mädchen in ihr war verschwunden. Zurück blieb die junge, ernüchterte Frau mit den harten Augen, die sie in den letzten Jahren geworden war.

Henry atmete schwer an ihrem Hals, und sie verzog das Gesicht vor Ekel. Dann drückte sie ihn von sich hinunter, setzte sich auf und schob ihre Röcke nach unten, richtete ihr Haar. Zwischen ihren Beinen fühlte sie ein scharfes Brennen, ihr Unterleib pulsierte.

Henry kam wieder zu sich und zog sich die Hose hoch. «Jetzt weiß ich wenigstens, dass es an dir liegt», sagte er. Seine Sprache war verwaschen. «Wie sagen sie hier doch so schön? *Barren.* Du bist *barren.* Du kannst keine Kinder mehr bekommen. Wahrscheinlich hat die alte Hexe dich damals verstümmelt, und ich werde niemals einen Erben haben.»

Lily atmete einmal tief ein und aus. Das hatte sie auch schon oft vermutet. Die Ärzte hatten gesagt, es sei unwahrscheinlich, aber nicht ausgeschlossen, dass sie wieder schwanger werden könnte. Sie war jeden einzelnen Tag ihres Lebens dankbar dafür, dass es nicht geschah. Sie wusste nicht, ob sie das auch noch ertragen hätte.

«Darf ich gehen?», fragte sie, die Stimme wie Eis. Sie sah ihn nicht an, blickte auf eine Stelle irgendwo neben seinem Ohr. Ihr war schwindelig. Auch wenn sie so tat, als sei es ihr egal, was soeben geschehen war, schrie sie innerlich vor Wut und Ekel. Sie hatte das Gefühl, sie müsste sich übergeben, und wollte das keinesfalls vor Henry tun.

«Nein», sagte er, und am Klang seiner Stimme hörte sie, dass es noch nicht vorbei war. «Bring mir einen Whiskey.»

Sie zögerte einen Moment. «Hol ihn dir selbst.»

Er schlug ihr ins Gesicht.

Lily taumelte gegen die Wand, stieß sich die Seite an der Anrichte und keuchte vor Schmerz.

Er kam auf sie zu und war nun so nah, dass sie seinen Atem auf der Wange spürte. Wieder packte er ihr Kinn und stieß sie gegen die Wand. «Hol mir. Einen Whiskey», sagte er langsam. Seine Finger bohrten sich in ihre Haut. In seinen Augen brannte die Verletzung ihrer Zurückweisung, sie verwandelte sein sonst so anziehendes Gesicht in eine Maske aus Wut.

Lily sah ihn an. «Nein», erwiderte sie leise.

Überraschung zuckte über sein Gesicht. Dann war es, als legte sich ein Schleier über seine Züge.

Seine Faust traf sie in den Magen.

Lily gab einen überraschten Laut von sich. Der Schmerz sendete Blitze vor ihre Augen. Sie konnte nicht mehr atmen, ihr Mund öffnete sich, aber keine Luft drang in ihre Lunge. Langsam sank sie an der Wand nach unten, griff nach etwas, an dem sie sich festhalten konnte. Sie spürte, dass er auf sie eintrat, aber es tat nicht weh. Vor ihren Augen flimmerte es.

In diesem Moment drang eine zaghafte Stimme an ihr

Ohr. «Madame, bitte verzeihen Sie … Ein dringendes Telegramm.» Mary stand mit weit aufgerissenen Augen in der Tür. Ihre Hand mit dem Tablett, auf dem das Telegramm lag, zitterte.

Henry hörte sofort auf. Hastig trat er einen Schritt zurück, fuhr sich mit den Fingern durch die Haare, räusperte sich.

Lily gelang es irgendwie, sich aufzurichten. Henry reichte ihr die Hand, aber sie schlug sie zur Seite. Sie atmete röchelnd, schmeckte Blut. Als sie halbwegs gerade stand, nickte sie der Hausdame dankbar zu. Sicher hatte sie schon eine ganze Weile vor der Tür gewartet. Wenn Henry sie mit einem schlechten Zeugnis entließ, war ihre Zukunft ruiniert. Lily rechnete es ihr hoch an, dass sie trotzdem ins Zimmer gekommen war. Meistens zogen die Dienstboten es vor wegzuschauen, wenn Henry wütend wurde. Aber was sollten sie auch tun?

«Vielen Dank, Mary. Legen Sie es bitte auf den Tisch», presste sie hervor.

Mary ging an ihr vorbei und stellte das kleine Silbertablett auf den Tisch neben dem Sessel. Das Knacken der Flammen im Kamin war das einzige Geräusch im Zimmer.

Henry stand am Fenster und blickte in den Nebel hinaus. Seine Schultern wirkten wie aus Stein.

«Es ist ein Telegramm aus Hamburg», sagte Mary leise, und Lily entfuhr ein kurzer Schrei. Sie wollte zum Tablett eilen, aber Henry war schneller. Mit zwei Schritten war er beim Tisch und faltete den Zettel auseinander.

«Es ist für mich!», zischte Lily, aber er würdigte sie nicht einmal eines Blickes, hielt das Telegramm so hoch, dass sie es nicht erreichen konnte. Als er las, entstand zwischen seinen Augenbrauen eine steile Falte. Dann ließ er das Papier sinken und sah sie an.

«Dein Vater ist krank», sagte er, und als sie erschrocken die Hände gegen den Mund presste, sah sie ganz kurz einen Hauch von Genugtuung über sein Gesicht huschen.

Sie hatte ihn noch nie so sehr gehasst.

«Es ist ernst. Wir sollen sofort nach Hamburg zurückkommen.»

W ann, glaubst du, wird die *Hohenzollern* fertig werden?» Franz' Ton war beiläufig, aber Oolkert brauchte keine Untertöne, um seine Botschaft herauszuhören.

Er warf seinem Schwiegersohn einen Seitenblick zu. Die beiden Männer schlenderten nebeneinander über das Deck der *Luxoria*, des ersten Vergnügungsdampfers der Karsten-Reederei. Beide hatten sie ein Glas goldenen Whiskey in den Händen. Über dem Hamburger Hafen ging die Sonne unter und tauchte sie in sanftes Licht. Aber der Schein trog. Wie immer war der Ton zwischen ihnen höflich – jedoch nur vordergründig. Franz hasste ihn, dessen war Oolkert sich nur zu bewusst. Aussprechen würde er es natürlich nie. Wer sie so sah, die beiden Herren in ihren feinen Anzügen, würde niemals vermuten, was zwischen ihnen schwelte.

Oolkert trat an die Reling und blickte über das Wasser in Richtung Stadt. Die Patina an Hamburgs Spitzen war doch immer wieder ein herrlicher Anblick, er liebte die Kombination der roten Backsteine mit den Kupferdächern, die vom sauren Regen grün gefärbt wurden. Es war der Anblick seiner Kindheit.

Vorsichtshalber nahm er seinen Hut ab. Der Abend war mild und warm, dennoch wehte hier oben an Deck oftmals eine unerwartete Brise. Nicht auszudenken, sollte das teure Stück ins Wasser fallen.

Er ärgerte sich noch immer, dass die Stettiner ihm im letzten Jahr den Umbauauftrag für die kaiserliche Yacht *Hohenzollern* abspenstig gemacht hatten. Für ihn war es eine persönliche Niederlage gewesen. Es hatte nichts mit dem Opium zu tun, sein Ruf war immer noch intakt. Aber wegen genau solcher Dinge musste man äußerste Diskretion wahren. Jegliches Geflüster musste unterbunden werden.

«Ich denke, noch in diesem Jahr», sagte er langsam.

Franz nickte, trat neben ihn und strich mit der Hand über das Geländer. «Es war auch Zeit, dass sie das Schiff umbauen, sie wurde ja noch als Raddampfer geführt.»

Oolkert trank sein Glas in einem Zug leer. Franz wusste ganz genau, dass er den Zuschlag für die *Hohenzollern* gerne gehabt hätte und es ihn zutiefst wurmte, übergangen worden zu sein. Beziehungen waren alles, die Butter auf dem Brot. Aber seit Bismarck entlassen worden war, bröckelte seine Verbindung zum Kaiserpalast. Er hatte die falsche Hand gestreichelt, wie man so schön sagte. Wenn er darüber nachdachte, wie viel Zeit und Geld er in die Freundschaft mit dem Reichskanzler investiert hatte … Erst vor zwei Jahren war er bei ihm in Friedrichsruh gewesen und hatte ihm eine junge Dogge geschenkt. Was Bismarck an diesen scheußlichen Viechern so faszinierte, würde er niemals verstehen. Unfassbar, was ein junger Hund kosten konnte. Und wofür? Damit er einem die Hose zerriss.

«Es ist kein gutes Seeschiff, ich habe die Pläne gesehen», erwiderte er in neutralem Ton, trat an die kleine Bar, die extra für sie aufgebaut worden war, und schenkte sich nach. «Der Fahrverlust mag gering sein, aber die Manövriereigenschaften sind bestenfalls mittelmäßig.»

Um Franz' Mund zuckte es leicht. «So, so», sagte er, und Oolkert biss sich auf die Lippen.

«Denk an meine Worte. Sie ist fehlerhaft konstruiert. Für Fahrten nach Übersee ist sie erst recht nicht geeignet. Sie werden die Kohle sogar unter den Hängematten der Besatzung lagern müssen, wenn sie genug Brennstoff an Bord bekommen wollen.»

F ranz betrachtete seinen Schwiegervater. Oolkert war aus einem bestimmten Grund hier, da war er sicher. Nur rückte er nicht damit raus.

Sie gingen über das Vorderdeck, begutachteten die Rettungsboote, die Aussichtsplattform und die Freiluftbar und betraten dann durch die Glasfront das Vergnügungsdeck. Innen musste er selbst kurz schlucken, so überwältigend war der Prunk. Es wirkte beinahe wie ein Märchenland. Daran waren natürlich die Holztiere nicht ganz unschuldig, die in einer Reihe vorne am Fenster standen und übers Wasser schauten. Franz streichelte über den Kopf eines Pferdes, bewunderte das feine Zaumzeug, das liebevoll von Hand bemalte Gesicht.

Im letzten Jahr hatte die HAPAG-Reederei – die Hamburg-Amerikanische Packetfahrt-Actien-Gesellschaft – eine Ungeheuerlichkeit erfunden, mit der die Karstens jetzt mithalten mussten: eine Seereise rein zum Vergnügen der Gäste. Die *Augusta Victoria* war in Cuxhaven zu einer zweimonatigen Vergnügungsfahrt in See gestochen – und es war ein triumphaler Erfolg geworden.

Zuerst hatte man in den Schifffahrtskreisen über die Idee gelacht. Albert Ballin, der Direktor der HAPAG, hatte Sorge um die Auslastung der Auswandererschiffe, denn in den kalten Monaten wagten nur wenige Menschen die gefährliche Reise über den Atlantik nach Nordamerika, und die Schiffe blieben halb leer. Sie lagen in den Trockendocks und machten Verluste. Um diese wettzumachen, bot Ballin im Winter eine «Bildungs- und Vergnügungsreise in wärmere Gefilde» an. Beinahe sofort verkaufte er hundertfünfundsiebzig Tickets.

Für tausendsechshundert bis zweitausendvierhundert Goldmark pro Stück.

Sie waren rasend schnell ausverkauft, die Gäste ausschließlich von höherer Gesellschaft, die meisten aus dem Kaiserreich, aber auch viele aus England und sogar Amerika. «Lustreise in den Orient» nannten sie es. Franz hatte selbst einige der Männer befragt, die nach der Heimkehr in den Klubs von ihren exotischen Abenteuern im Mittelmeer erzählt hatten. Sogar in Ägypten waren sie gewesen, an Bord herrschte Luxus pur, das Schiff war ein wahrer Rokokopalast, die besten Köche des Landes sorgten für das Essen, erstklassige Kabinen und ein durchdachtes Programm mit Bällen unterhielt die Gäste.

Die HAPAG war ihr größter Konkurrent. Und nun war sie in aller Munde. In den Häfen wurde das Schiff wie ein Wunder gefeiert, in Konstantinopel war sogar der Sultan zu Besuch an Bord gekommen, in Piräus hatte der König Salutschüsse abfeuern lassen.

Franz hatte sofort Lunte gerochen. Im Vergnügungsgeschäft lag die Zukunft. Noch galt es vielerorts als unsittlich, aber die Menschen wollten immer unterhalten werden. Und sie wollten vor allem eins: prahlen. Womit ging das besser als mit luxuriösen Reisen an Orte, die die anderen nicht kannten? Sogar Frauen waren an Bord gewesen, und das nicht zu knapp, siebenundsechzig weibliche Passagiere. Er sah es vor sich, bald würden Reisen wie diese die ganze Welt erobern, ja, vielleicht würden eines Tages Schiffe gebaut werden, die allein dem Zweck luxuriöser Reisen dienten. Es juckte ihn bereits in den Fingern. Noch schien es undenkbar, aber undenkbar hieß nicht unmöglich. Er wusste selbst nicht, warum er niemals zufrieden war, aber er wollte immer mehr, immer weiter denken, immer neue Herausforderungen, die Reederei an die Spitze bringen, überall mitmischen. Der Name Karsten sollte in aller Welt ein Begriff sein. Es kam nicht in Frage, dass die HAPAG ihnen den Rang ablief mit ihrer neuen Idee.

Erstaunlicherweise war auch sein Vater bereit gewesen, sich auf dieses neue Wagnis einzulassen, wenn auch wie immer zunächst vorsichtig. Ballin war ein gewiefter Geschäftsmann, und sein Vater bewunderte ihn. Wäre Franz von selbst auf die Idee gekommen, Alfred hätte ihn sicherlich ausgelacht. Aber so war sein Vater tatsächlich bereit gewesen, sich die Idee durch den Kopf gehen zu lassen. Und nun hatten sie eines ihrer Schiffe umbauen lassen – selbstverständlich auf der Oolkert-Werft. Und genau auf diesem Schiff, der *Luxoria*, standen sie jetzt und bewunderten die Ausstattung, die Franz geplant hatte. Es erstaunte ihn selbst, aber er bedauerte, dass sein Vater nicht dabei sein konnte. Er wäre beeindruckt, wie edel es geworden war. Sie hatten Dampfheizungen in den Kabinen und Deckenventilatoren für die heißen Tage, sogar zwei Musikzimmer, einen Raucher- und einen Damensalon. Franz hatte zwei Pariser Künstler damit beauftragt, Deckengemälde zu fertigen, und einen Schreiner, die Treppengeländer mit Schnitzereien zu verzieren.

Die *Luxoria* würde schon bald in See stechen können. Er ließ bereits Plakate malen, um für die Reise zu werben, mit Pyramiden und Delfinen. Franz hatte sich nicht lumpen lassen und sich bei der Ausstattung geradezu selbst überboten. Die großen Holztiere, die er soeben bewunderte, waren nur eines der vielen Details, die im Rekordtempo aus dem Boden gestampft worden waren. Sie waren für die Kinder der Passagiere gedacht, die während der vielen Wochen auf See selbstverständlich auch beschäftigt werden mussten. Ein richtiger Menageriepark war es geworden, die Kleinen konnten auf ihnen reiten und dabei durch die Panoramaglasfront des zweiten Decks übers Wasser blicken. Innen sah das Schiff nun aus wie eine der feinsten Villen in Harvestehude oder an der Bellevue. Wäre nicht das Wasser vor den Fenstern, man könnte sich direkt in Oolkerts Palais wähnen. Es gab einen Shuffleboard-Platz, ein Wassertretbecken, einen Ballsaal, eine erstklassig ausgestattete Bibliothek mit Mahagoniverkleidung, mehrere Kaminzimmer und sogar einen kleinen Streichelzoo unter Deck. Er hatte Carl Hagenbeck einige exotische Tiere abgekauft und einen Wassertank für Seehunde installieren lassen. Man hatte ihm zwar gesagt, dass die Tiere die lange Überfahrt wahrscheinlich nicht überleben würden, aber sie würden Passagiere anziehen.

Und das war es, was er brauchte.

Außerdem würden sie eine Raubkatze an Bord haben und Meerschweinchen zum Streicheln. Eigentlich sollten die vielen Zwischenstopps in fremden Häfen genug Unterhaltung bieten, dachte er. Zehn Landausflüge waren geplant. Das war etwas weniger als bei der HAPAG, aber es war ein unglaublicher Aufwand, sie zu organisieren, noch dazu aus der Ferne. Drei neue Mitarbeiter hatten sie einstellen müssen, alleine für diese Aufgabe. Die meisten der Häfen waren nicht geeignet, um Passagiere eines so großen Schiffes aufzunehmen, und mussten erst entsprechend umgebaut werden. Das Löschen der Ladung erfolgte meist einfach mit Booten oder Kränen. Dass nun Hunderte gutbetuchte Herrschaften aber sicher vom Schiff in die Stadt gelangen mussten, ohne sich die Kleider schmutzig zu machen, erforderte einiges an Umdenken. Sie konnten ja schlecht durch die dreckigen Hallen spazieren oder mit kleinen, schwankenden Beibooten an Land gebracht werden. Oftmals gab es nicht einmal einen Steg.

Zum Glück war Ballin auch da einen Schritt voraus, sodass Oolkert und Franz in vielen Häfen einfach die Früchte seiner Arbeit einheimsen konnten. Southampton, Gibraltar, Genua … Irgendwann würde er auch einmal mitfahren. Ballin war selbst an Bord gewesen bei der ersten Fahrt, hatte, so sagte man, abends im Ballsaal die Gäste mit seinen witzigen Ansprachen unterhalten. Nun, warum nicht? So verlieh man dem Ganzen ein Gesicht, und was die Menschen persönlich kannten, das würden sie weiterempfehlen. Es wäre sicher herrlich, morgens aufzuwachen und nur endloses Blau vor dem Fenster zu sehen. Wie wohl die Luft roch in Italien? Einmal nicht arbeiten zu müssen, sondern einfach zu entspannen, es war ein absurder Gedanke. Vielleicht mal wieder ein Buch lesen. Er könnte Kai mitnehmen … Die größten Kabinen hatten Kammern für die Angestellten gleich angebaut.

Aber momentan konnte er nicht einmal daran denken. Er ertrank in Arbeit. Dennoch, in seiner Vorstellung an Bord dieses Schiffes zu stehen und zu wissen, dass all diese Kostbarkeiten und der Prunk von ihm selbst erschaffen worden waren, dass er für sie bezahlt hatte und die Menschen sich bald in seinem Ballsaal vergnügen würden, ließ ihn sich einen Moment wie der König der Welt fühlen. Sie hatten viel Pech gehabt in letzter Zeit mit den Routen, einige Totalverluste, unvorhersehbare Zwischenfälle. Aber nun würde sich das Blatt wenden. Die Kalkutta-Linie würde dank seines neuen Kurses bald Gewinne abwerfen, das wusste er. Und dieses Schiff hier, die *Luxoria*, würde sie an die Spitze der Vergnügungsschifffahrt katapultieren. Er würde nicht mehr länger nur Oolkerts Lakai sein, abhängig von seinen Launen. Er würde etwas vollkommen Eigenes aufbauen, eine Vergnügungsflotte für die Elite der Welt.

Oolkert trat neben ihn. «Nun, das ist wirklich nett geworden», sagte er und trank sein Glas aus.

Franz' Mund zuckte. *Nett*. Sie befanden sich auf dem edelsten Schiff des ganzen Landes!

«Ich wollte noch etwas mit dir besprechen. *Zwei* Dinge, tatsächlich.»

Franz seufzte unmerklich. Er hatte es ja geahnt. Dass Oolkert das Schiff anschauen wollte, war nur ein Vorwand gewesen. «Worum geht es?», fragte er und bemühte sich um einen leichten Ton.

«Es geht», erwiderte Oolkert vielsagend und trat ans Panoramafenster, «darum, dass wir ausgeraubt wurden.»

Franz blinzelte überrascht. «Wovon sprichst du?»

Oolkert antwortete nicht sofort, und Franz fühlte, wie sich sein Magen zusammenzog. «Die *Bianca*», erwiderte sein Schwiegervater schließlich.

«Aber … sie liegt im Hafen!» Franz schüttelte den Kopf. «Was meinst du?»

Oolkert drehte sich zu ihm um. Sein Gesicht verriet nicht die leiseste Gefühlsregung. «Die *Bianca* liegt schön sicher im Hamburger Hafen, da hast du recht», sagte er langsam. «Das sollte man zumindest annehmen. Leider wurde ich heute informiert, dass die Listen schon wieder nicht stimmen.» Plötzlich brüllte er: «Es fehlt fast ein Viertel der Ladung!»

Franz zuckte zusammen.

«Meine Vertrauensperson an Bord schwört, dass die Räume voll waren bis unters Dach, als sie in Indien abgelegt haben.» Oolkert trat auf ihn zu. «Jemand verkauft uns für dumm. Weißt du noch, dass die Listen nicht gestimmt haben, bei den ersten Ladungen? Bolten hat immer wieder alles zweimal überprüft. Und wir dachten noch, dass sie in Indien einfach geschlampt haben, dass irgendwas schiefgelaufen ist und sie uns nicht richtig verstanden haben. Wenn man per Brief Geschäfte abwickeln muss, passiert so was eben.» Oolkert lachte trocken. «Wie naiv wir waren.»

«Bolten? Du arbeitest noch mit ihm?», fragte Franz finster. «Ludwig, du weißt, was er meiner Familie angetan hat.»

«Bolten ist einer meiner wichtigsten Männer. Ich ziehe ihn mir seit Jahrzehnten heran, das gebe ich sicher nicht auf, nur weil deine kleine Schwester nicht weiß, was sich gehört», erwiderte Oolkert kalt. «Die Linie wackelt ohnehin schon genug. Wenn wir jetzt auch noch das Opiumgeschäft verlieren …» Oolkert schüttelte den Kopf. «Das hast du wirklich verbockt.»

«Ich?» Franz konnte es nicht glauben.

«Es ist euer Schiff, oder nicht? Ihr kümmert euch um Ladung und Löschung. Ich frage dich: Wie kann es sein, dass eine Mannschaft von Dieben an Bord spaziert, sich unser Opium krallt und mir nichts, dir nichts wieder verschwindet, ohne dass jemand etwas gesehen hat?»

Franz wurde kalt. «Aber, es ist … dein Kaischuppen!», warf er ein.

Oolkert fuhr herum und warf ihm einen stechenden Blick zu.

«Ich kümmere mich. Wir werden schon herausfinden, wer dahintersteckt», versicherte Franz rasch.

«Wir werden Wachen aufstellen bei der nächsten Einfahrt, hast du gehört?», blaffte sein Schwiegervater. «Niemand geht unter Deck, den wir nicht persönlich dort reingelassen haben! Sonst schicke ich dich mit dem nächsten Schiff nach Indien. Dann kannst du vor Ort kontrollieren, was da gespielt wird.» Oolkert holte tief Luft. «Ist dir klar, wie viel wir dadurch über die Monate verloren haben?», fragte er.

Franz wischte sich über die Stirn. Hatte er sich nicht noch vor zwei Minuten wie der König der Welt gefühlt? Nun, jetzt fühlte er sich einfach nur noch furchtbar.

Oolkert drehte sich wieder zum Fenster. «Du regelst das. Ich habe gehört, dass es einige neue Höhlen in Hamburg gibt, die nicht zu uns gehören. Du schaust dir das Ganze an. Was sie verkaufen, wer es verkauft. Es wurde in den letzten Jahren immer wieder mal Ware entwendet, aber in so großem Stil … Das ist völlig neu.»

Franz nickte stumm. «Es muss jemand sein, den wir kennen. Die Männer würden doch nicht einfach Fremde auf die Schiffe lassen», sagte er schließlich. «Hast du denn gar keinen Verdacht? Wie ist es mit Bolten, er …»

Oolkert unterbrach ihn. «Nein. Für Bolten lege ich meine Hand ins Feuer. Das käme dir gerade recht, nicht wahr? Aber der Junge würde es niemals wagen. Hat auch gar nicht den Verstand dazu, so was in großem Stil aufzuziehen.»

Oolkert schwieg eine Weile, und Franz fiel plötzlich ein, dass er ihn wegen zwei verschiedener Sachen hatte sprechen wollen. Ihm brach der Schweiß aus.

«Roswita», sagte Oolkert genau in diesem Moment, und Franz zuckte zusammen.

«Was ist mit ihr?», fragte er, und er hörte selbst, wie unsicher seine Stimme plötzlich klang.

Oolkert verschränkte die Hände hinter dem Rücken. Franz starrte auf seinen schütteren Haarkranz und fragte sich, was jetzt noch kommen würde. Sein Schwiegervater seufzte. «Warum ist meine Tochter noch nicht schwanger, Franz?»

Er starrte Oolkert an. Mit allem hatte er gerechnet, aber nicht damit. «Ah …»Er öffnete den Mund, aber ihm entfuhr nur ein krächzender Laut. «Ich … Das musst du sie fragen», stotterte er.

Oolkert drehte sich langsam zu ihm um. «Ich frage dich.»

«Ich tue mein Möglichstes, das kann ich dir versichern!»

Franz hoffte, dass es ehrlich klang. «Sie ist gesundheitlich nicht auf der Höhe, vielleicht …»

Oolkert hob eine Hand und unterbrach ihn. «Davon will ich nichts hören. Sie hat die besten Ärzte, man sagte mir, es sei alles in Ordnung.»

Franz konnte nur immer weiter aufs Wasser starren. Er hatte keine Ahnung, was er erwidern sollte. «Nun, manchmal brauchen diese Dinge eben Zeit.»

Oolkert nickte. «Es hat nichts mit dem Jungen zu tun?», fragte er, und Franz wusste einen Moment nicht, was er meinte.

«Dem Jungen? Michel? Um Himmels willen, natürlich nicht!», entfuhr es ihm.

Zu seiner Überraschung trat Oolkert plötzlich neben ihn und legte ihm eine Hand auf die Schulter. «Gut, denn du weißt, ich würde mich darum kümmern, wenn es zum Äußersten kommen sollte?»

Franz blinzelte benommen.

Oolkert ließ ihn stehen und ging auf die Tür zu, die zurück aufs Deck führte. «Ich weiß, dass man diese Dinge manchmal nicht beeinflussen kann. Aber meine Tochter ist unglücklich, Franz. Sie möchte ein Kind.»

Er sah ihn an, und Franz konnte nicht anders, er nickte.

«Gut. Ich verlasse mich auf dich.» Mit diesen Worten ging Oolkert hinaus.

Franz sah ihm nach und merkte, wie ihm plötzlich schwindelig wurde. Er ging zu einem der Tische und ließ sich schwer in einen Stuhl fallen. Als er sich über die Stirn wischte, war seine Hand nass vor Schweiß.

8

Sylta stieg vor dem Eppendorfer Krankenhaus aus der Kutsche und rückte ihren Hut zurecht. «Danke, Toni, du kannst die Pferde versorgen. Es wird eine Weile dauern», sagte sie und drückte ihre bestickte Tasche an sich. Krankenhäuser machten sie nervös.

Er warf die Tür hinter ihr zu, nickte und deutete einen Diener an. «Bitte bestellen Sie Herrn Karsten meine aufrichtigsten Genesungswünsche!»

«Das werde ich.» Sylta lächelte gerührt und sah zu, wie er auf den Bock sprang und die Pferde um die Ecke kutschierte. Sie stand im Schatten der kahlen Bäume und betrachtete die parkähnliche Anlage. Endlich war das neue Krankenhaus fertig geworden, das das St. Georg entlasten würde. Und wie beeindruckend es war. Nicht mehr ein großes Gebäude, sondern viele kleine Säle, verteilt im ganzen Park, die über Flügel miteinander verbunden waren, sodass die verschiedenen Krankheiten jeweils eigene Bereiche hatten und Ansteckungen besser verhindert werden konnten. Große Fenster, weiß getünchte Wände, Pavillons, ein Garten. Nein, wie ein Krankenhaus wirkte das hier wirklich nicht, eher wie ein Kurpark. Sicher wird man auch viel schneller wieder gesund, wenn man sich wohlfühlt, dachte sie und stieg in ihren lackierten Stiefeln vorsichtig die vereisten Stufen hinauf. Drinnen führte eine Schwester mit bodenlanger weißer Schürze und Häubchen sie sogleich zu Alfred. Sylta hatte persönlich geholfen, Spenden für den Bau des Krankenhauses zu sammeln, und auch die Reederei hatte selbstverständlich einen Beitrag geleistet. Man kannte sie hier.

Alfred lag in einem hellen Saal mit nur wenigen anderen Patienten. Ein grauer Vorhang zwischen den Betten erschuf die Illusion von Privatsphäre. Sylta schritt durch den Mittelgang auf ihren Mann zu und dachte im Näherkommen, wie alt er doch aussah. Sein Haar war inzwischen beinahe vollständig ergraut. Er hatte sich heute Morgen anscheinend nicht frisiert, sein langer Kaiserschnauzbart zeigte herab wie die Zähne eines Walrosses und verlieh ihm zusätzlich einen kränklichen und traurigen Anschein. Ihr Herz zog sich voller Liebe zusammen. Wann war er so dünn geworden? Alfred wirkte hilflos und verwundbar, beinahe wie ein kleiner Junge. Sie zwang sich, eine unbekümmerte Miene aufzusetzen und gab ihrem Mann zur Begrüßung einen Kuss auf die Wange. Er lächelte müde und griff ihre Hand.

«Hast du Fieber?», fragte sie erschrocken, denn seine Haut schien zu glühen. «Und warum sind deine Beine verbunden?» Erst jetzt sah sie die dicken Verbände. «Das war doch gestern noch nicht!»

«Doch, Liebes, gestern waren sie nur unter der Decke verborgen», er lächelte schwach und zuckte zusammen, als er versuchte, sich aufzurichten. «Sie haben mir noch mehr Krampfadern entfernt. Ohne Betäubung!» Er zog die Augenbrauen hoch. «Das wünsche ich meinem ärgsten Feind nicht. Aber es hilft ja angeblich dem Herzen.»

Bestürzt schlug Sylta die Hände an die Wangen. «Herrje. Wie scheußlich! Aber nun geben sie dir doch etwas gegen die Schmerzen?» Sie wollte sofort aufstehen und eine Schwester herbeirufen, doch Alfred hielt sie am Handgelenk fest. «Ja, mach dir keine Sorgen. Dr. Selzer war auch schon hier, er bespricht sich gerade mit den Ärzten.»

Sylta betrachtete ihn mit geschürztem Mund. Er hatte kleine Schweißperlen auf der Oberlippe, seine Wangen waren fahl. «Alfred, erzähl mir keine Märchen. Du leidest und bist zu stolz, es zuzugeben, das sehe ich. Ich werde sofort jemanden holen.» Sie drehte sich um und marschierte entschlossen los. Hinter sich hörte sie ihren Mann ergeben seufzen.

Im Saal war kein Personal zu sehen, und so lief sie auf den Gang hinaus und sah sich um. Aus einem Raum am Ende des Flurs hörte sie Stimmen. Als sie eintrat, hielt sie überrascht inne. Etwa fünfzig kleine Eisenbetten standen an den Wänden entlang aufgereiht. Papierblumen hingen am Fenster, in der Mitte des Saals war ein Tisch aufgebaut, auf dem eine Familie aus Teddybären verschiedene Posen einnahm. Staunend trat Sylta näher. Ein Bär saß an einem kleinen Holzklavier, ein anderer trug ein besticktes Ballkleid.

«Madame?» Eine Schwester kam freundlich lächelnd auf sie zu. «Bewundern Sie unseren neuen Kinderflügel?»

«Ja», antwortete Sylta und ließ die Hand wieder sinken, die gerade über das Fell eines der Spielzeugbären hatte streicheln wollen. «In der Tat.» Sie besann sich. «Das heißt, nein. Eigentlich suche ich jemanden für meinen Mann. Alfred Karsten. Er hat starke Schmerzen. Ich möchte, dass sofort jemand nach ihm sieht!»

Ihr Ton war streng geworden, und die Schwester zuckte zusammen. Sie nickte. «Ich werde sofort persönlich nachschauen», versicherte sie und eilte aus dem Raum.

Sylta drehte sich noch einmal um und ließ den Blick durch den Saal schweifen. Dieses Krankenhaus war wirklich beispiellos, sie hatte noch nie etwas Ähnliches gesehen. Die Sonne stand schräg und zeichnete Muster auf den Boden und die Vorhänge. Beinahe alle Betten waren mit Kindern belegt, dennoch war es nicht laut, die wenigen Besucher murmelten gedämpft miteinander, eine Schwester schob einen Wagen mit Tee herum. Sylta wollte sich schon umdrehen, um zu ihrem Mann zurückzukehren, da blieb sie plötzlich stehen.

«*Bären sehen!*»

Eine Stimme, die sie besser kannte als jede andere.

Eine unverwechselbare, raue und laute Kinderstimme.

Es war, als habe sie jemand mit einem Kübel Eiswasser übergossen.

«Will Bären sehen!»

Da war sie wieder. Es musste eine Täuschung sein.

Syltas Knie waren weich wie Watte, als sie sich dem Vorhang näherte, der am Ende des Saals ein Bett von den anderen abschirmte. Sie hob die Hand und zog langsam, mit zitternder Hand den Stoff zur Seite, der ihr die Sicht versperrte.

«Michel!», flüsterte sie.

Da lag er. Ihr kleiner Junge. Ihr Sohn. Vor Syltas Augen flimmerte es. Sie musste sich am Vorhang festhalten, sonst hätten ihre Beine sie in diesem Moment nicht getragen.

Michel hatte einen Verband um den Kopf, beide Beine waren eingegipst. Auch er starrte sie an, als sähe er einen Geist. Sein blasses Gesicht leuchtete weißlich unter dem hellroten Haar. Nach ein paar Sekunden des Schreckens erhellten sich seine Züge voll ungläubigem Staunen. «Mama?», krächzte er.

Sylta trat zu ihm. Er richtete sich mühsam auf und streckte seine kleinen Arme nach ihr aus.

«Gnädige Frau?» Eine Schwester, die an einem Wagen in der Nähe beschäftigt gewesen war, trat mit gerunzelter Stirn ans Bett. «Sind Sie angemeldet?»

Sylta richtete sich auf. Alles in ihr war in Aufruhr, sie konnte keinen klaren Gedanken fassen. Rasch wischte sie sich die Tränen aus den Augen. «Nein!», erklärte sie. «Ich war … zufällig hier und habe seine Stimme gehört.»

«Ja, Michels Stimme ist unverwechselbar. Kennen Sie den Jungen?», fragte die Schwester und lächelte nun. Ihr anfängliches Misstrauen hatte sich offenbar bereits gelegt, Syltas Erscheinungsbild ließ keinen Zweifel über ihre höhere Herkunft zu.

«Ich … ja, er ist … Ich kenne ihn!», erwiderte Sylta nur. «Sehr gut sogar.» Sie sah auf Michel hinab, der immer noch strahlte, und hoffte, dass er sie nicht verraten würde. Sie räusperte sich. «Was macht er hier?», fragte sie dann.

«Oh, der kleine Mann ist aus dem Fenster gefallen. Weil er sehr ungehorsam war, nicht wahr, Michel?» Streng sah die Schwester auf ihn hinab, und er nickte kleinlaut. «Er hat sich beide Beine gebrochen und am Kopf verletzt. Ist nur ganz knapp mit dem Leben davongekommen, würde ich mal sagen. Leider wird er eine Weile hierbleiben müssen.»

«Aber, warum wurden w… Warum wurden seine Eltern nicht benachrichtigt?», rief Sylta schrill.

Die Frau runzelte die Stirn. Sie nahm eine Krankenakte, die am Ende des Betts hing, und blätterte darin. «Nun, Michel wohnt aktuell nicht bei seiner Familie», erklärte sie und betrachtete Sylta nun neugierig. «Was sagten Sie, woher Sie ihn kennen?»

«Ich … schon immer. Ich kenne ihn schon immer», erwiderte Sylta ausweichend. Sie holte tief Luft. «Würden Sie uns einen Moment alleine lassen?», befahl sie dann mehr, als dass sie fragte.

Die Schwester öffnete den Mund, um zu protestieren, aber Sylta richtete sich zu ihrer ganzen Größe auf und sah sie streng an. «Ich möchte Sie dringendst bitten, sofort nach meinem Mann zu sehen. Alfred Karsten. Der Name ist Ihnen sicher geläufig? Wir haben einen Flügel für das Krankenhaus gespendet.

Er wurde operiert und hat starke Schmerzen, und hier scheint sich niemand um ihn zu kümmern!»

Eine Sekunde stand die Frau unentschlossen da, dann nickte sie. «Selbstverständlich, Frau Karsten.» Sie ging an Sylta vorbei und zog den Vorhang auf, um hindurchzuschlüpfen. «Jedoch möchte ich Sie bitten, die Sichtwand geschlossen zu halten. Wir wollen verhindern, dass die anderen Kinder ... sich erschrecken!»

Sylta starrte ihr nach, ihr Blut kochte. Am liebsten hätte sie die Schwester geohrfeigt. Sie ballte die Hände zu Fäusten. Dann holte sie tief Luft und drehte sich zu Michel um, auf ihrem Gesicht ein strahlendes Lächeln. Sie setzte sich ans Bett und schloss ihren Sohn vorsichtig in die Arme. Als sein vertrauter Kinderduft sie umgab, konnte sie die Tränen nicht länger zurückhalten. «Aber mein Liebling, was ist denn nur passiert?», flüsterte sie, während sie seine Wangen abküsste. Sie betrachtete sein Gesicht, die kleinen schrägen Augen, die flache Nase, den Mund, der immer ein wenig offen stand. Für andere mochte es vielleicht auf den ersten Blick erschreckend sein, aber sie hatte Michel immer einfach nur bezaubernd gefunden.

«Fenster fallen!», erklärte er jetzt mit ernster Miene. «Dann Krankaus!»

Er erzählte ihr aufgeregt in seiner abgehackten Sprache, was passiert war. Sylta hörte geduldig zu, nickte immer wieder und strich ihm lächelnd über das rote Haar. Unterdessen rasten ihre Gedanken. Warum waren sie nicht informiert worden? Wie lange lag Michel hier schon ganz allein? Was sollte sie jetzt tun? Sie konnte nicht fassen, dass sie ihn wirklich in den Armen hielt. Sie hatte ihn in den letzten Jahren regelmäßig besucht, aber diese Wiedersehen fanden unter strengen Auflagen statt. Das Heim bestand darauf, dass es ihm sowohl in seiner Entwicklung als auch in seiner Bindung an das Haus schade, wenn er alleine mit seinen Eltern war. So durften sie ihn nie ohne Aufsicht sehen. Auch sollten sie ihn nicht zu sehr über sein Leben im Heim ausfragen, da ihn das auf die Idee bringen könne, dass es eine Alternative gebe. Da man verhindern wollte, dass Michel nach jedem Besuch einen Rückfall erlitt, tagelang weinte und ungehorsam war, durften sie ihn außerdem nur einmal zur Begrüßung oder zum Abschied umarmen und ihm keinerlei Versprechungen für die Zukunft machen. Sylta war nach diesen Tagen jedes Mal zu Tode erschöpft. Es gab keine größere Qual, als ihren kleinen Sohn immer wieder aufs Neue alleine und traurig an diesem fremden Ort zurückzulassen.

Ihn jetzt hier zu sehen, war für sie beinahe wie ein Wunder. Sie dachte an ihren Mann. Sollte sie Alfred nicht sofort holen? Aber er konnte nicht laufen, ebenso wenig wie Michel. Und auch wenn ihr die Vorstellung das Herz zerriss, dass Vater und Sohn nur wenige Meter voneinander entfernt lagen und sich nicht sehen konnten, hielt etwas in Sylta sie davon ab, ihm Bescheid zu geben.

Sie wollte erst nachdenken.

Behutsam strich sie Michel immer wieder übers Haar und über die Wangen, zupfte an seiner Kleidung, hielt seine kleinen Hände, streichelte über seine Wangen. Bewunderte den Gips, den er beinahe stolz präsentierte.

«Du bist so dünn, isst du denn nicht genug?», fragte sie, aber er ging nicht darauf ein, erzählte ihr von einem anderen kleinen Jungen im Saal, der nachts immer weinte. Sylta hörte mit halbem Ohr zu, während sie ihn betrachtete, alles an ihm in sich aufsog wie eine Verdurstende das Wasser.

Sie bemerkte, dass einer der Knöpfe an seinem Schlafanzug aufgesprungen war, und wollte ihn gerade wieder zumachen, da sah sie etwas, das sie erstarrt innehalten ließ. «Michel, Schatz, würdest du einmal kurz deine Jacke ausziehen?», unterbrach sie mit dünner Stimme ihren Sohn, der immer noch aufgeregt vor sich hin plapperte.

Gehorsam ließ Michel sich die Jacke abstreifen. Als Sylta seinen Bauch sah, konnte sie sich gerade noch davon abhalten, die Hände vor den Mund zu schlagen. «Woher kommen denn diese dunklen Flecken?», fragte sie bestürzt.

Michel konnte sich wegen seiner eingegipsten Beine kaum bewegen, und so beugte sie vorsichtig seinen Oberkörper nach vorne. Auch auf der Wirbelsäule und den Schultern waren Striemen und Blutergüsse, manche bereits halb verblasst, einige sogar vernarbt, andere dunkel und offensichtlich frisch.

Syltas Mund wurde zu einem Strich. «Danke, Michel. Jetzt ziehen wir die Jacke schnell wieder an, sonst wird dir noch kalt», murmelte sie und spürte, wie ihr vor Zorn ganz schwindelig wurde. Eines war klar. Michel hatte diese Verletzungen nicht von dem Sturz aus dem Fenster. Wie betäubt stand sie da und versuchte zu verstehen, was sie da gerade gesehen hatte.

Er erklärte ihr unterdessen aufgeregt, dass er ganz brav sein musste, dann durfte er die Bären sehen, die auf dem Tisch im Saal ausgestellt waren. Sylta erwachte mit einem Ruck aus ihrer Trance. «Ich denke, du warst heute brav genug. Ich hole dir einen Bären!», sagte sie entschieden, und Michels Augen leuchteten auf.

Mit einem energischen Griff zog Sylta den Vorhang zurück, ging auf den Tisch zu und nahm sich den Bären, der am Klavier saß.

«Madame, die Steiff-Tiere dürfen nicht bewegt werden …», protestierte eine Schwester, aber Sylta warf ihr einen so wütenden Blick zu, dass sie sofort verwundert den Mund wieder zuklappte.

«Ich bringe ihn dem kleinen Jungen hinter dem Vorhang. Die Spielzeuge sind schließlich für alle Kinder da, oder nicht?», fragte Sylta schneidend.

Die Schwester starrte sie einen Moment unsicher an. «Ja, schon», erwiderte sie zögerlich. «Aber sie waren sehr teuer … und der Junge ist …», setzte sie an, doch Sylta ließ sie nicht ausreden.

«Der Junge ist ein Kind wie jedes andere», erwiderte sie kalt.

Sie drückte Michel den Bären an die Brust, dann marschierte sie zu der Schwester zurück, fasste sie am Arm und zog sie in eine Ecke. «Ich will sofort wissen, warum dieser kleine Junge überall Male am Körper hat!»

Die Frau sah sie mit großen Augen an. «Madame, er wurde schon so bei uns eingeliefert. Die Heimleitung hat uns die Auskunft gegeben, dass er aufsässig ist und sich mit anderen Kindern prügelt. Er muss wohl des Öfteren gezüchtigt werden, wenn sein Temperament mit ihm durchgeht.»

Sylta biss so fest die Zähne zusammen, dass ihr Kiefer sich verkrampfte.

Die Schwester neigte sich vor und flüsterte: «Wissen Sie, das ist ein Teil dieser schrecklichen Krankheit. Diese Kinder mit der Mongoloiden Idiotie können sich nicht zügeln. Man muss streng mit ihnen sein, sonst tanzen sie einem auf der Nase herum.»

«Aber das sind Misshandlungen!», keuchte Sylta.

Die Schwester zog die Augenbrauen zusammen. «Aber keinesfalls, Madame!», erwiderte sie schockiert. «Diese Maßnahmen sind notwendig, das kann ich Ihnen versichern. Das Heim, in dem er lebt, genießt einen ausgezeichneten Ruf. Auch wir hatten schon unsere liebe Mühe mit ihm, er hört nicht, macht Lärm, ist aufsässig. Es ist kein Wunder, dass sie des Öfteren vom Stock Gebrauch machen, er hat beide Beine gebrochen und hält uns

auf Trab, ich will nicht wissen, wie er ist, wenn er laufen kann.»
Sie verzog das Gesicht. «Wir müssten ihn wahrscheinlich festbin-
den, können Sie sich vorstellen, was los wäre, wenn die anderen
Kinder ihn sehen würden? Scheußlich, diese Missgestaltung im
Gesicht, nicht wahr? Und erst die anderen Eltern, ich darf es mir
gar nicht ausmalen … Sie wissen ja nicht, dass es nicht ansteckend
ist.» Sie schüttelte den Kopf, vollkommen ahnungslos, was ihre
Worte in Sylta anrichteten. «Ich muss weiter Tee verteilen. Es ist
sehr christlich von Ihnen, sich Sorgen um den Jungen zu machen.
Aber seien Sie versichert, es geht ihm gut. Er stammt aus einer
wohlhabenden Familie und hat mehr, als ein solches Kind jemals
erwarten könnte.» Sie seufzte leise. «Noch vor wenigen Jahren haben sie solche wie ihn nach der Geburt im Fluss ertränkt, er kann
sich wirklich glücklich schätzen», murmelte sie und ging davon.

Als Sylta sich eine Viertelstunde später von ihrem Sohn losriss,
um zu Alfred zurückzukehren, der schon viel zu lange auf sie
wartete, saß der Bär auf Michels Nachttisch. Michel verstand
nicht, warum seine Mutter, die doch gerade erst gekommen war,
ihn schon wieder verließ. Er heulte und schrie, schlug um sich
und ließ sich kaum beruhigen.

«Machen Sie sich keine Gedanken.» Die Schwester versuchte,
ihn festzuhalten. «Er ruft ständig nach seiner Mutter. Das ist
ganz normal.»

Sylta musste schlucken. «Michel», sagte sie, trat ans Bett zurück und nahm seine Hand. «Ich muss jetzt gehen. Aber wenn
du ganz brav bist, dann komme ich morgen zurück und bringe
ein Buch mit!»

Michel blinzelte sie unter Tränen an. Seine Augen hinter der
kleinen Brille wirkten riesig. «Märchen?», fragte er leise und
schniefte.

Sylta musste an sich halten, um nicht selbst zu weinen. Aber wenn sie in den letzten Jahren etwas gelernt hatte, dann war es, für ihre Kinder stark zu sein. Michel würde es nicht helfen, wenn sie jetzt in Tränen zerging. Sie nickte ruhig. «Ja, ein Märchenbuch», versicherte sie. «Dann lese ich dir vor!»

Er hickste noch leise, nickte aber widerwillig. «Morgen?», rief er angstvoll, als sie den Vorhang aufzog.

Sylta drehte sich zu ihm um und setzte erneut das strahlendste Lächeln auf, das sie sich abzwingen konnte.

«Morgen, Michel. Ich verspreche es!»

Agnes summte leise vor sich hin, während sie den Eintrag ins Haushaltsbuch machte. Als sie den Punkt hinter den neuen Namen setzte, beendete sie ihr kleines Lied mit einem Triller. Hertha sah vom Gemüse auf, das sie gerade bürstete, und lächelte sie an. «Gute Laune?»

Agnes nickte. «Ich habe ein sicheres Gefühl bei der Frau!»

Tatsächlich hätte ihre Laune nicht besser sein können. Ihre Rückenschmerzen waren heute wie weggeblasen, an solchen Tagen fühlte sie sich wie ein neuer Mensch. Außerdem hatte sie gerade eine Waschfrau engagiert und war zufrieden mit dem Ausgang der Verhandlungen. Sie würde siebzig Thaler Lohn bekommen und zehn extra für Weihnachten. Da konnte sich keine der beiden Parteien beschweren. Nun musste Herr Karsten nur noch das Vertragliche regeln. Natürlich hatte die Herrschaft das letzte Wort, aber wenn es um ein einfaches Waschmädchen ging, würden sie ihr vertrauen und auf ihr Urteil hören.

Sie war sich sicher, dass die Frau eine gute Hilfe sein würde. Die Hagenbecks hatten sie mit ausgezeichnetem Zeugnis entlassen – sie reduzierten den Haushalt, weil die Dame wegen ihrer Gesundheit den Großteil des Jahres auf Sylt verbringen musste. Die Kleine würde mit ihren Referenzen jederzeit wieder eine Anstellung finden, aber die Chance, für eine Familie wie die Karstens zu arbeiten, bekam auch sie nicht alle Tage. Agnes hatte der ehrfurchtsvolle Blick gefallen, mit dem sie im Haus umhergegangen war. Fast war sie selbst ein wenig stolz gewesen. Allesamt waren sie froh, in der Villa zu arbeiten. Als Kittie noch gelebt und den Haushalt eigenhändig inspiziert hatte, das waren freilich noch andere Zeiten gewesen. Magenschmerzen hatte Agnes gehabt, jedes Mal, wenn die Alte ihre lange, krumme Nase durch die Küchentür gesteckt hatte. Als würden sie nicht auch ohne einen mahnenden Zeigefinder gründlich und sauber arbeiten. Sie alle wussten, wie gut sie es getroffen hatten. Alle, außer Klara. Auf Agnes' Stirn bildete sich eine steile Falte, als sie an das Mädchen dachte. Was hatten sie ihnen da nur ins Haus gesetzt? So etwas Faules und Kratzbürstiges hatte sie noch nie erlebt. Seit dem Tag ihrer Ankunft wurde sie nicht müde, von ihrem ach-so-tollen Palais zu erzählen, verglich alles hier im Haus mit dem der Oolkerts, moserte ständig herum, dass die Dinge nicht fein genug, die Gerätschaften nicht modern genug waren. Und sie wagte es doch tatsächlich, an Herthas Essen herumzumeckern. Hatte allen Ernstes der Köchin gesagt, dass ihre Mutter seit Neuestem immer Maggi in die Brühe schüttete und Hertha das doch auch einmal ausprobieren solle, dann würde sie vielleicht genießbarer. *Genießbarer!* Agnes kochte vor Zorn, wann immer sie daran zurückdachte. Hertha war die beste Köchin, die sie kannte! Unter anderen Umständen hätte Agnes Klara keinen Tag in der Villa behalten. Aber sie unterstand eben der neuen Herrin – was ihnen allen das Leben um einiges schwerer machte.

Lise kam in die Küche, und man sah ihrer Miene an, dass etwas ganz und gar nicht stimmte. «Was ist jetzt wieder los?», fragte Agnes und klappte das Buch zu. Hatte sie nicht eben noch gute Laune gehabt?

Lise setzte sich auf einen Stuhl und nahm sich einen Apfel, der nach dem langen Winter im Keller klein und schrumpelig geworden war. Agnes blickte auf die Uhr über der Tür. Es war eigentlich nicht Lises Pause, sie hatte jeden Vormittag eine Viertelstunde, um einen Kaffee zu trinken oder etwas zwischendurch zu essen. Aber Agnes kniff bei Lise fast immer ein Auge zu. Sie war fleißig und gehorsam, und Hertha und sie machten selbst gerne mal zwischendurch ein paar Minuten Rast.

«Iss lieber was mit mehr Nährstoffen», mahnte Hertha jetzt und betrachtete Lise besorgt. «Das ganze Obst immer ist nicht gesund. Du bist viel zu dünn und blass in letzter Zeit.»

«Ja, wie denn auch nicht, wenn ich für zwei arbeite!», beschwerte sich Lise und biss mit finsterem Blick in den Apfel. «Klara lässt einfach alle schwere Arbeit für mich. Immer hat sie irgendwas, Bauchdrücken oder Kopfweh oder Schwindel oder einen Nagel eingerissen. Ich habe jetzt mehr zu tun als vorher, als ich alleine war.»

Agnes nickte düster. «Ich weiß, sie ist schrecklich anfällig. Und so flatterhaft in ihren Launen.»

«Das finde ich nicht, ich finde, sie hat immer schlechte Laune», erwiderte Lise, und Agnes und Hertha prusteten gleichzeitig los. Während sie lachten, ging die Tür auf, und Klara kam herein.

Agnes blickte sie entgeistert an. «Klara, was soll denn das? Du weißt doch genau, dass ein Dienstmädchen keine Zierkämme in den Haaren zu tragen hat!», sagte sie streng und betrachtete Klaras Frisur, die unter der Haube hervorschaute. Sie trat näher und schnupperte entsetzt. «Und sag mal, rieche ich da etwa Parfum an dir?»

Klara sah Agnes frech ins Gesicht. «Die Kämme habe ich von

Frau Roswita bekommen!», erwiderte sie. «Und sie hat mir heute Morgen einen Spritzer von ihrem Parfum aufgesprüht, als ich ihr die Haare hochgesteckt habe.»

Agnes seufzte. Wie sollte sie die Sitten im Haus aufrechterhalten, wenn das junge Fräulein Klara so verzog? «Sie hat sie dir sicher nicht gegeben, damit du sie im Haus trägst. Sonntags für die Messe sind sie ja fein, aber doch nicht fürs Saubermachen. Und was hast du da überhaupt wieder an?»

Irritiert blickte Klara an sich hinunter. «Was ist falsch daran?»

Lise verdrehte die Augen. «Das ist deine Servierschürze, Klara!»

Agnes nickte. «Ganz recht. Kommst du nicht gerade von oben? Zum Bettenmachen trägst du die andere. Du weißt doch, wie wichtig eine kleidsame Tracht für den Ruf des Hauses ist, willst du deiner Herrin vielleicht Schande machen?»

Klara zuckte mit den Schultern. «Es hat ja niemand gesehen. Und die Betten sind trotzdem gemacht», erwiderte sie. «Frau Roswita sind diese Dinge sowieso egal.»

Alle drei starrten sie entsetzt an. Lise klappte der Mund auf. So viel Frechheit hatte man hier im Haus noch nie erlebt. Agnes räusperte sich. «Klara, würdest du einmal mitkommen?» Sie ging voran ins Esszimmer und blieb vor der Anrichte stehen. An Klaras Gesicht konnte sie ablesen, dass sie genau wusste, worauf Agnes hinauswollte. Sie blickte gleichzeitig trotzig und schuldbewusst drein.

Agnes ging mit gespitztem Mund zum Buffet. Mit zusammengekniffenen Augen zog sie erst die Sektschalen, dann die Rheinweingläser heraus und inspizierte eines nach dem anderen. Die meisten stellte sie mit einem knappen Nicken zurück, ein paar jedoch platzierte sie mit gehobenen Brauen auf dem Tisch neben sich. Sie hatten Flecken. An einem klebte sogar ein Rest Essen.

Klara zuckte jedes Mal zusammen, wenn sie wieder eines der Gläser aussortierte. Ihr Gesicht wurde immer finsterer.

Agnes blickte Klara streng an. Die stand da, die Hände hinter dem Rücken verschränkt, und sah zu Boden. «Hast du etwas zu sagen?», fragte Anges.

«Das habe ich nicht gesehen.»

Agnes schüttelte den Kopf. «Hast du keine Augen im Kopf? Wie kann man so etwas nicht sehen?», rief sie. «Erzähl mir keine Märchen, faul warst du! Wie willst du jemals ein feines Stubenmädchen werden, wenn du so arbeitest?»

Als Klara nichts erwiderte, sagte sie: «Heute nach Feierabend polierst du die Gläser noch einmal. Und zwar alle! Und danach das Silber.»

Klaras Kopf ruckte in die Höhe. «Das habe ich erst Samstag gemacht.»

«Dann machst du es heute eben wieder!»

Das Mädchen nickte mit zusammengepressten Lippen.

«Morgen kommt der Junge zum Bohnern und Teppichklopfen, du wirst ihm zur Hand gehen», befahl Agnes streng.

«Aber das habe ich auch schon letzte Woche gemacht!»

Agnes riss die Augen auf. «Und diese Woche wirst du es wieder tun. Oder hast du etwas dagegen? Soll ich es vielleicht selbst machen? Oder gleich die Herrschaften? Wie wäre es dir am liebsten?»

Klara klappte mit roten Wangen den Mund zu, senkte diesmal aber nicht den Blick.

Agnes war außer sich. Wo sollte sie bei diesem Mädchen nur anfangen? Nicht zu fassen, dass Klara vorher im Palais der Oolkerts gearbeitet hatte. Dort gab es anscheinend so viele Bedienstete, dass die Erziehung der Einzelnen völlig vernachlässigt wurde. Wenn nur Sylta in den letzten Jahren nicht so sehr auf anderes konzentriert gewesen wäre. Eigentlich wäre es ihre Aufgabe gewesen, Klara einzuweisen und ihr all diese Dinge zu erklären. Nun musste Agnes das noch zusätzlich erledigen, denn Sylta hatte sich aus dem Haushalt beinahe vollständig zurückgezogen. Aber Agnes mochte es ihr nicht verdenken, die Herrin hatte wirklich genug durchgemacht in den letzten Jahren. Agnes wollte, dass Sylta stolz war auf ihr Personal, und da es nun ihr persönlich zukam, dieses in Schach zu halten, nahm sie diese Aufgabe sehr ernst.

«Nun schau nicht so mürrisch, ein gutes Dienstmädchen macht immer ein frommes Gesicht. Man soll dir die Mühen schließlich nicht ansehen, wo kommen wir denn da hin. Du repräsentierst die Familie!», schnappte Agnes. Sie schüttelte den Kopf. Zum Glück hatten die Karstens in den letzten Jahren kaum noch Haus gehalten. So konnte niemand Anstoß nehmen an Klaras schlechtem Benehmen und ihren Unachtsamkeiten. Nicht auszudenken, wenn sie diese Gläser auf den Tisch gestellt hätten! Wenn doch mal jemand kam, servierte immer Lise, auf sie konnte man sich verlassen. Manchmal vermisste Agnes die Aufregung an den Tagen der Festessen, den Duft, den Lärm und die kleinen Streitigkeiten, das Gefühl des Stolzes, wenn sie sich alle nach getaner Arbeit im Gesindezimmer versammelten, Reste aßen und sich das Trinkgeld aus dem Topf im Flur teilten. Aber so wie jetzt war es wesentlich beschaulicher und weniger Aufwand, sie würde sich also sicher nicht beklagen. Und ihr Rücken auch nicht!

«Darf ich jetzt gehen? Ich muss noch die Ofentüren putzen.» Klaras Stimme war eiskalt.

Agnes konnte ein Stöhnen nicht unterdrücken. «Das machen wir donnerstags. Also wirklich, soll ich dir den Haushaltsplan hinter die Ohren schreiben? Ich erstelle ihn schließlich nur für euch, ist es da zu viel verlangt, dass du ihn dir auch anschaust? So oft ändert er sich schließlich nicht. Heute seifst du die Waschgeschirre ein.»

«Ich dachte, damit ist Lise dran.» Klara verzog das Gesicht.

«Lise klopft heute die Meubles.»

«Ah ja», sagte Klara nur kühl.

Agnes stemmte die Hände in die Hüften. «Das heißt: ‹Ja, Frau Agnes.›»

«Ja, Frau Agnes», erwiderte sie mechanisch und knickste theatralisch.

«Also, das ist doch … Deine Handarbeit von gestern war auch nicht genügend, du wirst sie noch mal aufmachen, hörst du!», schalt Agnes. Dieses Mädchen war doch wirklich die Frechheit in Person!

Klara, die gerade schon das Zimmer hatte verlassen wollen, blieb stehen, drehte sich aber nicht um. Agnes konnte sehen, wie ihre Schultern sich anspannten. «Ja», sagte sie gedehnt. Und nach einer langen Pause: «Frau Agnes.»

Sie spürte, wie die Wut an ihren Schläfen kribbelte. «Und vergiss morgen früh die Handschuhe nicht! Du weißt, dass du die Schlafzimmer der Herrschaften ohne Handschuhe nicht betreten sollst», rief Agnes hinter ihr her. «Und Freitag ist Großreinemachen!»

Sie schaute Klara nach, wie sie schnell die Treppe hinauflief, sodass die zwei weißen Schleifen der Uniform auf ihrem Rücken wippten, und schüttelte den Kopf. Sie sollte einmal mit Sylta reden. Im Hause der Karstens gab es vergleichsweise wenige Regeln, und dennoch brachte Klara es fertig, sie ständig zu brechen. Sie sang während der Arbeit laut vor sich hin, das war nun wirklich absolut unsäglich, sie schäkerte mit Kai und den Lieferanten, und sie hatte eine absurde Neigung zur Eitelkeit, die für ein Dienstmädchen vollkommen unangebracht war. Haarkämme und Parfum, hatte man so was schon gesehen? Und wie viel sie schon zerbrochen hatte ... Sie konnte sich wirklich glücklich schätzen, dass Sylta keine Porzellanabgabe für das verlorene Gut von ihnen forderte, wie es eigentlich Sitte war, sonst hätte Klara die letzten Monate umsonst gearbeitet. Agnes seufzte schwer und ging in die Küche zurück. Womit hatte sie das auf ihre alten Tage verdient?

Klara stürmte die Treppe hinauf. Die scheußliche dicke Agnes. Wie sehr sie sie hasste. Und Hertha war fast noch schlimmer. Wie sie es ausnutzten, dass sie da war, jede große Arbeit blieb an ihr hängen. Sie war Mädchen für alles, wurde Tag und Nacht herumgescheucht. Sogar Lise durfte ihr Befehle erteilen. Im Palais der Oolkerts gab es unzählige Angestellte, dort wurde man nicht von oben herab behandelt. Allerdings war es auch so groß, dass man dort wochenlang putzen konnte, ohne ein Ende zu finden. Da war die Arbeit hier schon wesentlich leichter. Aber sie wurde viel strenger überwacht. Im Palais hatte Klara sich oft wegschleichen können, hatte aus der Kammer genascht, heimlich hinter dem Schuppen geraucht. Hier bekam man schon Schelte, wenn man die Betten ohne Handschuhe bezog.

Sie wusste genau, dass die anderen Fräulein Roswita nicht mochten, und weil Klara ihr Mädchen war, warfen sie sie mit ihr in einen Topf. Vom ersten Tag an hatte etwas an ihr Agnes missfallen, sie hatte es gleich gesehen, als sie sich gegenüberstanden. Klara hatte schon oft gehört, dass an ihrem Gesicht etwas war, das die Menschen nicht mochten. «Schau nicht so biestig!», wurde ihr nicht selten um die Ohren geschleudert. Nun, das war schwer, wenn man tagein, tagaus nur putzte und wischte und gar nie eine Freude hatte. Das Parfum hätte sie heute Morgen vielleicht nicht stehlen sollen, es war doch zu auffällig. Was, wenn Agnes Roswita danach fragte und die Lüge herauskam?

Als sie am Treppenabsatz ankam, schloss Kai gerade die Türen der Herrschaften hinter sich. Erfreut trat Klara auf ihn zu. Er sah so gut aus mit seinen markanten Gesichtszügen. Sie wollte wirklich nicht ewig Dienstmädchen bleiben, schon gar nicht in diesem schrecklichen Haus. Aber die einzige Chance, dem zu entrinnen, war eine Heirat. Und wo lernte man als Dienstmädchen heutzutage schon Männer kennen? Man musste nehmen, was einem vor die Füße lief. Deswegen verfolgte Klara bereits seit längerem einen Plan.

Lächelnd trat sie auf Kai zu. Doch er blickte ihr mit finsterer Miene entgegen. «Hast du heute die Betten gemacht?»

«Ja, warum?»

«Dachte ich es mir doch. Du machst einfach immer eine Schlamperei. Kannst du nicht einmal ein Betttuch gerade ziehen?»

«Was hat denn dir die Suppe verhagelt?», fragte Klara verwundert. Kai war eigentlich als Einziger im Hause freundlich zu ihr, sie rauchten ab und an heimlich zusammen im Keller.

«Immer muss ich hinter dir herräumen und deine Fehler ausbügeln», schnauzte er. «Das hat sie mir verhagelt.»

Klara fasste ihn am Arm. «Ach, komm schon. Es tut mir leid. Morgen mach ich es besser.» Sie trat auf ihn zu und stand jetzt ganz nah vor ihm. Er roch nach Seife und Haarwasser. «Ich kann es … auch anders wiedergutmachen!», sagte sie mit einem eindeutigen Augenaufschlag und ließ ihre Hand über seine Brust streifen.

Kai trat einen Schritt zurück. «Nicht mal im Traum!»,

schnappte er, und der Ausdruck auf seinem Gesicht war beinahe einer des Ekels.

Klara ließ die Hand wieder fallen. «Aber ...», stotterte sie. Sie war sich so sicher gewesen, dass Kai sie auch mochte.

Doch er rauschte schon an ihr vorbei. «Die anderen haben recht, du bist wirklich eine Plage!», rief er.

Sie stand am Treppenabsatz und sah ihm schockiert hinterher. Ihre Unterlippe zitterte, die Scham der Zurückweisung brannte ihr auf den Wangen. Da hörte sie von unten gedämpftes Gelächter aus der Küche. Sie ballte die Fäuste. Wie sie dieses Haus hasste und alle, die dazugehörten.

Hertha deckte mit finsterer Miene die Teller in der Gesindestube auf. Klaras Platz ließ sie leer. Agnes hatte recht, das Mädchen musste eine Lektion lernen. Schelte half bei ihr nichts, sie mussten strenger vorgehen. Wenn sie daran dachte, wie Klara neulich mit ihr geredet hatte ... Sie schnaubte leise. *Maggi*, als käme ihnen ein solcher neumodischer Schund ins Haus. Sie konnte ihre Fleischbrühe gerade noch selbst ansetzen, vielen Dank, und wenn es dem Mädchen nicht salzig genug war, dann konnte Hertha ihr herzlich gerne so viel Salz in den Rachen schütten, bis es ihr zu den Ohren wieder rauskam.

Nacheinander kamen alle herein und setzten sich. Klara war wie so oft die Letzte. Als sie die Tür aufstieß und sich grußlos zu ihrem Platz begab, blieb sie wie angewurzelt stehen. Langsam hob sie den Blick. «Wo ist mein Gedeck?»

Hertha ließ sich Zeit mit der Antwort. «Agnes und ich haben besprochen, dass du heute bis zum Abendessen fastest und darüber nachdenkst, wie du in Zukunft bessere Arbeit leisten kannst.»

Klara sah von einem zum anderen. Alle blickten woanders-hin, sogar Kai verschränkte die Arme vor der Brust und starrte auf seinen Teller. Toni hüstelte verlegen, Lise zerknitterte ihre Schürze in den Händen. «Ich habe ein Recht auf Essen!», sagte Klara laut.

Agnes stand auf. «Du hast ein Recht auf Essen in Gegenleis-tung für deine Arbeit», erwiderte sie kalt. «Die Pausenmahl-zeiten aber sind eine Annehmlichkeit, die Frau Karsten uns in ihrer Güte gestattet und die wir bekommen, weil sie immer mit uns zufrieden ist. Wir denken, dass man das von deiner Arbeit nicht sagen kann.»

Klara wurde blass. «Das werde ich Frau Roswita sagen», zischte sie.

Hertha nickte. «Mach das nur», antwortete sie ruhig. «Dann erzählen wir ihr von deinen Frechheiten und deiner schlechten Arbeit. Und zwar wir alle. Ich bin gespannt, was sie dazu zu sa-gen hat.»

Klara starrte sie an, sie sah so wütend aus, dass Hertha ein Schauer über den Rücken lief. Wortlos stürmte sie davon, knall-te mit beiden Händen die Tür hinter sich zu und polterte die Treppe hinauf.

Als sie gegangen war, stießen alle einen lauten Seufzer aus.

9

Jo trat die Zigarette aus, blies den Rauch durch die Nase und öffnete das Friedhofstor. Mit klammen Fingern schob er das verbotene *Berliner Volksblatt*, in dem er auf der Fahrt gelesen hatte, in seine Tasche und schritt langsam über die Wiese. Er hatte die Mütze tief ins Gesicht gezogen und trug zwei Pullover übereinander. Trotzdem kroch die Kälte ihm bis ins Mark. Oder vielleicht war sie auch schon die ganze Zeit dort gewesen. Ganz tief in ihm.

Nun hatte er zwei tote Geschwisterchen und einen toten Vater, die er besuchen musste. Allerdings lag nur Karl hier. Als Leni und sein Vater starben, hatte es den Ohlsdorfer Friedhof noch nicht gegeben. Einen Moment durchzuckte ihn der Gedanken an Hein und Marie. Was würde mit ihnen geschehen, wenn Alma starb?

Er schritt an den prächtigen Grabmälern der Hamburger Oberschicht vorüber und betrachtete die fein gemeißelten Steine, die liebevollen Inschriften. Jetzt, im letzten Klammergriff des Winters, war hier noch alles kahl, die Büsche und Bäume von einer feinen Schicht Reif überzogen. In den Ästen über ihm krächzten Raben. Jo fröstelte. Der Winter zog sich in diesem Jahr wirklich endlos hin, ab und an erhielt man schon einen Vorgeschmack auf wärmere Tage, aber dann kam er mit noch größerer Härte wieder zurück.

Jo freute sich auf den Frühling, auf die Wärme, den Gesang der Vögel. Vielleicht würde ihm das helfen, auch selbst wieder ein wenig aufzutauen, zu sich zu kommen. Auch wenn er natürlich wusste, dass sein Zustand nichts mit dem Wetter zu tun hatte. Er merkte, dass seine Hände ganz leicht zitterten. So weit war es schon gekommen, ein einziger Tag ohne Alkohol, und sein Körper protestierte. Es war erst Mittag, und er dachte beinahe ununterbrochen daran, wann er sich den ersten Schnaps genehmigen konnte. Egal, warum sollte er nicht trinken? Er hatte nichts zu verlieren. Musste es nur schaffen, bis seine Brüder volljährig waren und für sich selbst sorgen konnten, das war sein einziges Ziel im Leben. Aber für Karl blieb er dennoch immer nüchtern, das hatte er sich geschworen. Wenn er hierherkam, war er der Jo von früher, das Vorbild, das er für seine Familie immer hatte sein wollen. Wenn sie wüssten, was er tatsächlich war … Ein bitterer Zug umspielte seinen Mund. Sie würden sich für ihn schämen.

Um sich abzulenken, konzentrierte er sich auf die Parkanlage. Auch Lilys Großmutter Kittie lag hier, etwas weiter hinten unter ein paar großen Fichten. Die Karstens hatten natürlich eine Familiengruft, ein Gebäude aus grauem Marmor, groß wie eine Wohnung. Er war einmal dort gewesen, hatte sie lange betrachtet, einfach dagestanden und auf den riesigen goldenen *Karsten*-Schriftzug über dem Tor gestarrt. Allein der Name reichte, um ihn vollkommen durcheinanderzubringen. Er hatte sich nicht losreißen können. Irgendwann war einer der Friedhofswärter gekommen und hatte ihn misstrauisch aus der Ferne beäugt. Wahrscheinlich hielt er ihn für einen Grabräuber. Warum sollte jemand wie er sonst hier herumlungern? Er war gegangen und nie wieder zurückgekehrt. Doch heute brachte irgendetwas Jo dazu, den kleinen Pfad einzuschlagen, der in Richtung Kittie Karsten führte. Er wusste selbst nicht, warum, wahrscheinlich wollte er einfach den Moment noch ein wenig hinauszögern, in dem er vor Karls Grab stand und das grauenvolle Gefühl des Verlustes wieder nach ihm griff, sein Herz umklammerte wie ein eiserner Schraubstock und ihm zum hundertsten Mal klarmachte, wie endgültig der Tod war.

Während er langsam zwischen den Gräbern hindurchlief, spielten seine Finger mit der Holzfigur, die er in der Hosentasche trug. Er kam nicht mehr oft her, aber immer brachte er seinem kleinen Bruder etwas mit. Karls Grab sah inzwischen aus wie eine Menagerie, er hatte ihm im Laufe der Jahre so viele Tiere und Figuren geschnitzt, dass sie kaum noch Platz um das Kreuz fanden.

Plötzlich hielt Jo überrascht inne. Vor Kitties Grab stand jemand. Ein Mann, elegant gekleidet in Gehpelz und Hut. Einen Moment überlegte er, wieder umzudrehen. Die Karstens waren nicht gerade gut auf ihn zu sprechen.

Und er nicht auf sie.

Doch seine Füße setzten ganz von alleine ihren Weg fort. Vorsichtig ging Jo näher. Der Mann schien vollkommen in Gedanken versunken, stand einfach da, ohne sich zu bewegen. Jo versteckte sich hinter einem Baum und beobachtete ihn aus ein paar Metern Entfernung.

Franz.

Abscheu überrollte ihn. Er hasste Lilys großen Bruder so sehr, dass es ihn alle Beherrschung kostete, sich nicht an Ort und Stelle auf ihn zu stürzen und ihm die Seele aus dem Leib zu prügeln. Er war sich sicher, dass er Franz den Überfall, die Stichwunde im Bauch und das Gefängnis zu verdanken hatte. Er hatte ihn von Lily fernhalten wollen, hatte ihr sicher wer weiß welche Lügen über ihn in den Kopf gesetzt, damit sie mit Henry nach England ging. Trotzdem, gegangen war sie letztlich aus freien Stücken. Sie hatten sie nicht in Fesseln auf das Schiff gezerrt, es war ihre eigene Entscheidung gewesen. Lily hatte geglaubt, dass Jo sie nicht mehr sehen wollte, dass er sich einfach feige aus dem Staub gemacht hatte, während sie im Krankenhaus um ihr Leben kämpfte. Und um das ihres gemeinsamen Kindes. Diese Erkenntnis zerfraß ihn. Sie war einer der Gründe, warum er nie nach ihr gesucht, nie ihren Aufenthaltsort in Erfahrung gebracht hatte. Lily hatte nicht an ihn geglaubt. Hatte ihre Liebe verraten. War mit einem Mann, den sie verabscheute, in ein neues Leben aufgebrochen.

Ein Leben ohne ihn.

Aber es gab noch einen anderen Grund dafür, warum er sie nie gesucht hatte. Jo wollte, dass Lily und das Kind glücklich wurden. Und er hatte ihnen nichts zu bieten. Nichts als ein Leben voller Gefahren und Armut. Lily war ohne ihn besser dran. Mit Henry würde es ihr zumindest finanziell an nichts fehlen. Sein Kind würde nicht wie seine kleine Schwester Leni an Kälte und Hunger sterben. Nicht wie sein Vater bei einem Arbeitsunfall im Hafen, nicht wie Karl, weil die Straßen im Gängeviertel vor Gefahren wimmelten. Doch dafür wuchs es im Hause eines Mannes auf, der es niemals als sein eigen Fleisch und Blut akzeptieren würde. Jo knirschte mit den Zähnen. Wie anders würde sein Leben jetzt vielleicht aussehen, hätte es Franz Karsten nicht gegeben. Und dieser Mann dort vor ihm war der Onkel seines Kindes. Der Gedanke brachte ihn zum Zittern.

Franz stand da wie eine Statue. Jo betrachtete die teure Kleidung und umklammerte die kleine Holzfigur so fest, dass sein Arm krampfte. Mit einem Mal bemerkte er, dass die Spitzen von Franz' Kaiserbart zitterten. Erstaunt musterte er ihn und sah nun, dass auch seine Schultern zuckten.

Franz weinte.

Jo wusste nicht, warum ihn das so überraschte. Natürlich hatte auch Franz Karsten Gefühle, auch wenn er in Jos Gedanken ein skrupelloses Monster war. Aber merkwürdig war es doch. Warum sollte ein gestandener Mann wie Franz Karsten so bitterlich um seine vor Jahren verstorbene Großmutter weinen, die noch dazu, nach allem, was er gehört hatte, ein richtiger Drache gewesen war? Jo schlich noch ein wenig näher, kniete sich hin und versteckte sich hinter einem Grabstein. Nun konnte er ihn auch hören.

Kein Zweifel, Franz Karsten schluchzte wie ein Kind. Plötzlich zog er ein Tuch aus der Tasche und wischte sich mit beinahe wütenden Bewegungen die Tränen von den Wangen. Er schnäuzte sich, holte tief Luft. Dann trat er einen Schritt vor, streckte die Hand aus und berührte eine der Säulen der Gruft. «Vergib mir», murmelte er leise und schloss für einen Moment die Augen. «Und lass mir endlich meinen Frieden!»

Jo verstand die Welt nicht mehr. Was ging hier vor sich?

Franz drehte sich ruckartig um und ging davon. Jo zuckte überrascht zurück, dann schielte er wieder hinter dem Grabstein hervor und erhaschte einen Blick auf Franz' Gesicht. Seine Augen waren verquollen, der Mund ein wütender Strich. Er sah aus, als würde ihn etwas schrecklich quälen.

Jo sah ihm nach, wie er über den Friedhof davonschritt. Je weiter er sich vom Grab entfernte, desto mehr schien er sich aufzurichten, zu sich zu finden. Schließlich ging er wieder hocherhobenen Hauptes, mit der alten Arroganz, die Jo von ihm kannte.

Jo stand auf und wischte sich den Raureif von den Händen. Er hätte einiges dafür gegeben, in diesem Moment in Franz' Kopf schauen zu können.

Als Jo wenig später in den ärmlicheren Teil des Friedhofs kam, wo sein kleiner Bruder begraben lag, dachte er noch immer über Franz nach – bis er zum zweiten Mal an diesem Tag überrascht stehen blieb.

Vor Karls Grab kniete eine junge Frau.

Die Röcke ihres eleganten blauen Kleides lagen im Schmutz, sie beugte sich gerade vor, um eine seiner Figuren zurechtzurücken, und Jo betrachtete voller Erstaunen ihre schmale Taille, den eleganten Hut. Eine Sekunde setzte sein Herz aus … aber die Frau vor ihm hatte braune Haare, keine roten, und er wusste sofort, dass sie nicht Lily sein konnte. Er trat näher, und sie fuhr erschrocken herum. Jo starrte in die schönen braunen Augen und zog überrascht die Luft durch die Zähne.

«Emma», sagte er leise.

E mma hatte gewusst, dass es eines Tages passieren musste. Aber gerade jetzt? Nach all den Jahren?

Seit Lily fortgegangen war, hatte sie Jo Bolten nicht mehr gesehen. Immer wieder hatte sie sich ausgemalt, was passieren würde, wenn sie sich eines Tages über den Weg laufen sollten. Was sie sagen würde. Wie er wäre. Was er wusste. Anfangs, in den Tagen nachdem Lily abgereist war, hatte sie damit gerechnet, dass er zu ihr kommen und sie zur Rede stellen, dass er vor Wut schäumend auftauchen und zu erfahren verlangen würde, wo Lily hingegangen war. Und sie hatte nächtelang wachgelegen und die Frage im Kopf hin und her gewälzt: Sollte sie es ihm sagen?

Emma hatte Jo immer sehr gemocht. Er war ein aufrichtiger, ein wenig grüblerischer Mann, der das Herz am rechten Fleck trug. Viel zu klug, um als einfacher Hafenarbeiter sein Dasein zu fristen. Und er hatte ihre Freundin geliebt, das wusste sie. Aber Lilys Verhältnis mit Jo hatte sie beinahe das Leben gekostet. Sie hatte keine Zukunft an seiner Seite. Und er hatte Lily verraten, ihr damit das Herz gebrochen. Er hatte sie einfach im Krankenhaus zurückgelassen, nachdem sie nach der missglückten Abtreibung beinahe verblutet wäre. Sich feige aus dem Staub gemacht und nie wieder etwas von sich hören lassen.

Nein, sie hätte es ihm nicht gesagt, zu diesem Schluss war Emma irgendwann gekommen. Lily musste ihren Frieden finden. Sie hatte Henry geheiratet und würde ihr Kind im Schutze ihrer Familie aufziehen und nicht in einer zugigen, dreckigen Wohnung in den Gängevierteln.

Emma war immer dafür, dass Liebe über Konventionen und freie Entscheidungen über den Regeln der Gesellschaft standen. Aber in diesem Fall hatte sie gesehen, was passieren konnte, wenn man zu viel riskierte.

Jo war nie gekommen. Emma folgerte daraus, dass Lily richtiglag: Er konnte ihr nicht verzeihen, wollte nichts mehr mit ihr und dem Kind zu tun haben. Irgendwann hatte sie erfahren, dass er noch in der Stadt war, es gab Gerüchte über seinen Einsatz für den Arbeiterkampf. Aber sie waren sich nie über den Weg gelaufen, und Emma war erleichtert gewesen, dass sie ihm nicht die Auskunft verweigern musste, wo Lily war.

Sie stand auf, zu ihrer Überraschung reichte Jo ihr die Hand und half ihr hoch. Verlegen klopfte sie sich die kleinen Steinchen vom Rock. Es passierte selten, dass sie nicht wusste, was sie sagen sollte. Auch Jo schwieg, musterte sie nur eindringlich, und sie merkte, dass er offensichtlich ebenfalls keinen Beginn für ein Gespräch fand. Er sah immer noch sehr gut aus, wirkte aber erschöpft. In seinen dunklen Augen waren rote Adern zu sehen. Sie musterte ihn eindringlich. Er wirkte ganz und gar nicht gesund.

Plötzlich zog Jo eine kleine Holzfigur aus der Tasche. Er kniete sich hin und stellte sie zu den anderen, rückte einen kleinen Hasen gerade, der ein wenig in Schieflage geraten war, nahm einen Soldaten hoch und pustete ihm ein paar Krümel Erde vom Helm. Emma beobachtete ihn und spürte einen Kloß in der Kehle.

«Ich lasse dich alleine, wenn du …»

«Bleib», sagte Jo, ruhig, aber bestimmt. Er kniete noch einen Moment vor dem Grab, und sie sah, wie seine Wangen zuckten. Aber als er sich kurz danach wieder aufrichtete, waren seine Augen klar.

Er verschränkte die Arme vor der Brust, dann sah er sie an. Sein intensiver Blick löste einen Schauer in ihr aus. «Warum bist du hier?»

Emma lächelte verzagt. «Ich komme alle paar Wochen», sagte sie und sah, wie er überrascht die Brauen zusammenzog. «Ich habe einfach das Gefühl, ihn besuchen zu müssen.»

«Du weißt, dass wir dir nie einen Vorwurf gemacht haben.»

Emma biss sich auf die Lippen. «Deine Mutter schon …», erwiderte sie, aber Jo winkte ab.

«Im Grunde weiß auch sie, dass du alles getan hast, um ihn zu retten. Unser Familienarzt hat ihr bestätigt, dass man nichts tun kann, wenn man schon mit der Tollwut infiziert ist. Er hätte genauso gehandelt. Sie weiß das, Emma!»

Emma nickte. Sie musste schlucken. «Trotzdem tut es mir schrecklich leid!»

Jo lächelte traurig. «Ich träume so oft von ihm», sagte er unvermittelt und versetzte ihr mit seinen Worten einen Stich. «Dann steht er an meinem Bett und schaut mich an, fragt mich,

234

wann er zu uns zurückkommen darf ...» Jo stockte. Er fuhr sich mit beiden Händen übers Gesicht, als hinge ihm der Albtraum auch am Tag noch nach.

Emma wusste nicht, was sie erwidern sollte. «Er ist jetzt im Himmel und ...», setzte sie stockend an, doch Jo unterbrach sie schnaubend.

«Das glaubst du doch nicht wirklich? Gerade du?»

Erstaunt hielt Emma inne. «Nein», gab sie schließlich zu. Tatsächlich hatte auch sie schon vor langer Zeit ihren ohnehin nicht sehr stabilen Glauben verloren. Dafür hatte sie zu viel gesehen. «Nicht wirklich. Aber es ist besser als die Alternative.»

Jo schüttelte den Kopf. «Für mich nicht. Ich kann mich nicht selbst belügen, nur um den Tatsachen nicht in die Augen sehen zu müssen. Der Tod ist endgültig. Ich werde Karl niemals wiedersehen.»

Emma blickte nachdenklich auf das Grab, die kleinen von Reif bedeckten Figuren. «An einen Himmel glaube ich zwar nicht. Aber es gibt mehr zwischen Tod und Leben als nur Religion», sagte sie und merkte, dass Jo überrascht den Kopf zur Seite neigte.

«Ach ja, und was zum Beispiel?», fragte er.

Sie überlegte einen Moment. «Träume zum Beispiel. Erinnerungen. Mein Begriff vom Tod ist mehr der eines Zustandes ... Es gibt Medikamente und Mittel, die uns in andere Sphären versetzen, uns Dinge sehen und erleben lassen. Wer sagt, dass diese Orte und Dinge nicht wirklich existieren? Es gibt Menschen, deren Geist den Körper schon längst verlassen hat, die aber noch atmen. Und es gibt Menschen, die für klinisch tot erklärt werden und eines Tages wieder die Augen aufschlagen und anfangen zu sprechen. Wo fängt Leben an, und wo hört es auf? Ich habe in meiner Laufbahn schon zu viele seltsame Dinge erlebt, um mit

Bestimmtheit sagen zu können, dass der Tod so klar zu definieren ist.» Sie sah Jo an. «Du hast sicherlich recht, die Vorstellung von einem Himmel, in dem wir uns alle irgendwann wiedersehen, ist zwar tröstlich, aber nicht realistisch. Ich glaube nicht an organisierte Religion oder die Heilslehre der Kirche, aber wenn man sich mit Medizin und Biologie beschäftigt, dann erkennt man, dass alles im Großen und Ganzen einen Sinn ergibt. Dass alles einen Platz hat, eine Bestimmung. Das System ist durchdacht, verstehst du?» Sie lächelte. «Ich weiß nicht, von wem, aber Leben ist ein einziges großes Wunder. Und wenn jemand, etwas, eine höhere Macht, Gott, wer auch immer, das hinbekommen hat, dann gibt es auch einen Plan dafür, was mit uns geschieht, wenn wir sterben. Da bin ich ganz sicher.»

Überrascht stellte sie fest, dass ein halbes Lächeln Jos Mund umspielte. «Das ist tatsächlich tröstlicher als alles, was mir die Priester bisher über den Tod sagen konnten», murmelte er.

Gemeinsam schritten sie jetzt durch den Park zurück Richtung Ausgang. Die Anlage war riesig, der Ohlsdorfer war einer der größten Friedhöfe der Welt. Sie würden noch eine ganze Zeit lang nebeneinanderher gehen. Aber höfliche Konversation über Nichtigkeiten lag ihnen beiden fern. Eine Weile schwiegen sie. Emma beobachtete Jo aus den Augenwinkeln. Er sah wirklich anders aus, als sie ihn in Erinnerung hatte. Etwas stimmte nicht. Seine Wangen schienen ihr hohler, die Augen dunkler. Er war schlecht rasiert, und er roch … seltsam. Plötzlich blieb Emma stehen. Sie musste es ihm sagen. Musste ihn vorwarnen. Er durfte es nicht durch Zufall herausbekommen.

«Jo.» Sie stockte, holte tief Luft. «Lily wird nach Hamburg zurückkehren.»

Noch nie hatte sie gesehen, wie jemandem so schnell alles Blut aus dem Gesicht wich. Er wurde kreidebleich, starrte sie nur an, die Augen erschrocken aufgerissen. Ein trockener Laut entfuhr ihm, kaum mehr als ein Krächzen. «Wann?», fragte er schließlich mit rauer Stimme. Noch immer hatte er sich nicht bewegt, und auch Emma traute sich nicht weiterzugehen.

«Bald. Ihrem Vater geht es nicht gut, sein Herz ist krank.»

Er runzelte die Stirn. «Ist es ernst?»

Emma nickte, schüttelte dann den Kopf. «Man weiß es nicht genau. Das Herz ist kompliziert, die Forschung ist noch in den Anfängen. Er ist sehr schwach und braucht äußerste Ruhe. Sylta hat nach England telegraphiert.»

Jo nickte. Langsam schien er sich wieder zu fangen. «Ich … sie …», begann er, wusste aber offensichtlich nicht, wie er weitersprechen sollte. «Weißt du, wie sie …», wieder brach er ab, fuhr sich mit den Händen über das Gesicht. «Du weißt also …»

Emma nickte. «Es geht ihr gut. Es geht beiden gut. Ihr und Hanna.»

Langsam nahm Jo die Mütze vom Kopf. «Hanna?», fragte er tonlos.

Emma spürte, wie ihr die Tränen in den Augen brannten. Jo sah so traurig aus, so verwirrt, beinahe … ängstlich. Trotzdem schnürte die Wut ihr plötzlich die Kehle zu. «Ja», sagte sie leise. «Hanna. Deine Tochter. Die du einfach im Stich gelassen hast.»

In Jos Ohren rauschte es. «Wie bitte?», fragte er leise. Eine kalte Welle der Wut brandete über ihn hinweg. Er trat einen Schritt auf Emma zu, und sie zuckte erschrocken zurück. «Was hast du da gerade gesagt?»

Sie wischte sich die Tränen aus den Augen, ihr Blick wurde hart. «Du hast ganz richtig gehört», sagte sie, ebenso schneidend wie er.

Jo schüttelte ungläubig den Kopf. «*Ich?* Ich habe sie im Stich gelassen?» Er musste sich beherrschen, um Emma nicht zu packen und zu schütteln. «Bin ich etwa abgehauen? Habe ich etwa einen anderen geheiratet? Habe ich unser Kind genommen und es über ein ganzes verdammtes Meer in ein fremdes Land geschleppt?» Er brüllte jetzt. Als sie zurückwich, machte ihn das nur noch wütender. Er packte sie nun doch am Handgelenkt und stieß sie gegen die Säule einer Familiengruft. «Wie kannst du es wagen zu behaupten, ich hätte sie im Stich gelassen!»

Emmas Blick flackerte, aber ihre Stimme verriet nicht den geringsten Anflug von Furcht. «Lass mich sofort los, Johannes Bolten», sagte sie, als würde sie mit einem ungehorsamen Patienten reden. Er zögerte einen Moment, dann trat er einen Schritt zurück. Emma rieb sich mit finsterer Miene das Handgelenk. «Du bist abgehauen, oder nicht?», zischte sie. «Warst plötzlich einfach verschwunden. Wir haben dich überall gesucht. Sie wäre beinahe gestorben, und du hast es nicht einmal für nötig gehalten zu fragen, wie es ihr geht. Wie es dem Kind geht. Was sollte sie denn denken? Nach allem, was du getan hast.»

Jo biss sich in die Wangen, so fest er konnte. Der anklagende Blick in Emmas braunen Augen bohrte sich geradezu in ihn hinein. Er holt einmal tief Luft, schloss einen Moment die Augen. «Ja», sagte er dann leise. «Die Sache mit Michel war meine Schuld. Das stimmt. Aber ich wusste nicht, was das auslösen würde. Ich hatte keine Ahnung. Nicht die geringste.»

Emma presste die Lippen aufeinander und verschränkte die Arme, legte den Kopf schief, als wüsste sie nicht, ob sie ihm glauben sollte.

«Und ich habe Lily nicht besucht, weil ich nicht konnte», fügte er hinzu. Plötzlich fühlte er sich schrecklich müde. Er brauchte einen Schnaps. Und zwar schnell.

«Wie meinst du das, du konntest nicht?», fragte Emma ungeduldig. «Natürlich konntest du!»

Jo lächelte freudlos. «Ich war im Gefängnis, Emma. Mit einer brandigen Stichwunde im Bauch, die mich fast umgebracht hätte.» Er zog seinen Pulli hoch und zeigte ihr die wulstige Narbe.

Emmas Augen weiteten sich. Wie automatisch wollten ihre Ärztinnenhände nach der Wunde greifen, sie befühlen, doch er trat einen Schritt zurück, ließ den Pullover wieder sinken. «Aber …», sagte sie nur und schüttelte den Kopf. «Im Gefängnis? Ich verstehe nicht …»

«Ich auch nicht», erwiderte Jo kalt.

«Was meinst du damit?», drängte sie.

Er seufzte. Was hatte das alles jetzt noch für einen Sinn? Nach so vielen Jahren. Es würde die Dinge auch nicht mehr ändern. «Ich war im Krankenhaus. Nach dem Abort. Natürlich war ich dort, wo sonst sollte ich auch sein! Ich war schließlich derjenige, der sie dorthin gebracht hat, wenn du dich erinnerst. Ich habe ihren Bruder angefleht, mich zu ihr zu lassen.» Alles in ihm zog sich bei der Erinnerung zusammen. «Aber er hat mich rausgeworfen. Er hat mir gesagt, dass ich sie niemals wiedersehen werde. Dass er persönlich dafür sorgen wird. Und das hat er auch getan. Ich wurde überfallen. Bin zwei Tage später in einer Zelle wieder aufgewacht. Keine Ahnung, warum ich drin war. Und keine Ahnung, warum ich wieder rausgekommen bin. Die stecken alle unter einer Decke, Oolkert, die Karstens. Um mich von Lily fernzuhalten, war ihnen jedes Mittel recht. Das verstehe ich sogar. Wirklich, ich kann das verstehen!» Er lachte bitter. Mit einem Mal wurde er wieder ernst. Er musste einfach fragen. «Weißt du … weißt du etwas über sie? Über Hanna, meine ich?»

Emma sah ihn nachdenklich an. «Ich habe sie nie gesehen. Henry wollte nicht, dass wir sie besuchen, er hatte wahrscheinlich

Angst, dass Lily dann Heimweh bekommt», erklärte sie, und Jo nickte. Er spürte die Enttäuschung sauer in seinem Magen brodeln.

«Aber ich weiß, dass sie deine Augen hat. Und deine Haare», sprach Emma leise weiter. «Überhaupt sieht sie wohl genau aus wie du. Von Lily hat sie nur diesen kleinen Kreis über der Nase, du weißt schon …»

Er starrte sie an. «Den kleinen Denkerkreis», murmelte er, und ihm wurde ein bisschen schwindelig.

«Genau, aber bei Hanna zeigt er sich, wenn sie wütend ist. Sie ist wohl sehr störrisch, aber auch fröhlich und verschmust. Sie liebt Schiffe und den Hafen. Und kleine Katzen. Lily schreibt, sie ist verrückt nach Katzen, wenn sie eine sieht, bricht sie in Freudengeschrei aus, schon als ganz kleines Kind war das so.» Emma lächelte, während sie sprach. Aber plötzlich fasste sie seinen Arm. «Jo, warum hast du dann nie versucht, sie zu finden? Warum hast du nie nach ihr gefragt? Du wusstest doch, wo ich bin.»

Ihm wurde klar, dass sie überhaupt nichts begriffen hatte. «Charlie hat mich gefunden, an dem Tag, an dem das Schiff ging», sagte er leise. «Er hätte es vielleicht sogar noch geschafft.»

«Aber …» Emma trat einen Schritt zurück. Sie war blass geworden. «Warum hat er es nicht versucht?»

Jo blickte einen Moment auf seine Hände. Dann lachte er traurig. «Weil sie mich verlassen hat, Emma. Sie hatte es schon entschieden. Sie wollte mit Henry ein neues Leben anfangen! Nicht ich habe sie im Stich gelassen. Sie ist einfach gegangen. Sie hat nicht auf mich gewartet.»

Emma blickte in Jos dunkle Augen, die vor Schmerz schwarz schienen, und schüttelte ungläubig den Kopf. «Das kann doch nicht dein Ernst sein», flüsterte sie.

Er runzelte die Stirn.

«Jo Bolten, willst du mir wirklich sagen, dass du die Liebe deines Lebens einfach hast gehenlassen? Weil du zu stolz warst, um sie aufzuhalten?» Als er daraufhin wütend die Lippen aufeinanderpresste, rief sie: «Was glaubst du, wie Lily sich gefühlt hat? Erst hast du ihren Bruder verraten. Dann liegt sie dem Tode nahe im Krankenhaus, und es gibt kein Lebenszeichen von dir.» Er wollte aufbrausen, aber sie griff seine Hände und hielt sie fest.

«Jo, jetzt hör mir einmal zu. Lily war krank, sie hatte schreckliche Angst. Sie dachte, dass du ihr nicht verzeihen kannst. Franz wollte sie zwingen, nach England zu gehen, alle haben ihr eingeredet, dass du die Stadt verlassen hättest. Welche Wahl hatte sie denn? Sie hätte das Kind nicht alleine aufziehen können, nicht ohne die Unterstützung ihrer Familie. Und die haben sie ihr verweigert. Nach England zu gehen war die einzige Möglichkeit, die es für sie gab. Sie hat jeden Tag auf ein Zeichen von dir gewartet. Du hättest sie sehen sollen, wie verzweifelt und verloren sie aussah. Sie wollte das Richtige tun. Und du weißt ja nicht, wie sie sie letztlich dazu gekriegt haben …» Sie brach ab, und er stutzte.

«Was?», fragte er und sah auf.

«Sie haben sie belogen, Jo. Sie haben behauptet, Michel sei in dem Heim gestorben. Es hat ihr das Herz gebrochen. Erst da hat sie eingewilligt zu gehen. Sie war ein Schatten ihrer selbst. Hat nicht mehr gegessen, nicht mehr gesprochen. Ihr war alles egal.»

Emma schüttelte den Kopf, sah die verschiedenen Emotionen, die durch ihn hindurchzogen und sich auf seinem Gesicht abzeichneten, wie Wind, der das Wasser aufwühlt. Einen Moment schien es ihr, als würde er verstehen, er hob die Augenbrauen, setzte dazu an, etwas zu sagen, brach wieder ab. Hob die Hand, ließ sie wieder sinken. Doch dann verhärtete sich sein Blick. «Sie hätte wissen müssen, dass ich nicht einfach so verschwinde und sie im Stich lasse», sagte er, und Emma seufzte. Himmel, war dieser Mann stur.

«Du weißt genauso gut wie ich, dass Lily dich geliebt hat. Sie war einfach verzweifelt.»

«Ja. Stell dir vor, das war ich auch», zischte Jo und stiefelte plötzlich los, an ihr vorbei, den Weg hinunter.

Überrascht sah Emma ihm nach, dann rannte sie hinterher. «Wo willst du denn hin?», rief sie.

Mit großen Schritten lief er über den knirschenden Kies davon. «Dahin, wo ich was zu trinken kriege!», rief er über die Schulter.

«Jo, warte! Was machst du, wenn sie zurückkommt?», rief Emma, und zu ihrer Überraschung blieb er stehen.

Er drehte sich nicht um, aber er hielt einen Moment inne, und an seinen bebenden Schultern konnte sie sehen, wie viel Mühe es ihn kostete, nicht die Beherrschung zu verlieren. Er ballte die Hände zu Fäusten. «Gar nichts!», erwiderte er, und seine Stimme war eiskalt. «Ich mache gar nichts, Emma. Keine Sorge, ihr müsst keine Angst haben, dass ich aus den Tiefen der Gängeviertel auftauche wie ein Schreckgespenst und eure sorgfältig aufgebaute Lügenwelt zerstöre. Lily Karsten existiert für mich nicht mehr.»

Jo trank die nächsten drei Tage durch. Er verpasste seine Schicht im Hafen, er verpasste den Besuch bei seiner Mutter, er ließ Charlie vergeblich im Keller auf sich warten und Greta vor seiner Tür stehen, die eine Viertelstunde dagegenhämmerte und es dann aufgab. Er wollte niemanden sehen, nichts hören, nicht reden und nicht denken. Der Alkohol half ihm dabei. Er trank sich in die Bewusstlosigkeit.

Aber es nützte nichts.

Im Dunkeln waren sie alle wieder da, die Geister, die ihn verfolgten. Karl stand stumm neben seinem Bett, eine blutende Wunde am Arm. Jo wachte nachts auf und spürte Lenis Finger, die sich in seine Haut gruben, hörte ihre zarte Kinderstimme, mit der sie ihn fragte, warum er sie hatte sterben lassen. Sein Vater war auch da, ein schwarzer Schatten irgendwo in der Ecke hinter dem Kamin, eine verschwommene Präsenz, an die er keine richtige Erinnerung mehr hatte. Marie und Hein weinten leise in einer Ecke um ihre kranke Mutter, Alma hustete Blut. Und nun war da noch ein kleines Mädchen, das einen wütenden Kreis über der Nase hatte und ihn in seinen verworrenen Träumen anklagend aus dunklen Augen anfunkelte, die genauso aussahen wie seine. Er lief hinter ihr her, versuchte, sie in den Arm zu nehmen, aber Hanna versteckte sich vor ihm. Sie wollte nichts mit ihm zu tun haben.

Nur Lily sah er nicht. Aber sie war in seinem Kopf. Immer war sie in seinem Kopf … Er hatte es sich in den letzten Jahren nicht eingestehen können, aber jede Sekunde seines Lebens, alle seine Tage lebte er im dunklen, stummen Schlund ihrer Abwesenheit.

Jo konnte nicht glauben, dass er eine Tochter hatte, die nach Hamburg kommen würde. Er konnte damit leben, dass Lily irgendwo weit weg in einem anderen Land existierte. Das war beinahe, als gäbe es sie nicht mehr. Aber wenn sie wieder in Hamburg wäre … Wie sollte er das aushalten?

Am Abend des vierten Tages trieb ihn der Hunger aus dem Bett. Seine Laken rochen nach Schweiß, es war eiskalt in seinem kleinen Zimmer, er hatte ewig kein Feuer mehr gemacht. Ohne sich zu rasieren oder auch nur einen Blick in den Spiegel zu werfen, stiefelte er hinaus und schlang in der nächsten Wirtschaft mit

verquollenen Augen und dröhnendem Kopf einen Teller fetti-
gen Eintopf in sich hinein. Als er wieder in die Wohnung kam,
trank er seine letzte Flasche leer. Dann machte er Feuer. Er holte
seine Schnitzsachen hervor, und im roten Schein der Glut begann er zu arbeiten. Erst hobelte und hackte er einfach ohne
Plan drauflos. Aber schon bald wusste er, was da aus dem groben
Holz entstand. In seinen Händen formte sich nach und nach die
Silhouette einer kleinen Katze.

10

M it konzentrierter Miene hob Franz das Papier hoch und hielt es ins Licht. Er nickte anerkennend, fuhr dann mit der Hand einmal über die dicken schwarzen Buchstaben.

«Vorsicht! Es kann noch verwischen.»

Ärgerlich zog er die Augenbrauen zusammen und betrachtete seine Handfläche, auf der tatsächlich ein wenig schwarze Schmiere zu sehen war. Der Mann hinter dem Tresen reichte ihm beinahe unterwürfig ein Tuch. «Kommenden Mittwoch wird die Annonce gedruckt?», fragte Franz, ohne sich zu bedanken, und rieb sich die Finger ab.

Der Redakteur bestätigte eifrig. Franz betrachtete die Inschrift:

HAMBURG–CALCUTTA DAMPFSCHIFF-LINIE

VON HAMBURG NACH MADRAS UND CALCUTTA

Mit Durchfracht nach Nagatapam, Pondicherry, Masulipatam, Coconada, Vizagapatam, Bimlipatam, Porto Novo, Terumulvasal, Karaikal, Rangun und Moulmauiu.

Löschen und Laden in Hamburg am Kaiserkai, Schuppen No. 10 und 11.

Dampfschiff: VOLUMINA	Capt. Schehrs	14. März ladebereit.
Dampfschiff: MODESTIA	Capt. Lassens	29. " "
Dampfschiff: DELIA	Capt. Krimens	7. April "

Vorzügliche Gelegenheit für 1. Cajüts- und Zwischendecks-
passagiere. Näheres wegen Frachten und Passagen bei
A. Karsten.

Die exotischen Namen der Städte ließen wie immer einen wohligen Schauer seinen Rücken hinabrieseln. Kaum zu glauben,
dass ihre Schiffe tatsächlich diese fernen Häfen ansteuerten. Beinahe beneidete er die Kapitäne. Er hatte es nie jemandem erzählt, nicht einmal Kai, aber Oolkerts Drohung, ihn nach Indien
zu schicken, hatte ihm keine Angst gemacht – er plante schon
lange, eines Tages hinzufahren. Die verwunschenen Paläste mit
eigenen Augen zu sehen, die Tiger und Schlangen, die märchen-
haften Tempel. Manchmal dachte er, dass er die Reederei und die
Seefahrt so liebte, weil an ihm ein Abenteurer verlorengegangen
war. In seiner Jugend hatte er viel gelesen, Artusromane, *Robin-
son Crusoe* und *Der Graf von Monte Christo* verschlungen, wie
so viele Jungen in seinem Alter davon geträumt, ferne Länder zu
sehen, fremde Kulturen kennenzulernen. Der Welt zu entfliehen
und ein anderer zu werden.

Dann war er eines Tages als junger Mann in der Wirklichkeit aufgewacht und ins Geschäft eingestiegen. Er hatte keine
Zeit mehr gehabt zu lesen. Bücher waren in seinen Augen zu
etwas geworden, womit sich Frauen von ihrem langweiligen Alltag ablenkten, etwas, das er seither immer ein wenig verachtete.
Außerdem hatte er, je älter er wurde, immer mehr das Gefühl,
dass diese Geschichten nicht für ihn geschrieben worden waren.
Er fand sich in ihnen nicht wieder, konnte sich mit den Gefühlen der männlichen Protagonisten nicht identifizieren. Und das
steigerte das nagende Gefühl der Andersartigkeit, das ihn seit
seiner frühen Jugend in den Klauen hielt und ihm den Atem
nahm. Manchmal dachte er, dass es vielleicht auch etwas damit

zu tun hatte, dass Lily Bücher schon immer so sehr liebte. Indem er auf diese herabsah, sie ein wenig belächelte, konnte er sich von seiner Schwester abgrenzen. Ganz tief in sich wusste er, dass seine Verachtung für Lily daher rührte, dass sie normal war, als einziges Kind der Familie. Sie hatte alles, war klug, schön, intelligent, der Liebling ihrer Eltern. Entsprach zu hundert Prozent den Erwartungen, die die Gesellschaft an ein Mädchen wie sie stellte. Er hatte sie so sehr dafür gehasst. Warum musste er diese Bürde tragen, und sie durfte lachend und unbeschwert durch die Welt flanieren und bekam alles auf einem Silbertablett serviert?

Und wusste es dann nicht einmal zu schätzen. Dieses undankbare Stück.

Wie immer, wenn er daran dachte, was sie der Familie durch ihren Egoismus angetan hatte, verkrampfte sich alles in ihm. Aber sie hatten eine Lösung gefunden. *Er* hatte eine Lösung gefunden. Wie er es immer tat. Er hatte alles in die Hand genommen, als sein Vater es nicht konnte. Und wie wurde es ihm gedankt? Überhaupt nicht!

Franz hatte erwartet, dass sie sich anerkennend zeigen würden, nachdem Lily endlich nach England verschifft und damit ihre größte Sorge erst einmal gelöst war. Dass sie erkennen würden, wie klug und überlegt er vorgegangen war. Dass er diese Familie vor dem gesellschaftlichen Ruin bewahrt hatte.

Stattdessen verachteten sie ihn.

Nicht offen natürlich, aber er spürte es. Vom ersten Moment an. Sie machten ihn dafür verantwortlich, dass sie ihre Tochter verloren hatten. Auch Michel wurde ihm angelastet. Dabei war Lily es gewesen, die ihren Mund nicht hatte halten können. Aber alles war seine Schuld. Nur gut, dass sie nichts von Kittie wussten …

Ärgerlich starrte er einen Moment auf die Buchstaben der

Zeitungsanzeige, die er noch immer in den Händen hielt. Er hatte getan, was getan werden musste. Nur darum waren sie jetzt so weit gekommen, konnte die Kalkutta-Linie so schnell aus dem Boden gestampft werden.

Er wischte die Gedanken beiseite und konzentrierte sich wieder auf seine Aufgabe, las noch einmal aufmerksam jedes Wort. Die Passagieranzeige konnten sie sich eigentlich sparen, es fuhr ohnehin niemand ohne Grund nach Indien, und die wenigen, die es taten, wussten, wo sie anfragen mussten. Aber sie wollten den Hamburgern zeigen, dass sie keinerlei Kosten sparten. Es wurde schon genug gemunkelt. Seine Augen blieben auf den letzten beiden Worten hängen, und sein Mund zuckte kurz. Er hatte diese Familie gerettet, und er tat es weiterhin. Indem er sich jeden Tag aufopferte. Und zwar nicht nur in der Reederei, sondern auch zu Hause. Er hatte eine Frau geheiratet, die er verabscheute. Für die Familie, für die Reederei, für das Geschäft. Es wurde Zeit, dass man das anerkannte.

«Können Sie noch etwas ändern?»

Der Mann ihm gegenüber hinter dem Tresen, der die ganze Zeit geduldig gewartet hatte, zuckte zusammen. «Schwierig», erklärte er, aber unter Franz' durchdringendem Blick schlug er sofort die Augen nieder. «Selbstverständlich!» Er nickte und zückte einen Federhalter, um die Änderung zu notieren.

«Näheres wegen Frachten und Passagen bei F. Karsten», diktierte Franz. «Nicht A.»

Der Mann blinzelte verwirrt. «Oh, ich wusste gar nicht …», stotterte er. «Der werte Herr Papa, ich dachte …»

Franz sah ihn so vernichtend an, dass er sofort verstummte. «Der *werte Herr Papa*», ahmte er verächtlich den Ton des Mannes nach, «liegt krank danieder und wird in der näheren Zukunft nicht arbeiten können.»

«Oh, das tut mir sehr leid. Bitte richten Sie meine besten Genesungswünsche aus!»

Franz nickte kalt. «Diese Information ist vertraulich», sagte er dann, und sein Gegenüber sah ihn beinahe ängstlich an. «Machen Sie mir einen Abzug und schicken Sie ihn ins Kontor.»

«Selbstverständlich!»

Als Franz aus der Redaktion auf die Straße trat, schüttelte er ärgerlich den Kopf. Unterwürfige Menschen machten ihn wütend. Er wusste nicht genau, warum, aber er hätte dem nervösen kleinen Mann am liebsten einen Tritt verpasst. Momentan befand er sich ohnehin ständig am Rande eines Tobsuchtsanfalls. Nun hatte ihn neulich auch noch seine Mutter beiseitegenommen und ihm erzählt, Roswita sei wegen Eheproblemen zu ihr gekommen. Seine Frau hatte anscheinend nichts Besseres zu tun, als ihre privaten Probleme überall herumzuposaunen. Selten in seinem Leben war er so wütend gewesen wie an dem Abend, nachdem Oolkert ihn wegen der Schwangerschaft in die Mangel genommen hatte. Franz hatte alle Vorsicht und Heuchelei fallenlassen und Roswita sein wahres Gesicht gezeigt.

Als ob er nicht genügend andere Probleme hätte. Ohne eine Miene zu verziehen, stieg er in die Droschke, die vor der Tür wartete.

«Zum Dovenfleet», bellte er, und der Kutscher fuhr an.

Vorsicht doch, Sie quetschen ihn ja!» Sylta sah zu, wie zwei Krankenschwestern Alfred in einen Rollstuhl setzten, und zuckte zusammen, als er vor Schmerz leise aufkeuchte. Die Wunden an seinen Beinen waren noch immer nicht richtig verheilt und bereiteten ihm mehr Qual, als er von dem Routineeingriff erwartet hätte.

«Mir fehlt nichts, Liebes», winkte er ab. Aber sie konnte sehen, dass das nicht stimmte.

«Warum musst du immer so stur sein und tun, als ob alles in Ordnung wäre, wenn dem nicht so ist, Alfred?»

Er lächelte. «Damit du dich nicht sorgst, natürlich», erwiderte er. «Außerdem machst du das doch ganz genauso.»

Sie verzog missbilligend den Mund, strich ihm dann aber mit der Hand über die Wange. «Nun gut, dann fahren Sie ihn jetzt bitte nach draußen in den Park, er braucht frische Luft.»

Die Schwester sah Sylta zweifelnd an. «Sind Sie sicher, Madame? Es ist doch recht zugig heute.»

«Er hat es am Herzen und nicht an der Lunge», erwiderte Sylta und lächelte munter. «Frische Luft hat noch niemandem geschadet, nicht wahr, Alfred? Und warum baut man ein Krankenhaus in einen Park, wenn man ihn dann nicht nutzt?»

Alfred lächelte schwach. Wann war seine Frau so resolut geworden? Sie hatte sich wirklich verändert in den letzten Jahren. Als sie erst Michel und dann Lily verloren, hatte es Momente gegeben, in denen er fürchtete, Sylta würde es nicht schaffen. Und dann diese schreckliche Nacht, in der die Männer sie überfallen hatten. Er konnte noch immer nicht daran denken, ohne zu schaudern. Sie war so stark, seine Frau, viel stärker, als er je gedacht hätte. Und seit sie so eng mit Emma und Gerda befreundet war, hatte sie sich nicht nur körperlich, sondern auch im Wesen verändert. Manchmal dachte er, dass sogar ihre Stimme fester geworden war. Es war doch richtig gewesen, ihr die Sache mit dem Stift zu erlauben, sie brauchte Ablenkung.

Er schaute sie an, und eine Welle von Liebe durchströmte ihn. Ihr Haar war inzwischen von vielen grauen Strähnen durchzogen, aber noch immer waren ihre warmen Augen wach und klug, ihr zart geschwungener Mund rosig. Sie war wunderschön, das hatte er schon immer gedacht. Und sie hielt zu ihm, egal, was kam. Sylta war ihm eine Stütze, und er hätte nicht dankbarer sein können für diese Frau, die an seiner Seite war, auch wenn sie seine Entscheidungen nicht immer verstand oder billigte.

Die Schwester legte ihm den Mantel um und wickelte seine Beine in eine Decke. Dann schob sie ihn ohne ein weiteres Wort aus dem Saal. Sylta ging neben ihnen her und redete ohne Unterlass. Alfred sah sie von der Seite an. Sie schien heute ein wenig nervös. Er griff ihre Hand, und sie hielt sie lächelnd fest. Sie drehten eine Runde durch den Park, und als sie wieder hineinkamen, merkte er, wie müde er war. Er hatte sich wirklich Hoffnungen gemacht, bald nach Hause zu kommen und die Geschäfte wie gewohnt wieder aufzunehmen, aber er spürte jeden Tag, wie wenig Kraft er hatte. Vielleicht sollte er doch zur Kur, wie es ihm alle rieten. Aber der Gedanke ans Nichtstun ängstigte ihn mehr als alles andere.

«Sie dürfen mir jetzt den Stuhl überlassen», hörte er plötzlich die Stimme seiner Frau.

«Sind Sie sicher, Madame, es ist doch recht anstrengend?», protestierte die Schwester, die ihn bisher geschoben hatte, aber Sylta winkte ab.

«Ach, papperlapapp, der Stuhl hat doch Räder», antwortete sie, und ehe er sichs versah, hatte Sylta seinen Rollstuhl gepackt und schob ihn über den Flur.

«Wo willst du denn mit mir hin?», fragte Alfred und lachte.

Sylta lachte nicht. «Ich möchte dir etwas zeigen.» Plötzlich klang sie sehr ernst.

«Ach ja?», Alfred runzelte die Stirn. «Und was?»

«Eine Überraschung», erwiderte sie.

Als sie um die nächste Ecke bogen, sah er erstaunt die vielen bunten Bilder an den Fenstern und die Teddybären auf dem Tisch in der Mitte des Raumes.

«Das ist der neue Kinderflügel», erklärte seine Frau. «Ist er nicht modern? Und so hell!»

«Sehr schön.» Alfred nickte. «Aber ich bin doch ein wenig müde, wollen wir nicht zurückfahren und noch einen Tee trinken?»

Zu seinem Erstaunen schüttelte Sylta den Kopf. «Nicht jetzt.» Energisch fuhr sie ihn durch den Saal, bis sie vor einem Vorhang ankamen, der eine Ecke des Raumes verhüllte. «Alfred, du musst jetzt ganz ruhig bleiben. Reg dich nicht auf!» Sylta trat vor den Rollstuhl und zog den Vorhang beiseite. Dann schob sie ihn hindurch, und er stand vor einem kleinen Kinderbett.

Ihm stockte der Atem. Noch bevor er wirklich verstand, was hier passierte, holte Sylta tief Luft. «Und eines musst du außerdem wissen. Als du krank wurdest, habe ich nach England telegraphiert. Lily wird noch diese Woche nach Hamburg zurückkommen.»

Erschüttert betrachtete Mr. Huckabee die Bilder auf dem Tresen. Seine dunklen Augen zogen sich bekümmert zusammen, während er eines nach dem anderen ins Licht hielt und aufmerksam musterte. Für einige Minuten war es still in dem kleinen Laden, nur die Ketten, an denen der Albatros-Käfig hing, knarzten leise. Lily ließ ihm Zeit. Sie wusste, wie erschreckend die Fotografien waren.

Schließlich seufzte Mr. Huckabee verstört. «Britannia rules the waves!», murmelte er und schüttelte ungläubig den Kopf. «Die Patrioten brüsten sich damit, dass wir die Weltmeere beherrschen, den Handel, die Kolonien. Und wie sieht es bei uns daheim aus? Es ist eine Schande!» Er nahm das Foto eines kleinen Mädchens hoch. Ihr Körper war von blauen Flecken übersät, sie trug nur ein zerfetztes Hauskleid und saß in eine Zimmerecke gekauert, die Hände vor Verzweiflung auf die Ohren gepresst, einen verängstigten Ausdruck in den Augen. Lily hatte sie heimlich aufgenommen. In dem einzigen Zimmer der irischen Einwandererfamilie lebten sechzehn Personen. Das Mädchen war tief verstört gewesen von der Enge, der Armut, der Lautstärke. Die Flecken stammten von ihren großen Brüdern, die sie immer, wenn niemand hinsah, triezten und schlugen.

«Welch trostloses Bild des Lebens», murmelte Mr. Huckabee leise.

Lily nickte. Das traf es auf den Punkt.

Sie hatte sich vor allem auf die Kinder konzentriert. Schmutzig, mager, in zerrissenen Kleidern, viele von ihnen trotz der winterlichen Temperaturen ohne Schuhe auf den Straßen von Liverpool unterwegs, wo sie in Kohleminen arbeiteten, den Fabriken im Norden, als Kaminkehrer und Verkäufer. Es gab immer wieder Bestrebungen, die erlaubte Arbeitszeit für Kinder auf zehn Stunden pro Tag zu reduzieren, aber bisher waren sie erfolglos geblieben.

Ein Bild ging ihr besonders zu Herzen. Eine Bande Straßenjungen, die Kate und sie mit einem Korb Zuckerbrot geködert hatten, saß im Stadtzentrum um den Seble-Brunnen herum und strahlte in die Kamera. Sie hatten hohle Wangen, ausgezehrte Körper, zahnlose Münder, fast alle waren sie barfuß. Aber der kurze Moment des Glücks, den ihnen das unverhoffte Essen bescherte, hatte ein Leuchten in ihre Augen gezaubert. Lily betrachtete das Foto. Die Köpfe der Jungs, die alle in einer Reihe saßen, schienen ihr zu groß, fast alle hatten sie krumme Beine, dafür aber seltsam dicke Bäuche. Sie erinnerte sich, dass Emma ihr erzählt hatte, dass Mangelernährung sich auf das Wachstum und den Knochenbau auswirkte. Es musste stimmen, dachte sie. Die Jungs sahen aus wie Karikaturen alter Männer. Im Grunde waren sie das ja auch. Sie hatten in ihren jungen Jahren schon mehr gesehen und erlebt, als mancher in einem ganzen Leben.

Mr. Huckabee sammelte seufzend die Fotografien ein und steckte sie in einen Umschlag. Er wirkte erschüttert. «Ich leite sie umgehend weiter. Dieses kleine Mädchen wird mich heute Nacht sicher in meine Träume verfolgen. Vielleicht ist das ein Fall für das *Children Charter*-Gesetz?»

Lily nickte, sie wusste darüber Bescheid, denn Kate war eine der Vorsitzenden der Gesellschaft zur Verhinderung von Grausamkeit an Kindern, die dieses Gesetz erwirkt hatte. Es war das erste in Großbritannien überhaupt, das sich mit dem Schutz von Kindern befasste, und dank dem sie aus schlimmen Verhältnissen herausgeholt werden konnten. Aber es gab einfach viel zu viele Kinder, die schutzbedürftig waren, und keine Möglichkeiten, sie unterzubringen.

Schließlich gab Mr. Huckabee sich einen Ruck. «Kommen Sie, lassen Sie uns über etwas Erbaulicheres reden.» Er lächelte tapfer und führte sie in den hinteren Teil des Ladens. «Ich brauche jetzt eine Tasse Tee!» Schnuppernd hob er den Deckel von der rostigen Kanne. «Und Sie können sicher auch eine vertragen, bei den Temperaturen, die draußen herrschen.»

Sie setzten sich an den kleinen Ofen. Eine Weile rührte Mr. Huckabee gedankenverloren in seiner Tasse. Lily hatte ihn noch nie so in sich gekehrt erlebt, normalerweise sprühte er geradezu vor Energie. «Ich fand Lears und Cordelias Wiedersehen seltsam», sagte sie, um ihn abzulenken. Aufmerksam sah sie ihn an. «Daran hatte ich mich gar nicht mehr erinnert! Es ist so lange her, seit ich das Stück zum letzten Mal gelesen habe.»

Er schien wieder in die Gegenwart zu finden. Sein eben noch glasiger Blick wurde scharf und fokussiert. «Aber ist es nicht ergreifend? Lear ist endlich wieder mit seiner Tochter versöhnt, und nun stirbt sie, durch seine Schuld. Erst jetzt kann er sie bitten: Bleib ein wenig. Aber es ist zu spät ... Ich fand sie immer besonders menschlich, diese Szene.»

Lily schluckte. «So habe ich sie gar nicht gelesen», erwiderte sie leise.

Mr. Huckabee sah, dass ihre Tasse bereits leer war, und schenkte ihr behutsam den dampfenden Tee nach. Im Kamin knisterte das Holz, der Tee verströmte einen würzigen, beinahe tröstlichen Geruch. «Es geht in dem Stück um die Absurdität des menschlichen Daseins. Manche würden es vielleicht anders interpretieren, aber ich denke, Shakespeare zeigt hier unter anderem die Unfähigkeit der Worte, menschliche Gefühle in all ihrer Komplexität auszudrücken», erklärte er vorsichtig, als er die Kanne wieder auf den Ofen gestellt hatte.

Lily hob erstaunt den Kopf. Einen Moment musste sie über diese Erklärung nachdenken. Wenn nicht einmal Shakespeare es konnte, war es vielleicht ganz normal, dass auch sie ein Leben lang unter diesem Unvermögen gelitten hatte?

«Zum Schluss sind jedenfalls Vater und Tochter beide tot», warf sie ein. Dieses Ende beschäftigte sie schon seit Tagen.

«Aber wieder vereint!» Mr. Huckabee trank einen Schluck Tee. «Lear hat erkannt, dass Cordelia immer zu ihm gestanden hat. Es ist erstaunlich zu sehen, wie sehr sie sich um ihn sorgt, obwohl er sie verbannt hat. Ihre Liebe zueinander ist am Ende trotz allem doch eine bedingungslose, meinen Sie nicht?» Er lächelte in sich hinein. «Und man darf nicht vergessen, dass es ein Drama ist. Die Zuschauer mussten unterhalten werden. Tod und Gemetzel waren auf den Bühnen der Elisabethanischen und

Jakobinischen Zeit ein Muss. Shakespeare und Marlowe haben sich geradezu in den grausamsten Toden überboten. Nicht in alles muss man etwas hineinlesen.»

Er zwinkerte aufmunternd, und Lily nickte erleichtert. «Das ist wahr.» Sie hielt einen Moment inne. «Ich fahre zurück, Mr. Huckabee», sagte sie dann, und er sah überrascht von seiner Tasse auf. «Ich fahre nach Hause. Meinem Vater geht es nicht gut.»

Besorgt musterte er sie. «Ist es ernst?»

Lily nickte. Plötzlich hatte sie Tränen in den Augen. «Sein Herz», erwiderte sie leise.

Mr. Huckabee schnalzte unglücklich mit der Zunge. «Das tut mir leid. Natürlich müssen Sie dann schnell zu ihm zurück. Er wird sich sicher freuen, Sie wiederzusehen, nach all dieser Zeit.»

«Da bin ich nicht so überzeugt.» Lily wischte sich rasch über das Gesicht. «Wie Sie wissen, sind wir nicht unbedingt im Guten auseinandergegangen.»

«Das sind Lear und Cordelia auch nicht.» Er zwinkerte schon wieder, und Lily musste lachen.

«Oh, aber Sie werden mir so fehlen!», rief sie dann. «Was mache ich denn ohne Sie?»

Mr. Huckabee blinzelte gerührt. «Eine Frau wie Sie kommt immer zurecht. Sie haben die besten Ressourcen, die es gibt: Ihren glasklaren Verstand, Ihren Mut und Eigensinn. Ich hingegen ... Sie waren eine der wenigen Freuden, die einem alten einsamen Mann wie mir bleiben», schloss er traurig.

«Aber jetzt fühle ich mich ganz schrecklich!», rief Lily und griff ihn sanft beim Arm.

«Aber nicht doch.» Er winkte ab. «Ich habe meinen Laden und meinen Tee, auch ich werde zurechtkommen. Schreiben Sie mir einfach, Lily Karsten. Verzeihung, von Cappeln. Schreiben

Sie und erzählen Sie mir, was im Deutschen Reich so passiert. Was Sie lesen. Wie es Ihrer Tochter geht. Was Ihre klugen Freundinnen erreichen, die so unermüdlich und mutig um ihre Rechte kämpfen.»

«Ich verspreche es!», erwiderte Lily ernst. Sie zog die kleine Kamera aus der Tasche. «Ich habe sie wieder mitgebracht. Leider brauche ich sie ja nun nicht mehr.»

Mr. Huckabee hob abwehrend die Hände. «Nein, Lily. Behalten Sie die Kamera. Sie ist mein Abschiedsgeschenk. Ich bin sicher, dass sie Ihnen noch einmal nützlich sein wird.»

Ich werde nur unter einer Bedingung zustimmen.» Alfred sah seine Frau an. Sie saß neben seinem Bett und hatte den Vorhang vorgezogen, sodass ein kleiner, geschützter Raum um sie herum entstanden war, den das Licht der Öllampe erleuchtete. «Lily darf nichts davon erfahren.»

Sylta zuckte erschrocken zusammen. «Aber warum nicht?», rief sie.

Ihm war es, als würden die anderen Stimmen im Saal einen Moment verstummen, und er legte mahnend den Zeigefinger an die Lippen.

Beinahe eine Stunde hatten sie bei Michel verbracht. Sylta hatte ihm erklärt, was geschehen war, und ohne dass Michel es merkte, hatte sie ihrem Mann die Male auf dem kleinen Körper gezeigt. Es hatte ihn erschüttert. Ihm war übel, und er fühlte sich schwindelig. Dennoch wusste er, dass er jetzt klar denken musste. Sylta hatte ihn wieder zu seinem Bett zurückgefahren, und nun saßen sie verschanzt hinter dem Vorhang und besprachen flüsternd die Lage. Dass sie Lily geschrieben hatte, brachte ihn mindestens genauso durcheinander. Erst war er zornig gewesen, aber sie hatte ihm glaubhaft versichert, dass sie um sein Leben fürchtete und nur wollte, dass seine Tochter ihn noch einmal sah. Wie könnte er ihr böse sein? Sylta hatte in den letzten Jahren so viel mitgemacht, vieles davon aufgrund seiner Entscheidungen. Sie hatte immer zu ihm gestanden, er wusste, dass sie niemals böse Absichten hegte. In Abwesenheit des Mannes entschied die Ehefrau, und sie hatte entschieden. Nun waren Lily und Henry bereits unterwegs. Und er würde sehen müssen, wie er damit umging. Aber erst mal gab es Dringlicheres zu besprechen.

Er seufzte. «Denk noch einmal nach, Liebes. Ich bin mit dir einer Meinung, dass wir Michel nicht mehr dorthin zurückgeben können. Du würdest keine Nacht ruhig schlafen können. Und ich genauso wenig. Wir könnten ein neues Heim suchen, aber welchen Unterschied würde es machen?» Alfred rieb sich müde mit beiden Händen über das Gesicht und richtete dann die Spitzen seines Bartes wieder auf, die er versehentlich herabgebogen hatte. «Er wird sich auch dort nicht wohlfühlen und aufsässig werden, es ist nun mal seine Natur. Sie werden ihn wieder züchtigen. Und ein Kind wie Michel wird niemals lernen, dass es nicht wütend werden darf.»

Sylta wurde blass. Sie wollte etwas sagen, aber er hob die Hand als Zeichen, dass er noch nicht fertig war.

«Vielleicht ist es keine schlechte Idee, ihn hier in der Stadt zu lassen und jemanden zu beauftragen, der sich um ihn kümmert. Im Stift verkehrt niemand, der uns gefährlich werden könnte, den Menschen aus dem Viertel sind diese Dinge gleichgültig, und da du Mitstifterin bist, fällt es nicht auf, wenn du ab und an zu Besuch kommst und nach dem Rechten siehst. Außerdem kann Emma dort ein Auge auf ihn haben. Und Gerda kennt Michel, wenn sie es also erfährt, ist es nicht weiter schlimm.»

Sylta nickte eifrig. «Genau so habe ich mir das auch gedacht!», erwiderte sie und spürte, wie ihr Herz aufgeregt pochte. Sie hätte nicht geglaubt, dass Alfred so schnell zustimmen würde.

Ihr Mann sah sie an. «Aber, Sylta», sagte er, und sein Ton wurde plötzlich streng. «Auch Lily wird ihn sehen wollen. Wir dürfen ihre Ehe auf keinen Fall gefährden. Was, wenn Henry von Michel erfährt? Er würde sich scheiden lassen, wenn er herausbekommt, dass es eine Erbkrankheit in unserer Familie gibt. Vielleicht würde er uns verklagen, weil wir es ihm verheimlicht haben. Wir können von Glück sagen, dass Hanna normal ist und dass Lily bisher nicht erneut schwanger geworden ist. Eine Scheidung wäre wirklich der Gipfel der Schande.»

Sylta schluckte. Das Herz wollte ihr brechen, doch sie sah ein, dass er recht hatte. «Lily wird ihn doch besuchen wollen, in dem Heim!», gab sie dennoch leise zu bedenken, obwohl sie schon wusste, dass sie auf verlorenem Posten kämpfte.

Alfred nickte traurig. «Ich weiß.» Ärgerlich schüttelte er den Kopf. «Das hättest du dir überlegen sollen, bevor du nach England telegraphiert hast.» Offensichtlich hatte auch er keine Lösung für das Problem, was ihn über alle Maßen irritierte. Er hatte es schon immer gehasst, wenn eine Situation ihm zu entgleiten drohte.

«Da wusste ich doch noch nichts von Michel», widersprach sie zaghaft.

Er nahm ihre Hand. «Schon gut. Wie dem auch sei, vorerst ist es eine Notlösung. Er kann dort unterkommen, wenn er genesen ist. Lily sagen wir, dass er im Heim momentan keinen Besuch bekommen darf. Und du kannst ihn ab und an sehen, Sylta. *Ab und an!*», betonte er und blickte sie streng an. «Es darf nicht zu auffällig werden.»

«Und du kannst ihn auch sehen!», warf sie ein, und er nickte. Ein Lächeln huschte über sein Gesicht.

«Und ich kann ihn auch sehen», bestätigte er, und es klang, als würde er innerlich aufatmen. «Es ist doch besser, als ihn so weit weg zu wissen. Vielleicht hätten wir eine ähnliche Lösung schon damals finden sollen. Aber das Heim hatte die besten Referenzen. Ich wollte das Richtige tun», murmelte er.

Sie sah, wie er sich grämte, und legte ihm die Hand auf den Arm. Als sie sprach, war ihre Stimme voll Mitgefühl, aber nichtsdestoweniger fest und bestimmt. «Das ist mir bewusst, Alfred. Aber es war nun einmal nicht das Richtige. Nun müssen wir sehen, wie wir das wieder geradebiegen.»

Alfred blickte auf seine Hände, die auf dem Betttuch lagen. «Franz muss auch vorerst nichts wissen. Niemand muss es wissen außer Emma und Gerda. Im Stift erzählen wir, dass er ein Waisenjunge ist, für den wir sorgen. Oder wir bezahlen die Mitarbeiter für ihre Verschwiegenheit. Darin haben wir schließlich genug Erfahrung.» Er schloss die Augen. «Gott, wann werden diese ganzen Geheimnisse endlich aufhören?»

Sylta war klar, dass ihm die Antwort nicht gefallen würde. «Ich denke, niemals», sagte sie dennoch leise, und er nickte kaum merklich und drückte ihre Hand.

Aber er hielt die Augen geschlossen.

Hertha schlich im Nachthemd die knarzende Treppe hinunter. Die Gesindezimmer befanden sich neben dem Dachboden, und das alte Holz stöhnte bei jedem Schritt. Es war stockdunkel in der Villa, aber sie wagte es nicht, eine Lampe anzuzünden. Ihr Kissen hatte sie unter den Arm geklemmt, die Decke wie einen Mantel über die Schultern geworfen. Zum Glück gab es die Hintertreppe, die alle Stockwerke verband. So musste sie nicht über die Flure der Herrschaften schleichen. Sie wusste zwar nicht, wem sie heute Nacht in der Villa begegnen sollte, aber sie war auf alles gefasst.

Unten angekommen, tappte sie in die Küche, ohne Licht zu machen. Sie zog ihre Hausjacke über und breitete die Decke neben dem Ofen aus. Der Boden war hart, und ihre alten Knochen ächzten. Aber wenigstens war es schön warm hier. Sie warf ein Scheit nach und machte leise die Klappe wieder zu. Das sanfte Knistern lullte sie in den Schlaf, sie merkte, wie ihr immer wieder die Augen zufielen. Aber sie musste wach bleiben!

Hinter dem Ofen war sie gut verborgen. Eigentlich fühlte es sich gar nicht schlecht an, einmal nachts hier zu sein, in ihrem warmen Reich. Sie mochte es, wenn sie die Küche für sich alleine hatte, alles an seinem Platz lag, draußen vor den Fenstern die Dunkelheit die Welt klein machte. Es war nun schon die zweite Nachtwache. Bei der ersten war sie nach wenigen Minuten eingeschlafen und erst im Morgengrauen erwacht.

Jemand nahm Essen aus der Kammer. Und das schon seit Wochen.

Hertha wollte handfeste Beweise, bevor sie die Herrschaften beunruhigte.

Anfangs hatte sie ihre langsam voranschreitende Vergesslichkeit verantwortlich gemacht, doch dann war es wieder und wieder passiert. Vorräte fehlten, die Zahlen stimmten nicht mehr. Sie hatte angefangen, abends einen prüfenden Blick auf die Regale zu werfen, die Kästen und Fässer zu kontrollieren und das Dörrfleisch nachzuzählen. Bald hatte sie Gewissheit gehabt: Jemand stahl im Hause Karsten. Nur konnte sie sich beim besten Willen nicht vorstellen, wer. In Verdacht hatte sie natürlich das neue Mädchen. Klara würde sie es glatt zutrauen zu stehlen, nur um jemanden in Schwierigkeiten zu bringen. Denn einen anderen Grund konnte es kaum geben. Alle Angestellten bekamen reichlich zu essen, dafür sorgte sie persönlich! Es gab drei Mahlzeiten am Tag plus eine Teepause und für jeden, der zwischendurch nachfragte, eine Scheibe Brot oder etwas Grütze mit Kompott. In der Bellevue musste niemand darben, auch keiner der Dienstboten.

Es musste also eine andere Erklärung geben. Entweder jemand stahl, um das Essen zu verkaufen und sich den Lohn aufzubessern, oder der Dieb kam von außerhalb. Aber die Türen waren fest verschlossen, Kai machte jeden Abend einen Rundgang durch das Haus, und Toni verriegelte die Tore.

Die alte Köchin schloss die Augen und genoss die Wärme auf dem Gesicht. Morgen würde sie jeden Knochen im Leib spüren, aber das war es ihr wert. In ihrer Küche hatte Ordnung zu herrschen.

Es dauerte nicht lange, bis sie einschlief, sie hatte den ganzen Tag auf den Beinen gestanden und merkte in letzter Zeit immer mehr, wie ihr die Arbeit zu schaffen machte. Schon nach wenigen Minuten sackte ihr Kopf zur Seite.

Keuchend schrak sie auf, als ein lautes Scheppern sie aus wirren Träumen riss. «Haltet den Dieb!», schrie sie und fuhr panisch in die Höhe. Dann stand sie sprachlos da, die Augen weit aufgerissen.

Roswita war an die Wand zurückgewichen, als Hertha hinter dem Ofen hervorgeschossen kam wie eine zerzauste Eule. Auf dem Gesicht einen Ausdruck tiefen Entsetzens. In der Hand ein Stück Wurst. «Hertha. Um Gottes willen, haben Sie mich erschreckt!», rief sie mit vollem Mund.

«Fräulein Roswita!» Hertha stand noch immer da, als hätte sie einen Geist gesehen. «Was machen Sie denn hier, um diese gottlose Zeit?»

Roswita schienen die Worte ausgegangen sein. Sie starrte die

Köchin an, dann glitt ihr Blick zu der Wurst in ihrer Hand. Auf der Ablage neben ihr stand der offene Honigtopf. «Ich ... hatte Hunger,» sagte sie schließlich. Ihre Stimme war kaum mehr als ein Hauch. «Beim Abendessen hatte ich keinen rechten Appetit, und dann bin ich mit knurrendem Magen aufgewacht.»

Hertha brauchte einen Moment, um sich zu sammeln. Ihr Herz hämmerte, sie spürte ein Prickeln im Nacken. Außerdem hatte sie sich beim schnellen Aufstehen das Knie verdreht. Sie betrachtete ihre Herrin einen Moment aufmerksam. Die Scham stand der jungen Frau, die im Moment kaum älter aussah als ein Backfisch, ins Gesicht geschrieben.

«Nun, das wundert mich überhaupt nicht.» Hertha zog ihre Haube gerade und schlang die Jacke um sich. «So spatzenhaft, wie Sie essen. Ich habe ja schon angefangen, es persönlich zu nehmen.»

Roswita erwiderte nichts. Ihre Wangen waren rot angelaufen, und sie konnte Hertha nicht in die Augen sehen.

Die alte Köchin ging auf sie zu und nahm sie sanft am Arm. Dann führte sie sie zum Tisch. «Setzen Sie sich.»

Roswita gehorchte stumm. Sie fragte nicht, was Hertha um diese Zeit in der Küche machte. Sie sagte gar nichts mehr, saß da und starrte mit gesenktem Kopf auf die Tischplatte.

Hertha ging zum Herd und schürte das Feuer. Ohne eine Miene zu verziehen, holte sie einen Topf aus dem Schapp. Sie nahm den Milchkrug und begann, eine Tasse voll zu erhitzen, ging in die Kammer und holte einen Rotweinkuchen und den Braten heraus, den es zum Frühstück als Aufschnitt geben sollte. Sorgsam bestrich sie ein Brot mit Schmalz und richtete alles auf einem Teller an. Während sie arbeitete, sagte keine von ihnen ein Wort. Als die Milch zu sieden begann, träufelte Hertha ein wenig Honig hinein, gab Kaneel dazu, füllte eine Tasse und schob sie

Roswita hin. Dann setzte sie sich ihr gegenüber und betrachtete sie einen Moment. Nun hatte sie also die Erklärung dafür, warum die junge Herrin dicker und dicker wurde, obwohl sie bei Tisch kaum etwas aß.

Eigentlich hätte ich es mir ja denken können, dachte Hertha mitleidig. Roswita war kaum mehr als ein Kind. Sie gab ein jämmerliches Bild ab, wie sie da so saß. Als sie die Tasse nahm, zitterten ihre Hände.

«Frau Karsten», sagte Hertha leise, denn ihr war gerade aufgefallen, dass sie Roswita eben «Fräulein» genannt hatte. Sie sah einfach so jung aus, dass sie manchmal vergaß, dass sie und Franz verheiratet waren.

Roswita sah zu ihr auf. «Bitte sagen Sie es keinem!», flüsterte sie plötzlich.

«Aber ich …» Erschrocken schüttelte Hertha den Kopf. «Natürlich nicht», versprach sie. «Sie sind doch nicht … Sind Sie vielleicht … guter Hoffnung?»

Roswita zuckte zusammen, dann lachte sie freudlos. «Das könnte man meinen, nicht wahr?»

Hertha nickte. «Solche Heißhungerattacken! Das hat man doch, wenn man mit Kind ist. Zumindest einige Frauen.»

Roswita machte Anstalten aufzustehen. «Ich sollte lieber gehen …», stotterte sie.

«Bleiben Sie, bitte», sagte Hertha in einem Tonfall, der keinen Widerspruch duldete. Sie führte ein strenges Regiment über die Hausmädchen und wusste, wie man mit jemandem sprechen musste, damit er gehorchte.

Tatsächlich setzte sich Roswita sofort.

«Frau Karsten, meine Liebe, sprechen Sie mit mir. Ich will Ihnen helfen. Was ist es denn?» Plötzlich kam ihr ein Gedanke, und sie schlug erschrocken die Hand vor den Mund. «Haben Sie etwa die Krankheit? Diese Esshysterie, bei der man … bei der man isst und es dann *wieder loswird*», flüsterte sie, denn sie war plötzlich sicher, dass es das sein musste. «Um Himmels willen, so ist es, nicht wahr? Seit diese Kaiserin Sisi mit ihrer unmöglichen Taille so berühmt ist, denken alle Mädchen, sie müssten ihr nacheifern!»

Roswita wurde grün im Gesicht. Sie starrte Hertha an wie ein Gespenst. Dann brach sie zum Entsetzen der Köchin in Tränen aus. Sie schluchzte laut, ihr ganzer Körper wurde vom Weinen geschüttelt.

Hertha sprang auf und eilte zu ihr. «Aber Frau Karsten, nun weinen Sie doch nicht!» Dann zögerte sie. Lily oder gar Sylta hätte sie jetzt tröstend den Arm um die Schulter gelegt. Aber die neue Herrin war meistens kühl und distanziert, behandelte das Personal, als wäre es gar nicht da. So stand sie einen Moment verlegen neben dem schluchzenden Mädchen. Dann gab sie sich einen Ruck. Sie waren beide im Nachthemd, und sie hatte Roswita gerade auf frischer Tat dabei erwischt, wie sie Wurst aus der Küche stahl. Hertha beschloss kurzerhand, dass die geltenden Standesunterschiede in solchen Fällen aufgehoben waren und man sie wohl kaum feuern würde, weil sie die Herrin trösten wollte. Also setzte sie sich neben Roswita und nahm sie in die Arme. Das Mädchen konnte sich gar nicht beruhigen, sie weinte jetzt so sehr, dass sie kaum noch Luft bekam. Hertha drückte sie an sich und murmelte beruhigend auf sie ein, strich ihr immer wieder über die Haare. Und Roswita ließ sich schwer gegen sie sinken, weinte an ihrer Schulter weiter, bis ihre Schluchzer langsam leiser wurden.

Irgendwann richtete sie sich benommen auf, die Augen rot verquollen. Tränen schimmerten in ihren Wimpern. «Es tut mir leid», flüsterte sie.

«Aber nicht doch, ich bitte Sie. Sie müssen sich nicht entschuldigen. Jetzt setzen Sie sich einmal gerade hin und trinken Ihre Milch, bevor sie kalt wird.» Hertha nahm die Tasse und führte sie an Roswitas Mund. Gehorsam trank ihre Herrin, als wäre sie ein kleines Kind. Als sie die Tasse absetzte, klebte ein wenig Milchhaut an Roswitas Oberlippe, und Hertha musste lächeln. «So, noch ein Schlückchen. Dann hole ich uns einen kleinen Sherry, der wärmt von innen.» Hertha stand ächzend auf. «Und Sie erzählen mir, was Sie bedrückt! So schlimm kann es ja nicht sein, zusammen kriegen wir das schon geradegerückt.» Sie blinzelte dem Mädchen verschwörerisch zu, und tatsächlich erwiderte Roswita die Geste mit einem zaghaften Zucken des Mundwinkels.

Dann aber rief sie plötzlich: «Es ist nur … Ich glaube, dass mein Mann mich hasst!» Sie begann wieder zu weinen, schniefte und zog die Nase hoch.

Hertha sah sie bekümmert an. Gutes Benehmen war heutzutage wirklich nicht mehr am Geld der Familie auszumachen. Und mit diesem Problem würde Roswita niemand auf der Welt helfen können.

Dann holte sie den Sherry.

11

Charlie spürte ein Brennen auf der Wange. Er blinzelte und öffnete den Mund, schnupperte unwillig. Was roch hier bloß so verkohlt? Seine Lippen waren so trocken, dass sie aufeinanderklebten, seine Zunge schmeckte nach Verwesung. Ihm entfuhr ein krächzender Laut, sein Sichtfeld verschwamm, setzte sich immer wieder neu zusammen und zerfiel genauso schnell wieder. Wo war er doch gleich? Da war es wieder, ein Brennen, scharf und schmerzhaft. Er fuhr sich mit der Hand ins Gesicht. Plötzlich hörte er ein Kichern, dann trappelnde Schritte.

Er richtete sich auf, rieb sich die pochenden Schläfen, blickte in vier Augenpaare, die ihn aus schmutzigen kleinen Gesichtern neugierig anstarrten. «He, was macht ihr hier?», brüllte er, und die Jungs, die vor ihm knieten, schrien erschrocken auf und eilten dann lachend davon.

«Er ist aufgewacht, du hast verloren, Gustav!», rief einer, und schon waren sie um die Ecke verschwunden.

Verwirrt zog Charlie sich hoch. Jetzt wurde ihm klar, dass er unter einer Treppe gelegen hatte. Warum brannte sein Gesicht? Er stand schwankend auf, und sein Fuß stieß gegen eine leere Flasche. Nachdenklich hob er sie hoch, betrachtete sie einen Augenblick und warf sie schulterzuckend in die Gosse. Dann humpelte er ein paar Schritte und besah sich sein Spiegelbild in einer Fensterscheibe. «Diese kleinen Saukerle!», murmelte er, als er die Brandwunde auf seiner Wange und die schwarzen Bartstoppeln sah. Sie hatten ihn angekokelt! Hatten sich einen Spaß daraus gemacht, darauf zu wetten, wie lange es dauern würde, den versoffenen Obdachlosen, für den sie ihn offensichtlich hielten, zu wecken. Wut kroch in ihm hoch.

Da öffnete sich ein Fenster neben ihm, und das verschrumpelte, zahnlose Gesicht einer alten Frau erschien. «Verschwinde sofort, du Lump, sonst rufe ich die Konstabler. Wir haben nichts zu essen!», krakeelte sie.

Er zuckte zusammen und stolperte zurück.

Orientierungslos wankte er durch die Gassen. Wie war er hierhergekommen? Es dauerte lange, bis er sich daran erinnerte, wo er gerade wohnte. Dann musste er umkehren und alles wieder zurücklaufen. Gerade war er wieder Schlafmieter bei einer Familie mit vier Kindern und nahm daher meistens Nachtschichten im Hafen an. Dann konnte er tagsüber schlafen, wenn nur die Frau und die Kleinen noch daheim waren. Er hatte ein Ausziehbett, das hinter einer Schiebetür im Flur stand. Wenn er es ausklappte, lag er mit dem Oberköper in dem Wandschrank und mit dem Unterkörper im Korridor. Wollte jemand durch, musste er über ihn krabbeln. Das war zwar nicht perfekt, aber wenn er einmal schlief, dann schlief er. Es kostete ihn die Woche nur eine Mark fünfzig, und nebenan war eine Kaffeeschänke mit billigem Frühstück. Sein Husten war schlimmer geworden, seit er dort lebte, es wurde immerzu Wäsche gewaschen oder gekocht, die Dämpfe saßen in den Wänden, sickerten die fauligen Tapeten hinab. Doch er war froh, es warm zu haben, und mochte den Kinderlärm. Er hustete würgend und hielt kurz an, weil sein Schädel sich anfühlte, als würde er explodieren. Gott, dieses Mal hatte er es wirklich übertrieben, er konnte sich nicht mal erinnern, welcher Tag heute war.

Er seufzte leise und rieb sich den schmerzenden Nacken. Himmel, er stank wirklich wie eine Pestgrube. Er würde eine

Runde schlafen, in der Schänke etwas Ordentliches essen. Danach würde er weitersehen. Das ist immerhin ein Plan, dachte er und schleppte sich weiter.

Im Hinterhof, wo die Gerüche von Hunderten Küchen, Ställen und Fabriken sich mischten, dachte er, dass er vielleicht doch etwas länger würde schlafen müssen. Aber als er müde und frierend die morsche Treppe emporgeklettert war, fand er seine Sachen auf einem Haufen vor der Tür. «Scheiße», murmelte er. Wann hatte er zuletzt die Miete bezahlt? Plötzlich durchfuhr es ihn eiskalt. Er stürmte auf den Haufen zu, wühlte in seinen stinkenden Sachen. Gott sei Dank, seine Mundharmonika war noch da. Als er auch das Bild fand, stöhnte er auf. Ein Teil von ihm hatte gehofft, es nicht zu finden. Doch da war sie, genauso schön wie früher, und sah ihn an. Claire. Sie lächelte liebevoll. Er drehte das Bild ein wenig zur Seite, und das Lächeln wurde zu einer Grimasse. Wie hatte der Alte es nur gemacht, dass sie in jedem Licht, aus jedem Winkel anders aussah?

Er raffte seine wenigen Sachen in den Seesack. Alles Wertvolle, das er besaß, trug er immer bei sich. Da fiel ihm ein … Erschrocken klopfte er sich ab, aber der kleine Beutel, in dem er Geld und seine Arbeitspapiere aufbewahrte, war noch da. Erleichtert atmete er auf. Er musste wirklich vorsichtiger sein. Doch als er seinen Sack gepackt hatte und ihn über die Schulter warf, hielt er inne. Er wusste nicht, wo er hinsollte. Charlie stand in dem niedrigen, dunklen Flur, um ihn herum die Geräusche Hunderter Menschen, die in diesem Hühnerstall von Mietshaus zusammengepfercht ihr Dasein fristeten, die sich stritten, lachten, redeten, und fühlte sich so einsam wie selten in seinem Leben. Er hatte keine Kraft, sich um eine neue Bleibe zu scheren. Müde und mit dröhnendem Kopf wankte er in eine dunkle Flurecke und ließ sich an der Wand nach unten gleiten.

Da saß er und starrte vor sich hin, bis die Schatten länger und die Geräusche im Haus langsam weniger wurden. Irgendwann brachte er genug Energie auf, kletterte die Treppen hinunter und stand schließlich auf der Straße.

Der Mond war aufgegangen und schaute blass und anklagend auf ihn herunter. Er nahm seinen Seesack und stiefelte los. Es war nichts Neues für ihn, seine Bleibe zu verlieren, aber heute fühlte er sich zum ersten Mal seit langem heimatlos. Obwohl, wenn er so darüber nachdachte: Heimatlos war er nun wirklich schon seit Jahren. Also was war heute so anders? Er marschierte in die nächste Kneipe und kam kurz danach mit einer Schnapsflasche unter dem Arm wieder heraus. Im Gehen spuckte er den Korken von sich und trank gierig ein paar Schlucke. War er nicht einmal ein normaler, hart arbeitender Mann gewesen, der Musik liebte, gutes Essen, der alles für seine Familie getan hätte und etwas auf sich und seinen Ruf hielt? Von diesem Menschen war nichts mehr übrig. Als er jetzt so durch die Straßen lief, Richtung Schmuckstraße, seinen eigenen Gestank in der Nase, alle seine Habseligkeiten in dem Seesack auf dem Rücken, die Nacht wie ein dunkler Tunnel vor sich, dachte er, dass er damals besser mit seiner Familie in Irland gestorben wäre.

Er trank die Flasche leer, warf sie in eines der Fleete, rülpste laut und wischte sich über den Mund. Der Alkohol zeigte Wirkung, ihm wurde warm, er vergaß seinen Hunger und seine Traurigkeit. Das kannte er schon. Am schlimmsten waren die Nächte, in denen Charlie nicht betrunken und nicht müde genug war. Also sorgte er dafür, dass es sie nicht oft gab.

Unter den Tagelöhnern, den Wanderarbeitern, Auswanderern und Landarbeitern im Hafen fühlte er sich wohl, und ihm kam die lange, harte Arbeit zupass, die ohne feste Bindung und Verantwortung erledigt werden konnte. Morgens stellte er sich bei der Umschau am Baumhaus an und wartete, was der Tag bringen würde. Er kannte den Hafen wie seine Westentasche, wohnte mal auf St. Pauli, mal im Gängeviertel, kloppte Schichten, wenn er Geld brauchte, und verschlief ganze Tage, wenn er welches hatte. Abends wusste er oft nicht, was der Morgen bringen würde, und nach der Arbeit, wenn das Geld in seiner Tasche klimperte, wusste er nicht, wohin er es tragen sollte. Dann ging er in die Kellerkneipen und Wirtschaften. Er versoff ganze Nächte und auch die folgenden Tage. Im Rausch war er am glücklichsten. Und manchmal auch am unglücklichsten. Aber meistens belebte ihn das Treiben in den Kellerkneipen, die Kartenspiele, die Musik, der Zusammenhalt unter den Arbeitern, das Gestreite und Gelächter. Die meisten der Männer kamen in die Kneipen, weil sie abends ihren winzigen vollen Wohnungen entfliehen wollten, in denen die Kinder schrien, die Wäsche dampfte und es keinen Raum zum Rückzug gab. Bei ihm war es umgekehrt.

Er war hier, um der Stille zu entkommen.

Er hatte viele gesehen, die mehr verloren hatten als er und trotzdem weitermachten, die eine neue Frau fanden, neuen Mut, eine neue Familie. Die irgendwann vergaßen.

Er wusste nicht, warum er das nicht konnte. Das Loch in ihm wurde nicht kleiner, wie es ihm immer alle versprochen hatten, im Gegenteil, es schien von Tag zu Tag größer zu werden. Tiefer und dunkler.

Er wusste nicht, wo die Männer plötzlich herkamen. Er wankte durch eine Gasse, allein der Gedanke an die nächste Opiumpfeife und die süße Ruhe, die sie ihm schenken würde, hielt ihn aufrecht, und plötzlich standen zwei Gestalten vor ihm.

«'n Abend», sagte einer der Männer. Er hatte eine Zigarette im Mundwinkel hängen und tippte sich mit einem boshaften Grinsen an die Mütze. «Schöner Seesack.»

Charlie schnaubte belustigt. Die zwei Halbstarken reichten ihm gerade mal bis zur Brust. Sogar in seinem Zustand würde er locker mit ihnen fertigwerden. Und eine kleine Prügelei kam ihm jetzt gerade recht.

«Das will ich meinen», entgegnete er ruhig.

Plötzlich erklang hinter ihm eine andere Stimme. «Wie wäre es, wenn du den uns überlässt?»

Charlie fuhr herum. Hinter ihm standen zwei weitere Männer. Auch sie waren nicht besonders groß, an einem guten Tag hätte er es vielleicht sogar mit allen gleichzeitig aufnehmen können. Aber er war in erbärmlichem Zustand, hatte ewig nichts gegessen, war betrunken und müde. Trotzdem würde er einen Teufel tun und ihnen einfach seine Sachen überlassen. Um die Klamotten war es nicht schade, aber Claires Bild würde er mit allem was er hatte verteidigen. Tja, dachte er. Sie konnten ja nicht wissen, dass es ihm heute noch mehr als sonst scheißegal war, ob er lebte oder starb.

«Irgendwie gefällt mir diese Idee nicht so gut», erwiderte er grinsend.

Die vier hatten ihn jetzt eingekreist. Plötzlich packte er den Seesack, schleuderte ihn zweien der Männer entgegen, die erschrocken zurückstolperten. Er bückte sich, um nach dem Messer in seinem Stiefel zu greifen, doch noch bevor er es richtig zu fassen bekam, griffen die anderen Männer ihn von hinten an. Sie traten alle gleichzeitig auf ihn ein, und obwohl er einen von ihnen erwischte und gegen eine Mauer schleudern konnte, dauerte es nur ein paar Sekunden, bis er zu Boden ging. Die Tritte zielten dahin, wo es weh tat, ins Gesicht, in den Magen, zwischen die Beine. Einer packte ihn und warf sich auf ihn, er wurde mit der Nase voran in den Schmutz gedrückt, bekam keine Luft mehr, brüllte vor Wut, strampelte mit den Beinen. Die Männer lachten, und seine Gedanken versanken in einem Meer aus Schmerz. Er dachte an Claire und hoffte, dass er schnell das Bewusstsein verlieren würde.

«He, sofort auseinander!»

Charlie hörte Hufgeklapper, und als er benommen den Blick hob, sah er drei berittene Spitzhelme auf sie zukommen. Die Männer rannten in verschiedene Richtungen davon, und die Polizisten jagten auf ihren Pferden hinterher.

Er keuchte, versuchte sich hinzuknien, aber es gelang ihm nicht. Als er hustete, spuckte er Blut und Schleim. Im Mondlicht sah er einen ausgeschlagenen Zahn glänzen. Er ließ sich schwer auf den Rücken fallen. Charlie spürte den Matsch im Nacken, kleine Steinchen unter den Händen, aber sein Körper war seltsam taub. Wo der Schmerz sein müsste, war nur pulsierende Hitze. Irgendwie fühlte es sich fast gut an. In diesem Moment begann es, leicht zu nieseln. Der kühle Regen fiel ihm aufs Gesicht, benetzte seine Haut, rann ihm in den Mund. Er blinzelte die Tropfen aus den Augen, aber er konnte nicht aufstehen. Über ihm verschwamm der Nachthimmel, wurde zu einem See aus tosendem dunklem Wasser, der ihn in sich aufnahm. Er schloss die Augen, und sein Kopf sank zur Seite.

Draußen rauschte die Stadt vorbei. Einen Moment schloss Franz die Augen. Er hasste das Geklapper und Geruckel der Kutsche. Sobald es wärmer wurde, konnte er wieder mit dem Fahrrad ins Büro fahren, das war immerhin ein Lichtblick. In seinen Schläfen pulsierte es. Er hatte sich wieder mit Roswita gestritten, in letzter Zeit machte er keinen Hehl mehr aus seiner Abneigung ihr gegenüber, hatte keine Kraft mehr dazu. Warum auch, sie lief ja doch überall herum, tratschte über ihre privatesten Probleme und fiel ihm in den Rücken. Er würde bei der Apotheke anhalten und den Kutscher rausspringen lassen. In letzter Zeit brauchte er beinahe täglich etwas zur Entspannung. Er hatte es sich angewöhnt, beim Arbeiten die Zähne so fest aufeinanderzubeißen, dass die Kiefer krampften. Meist merkte er es erst, wenn es zu spät war, und hatte dann den ganzen Tag einen dröhnenden Kopf. Vielleicht sollte er sich aus Amerika einmal dieses Coca-Cola bestellen, von dem alle sprachen. Angeblich ein Wundermittel gegen Kopfschmerzen.

Es wurde ihm alles zu viel. Er hatte eine Ehefrau, die er hasste, einen kranken Vater, der nicht abdanken wollte, eine Mutter, die plötzlich zur Sozialistin wurde, einen kleinen Bruder, von dem niemand erfahren durfte, und eine neu etablierte Dampfschiff-Linie nach Indien, die er zwar leitete, deren Aktienmehrheit aber sein erpresserischer Schwiegervater hielt – Franz bereute es immer mehr, sich jemals mit ihm eingelassen zu haben. Und dann noch die *Luxoria*, in die sie beinahe alles Geld gepumpt hatten, das er lockermachen konnte … Ach ja, und ganz nebenbei versuchte er, einen blühenden Schwarzmarkt-Opiumhandel in Hamburg zu etablieren. Er schwitzte, wenn er nur an Oolkert dachte. Wie hatte er nur so blauäugig sein können? Hatte er wirklich gedacht, dass sie Partner sein würden? Dass Oolkert ihn mitentscheiden lassen würde? Männer wie Oolkert hatten keine Partner. Sie hatten Untergebene. Zu allem Überfluss kam nun auch noch Lily nach Hamburg zurück, seine aufsässige Feministenschwester mit ihrem Bastard und ihrem nichtsnutzigen Ehemann. Sie würde alles noch weiter durcheinanderwirbeln. Lily konnte gar nicht anders. Sie tat nie, was sie sollte. Vielleicht hatte Henry ihr ja inzwischen ein wenig Vernunft eingeprügelt. Aber wahrscheinlich kam sie schlimmer zurück, als sie gegangen war.

«Bringen Sie mir die Mitschriften von gestern», befahl er der Sekretärin, als er in den Rosenhof kam und die Geschäftsräume betrat. «Und einen Kaffee. Schwarz.»

An seinem Schreibtisch angekommen, sah er sofort die Zeitung. Käthe hatte ihm sicher einen Gefallen tun wollen und die Seite mit der neuen Anzeige aufgeschlagen. Langsam setzte er sich, und sein Blick glitt über die Buchstaben. Sein Herz hüpfte, als er das *F.* sah, das vor dem Familiennamen stand. Aber gleich darauf überkam ihn ein seltsames Gefühl. Was er getan hatte, würde seinen Vater sehr enttäuschen. Es war nur eine Anzeige von vielen, eine Winzigkeit.

Und doch bedeutete sie alles.

Die Sekretärin brachte die angeforderten Unterlagen und reichte sie ihm mit einem Lächeln, das ihm aufgesetzt schien. Dabei sah sie ihm direkt in die Augen. Wollte sie ihm etwas sagen? Sicher hatte auch sie die Anzeige gesehen. Aber natürlich wagte sie es nicht, ihn darauf anzusprechen. Er nickte. «Danke. Ich wünsche, nicht gestört zu werden! Später brauche ich Sie zum Diktat.»

«Sehr wohl, Herr Karsten! Ich bringe sofort noch den Kaffee.» Sie knickste, senkte aber nicht den Blick.

Er beobachtete sie, während sie aus dem Raum ging. Er war damals dagegen gewesen, eine Frau einzustellen. Es war einfach nicht schicklich, und diese Ansicht vertrat er noch immer. Dennoch musste er zugeben, dass sie effizient arbeitete. Er hatte sich noch nie über sie beschweren müssen, und weiß Gott, dass er jede Gelegenheit dazu genutzt hätte, alleine um seinen Vater zu ärgern, der unbedingt so liberal und modern hatte sein wollen. Dabei sperrte er sich doch sonst gegen Modernisierungen, wo es nur ging.

Als sie seinen dampfenden Bohnenkaffee vor ihn hinstellte,

nickte er. Nun, dachte er und schlug die Akte auf. Ein Mann im Vorzimmer hätte ihn auch nur abgelenkt. Kurz schmunzelte er, dann aber verhärtete sich sein Blick. Er hielt inne. Zum ersten Mal kam ihm der Gedanke, dass sein Vater vielleicht genau dasselbe gedacht haben könnte, als er sie damals einstellte. Plötzlich prickelten seine Handflächen. Er dachte an das Gespräch zwischen seinen Eltern, das er damals belauscht hatte, und ihm wurde übel.

Manchmal denke ich, der Junge ist nicht normal.

Sie hatten es gemerkt, obwohl er so vorsichtig gewesen war. Aber sicher hatte er ihren Verdacht – denn mehr konnte es doch nicht gewesen sein – mittlerweile zerstreut. Er hatte ein Hausmädchen geschwängert und Roswita geheiratet, Herrgott! Er lockerte seine Krawatte, ging zum Sekretär, der an der Wand stand, und goss sich einen Whiskey ein. An Seda und den Jungen sollte er lieber nicht denken, es brachte ihn durcheinander. Er war Vater. Mittlerweile bereute er fast, dass er keinen Kontakt gehalten hatte. Seda war weg, er hatte nie wieder etwas von ihr gehört. Sicherlich würde sie irgendwann auftauchen und noch mehr Geld verlangen, er wartete nur darauf. Noch jemand, der etwas von ihm wollte. Nun, sie konnte sich hinten anstellen. Zumindest wusste Oolkert bereits von der Sache, es war also egal, falls Roswita es eines Tages erfuhr.

Er kippte den Whiskey hinunter wie Wasser, einen zweiten hinterher und zog dann die kleine Flasche aus der Tasche, die er eben in der Apotheke gekauft hatte. Gierig zog er den Korken heraus, roch daran und verzog das Gesicht. Opium war auf jeden Fall darin, da gab es keinen Zweifel. Nun, dann wirkte es wenigstens. Wahrscheinlich war es auf einem ihrer Schiffe hierhergekommen. Er lachte trocken bei dem Gedanken. Ganz legal versorgten sie die Apotheken und Medizinschränkchen der Stadt, und niemand interessierte es. Mit Opium zu handeln war nicht strafbar, und fast jeder Hamburger, da war er sicher, nahm regelmäßig, bewusst oder unbewusst, eine gute Dosis davon zu sich. Aber rauchen, das war etwas ganz anderes. Sie mussten sehr vorsichtig sein, das hatte Oolkert ihm wieder und wieder eingeschärft. Wenn alles nach Plan lief, würden sie die Droge nicht nur in Hamburg, sondern bald im ganzen Kaiserreich verteilen. Aber sie durften auf keinen Fall ihren guten Namen aufs Spiel setzen, ihn mit Lasterhöhlen und krummen Machenschaften in Verbindung bringen. Wie hatte sein Vater ihm doch so schön sein ganzes Leben lang eingebläut? Der Ruf ist alles! Man würde ohnehin sie in Verdacht haben, schließlich fuhren sie Indien direkt an. Aber natürlich würde niemand vermuten, dass die Gründer der Linie selbst den Schmuggel leiteten. Und das musste auch so bleiben.

Nun, noch konnten sie es auf die Chinesen schieben, die Kulis, die sich in der Stadt immer weiter breitmachten. Und da es hauptsächlich deren Etablissements waren, in denen man das Zeug zu rauchen bekam, lag dieser Verdacht ja auch nahe.

Als der Saft zu wirken begann, setzte er sich an den Schreibtisch und las konzentriert die Mitschrift der gestrigen Aufsichtsratssitzung. Die Kalkutta-Linie war eine Aktiengesellschaft – von der sein Schwiegervater sich noch vor ihrer Gründung die Mehrheit der insgesamt zweitausenddreihundert Aktienpakete gesichert hatte. Franz oblag zwar die Leitung, eigentlich entschied aber Oolkert. Es war ein grausamer Schlag gewesen, sein Vater hatte noch nie die Mehrheit abgeben müssen. Sein Onkel Robert war einer der Vorstände, genau wie Franz – und machte ihm seitdem das Leben zusätzlich schwer, indem er sich ständig einmischte. Einige größere Pakete teilten sich drei Firmen, ein beträchtlicher Anteil gehörte in Paketen zwischen neunzig und fünf

Stück Hamburger Kaufleuten. Unter den Aktionären waren so gut wie alle führenden Namen der Schifffahrt. Gar kein Druck also, dachte er und seufzte schwer. Wenn er nur endlich klar denken könnte. Wann hörte das Pochen in seinen Schläfen nur auf?

Die Linie stand unter keinem guten Stern, nicht nur für ihn persönlich. Sie hatten es zwar geschafft, am Anfang mit der Hansa, die von Bremen aus ebenfalls nach Indien fuhr, ein gutes Abkommen zu schließen, das den Konkurrenzkampf regelte und vorsah, dass im Wechsel jede Woche ein Schiff jeder Linie ablegen würde. Aber in England hatten sich die Arbeiterunruhen nie gelegt, waren nur noch schlimmer geworden. Es kam immer wieder zu Streiks, und auch hier brodelte es. Die Arbeiter wollten am Ersten Mai gemeinschaftlich die Arbeit niederlegen. Sie schauten es sich von den Amerikanern ab. Er schnaubte wütend. Bereits jetzt verzögerte sich die Fertigstellung der Schiffe immer wieder. Die erste Verschiffungsperiode diesen Winter hatten sie kaum nutzen können. Er hatte keinen anderen Weg gesehen, als das Abkommen mit der Hansa wieder zu kündigen – gegen den ausdrücklichen Rat seines Vaters. Dadurch flammte jetzt auch noch der Konkurrenzkampf auf, aber immerhin konnten sie nun mehrere indische Häfen ansteuern anstatt nur einen. So war es einfacher, eine volle Ladung für die Schiffe zusammenzubekommen.

Er seufzte erneut und rief die Sekretärin wieder zu sich. «Ich muss den Bericht verfassen», wies er an, und sie machte sich bereit zum Diktat:

Wir bedauern lebhaft, dass sich in Folge der wiederholten Arbeitseinstellungen die Ablieferung der noch nicht fertiggestellten sechs Dampfer nicht unerheblich verzögert. Der erste fertiggestellte, BARODA, gebaut bei der London und Glasgow Engineering & Iron

Shipbuilding Company Ltd in Glasgow, ist am 11. Februar in unseren Besitz übergegangen. Derselbe ist dann im Laufe des Februars mit fairer Frachtliste direkt von hier nach Calcutta expediert worden, inzwischen daselbst angekommen. Der zweite, vor Ort bei L. Oolkert erbaut, wird am 5. März eine Probefahrt machen und am 14. ebenfalls gen Calcutta starten.

Franz pausierte und sah zu, wie die Sekretärin mit Mühe die letzten Worte erfasste. Er hatte sehr schnell gesprochen. Nun, das waren die erfreulicheren Nachrichten gewesen. Jetzt ging es bergab:

Leider konnten in der letzten Periode die Fahrten noch nicht voll aufgenommen werden, sodass mit einem Verlustsaldo abgeschlossen wurde. Zu dem wenig erfreulichen Resultat haben verschiedene Faktoren geführt. Aufgrund der wiederholten Arbeiteraufstände konnten wir nur sechs Reisen erledigen und von den zu Anfang des Jahres herrschenden besseren Frachten wenig profitieren. Sodann haben teurere Kohle und Löhne die Betriebskosten nachteilig beeinflusst, während wir unter der Ungunst der flaueren Lage der Frachtmärkte, welche sich speziell im Handel mit dem Osten fühlbar machte, zu leiden hatten.

«… zu leiden hatten», murmelte die Sekretärin, und Franz rollte mit den Augen.

«Still, ich muss mich konzentrieren!»

Sie entschuldigte sich sofort, aber er winkte ab und sprach bereits weiter. Nachdem sie wenig später gegangen war, um das Diktat abzutippen, stand er eine Weile mit auf dem Rücken verschränkten Händen am Fenster und blickte über den Hafen. Der Bericht hatte es ihm noch einmal deutlich vor Augen geführt:

Die Linie stand auf wackeligen Füßen. Oolkert war sicher gar nicht erfreut. Aber sie waren noch im Aufbau, mussten sich ihre Stellung erst erobern. Er tat, was er konnte! Und er hatte keinerlei Hilfe, alle bedrängten ihn, bombardierten ihn mit ihren Sorgen und Bedenken, ihren stümperhaften Vorschlägen.

Er gestand es sich nicht gerne ein, aber sein Vater hätte zu keinem ungünstigeren Zeitpunkt krank werden können. Der Handel mit den britischen Kolonien besaß einfach noch nicht das Ausmaß wie zum Beispiel der mit Amerika. Sie mussten noch immer zum Auffüllen englische Häfen anlaufen. Er trank einen Schluck Kaffee und musste feststellen, dass er kalt geworden war. Voller Abscheu verzog er das Gesicht, nahm dann aber einen weiteren Schluck, einfach weil er noch einen Moment hier am Fenster stehen wollte.

Es war die richtige Entscheidung gewesen, sich nicht mehr mit der Hansa abzuwechseln. Sie wären oft mit halber Ladung gefahren, und jede nicht volle Ladung bedeutete ein Verlustgeschäft. Natürlich nicht für ihn. Seine eigene Ladung war gesichert, zumindest auf den Schiffen, die die Reederei hier auf der Oolkert-Werft bauen ließ. Sie hatten extra Hohlräume einbauen lassen, die das Opium vor neugierigen Blicken schützten, und Franz war eigens nach England gefahren, um dasselbe auch in den Schiffen dort umzusetzen. Aber das brachte ihm alles nichts, wenn die Linie pleiteging. Auch nun, wo sie viele Städte in Indien anfuhren, war es nicht immer leicht, die Frachter für jede Strecke vollzukriegen. Wenn die Schiffe zurückkamen, waren sie stets komplett geladen, aber es gab nicht genug Exportgüter nach Kalkutta. Das Geschäft war immer ein risikoreiches, man musste mit unzähligen Widrigkeiten rechnen. Schiffe sanken, Ernten verdarben, Arbeiter streikten, Kriege brachen aus … Zudem schlief die englische Konkurrenz nicht.

Er seufzte und rieb sich die Schläfen. Plötzlich musste er an Kai denken. Sie konnten sich nur so selten treffen, Roswita war immer da. Wie eine Zecke saß sie in seinem Haus und wartete nur darauf, dass er aus der Reederei kam, um sich auf ihn zu stürzen, ihm von ihren sterbenslangweiligen Tagen zu erzählen, über ihre Freundinnen zu lästern. Aber es gab einen Lichtblick: Er hatte einen Plan entwickelt, einen Plan, wie Kai und er sich wieder öfter sehen, vielleicht sogar ein wenig Freiheit zusammen genießen konnten. Und bei diesem Plan spielte ihm die Krankheit seines Vaters in die Hände.

Er würde eine Wohnung mieten. Hier in der Stadt. Er hatte es bereits mit seinen Eltern besprochen. Etwas ganz Kleines, zwei Zimmer, eine Küche. Er arbeitete jetzt für zwei. Und er schaffte es manchmal kaum rechtzeitig zum Essen nach Hause. So konnte er sich mittags mal eine Stunde hinlegen und musste nicht den ganzen Weg in die Bellevue fahren, und er konnte ab und an dort übernachten, wenn es wieder spät wurde im Büro. Natürlich würde er dann jemanden brauchen, der ihm zur Hand ging … Bei dem Gedanken, dass er ganz ungestört mit Kai zusammen sein würde, ohne darauf horchen zu müssen, ob jemand hereinkam, wurde ihm ganz warm. Er blickte über die Elbe, betrachtete das Gewimmel der Ewer, Schuten und Dampfschiffe und fragte sich, ob es irgendwo auf dieser großen weiten Welt einen Ort gab, an dem Männer wie Kai und er keine Angst haben mussten. Aber das war natürlich ein lächerlicher Gedanke. Einen solchen Ort konnte es gar nicht geben. Sollte es nicht geben! Sie waren falsch, Gott hatte Menschen wie sie nicht vorgesehen. Zwei Männer konnten nicht zusammen sein, durften sich nicht verlieben. In ihren Hirnen musste irgendetwas schiefgelaufen sein, ein Schalter war falsch gelegt. Wenn er ihn doch nur umstellen könnte … Er würde alles dafür geben, normal zu sein, in Frieden leben zu können. Glücklich zu sein. Er schnaubte, sein Blick verhärtete sich. *Glücklich.* Er wusste nicht einmal, was das überhaupt sein sollte. Nein, es war schon richtig, dass man auf Menschen wie sie herabsah, dass man sie ausgrenzte, verachtete, nicht verstand. Er verstand sich ja selbst nicht. Ändern konnte er sich allerdings nicht. Weiß Gott, er hatte es versucht. Doch er hatte eingesehen, dass er dabei keinen Erfolg haben würde. Er würde immer so sein, wie er war. Das musste er akzeptieren und versuchen, dieses Leben irgendwie zu überstehen. Die Wohnung war ein Schritt, der ihm das zumindest ein klein wenig einfacher machen würde. Entschlossen drehte er sich um und ging ins Vorzimmer. «Käthe, ich habe eine Aufgabe für Sie. Kommen Sie einen Moment herein!»

D as Haus ist wirklich phantastisch geworden, Emma. Ihr könnt so stolz auf euch sein!» Martha und Isabel gingen bewundernd im unteren Stockwerk des Frauenstifts umher und bestaunten die Einrichtung.

Emma nickte lächelnd. Stolz war sie, das konnte man nicht anders sagen. Aber auch am Rande ihrer Kräfte. An den Wänden hingen gestärkte Gardinen, zwei neue Webstühle standen in der Ecke, im Ofen des Gemeinschaftsraumes prasselte ein Feuer, und es duftete nach Kaffee und frischem Brot. In den letzten Wochen war Leben ins Haus gekommen. Die ersten Bewohnerinnen waren inzwischen eingezogen – und vom ersten Moment an war klar geworden, was für eine große Aufgabe es war. Schon jetzt stand Emma pausenlos im Untersuchungszimmer. Es gab ein Hausmädchen, eine Köchin und eine Wirtschafterin, die alle drei hier lebten und rund um die Uhr zur Verfügung standen, und dennoch fehlte es an allen Ecken und Enden an Organisation und Führung. Aber Emma konnte nicht überall gleichzeitig sein, und Ruth, ihre junge, fröhliche Wirtschaftskraft, die die Arbeit mit so viel Begeisterung aufgenommen hatte, war auch bereits am Rande ihrer Kapazitäten.

Nun war es an ihr, dem Realitätsschock etwas entgegenzusetzen. Gerda und Sylta saßen in ihren Villen und bekamen nichts davon mit, was Emma stemmen musste, die ihre alte Arbeit aufgegeben hatte und sich nun voll und ganz dem Stift widmete. Es gab schon jetzt mehr Anfragen, als sie beantworten konnte. Die Frauen, die im Stift Zuflucht suchten, waren seelisch am Ende, krank, geprügelt, auf sich allein gestellt, ausgezehrt, oftmals alles zugleich. Von ihren Kindern ganz zu schweigen. Wenn Emma abends noch eine Runde über den Flur ging, hörte sie hinter jeder Tür Weinen oder Kindergeschrei. Es erstaunte sie immer wieder, wie viel Lebenswillen Menschen aufbringen konnten, was sie alles ertrugen. Besonders Mütter.

«Es ist noch einiges zu tun, wir pendeln uns erst langsam ein», sagte Emma zögernd. «Aber es ist wirklich … viel. Wir bräuchten einen Hausmeister, jemanden, der sich um die großen Dinge kümmert, Wasser holt, Holz reinschleppt, Sachen repariert. Wir hatten darauf gezählt, dass die Frauen auch ihren Teil leisten, aber viele sind dazu gar nicht in der Lage.»

«Du siehst müde aus!» Martha betrachtete sie mit kritischem Blick. «Sorgst du auch für dich?»

Emma hätte beinahe gelacht. «Ich *bin* müde», gestand sie. «Ich bin immer müde. Sind wir das nicht alle?»

Zu der Arbeit hier kamen ihre kranke Mutter daheim und die Patienten, die immer wieder an die Hintertür klopften. Man kannte sie inzwischen in der Gegend, und die Menschen waren ihr von ihrer alten Arbeit gefolgt. Sie machte sich Sorgen, dass es Probleme geben würde, wenn jemand mitbekam, dass sie im Hinterzimmer behandelte. Ihr war es im Kaiserreich nicht erlaubt, als Ärztin zu arbeiten, sie war als Krankenschwester angestellt, und es gab damit vieles, was sie nicht durfte – und dennoch oft genug tat.

Isabel nickte düster. «Zeig mir eine Frau im Viertel, die nicht müde ist. Außer den Damen in der Elbchaussee geht es wohl allen in Hamburg ähnlich.»

«Aber auch ihnen müssen wir dankbar sein, ohne diese Damen gäbe es das Stift nicht. Es ist unglaublich, was Einfluss bewirken kann. Gerda hat wahre Wunder vollbracht. Und auch Sylta hatte maßgeblichen Anteil. Und das, obwohl sich der Name der Familie noch nicht wirklich erholt hat, seit Lily ...» Sie brach ab.

Die beiden nickten ernst. Sie setzten sich an den kleinen Tisch in der Küche. Ruth brühte gerade Kaffee für die Frauen, die im Nebenraum an ihren Handarbeiten saßen, während die Kinder auf dem Teppich spielten. Sie lächelte ihnen zu und stellte auch ihnen Tassen auf den Tisch.

Isabel stand auf, um die Kanne entgegenzunehmen und ihnen einzuschenken. «Sie sind schließlich nicht für uns hier», sagte sie erklärend, als Ruth sie verwundert ansah. Sie setzte sich wieder und rührte in ihrer Tasse. «Wo du gerade von Lily sprichst, Emma.» Plötzlich wirkte sie nachdenklich. «Ich wollte es dir eigentlich nicht sagen ... aber ich war gestern auf einer Untergrundversammlung der SAP. Habe mich natürlich bedeckt gehalten, sie sehen Frauen da ja nicht so gerne. Aber dort war wieder dieser Mann, von dem ich neulich erzählt habe. Den ich reden hörte.» Sie sah auf. «Es war Jo Bolten.»

Emma zuckte unmerklich zusammen. «Hast du mit ihm gesprochen?»

«Natürlich nicht!» Isabels Gesicht wurde hart. «Nach allem,

was er Lily angetan hat? Ins Gesicht spucken wollte ich ihm. Aber ich muss sagen, er hat wirklich Eindruck gemacht. Die Männer hingen ihm geradezu an den Lippen. Ich wünschte, ich könnte auch einfach in der Wirtschaft aufstehen und mich auf den Tisch stellen. Aber natürlich würde es niemanden interessieren, was ich zu sagen habe.»

«Die Männer haben auch wirklich genug eigene Sorgen, das muss man ihnen doch zugestehen», warf Martha ein. «Sie werden im Hafen verheizt wie Vieh.»

Sofort fuhr Isabel herum. «So ein Unsinn! Die Probleme ihrer Frauen sind auch ihre Probleme. Frauen sind es einfach nicht gewohnt, sich für ihre Rechte einzusetzen. Sie wissen ja nicht einmal, dass sie welche haben könnten. So viele Institutionen sind dafür da, um sie klein zu halten: die Ehe, die Kirche, die Arbeitgeber. Und sie sind so überlastet, dass sie einfach keine Energie mehr haben, um sich zu engagieren.»

Martha seufzte und nahm sich einen harten Keks aus der Schale auf dem Tisch. «Es ist ein schrecklicher Teufelskreis!»

«Aber wisst ihr, was ich gestern dachte, als ich Jo beobachtet habe?» Isabel sah plötzlich nachdenklich aus. «Wir müssen nicht nur die Frauen für uns gewinnen, sondern auch die Männer.» Sogleich fuhr sie voller Eifer fort. «Du hast es vorhin selbst gesagt, Martha. Solange sich in den Köpfen der Männer nichts ändert, ändert sich gar nichts. Ich hasse es, das einzugestehen, aber es stimmt. Wir brauchen Männer wie Jo, die sich für unsere Sache einsetzen. Männer, denen zugehört wird.»

«Und was willst du uns damit sagen?»

«Nun.» Isabel zögerte. «Ich dachte, vielleicht … könnten wir einmal mit ihm sprechen.»

Die beiden sahen sie ungläubig an. «Aber du hast doch eben gesagt, du willst ihm ins Gesicht spucken!», sagte Martha.

«Will ich auch! Im übertragenen Sinne, natürlich. Aber die Sache ist nun mal wichtiger als unsere persönlichen Angelegenheiten. Und, nun, wir haben ihn doch früher immer sehr gemocht.»

Martha verschränkte die Arme vor der Brust. «Ich sage nein. Lily wird zurückkommen, vielleicht ist sie sogar schon hier. Was ist, wenn sie dann Jo hier vorfindet?»

«Ihr Mann wird ihr wohl kaum erlauben, wieder bei uns mitzumachen», warf Isabel ein.

«Ihr Vater hat es ihr damals auch nicht erlaubt, und sie ist trotzdem gekommen.»

«Das war etwas anderes, das weißt du genau.»

«Ich glaube nicht, dass Henry Lily etwas verbieten kann, was sie wirklich will.»

«Du vergisst Hanna, Isabel. Sie ist das ideale Druckmittel.»

Emma seufzte. «Ich sollte euch vielleicht etwas sagen …» Sie blickte auf ihre Finger. «Auch ich habe … Jo neulich getroffen.» Die beiden sahen sie überrascht an. «Auf dem Friedhof. Es war reiner Zufall», beeilte sie sich hinzuzufügen. «Er hat Lily nicht sitzenlassen. Er war im Gefängnis, mit einer entzündeten Stichwunde am Bauch. Er glaubt, dass ihre Familie etwas damit zu tun hatte. Er sieht die ganze Sache etwas anders als wir …» Sie stockte. «Er hatte keine Möglichkeit, sie zu kontaktieren. Dass sie nach England gegangen ist und nicht auf ihn gewartet hat, sieht er als Verrat an ihrer Liebe. Er will nichts mehr mit ihr zu tun haben. Aber er liebt sie noch. Vielleicht mehr denn je. Das habe ich genau gesehen.»

Isabel schüttelte ungläubig den Kopf. «Aber was ist mit ihrem kleinen Bruder? Er hat ihn doch verraten, oder nicht?»

Emma biss sich auf die Lippen. «Er sagt, dass er nicht wusste, was er damit anrichtet. Er dachte nicht, dass es von Belang wäre.» Während sie sprach, merkte sie, wie sie Jos Standpunkt plötzlich ein wenig besser verstehen konnte. Es muss ihn wahnsinnig gemacht haben, dass Lily mit Henry nach England ging, während er im Gefängnis um sein Leben kämpfte. «Er wusste nicht einmal, dass Hanna ein Mädchen ist. Ich glaube, er hat nicht nach ihnen gesucht, weil er wollte, dass sie ein besseres Leben hat, als er es ihr bieten könnte.»

Die beiden Frauen sahen sie stumm an. «Willst du damit sagen, dass du es gut fändest, wenn wir ihn um Unterstützung bitten?», fragte Isabel schließlich.

Emma legte nachdenklich den Kopf schief. «Ich denke, es kann nicht schaden», sagte sie, und Isabel warf Martha einen triumphierenden Blick zu.

Emma biss sich auf die Lippen. Was würde Lily dazu sagen, dass sie Kontakt zu Jo hatten?

12

Die Menschen an Deck musterten sie, wie immer, wenn sie irgendwo zu dritt auftauchten. Lilys eigene Haare waren hellrot, Henrys weizenblond. Beide hatten sie blaue Augen. Hanna hatte dunkle Augen und braunes Haar, nur im Licht schimmerte es manchmal rötlich. Von Henry jedoch war weder in ihren Zügen noch in ihrem Wesen etwas zu erkennen. Lily sah genau, dass die Menschen sich fragten, wie ihre kleine Familie wohl entstanden war. Vielleicht nahmen sie an, dass Henry eine junge Witwe geheiratet und sich selbstlos auch ihres Kindes angenommen hatte. Im Grunde, dachte Lily und lächelte einem älteren Pärchen zu, das ein paar Meter entfernt stand und sie beobachtete, war das ja auch so. Nur selbstlos war es nicht. Henry tat nie etwas Selbstloses.

Sie hatten einen Spaziergang über Deck gemacht. «Ich gehe hinein. Ihr solltet auch nicht mehr lange bleiben, nicht dass Hanna sich noch etwas zuzieht», erklärte Henry nun. Er ließ den Blick über ihre Mitreisenden schweifen, als suchte er jemanden, dann nickte er ihr zu und stiefelte an den Rettungsbooten vorbei davon.

Lily hielt ihren Hut fest und nahm mit der freien Hand die von Hanna, wanderte weiter mit ihr über das Passagierdeck. Runde um Runde zogen sie, immer weiter. Sie wusste nicht, wie sie ihre Tochter anders beschäftigen sollte. Hanna wollte immer nur draußen sein und das Wasser anschauen, die Möwen beobachten. Und Lily ging es ähnlich, sie hielt es in der engen Kabine nicht aus, und in den Aufenthaltsräumen der ersten Klasse war es laut und stank nach Zigarre. Sie war so aufgeregt und durcheinander, dass sie kaum stillsitzen konnte, ihr Herz flatterte in ihrer Brust, das Essen schob sie bloß immer auf ihrem Teller hin und her. Einmal hatte sie sich sogar schon übergeben. Henry hingegen war seltsam ruhig dieser Tage. Auf dem Schiff zog er sich fast den ganzen Tag ins Skatzimmer zurück, trank Whiskey mit den anderen Herren und schwankte abends zu später Stunde in die Kabine. Sie wusste, dass er sich genau wie sie danach sehnte, wieder nach Hamburg zurückzukehren. Aber sicherlich fürchtete er sich auch davor.

Und damit war er nicht alleine.

Um sich abzulenken und Mut zu machen, erzählte Lily Hanna beinahe ununterbrochen von daheim. Als das kleine Mädchen jetzt auf die Reling zulief, nahm Lily sie hoch und stellte sich hinter sie, sodass sie zusammen aufs Wasser schauen konnten. Hannas Ohr war kalt vom Wind, und Lily presste ihre Wange dagegen, um es aufzuwärmen.

«Bald lernst du deine Großmutter kennen», flüsterte sie. «Und deinen Großvater! Wir werden in einem wunderschönen Haus wohnen, viel größer als daheim. Es hat einen riesigen Garten, im Sommer ist alles voller Hummeln und Bienen. Vielleicht ist die Alster jetzt noch zugefroren, dann können wir Schlitten fahren. Und wir können die Hühner anschauen. Toni wird dir die Pferde zeigen. Und Hertha wird mit dir Kuchen backen. Von Hertha habe ich dir schon erzählt, sie wird dich so liebhaben. Genau wie Agnes. Alle werden dich liebhaben, du wirst sehen. Vielleicht können wir sogar einmal deinen Onkel Michel besuchen. Er hat genauso rote Haare wie ich, und er liebt Geschichten, genau wie du.»

Hanna hörte ihr aufmerksam zu, starrte aufs Wasser hinaus, und Lily sah, dass ein freudiges Lächeln auf ihrem kleinen Gesicht lag, auch wenn es sie sicher verwirrte, von diesen ganzen Menschen zu hören, die sie nicht kannte. Sie spürte wohl, wie aufgeregt Lily war, und das übertrug sich auf sie. Zum Glück ahnte sie nichts von dem Stein in Lilys Magen. Sie wusste ja nicht, was in Hamburg noch alles auf sie beide wartete.

«So ein kleiner Schatz. Wird ihr denn nicht kalt?»

Eine Stimme unterbrach Lilys Grübeln. Neben ihr lehnte sich eine Frau an die Reling. Sie war sehr schön, ihre Augen standen ein wenig schräg, und sie trug ein elegantes Kostüm mit einem Pelzüberwurf. Ihre Hände steckten in einem dicken Muff. Sie lächelte Lily warm an.

«Doch!» Lily lachte. «Sie hat schon ganz kalte Ohren. Aber sie will immer nur aufs Wasser schauen. Sie ist aufgeregt, weil sie bald das erste Mal ihre Großeltern treffen wird. Nicht wahr?», fragte Lily und gab Hanna einen Kuss, doch das Kind starrte weiter aufs Wasser und nickte nur gedankenverloren.

Die Frau lachte ebenfalls. «Nun, da wäre ich auch aufgeregt.» Sie beugte sich vor. «Ich erwarte auch eins!», flüsterte sie, deutete auf ihre schmale Taille und sah sich dann um, ob sie auch niemand gehört hatte. Es war zwar ganz und gar unschicklich, öffentlich über diese Dinge zu sprechen, aber unter zwei jungen Müttern war es durchaus verzeihlich.

Freudig sah Lily sie an. «Wirklich? Wie schön!», erwiderte sie. «Meine Glückwünsche!»

Die Frau lächelte. «Danke! Mein Erstes.»

Das überraschte Lily, die Frau war sicher um einiges älter als sie selbst.

«Es hat bisher nicht geklappt», erklärte sie auch gleich darauf hinter vorgehaltener Hand weiter. «Aber endlich wurden auch wir gesegnet. Ich kann es kaum erwarten.»

«Das freut mich sehr. Ist Ihr Mann auch an Bord?», fragte Lily.

Die Frau nickte. «Ja, aber er spielt den ganzen Tag Skat. Ich habe ihn heute seit dem Frühstück nicht gesehen.»

Lily lachte. «Meiner auch.»

«Nun, dann müssen wir Frauen uns eben alleine vergnügen, nicht wahr?» Sie lächelte. «Ich laufe noch eine Runde, das tut mir gut. Es war nett, Sie kennenzulernen …»

«Lily. Lily von Cappeln!», half Lily ihr aus.

Die Frau nickte. «Es war mir eine Freude, Lily. Man sieht sich sicher noch einmal.» Sie lächelte und ging davon.

Erst nach ein paar Sekunden wurde Lily klar, dass die Frau ihren eigenen Namen nicht verraten hatte. Sie sah ihr nach, wie sie mit selbstsicheren, eleganten Schritten über Deck lief und die bewundernden Blicke der Männer genoss, die ihr mehr oder weniger offensichtlich folgten. Dann drehte Lily sich wieder zu Hanna.

Genau so standen die beiden auch am nächsten Morgen an der Reling, doch diesmal war auch Henry dabei, um sie herum die anderen Passagiere, die alle aufgeregt beobachteten, wie sie sich dem Hamburger Hafen näherten. Ein Stück von ihnen entfernt stand die schöne Frau von gestern. Ihre Blicke trafen sich, und sie lächelte Lily zu. Die hob die Hand, um zu winken, aber die Frau blickte jetzt nicht mehr sie an, sondern Henry. Lily spürte seine Präsenz wie einen Fremdkörper in ihrem Rücken, am liebsten hätte sie ihn angefaucht, er solle gefälligst etwas zurücktreten. Sie war so aufgeregt, dass sie kaum denken konnte. Ob sie wohl jemand abholen würde? Ob auch Emma wusste, dass sie kam? Sie hatte es in der Hektik der letzten Tage nicht geschafft, sie zu benachrichtigen. Wie es ihrem Vater wohl ging? Ob in der Villa noch alles so war wie früher? Wie würde es sein, nach Jahren der Entfremdung nach Hause zurückzukehren? Ob sie Jo wiedersehen würde? Beinahe konnte sie seine Anwesenheit spüren, sie schien über der Stadt zu liegen wie ein unsichtbarer Schleier. Welcher Mann würde er sein? Der Jo, den sie kannte und liebte, oder der andere, der sie im Stich gelassen hatte?

Der Wind zog an ihren Haaren. Während Lily an Deck stand und mit klopfendem Herzen ihr Hamburg auf sich zukommen sah, spürte sie, wie die beiden Männer in ihrem Herzen sich einander näherten.

Würden sie jemals aufeinandertreffen?

Henry, der Lily und Hanna beide mit seinem Körper gegen die Reling gepresst hatte, genau wie damals bei ihrer Abreise, schmiegte sich plötzlich noch fester an sie, und sie spürte seinen Atem an ihrem Ohr und seine Hand auf ihrem Bauch. «Meine kleine Lilie, ich weiß genau, woran du denkst!», flüsterte er, so leise, dass nur sie es hören konnte.

Die feinen Härchen in Lilys Nacken stellten sich auf.

«Wenn du Hanna behalten willst, dann vergisst du diese Ideen lieber ganz schnell wieder!»

Teil 2

1

Das Erste, was Lily sah, als sie ihr altes Zimmer betrat, war ihr kleiner Schreibtisch am Fenster. Das Zweite war das Korsett auf dem Bett. Es lag neben einem wunderschönen hellgelben Seidenkleid. Sie stutzte und runzelte die Stirn, die Türklinke noch in der Hand.

«Wir haben alles für Sie geputzt!» Stolz trat Lise hinter ihr ein. Sie würde ihr dabei helfen, sich für das Abendessen umzuziehen. «Das ganze Haus haben wir geschrubbt, Agnes hat uns zwei Tage lang gescheucht wie die Hühner, und Hertha hat vor Aufregung schon Sodbrennen, weil ihr das Soufflé nicht gelingen will. Aber es hat sich gelohnt, wir sind ja alle so froh, dass Sie wieder da sind!» Mit leuchtenden Augen strahlte das Kammermädchen sie an.

«Sag du zu mir, wenn wir allein sind, wie früher. Sonst fühle ich mich so alt.»

Lise senkte den Blick. «Aber … Sie sind doch jetzt verheiratet. Eine Dame. Das gehört sich nicht!»

«Ach, woher. Wen interessiert das schon?» Müde winkte Lily ab. Ihre Augen brannten, sie sehnte sich nach einem Moment Ruhe.

Lise druckste ein wenig herum und fragte dann: «Ist es denn aufregend, das Eheleben?»

«Aufregend ist wohl das falsche Wort.» Lily trat an ihren Schreibtisch und strich sacht mit den Fingern über das dunkle Holz. «Das wird nicht passen», sagte sie dann bestimmt, als Lise zum Bett trat und das Kleid hochnahm. «Ich trage kein Korsett mehr. Schon seit Jahren nicht.»

Mit großen Augen sah das Hausmädchen sie an, und Lily dachte, dass Seda an ihrer statt hier stehen sollte. Sie mochte Lise, aber Seda war ihre Freundin gewesen. Wie lange sie schon nichts mehr von ihr gehört hatte …

«Aber Ihre Mutter hat das Kleid extra gekauft, als Geschenk für Ihre Rückkehr. Ohne Korsett wird es nicht zugehen!», rief Lise.

Lily schüttelte den Kopf. «Das kann sein, aber ich werde …», begann sie, doch in diesem Moment klopfte es, und Sylta trat ein.

«Lise, würdest du uns einen Moment allein lassen?», fragte sie freundlich, und Lise knickste und schlüpfte aus dem Zimmer. «Sehr wohl, gnädige Frau», erwiderte sie artig. «Soll ich Klara zum Frisieren schicken?»

Lilys Mutter seufzte. «Lily wird wohl nicht darum herumkommen, sie irgendwann kennenzulernen. Und sie ist geschickt im Flechten. Also ja, lass sie kommen.»

Als sie gegangen war, nahm Sylta Lilys Hände und musterte beinahe ehrfürchtig ihr Gesicht. Liebevoll strich sie ihr mit dem Daumen über die Stirn. «Wie habe ich diesen kleinen Denkerkreis vermisst. Ich kann nicht glauben, dass du wieder hier bist!», sagte sie leise.

Lily nickte mit trockenem Hals. «Ich kann es ebenfalls nicht glauben. Fast ist es, als wäre alles ein Traum.»

Ihre Mutter lächelte und sah dabei ein wenig traurig aus. «Nun komm, lass dich ankleiden. Hertha wird uns ausschimpfen, wenn wir zu spät zum Essen erscheinen, sie kocht seit Tagen ohne Unterlass. Und ich habe vorher alle zum Anstoßen in den Salon gebeten.» Sie trat ans Bett. «Ist das Kleid nicht wunderschön?»

«Das ist es», erwiderte Lily. «Aber ich trage kein Korsett, das weißt du doch!»

Sylta neigte den Kopf zur Seite und schürzte die Lippen. «Oh, Lily. Es ist mir bewusst, was das für dich bedeutet. Aber ich konnte in der Eile nicht extra etwas für dich schneidern lassen. Ich dachte, nun, vielleicht könntest du heute, am ersten Abend, eine Ausnahme machen? Um nicht gleich Unmut zu säen. Du weißt, wie verbohrt Franz und dein Vater in diesen Dingen sein können.»

Lilys Magen machte einen Hüpfer. «Wird Papa denn zum Essen herunterkommen?», fragte sie.

«Na, selbstverständlich wird er das!», rief Sylta, aber da war etwas in ihrer Stimme, das Lily die Stirn runzeln ließ.

Sylta hatte sie alleine vom Schiff abgeholt. Nie würde Lily den Moment vergessen, in dem sie unter den vielen Gesichtern der Menschen das ihrer Mutter ausmachte. Sie war überglücklich, sie zu sehen. Und gleichzeitig übermannte sie eine lähmende Enttäuschung, als ihr klarwurde, dass ihr Vater nicht mitgekommen war.

«Alfred ist noch zu schwach, und seine Beine machen ihm Probleme», hatte Sylta erklärt, als sie in der Kutsche saßen und Richtung Villa klapperten. «Ich habe ihm gesagt, er soll dableiben und sich ausruhen, ihr lauft ja nun nicht mehr weg, und die Fahrt ist so scheußlich ruckelig!» Aber sie hatte Lily dabei nicht in die Augen gesehen.

Nach der Ankunft in der Villa hatten nur die Angestellten sie begrüßt. Franz war noch in der Reederei, und ihr Vater hatte sich ein wenig hingelegt. Henry lief einfach an dem Personal vorbei, das vor dem Haus aufgereiht stand, und nickte nur knapp zur Begrüßung. Lily jedoch rannte lachend auf Agnes und Hertha zu und fiel ihnen nacheinander in die Arme. Alle drei Frauen weinten, und Agnes und Hertha stritten sich geradezu darum, wer Hanna als Erste auf den Arm nehmen durfte, die erst ganz erfreut war wegen der Aufmerksamkeit und dann vor lauter Überforderung ebenfalls zu weinen begann und sich mit ihren kleinen Fäusten die Augen rieb.

«Papa freut sich doch wohl, uns zu sehen?», wollte Lily jetzt wissen, denn irgendetwas am Verhalten ihrer Mutter kam ihr seltsam vor.

Sylta machte eine wegwerfende Handbewegung. «Natürlich freut er sich!», sagte sie nachdrücklich. «Aber du weißt, wie er ist. Das alles ist sehr schwer für ihn.»

«Mama. Papa wollte doch, dass wir zurückkommen, oder nicht?», fragte Lily langsam. Ihr war ein schrecklicher Gedanke gekommen. Mit einem Mal wurde ihr ganz kalt.

Einen Moment war Sylta voll und ganz damit beschäftigt, an dem neuen Kleid herumzuzupfen. Dann sah sie auf. «Ich hätte es dir vielleicht schon früher sagen sollen …» Sie brach ab. «Als dein Vater krank wurde, hatte ich große Angst, dass er sterben könnte. Es sah ernst aus, und Dr. Selzer meinte … Kurzum, ich habe euch geschrieben, als er im Krankenhaus lag. Es war meine Entscheidung.» Sie stockte kurz. «Alfred wusste nichts davon.»

«Er wollte gar nicht, dass wir zurückkommen?», krächzte Lily und hielt sich am Bettpfosten fest. Ihr war plötzlich schwindelig.

«Unsinn, natürlich wollte er das, Lily. Dein Vater war die letzten drei Jahre nicht er selbst. Er hat dich und Michel schrecklich vermisst, auch wenn er es nicht so ausdrücken kann, wie er gerne würde. Nur kämpfen in ihm natürlich zwei Seelen. Er ist störrisch, und er hat Angst um die Familie, um den Ruf. Du weißt, wie schlimm damals alles war. Aber es war von Anfang an so abgemacht, dass ihr nach ein paar Jahren zurückkommen könnt. Was macht es für einen Unterschied, ob das jetzt ist oder in ein paar Monaten? Man muss Alfred eben manchmal zu seinem Glück zwingen.»

Erstaunt blickte Lily ihre Mutter an. Diese resolute Sylta kannte sie gar nicht. Sie sah an sich hinunter und merkte, dass ihre Hände zitterten. «Deswegen war er nicht am Hafen», flüsterte sie. «Ich dachte, er hätte mir verziehen!»

Wie hatte sie nur so dumm sein können? Warum sollte ihr Vater plötzlich, nach all den Jahren des Schweigens, seine Meinung ändern?

«Und Franz?», fragte sie mit trockenem Hals.

«Um Franz mach dir keine Gedanken.» Sylta winkte ab, aber ihre Stimme war ein wenig schriller als normal. «Jetzt komm, wir haben nicht ewig Zeit.»

Lily starrte auf das Korsett. Sie hatte es sich nach Hannas Geburt hart erkämpft, das verhasste Untergewand nicht mehr tragen zu müssen, hatte erst wochenlang Bauchkrämpfe vorgeschoben und dann so lange nur noch ihre alten Kleider angezogen, bis Henry irgendwann nachgab, weil es ihm peinlich war, sie immer in denselben Sachen herumlaufen zu sehen. Sie war in den letzten Jahren so dünn geworden, dass es optisch ohnehin keinen großen Unterschied machte. Sie hatte sich geschworen, ihren Körper nie wieder so einschnüren zu lassen, um einer sinnlosen von Männern diktierten Mode zu entsprechen. An ihrer Großmutter hatte sie gesehen, was es im Laufe der Zeit mit dem Körper anstellte, wie es ihn verformte und missgestaltete, indem es Gedärme und Rückgrat verschob, und sie wollte im Alter nicht dieselben Schmerzen erleiden. Außerdem war es ganz einfach schrecklich unangenehm. Aber ihre Mutter sah sie hoffnungsvoll an und hielt das strahlende neue Kleid in die Höhe. Lily hatte plötzlich den enttäuschten Blick ihres Vaters vor Augen. Den abwertenden ihres Bruders. Den wütenden von Henry.

Was ist schon ein Korsett, dachte sie müde. Man musste sich seine Kämpfe aussuchen. Und heute hatte sie nicht die Kraft, dieser geballten Ablehnung entgegenzutreten.

Stumm drehte sie sich um, damit ihre Mutter ihr das Kleid aufschnüren konnte.

Alfred Karsten saß vor dem Spiegel seines Frisiertisches und ließ sich von Kai die Schuhe binden. «Vielen Dank, mein Junge», sagte er, als der Diener sich nach vollbrachter Arbeit aufrichtete, und Kai lächelte.

«Sehr gerne, Herr Karsten. Brauchen Sie Hilfe bei der Treppe?»

Alfred schüttelte den Kopf. «Das schaffe ich», sagte er und entließ Kai mit einem Nicken. Wie entwürdigend, auf so viel Unterstützung angewiesen zu sein. Er war immer stolz darauf gewesen, das Personal mit persönlichen Belangen so selten wie möglich zu behelligen. Franz war da ganz anders, er ließ sich jeden Morgen von Kai bei der Rasur und beim Ankleiden helfen. Aber Franz war auch anders groß geworden als er. Sein Sohn war in dem Luxus geboren, den Alfred aufgebaut hatte. Es prägt einen, wenn man die Jahre seiner Kindheit und Jugend auf der anderen Seite verbracht hat, dachte er und stand ächzend auf.

Dass seine Beine noch immer so weh taten. Die Waden waren ganz blau und geschwollen. Langsam ging er ans Fenster. Er hatte sie beobachtet, vorhin, als sie aus der Kutsche gestiegen waren. Heimlich, hinter dem Vorhang hervor, wie ein kleiner Junge unter Hausarrest, der den anderen beim Spielen zusah.

Ausgeschlossen hatte er sich gefühlt, dabei hatte er doch selbst nicht mitfahren wollen.

Das Herz hatte ihn geschmerzt bei ihrem Anblick, so sehr, dass er sich mit der Hand an die Brust griff, als hätte er dort eine Wunde. Die widersprüchlichsten Gefühle hatten in ihm gekämpft. Ein Teil von ihm wollte die Treppe hinunterspringen und Lily und Hanna in die Arme schließen, sich einfach freuen, dass sie wieder da waren und alles andere hinter sich lassen. Der andere Teil bestand nur aus Wut. Was Lily ihnen alles angetan hatte in ihrem Egoismus. Er konnte es nicht vergeben.

Und doch liebte er sie.

Nun wusste er nicht, wie er mit dieser Zerrissenheit umgehen sollte. Drei Jahre Schweigen. Die letzten zwei Stunden hatte er in seinem Zimmer gesessen und in das Haus hineingelauscht. Kinderweinen, lautes Lachen, das Trappeln kleiner Füße, Türenschlagen, die Stimme seiner Tochter, die er seit Jahren nicht gehört hatte. Geräusche eines Hauses voller Leben. Er merkte erst jetzt, wie sehr er das alles vermisst hatte. Und wie sehr es ihn ängstigte.

Wie würde es sein, seine Enkelin zum ersten Mal im Arm zu halten?

Hanna war ein Bastard, das Kind dieses unsäglichen Hafenarbeiters, der seine Tochter von ihm weggerissen, in die Gängeviertel geschleppt und sie im Dreck hatte leben lassen. Durch dessen Schuld Lily beinahe gestorben wäre. Er hasste diesen Johannes Bolten mit jeder Faser seines Seins. Hanna konnte nichts dafür, dass er ihr Vater war, das war ihm wohl bewusst. Und dennoch hatte er Angst, dass er Bolten in ihr sehen würde. Dass er ihn nicht würde ausblenden können und seine Wut und sein Hass sich auf das Kind übertrugen.

Langsam ging er auf den Flur hinaus. Die Treppe schien ihm ein unüberwindbares Hindernis. Er stand da, starrte in die Halle hinunter und konnte sich nicht bewegen. Da hörte er erneut Kinderlachen und kurz darauf die freudige Stimme seiner Frau. Im Schneckentempo hob er den Fuß und betrat die erste Stufe.

Roswita war die Erste, die hereinkam. Lily stand in ihrem steifen Kleid am Fenster des Salons, blickte in den Garten hinaus und versuchte, ihren Puls zu beruhigen, der ihr in den Ohren dröhnte. Sie fühlte sich eingeschnürt und verkleidet und friemelte unablässig an ihrem Perlenamulett herum. Sylta saß auf dem Diwan und schäkerte mit Hanna, die versuchte, ihr die Kämme aus den Haaren zu ziehen. Lächelnd betrachtete Lily die beiden. Wie lange hatte sie auf Momente wie diesen gewartet. Endlich kannte Hanna ihre Großmutter, endlich war sie wieder zu Hause. Aber noch fühlte es sich nicht danach an.

«Hanna, nicht so wild!», mahnte Lily. In diesem Moment ging die Tür auf.

Beinahe hätte sie laut aufgelacht. Ihre Schwägerin steckte in einem unmöglichen Kostüm, es war ihr zu eng und hatte viel zu viele Rüschen. Doch zugleich war sie erschrocken, wie aufgequollen und blass Roswita aussah.

Sylta erhob sich. «Lily, ihr kennt euch ja bereits!»

Mit einem breiten Lächeln trat Lily auf ihre Schwägerin zu. «Wie schön, dich wiederzusehen», sagte sie und hauchte Roswita einen Kuss auf die Wange. «Du siehst entzückend aus!»

«Na, nun übertreiben wir mal nicht.» Eine kalte Stimme hinter ihnen unterbrach sie, bevor Roswita etwas sagen konnte. Sie hatte gerade zu einer Antwort angesetzt, jetzt zuckte sie kaum merklich zusammen und verstummte sofort wieder.

Franz trat ein, und Lily kam es vor, als würde die Luft im Zimmer kälter.

«Schwesterherz!» Er schritt auf sie zu, und zu ihrer Überraschung umarmte er sie. Als Lily jedoch seinen Blick sah, wusste sie, dass er um Roswitas willen ein Spiel spielte.

«Franz!» Lily lächelte verkrampft. «Wie ... *gut*, dich zu sehen!»

Er verzog das Gesicht, dann drehte er sich um und rief viel zu laut: «Und das muss meine kleine Nichte sein!» Er ging auf Hanna zu, kniete sich hin, breitete die Arme aus und säuselte: «Komm zu deinem Onkel Franz!»

Hanna erstarrte. Sie blickte Franz unsicher an, sah dann zu Sylta und schließlich zu Lily. Lily lächelte ihr zu und schüttelte dann kaum merklich den Kopf. Hanna trat einen Schritt zurück. «Nein!», rief sie und schüttelte ebenfalls den dunklen Lockenkopf.

Franz erhob sich und richtete sich die Krawatte. «Nun, das war zu erwarten, nicht wahr?», sagte er trocken. «Ich weiß nicht, wie man mit Kindern redet. Ich habe ja noch immer keine eigenen», fügte er wie nebenbei hinzu. Lily spürte, wie Roswita an ihrer Seite zusammenfuhr.

«Was nicht ist, kann ja schon sehr bald werden.» Sylta war hinzugetreten und lächelte sanft.

«Schön, dass du da so enthusiastisch bist», erwiderte Franz. «Leider bist du die Einzige hier. Ich habe die Hoffnung bereits aufgegeben.»

Lily sah Roswita an. Ihre Schwägerin stand mit hängenden Schultern da wie ein gescholtenes Kind und blickte zu Boden. Sag doch was, dachte Lily gereizt. Warum ließ sie sich von Franz so behandeln? Noch dazu vor aller Augen?

«Nun, Schwesterlein. Wie ist England? Noch immer grau und neblig?» Franz nahm sich den Whiskey vom Tablett, das Lise ihm hinhielt. «Vermisst du es schon?»

Lily funkelte ihren Bruder an. Sie wollte gerade etwas erwidern, da betrat Henry den Raum. Selten hatte sie sich so gefreut, ihn zu sehen.

«Oh, ihr seid schon alle versammelt!» Henry lächelte zerstreut. «Sylta, Sie sehen einfach umwerfend aus! Haben Sie vor, ewig so jung zu bleiben?» Er gab seiner Schwiegermutter einen Handkuss, und Lily dachte, wie charmant er doch sein konnte, wenn er wollte. Im Gegensatz zu Franz war ihr Mann beinahe ein Lämmchen. Zumindest sah man es ihm in diesem Moment nicht an, welche Seiten noch in ihm steckten. Nur Emma allein wusste, dass Henry die Beherrschung verlor, wenn er trank. Lily hatte es nicht über sich gebracht, ihrer Mutter davon zu erzählen. Als sie jetzt sah, wie sowohl Roswita als auch Lise ihren Mann verliebt anschauten, konnte sie sich gerade noch davon abhalten, mit den Augen zu rollen.

«Und Sie müssen Roswita sein. Ich habe schon viel von Ihnen gehört. Was für ein entzückendes Kleid! Es steht Ihnen hervorragend.» Henry gab auch ihr einen Handkuss, und Roswitas Wangen überzogen sich mit freudiger Röte.

Lily spürte zu ihrer Überraschung eine Welle von Schuldgefühlen in sich aufsteigen. Henry war kein durch und durch schlechter Mann. Sie wusste, dass auch er unter der Situation litt, in der sie alle lebten. Und sie wusste, dass er sie liebte, wenn auch auf eine andere Art als Jo. Sie hatte ihn sehr gereizt in den letzten Jahren, hatte ihm, man konnte es kaum anders sagen, das Leben zur Hölle gemacht. Ihn durch ihr Verhalten oft erst dazu gebracht, die Beherrschung zu verlieren. Mit einer Frau, die ihn nicht ablehnt, wäre er vielleicht ganz anders, dachte sie jetzt und war über sich selbst erstaunt. Henry hatte immer ein schlechtes Gewissen, nachdem er sie schlug oder ihr weh tat. Er war unter anderem so kalt und gemein zu ihr, weil er ihre Ablehnung spürte. Weil er wusste, dass sie ihn nicht wollte, einen anderen liebte, er die unumgängliche Notlösung war. Ihr wurde erst in diesem Moment klar, dass auch Henry ein Opfer in ihrer Ehe war. Wenn auch nicht so sehr wie sie. Und natürlich entschuldigte das nicht im mindesten sein Verhalten.

Plötzlich erklangen draußen Schritte auf dem Parkett. Alle Gespräche verstummten. Lily wandte sich mit angehaltenem Atem zur Tür.

Als ihr Vater eintrat, erschrak sie. Er sah so anders aus. So dünn und krank. Und er ging an Krücken. Plötzlich hatte sie einen schrecklichen Kloß im Hals. Sie wollte auf ihn zulaufen und ihn umarmen, aber er hatte sie noch nicht angesehen, und so wagte sie es nicht.

Alfred stand in der Tür und nickte in die Runde, die ihm entgegenblickte. Schließlich entdeckte Hanna ihren Großvater, sie stieß einen freudigen kleinen Schrei aus und lief auf ihn zu. Alfred erstarrte, er blickte ihr mit beinahe erschrockener Miene entgegen.

Hanna blieb vor ihm stehen, reckte entschlossen die Arme in die Luft. «Ich will hoch!», rief sie, als würde sie ihn schon ewig kennen.

Alfred sah auf sie hinunter. Er rührte sich nicht. Lily grub ihre Nägel in die Handflächen. Doch da lächelte ihr Vater. Er stellte seine Krücken gegen die Lehne des Sessels, dann ging er langsam in die Knie und nahm Hanna in den Arm. Sie quietschte vergnügt und begann sofort, an seinem weißen Bart zu ziehen und auf ihn einzureden. Lily sah, wie die Augen ihres Vaters vor Rührung schimmerten. Leise stieß sie die Luft aus und spürte im selben Moment, dass auch alle um sie her den Atem angehalten hatten.

«Nun, da kann ich wohl nicht mithalten!» Franz lächelte freudlos und bedeutete Lise, ihm ein neues Glas zu bringen. «Mein Bart ist ihr wohl noch zu kurz.»

Eine Weile schäkerte Alfred mit Hanna und schien ganz versunken in den Anblick seiner Enkeltochter. Er schaukelte sie auf seinem Arm hin und her und betrachtete sie, als wollte er sich jeden Millimeter an ihr in sein Gedächtnis einprägen. Lily stand da und wagte es nicht, die beiden zu unterbrechen. Sie warf ihrer Mutter einen unsicheren Blick zu, doch Sylta hob ratlos die Schultern. Schließlich stellte Alfred Hanna wieder auf den Boden. Er nahm die Krücken und trat auf die Gruppe zu, die noch immer beisammenstand und ihn beobachtete. Lily räusperte sich.

Endlich sah ihr Vater sie an.

Sie löste sich aus ihrer Starre, ging auf ihn zu und wollte ihn umarmen, doch da streckte Alfred die Hand aus.

Sie erstarrte, sah erst ihn an, dann die Hand, die sie daran hinderte, ihm um den Hals zu fallen, wie sie es eigentlich gewollt hatte. Entmutigt ließ sie die erhobenen Arme wieder sinken. Dann griff sie mit flatterndem Herzen die Hand ihres Vaters und schüttelte sie, als träfen sie sich zum ersten Mal.

«Lily», sagte Alfred steif, und seine Stimme war ihr fremd. «Willkommen zurück.»

J o lehnte an einem Baum vor dem Gefängnis und rauchte. Das Licht der Straßenlaternen spiegelte sich in den Pfützen. Über ihm schnitten die kahlen Äste einer Kastanie den Mond in kleine Schnipsel.

Er fühlte sich seltsam. Obwohl er gar nicht wusste, ob Lily inzwischen wieder in Hamburg angekommen war, hatte sich etwas verändert. Er sah sie an jeder Ecke. Ständig fuhr sein Kopf herum, sein Blick blieb an einer Frau hängen, die ihr ähnelte, nur um dann jedes Mal wieder enttäuscht und erleichtert zugleich von ihr abzulassen. Manchmal war es ihm, als hinge ihr Duft in der Luft. Als höre er ihr Lachen im Wind. Doch immer, wenn er innehielt, war es verschwunden.

Auch heute war er schrecklich unruhig. Sein Körper prickelte, alles in ihm war in Aufruhr. Er roch die Nachtluft stärker als sonst, spürte die Kälte beißender, das Loch in sich tiefer. Jo fragte sich, ob er auch so fühlen würde, wenn Emma ihm nicht erzählt hätte, dass Lily zurückkam. Aber er war sich ziemlich sicher, dass er die Antwort bereits kannte.

Als er es nicht länger hinauszögern konnte, trat er die Zigarette aus und ging hinein. Ein rotnasiger Wachtmeister führte ihn durch den Zellentrakt. Als sie angekommen waren, blieb er stehen und deutete auf eine Gestalt auf der anderen Seite der Gitter. Traurig schüttelte Jo den Kopf. Er seufzte schwer.

«Okay, ich kümmere mich», sagte er nur, und der Wachtmeister nickte emotionslos.

«Vorne unterschreiben», knurrte er, und ohne Jo anzusehen, schloss er auf und ging davon.

Emma riss ungläubig die Augen auf, als sie wenig später vor ihrer Tür standen. «Jo?», fragte sie und zog ihren Morgenmantel um sich.

Sogar zu dieser nächtlichen Stunde und mit vom Schlaf verquollenen Augen war sie eine der schönsten Frauen, die Jo je gesehen hatte. Und eine der resolutesten. Emma konnte nichts so leicht schockieren. Obwohl es so spät war und sie offensichtlich bereits geschlafen hatte, war ihr Blick scharf und fokussiert. Dass vier Männer in der Dunkelheit an ihre Tür klopften, brachte sie nicht aus der Fassung. Er sah, dass sie ihre Arzttasche bereits griffbereit neben sich stehen hatte.

Sie verzog das Gesicht, als Jo einen Schritt zurücktrat und die

Sicht auf Charlie freigab. Er hing in den Armen zweier kräftiger Männer und lächelte selig und vollkommen abwesend vor sich hin. Die beiden hatten ihre Mühe, den riesigen Charlie festzuhalten, der wie ein Mehlsack in ihren Armen lag.

«Was ist mit ihm?» Emma trat einen Schritt auf ihn zu. Sie packte Charlie fest am Kinn und drehte sein Gesicht zur Seite, hob dann mit den Fingern seine Augenlider, kniff sein Kinn zusammen und schaute ihm in den Mund. Er ließ es über sich ergehen, ohne eine Regung zu zeigen.

Offenbar hat er sich heute so richtig das Hirn weggepustet, dachte Jo und betrachtete ihn finster. Außerdem glühte er vor Fieber.

Emma schnupperte mit finsterer Miene an Charlies Pullover. «Warum bringst du ihn zu mir?», fragte sie. «Er hat nichts Ernstes, außer dem Fieber. Morgen früh wird er sich übergeben und einen dröhnenden Kopf haben, er muss sich auskurieren, aber dann ist alles wieder normal, und das weißt du.» Sie drehte sich zu Jo und musterte ihn mit hartem Blick.

«Er braucht Hilfe, Emma. Er kommt nicht davon los, es wird immer schlimmer. Seine Lunge ist nicht gesund. Ich habe Angst, dass er irgendwann nicht mehr aufwacht, es war schon einmal fast so weit. Er ist mein bester Freund.» Mit Schaudern dachte er an jenen Tag in Changs Keller zurück, an dem Charlie beinahe vor seinen Augen gestorben wäre. «Er ist heute von ein paar Männern überfallen und verprügelt worden. Als die Polizei ihn befragen wollte, ist er anscheinend geflohen. Sie haben ihn wenig später in einer Opiumhöhle aufgegriffen … Er hat nichts getan, aber ein Wachtmeister wurde bei der Auseinandersetzung verletzt, und sie haben ihn mitgenommen, zur Ausnüchterung und für die Zeugenaussage.»

Emma nickte. «Lily hatte mir damals schon von ihm erzählt.

Ein Wunder, dass er immer noch lebt», sagte sie. «Wie mir scheint, ist er bereits seit Jahren abhängig.» Sie musterte Charlie ohne erkennbare Gefühlsregung.

«Genau», knurrte Jo. «Eine Weile hatte er es im Griff, aber dann passierte immer irgendwas, und er rutschte wieder hinein …» Er dachte an das Bild von Claire und stellte sich vor, wie er es genüsslich in kleine Fetzen riss. «Also? Kannst du ihm helfen?»

Emma sah ihn durchdringend an, erwiderte aber nichts. Sie zitterte vor Kälte, ihr Gesicht war finster. «Ist er nicht der Mann, der Lily damals vor dem Seminar so grob in die Büsche gezerrt hat?», fragte sie dann.

«Er hat ihr nichts getan, das war meine Schuld», erwiderte Jo. «Er ist manchmal … ein bisschen ruppig.»

«Ein bisschen ruppig?» Emma zog eine Augenbraue hoch.

«Das ist schon ewig her. Er und Lily waren befreundet, das weißt du doch. Er hat sie begleitet, wenn sie für ihre Artikel in der Stadt unterwegs war.»

Emma antwortete nicht.

«Ich bezahle dich natürlich», sagte Jo, als sie nicht reagierte.

«Ich will dein verdammtes Geld nicht, Jo Bolten. Das weißt du genau.»

Er sah sie abwartend an.

Schließlich seufzte Emma tief und schüttelte den Kopf. «Er kann nicht hierbleiben.»

Jo nickte verbittert und drehte sich mit einem Ruck um. «Schön. Dann eben nicht. Schafft ihn fort, ich finde schon jemanden», rief er wütend in Richtung der Männer, aber Emma unterbrach ihn mit scharfer Stimme. «Ich meine, er kann nicht hier bei mir bleiben. Nicht in meinem Haus, Herrgott, Bolten», sagte sie. «Wartet hier. Ich muss mich anziehen. Ich weiß, wo wir ihn unterbringen können.» Sie warf ihm einen letzten wütenden Blick zu und verschwand hinter der Eingangstür.

Jo sah ihr nach, und ihm entfuhr ein erleichterter Seufzer. Wenn jemand Charlie helfen konnte, dann war das Emma.

Die Briten weigern sich wohl immer noch, zur Schutzzollpolitik überzugehen?» Franz ließ sich von Klara Gemüse auftun und sah Henry fragend an. «Außer Belgien und den Niederlanden sind sie die Einzigen, die sich noch sträuben.»

«Sie haben sich ja auch durch ihren Kolonialbesitz umfassend abgesichert und es nicht nötig, den Freihandel aufzugeben», erwiderte Lily anstelle ihres Mannes. Sie wusste genau, dass Franz nicht mit ihr sprach. Aber sie hatte nicht vor, den ganzen Abend wie ein kleines Kind den Unterhaltungen der Männer zu lauschen. Sie wollte Rücksicht auf ihren Vater nehmen, so gut es ging. Aber sie stellte besser gleich klar, dass die Dinge sich in den letzten Jahren verändert hatten. Sie ließ sich vielleicht vorübergehend wieder den Körper einschnüren, aber das bedeutete nicht, dass sie auch ihre Stimme verlor.

Die ganze Familie saß zum Abendessen um den großen Tisch herum. In den Leuchtern flackerten duftende Bienenwachskerzen, Agnes hatte Kitties Aussteuergeschirr mit dem Goldrand aus der Anrichte aufdecken lassen, es gab Champagner, und vor ihnen stand das Festmahl, das Hertha zur Feier des Anlasses gezaubert hatte. Lise und Klara wuselten in blütenweiß gestärkten Schürzen herum und bedienten. Henry griff beherzt zu, genau wie Franz, und auch Hanna schien es zu schmecken. Alle anderen schoben das Essen auf ihren Tellern hin und her. Roswita aß so gut wie gar nichts, sie starrte traurig vor sich hin und hörte mit glasigem Blick den Gesprächen zu, ohne sich zu beteiligen.

Sylta schien sehr aufgeregt. Alfred und Lily hingegen saßen starr auf ihren Stühlen und schauten überallhin, nur nicht zueinander. Lilys Magen war wie ein Stein. Es ist ein Theaterstück, dachte sie. Die Situation erinnerte sie auf unheimliche Weise an die Zeit vor drei Jahren, als sie wieder unter dem Dach ihrer Eltern gewohnt hatte, sie aber nur nebeneinanderher lebten.

Als Lily sprach, sah Roswita erstaunt auf. Sylta lächelte unsicher, Alfred hielt eine Sekunde inne, aß dann aber weiter, als wäre nichts geschehen. Franz warf Lily einen durchdringenden Blick zu.

Henry räusperte sich. «Nun, es ist ja nicht so, als wäre dort drüben alles nur eine Erfolgsgeschichte. Gladstone hatte ja einige außenpolitische Rückschläge einzustecken …», warf er ein.

«Richtig, die Sudanexpedition ist auf ganzer Linie gescheitert, und von Irland wollen wir gar nicht erst anfangen», pflichtete Lily ihm bei. «Aber an den Wahlreformen sollte man sich hier wirklich ein Beispiel nehmen. In England können auch Landarbeiter ihre Stimmen abgeben», erklärte sie dann in Richtung Roswita, die sie ansah, als spräche sie eine andere Sprache. «Fünf Millionen Briten dürfen wählen, davon kann man hier ja nur träumen. Nun müssen auch die Frauen noch das Wahlrecht bekommen, dann nähern sie sich vielleicht irgendwann tatsächlich einem halbwegs gerechten System.»

Franz hatte seine Gabel niedergelegt. «Das kann nicht dein Ernst sein!» Um Zustimmung heischend sah er Henry an. «Frauen denken nicht politisch. Sie haben keine Ahnung von diesen Dingen.» Er lachte. «Frauenwahlrecht … Da hast du dir ja das absurdeste Thema für deinen ersten Abend hier ausgesucht.»

Irritiert legte auch Lily ihre Gabel nieder. Sie hatte nicht provozieren, nur Konversation machen wollen. Aber ihr wurde bewusst, dass sich *hier* in den letzten Jahren anscheinend nicht

das Geringste geändert hatte. In England gingen die Frauenrechtlerinnen wesentlich provokanter vor, dort waren Gesprächs-
themen wie dieses vollkommen normal. Lily war es nicht mehr
gewohnt, damit vorsichtig zu sein. Nun, dachte sie. Sie würde es
sich auch nicht wieder angewöhnen. Nicht einmal für ihren Vater.

«Du hast anscheinend schon mit vielen Frauen politische
Diskussionen geführt», sagte sie zu Franz, bemühte sich aber,
jegliche Aggression aus ihrer Stimme zu verbannen. «Da du so
genau weißt, wie sie denken.»

Ihr Bruder schüttelte den Kopf und aß dann weiter, als wäre
sie einer Antwort nicht würdig. «Sie denken nicht. Darum geht
es ja gerade. Man kann mit ihnen keine politischen Diskussionen
führen, da sie keine Ahnung haben, worum es überhaupt geht.
Willst du vielleicht Menschen eine Stimme geben, die nicht einmal wissen, wie eine Partei aufgebaut ist?» Er prustete amüsiert.
«Roswita, Liebling. Was für Wahlrechte haben wir in Hamburg,
hm? Und kannst du uns etwas zum Parteiensystem sagen?»

Roswita lief puterrot an, öffnete den Mund, gab aber keinen
Ton von sich.

Franz sah sie nicht einmal an. Er schüttelte nur wieder den
Kopf und winkte ab, als würde er eine lästige Fliege vertreiben.
«Siehst du? Was für eine absurde Idee. Ich sehe, England hat
nicht wirklich geholfen, dir den Kopf zurechtzurücken.»

Lily presste die Lippen aufeinander. Sie hatte eine ganze Batte-
rie an Antworten, die ihr auf der Zunge lagen, aber sie warf einen
Blick auf ihren Vater. Er hatte aufgehört zu essen und starrte auf
die Serviette neben seinem Teller. Auch Sylta, die immer wieder versucht hatte, ein unverfängliches Gespräch aufzubringen,
musterte ihren Mann besorgt.

«Alfred, wir sollten eine Willkommensfeier veranstalten», rief
sie nun, und es war sonnenklar, dass sie versuchte, vom Thema

abzulenken. «Die Menschen müssen wissen, dass Henry und Lily zurück sind. Ach, wenn wir doch nur schon den Festsaal angebaut hätten, wie wir es vor Jahren geplant haben. Dann könnten wir sie hier abhalten. Unsere ist sicher die einzige Villa am ganzen Ufer, die keinen eigenen Tanzsaal hat.»

Lily rutschte schuldbewusst auf ihrem Stuhl herum. Der Tanzsaal war vor ihrer Flucht aus der Villa bereits fest geplant gewesen. Ihre Mutter hatte monatelang auf den Umbau des Hauses hingefiebert. Sie hatte so viel Spaß an der Gestaltung gehabt, mit dem Architekten stundenlang die Perlmutteinlagen für den Boden, die Holzvertäfelung und Intarsien besprochen. Und dann hatte sie keinen Tanzsaal mehr gebraucht. Denn niemand wäre mehr zu ihnen gekommen, um ihn zu nutzen.

«Aber es macht ja nichts, es gibt genug feine Wirtschaften in der Stadt, wo wir die Feierlichkeiten abhalten könnten. In der *Erholung* am Dragonerstall zum Beispiel. Alfred, was meinst du?» Mit leuchtenden Augen sah Sylta ihren Mann an.

Alfred wischte sich bedächtig mit der Stoffserviette über den Mund. «Nun, Sylta, meine Liebe. Ich halte das ehrlich gesagt für keine gute Idee», erwiderte er ruhig. Alle sahen ihn an. Es wurde mucksmäuschenstill im Raum.

Lily verschluckte sich fast an ihrem Stubenküken. Der Bissen war in ihrem Mund zu einem dicken Klumpen angeschwollen, der einfach nicht hinunterwollte. Sie hustete nervös, trank einen Schluck Champagner und zwang sich mit tränenden Augen zu kauen.

Alfred legte die Gabel ab. Man sah ihm an, dass er seine nächsten Worte mit Bedacht wählte. «Die Menschen hier haben die … Umstände von damals wohl kaum schon vergessen. Unser Ruf fängt gerade erst an, sich wieder zu erholen. Und Hanna sieht Henry kein bisschen ähnlich. Jeder, der eins und eins zusammenzählen kann, wird sich seinen Teil denken. Ich glaube, wir müssen auf diese Schande nicht auch noch mit dem Finger zeigen.»

Sylta blickte auf ihren Teller. Sie war wie erstarrt. Henry räusperte sich unbehaglich. In diesem Moment begann Hanna zu weinen.

Lily stand sofort auf. «Sie ist müde, ich bringe sie zu Bett.»

«Mary erledigt das!», Henry sah sie an. «Du hast ja noch nichts gegessen.»

«Ich habe keinen Hunger», erwiderte Lily kühl.

«Ich möchte, dass du bleibst!» Henrys Ton war freundlich, duldete aber keinen Widerspruch. «Lise, würden Sie Hanna zu Mary bringen?»

Lily starrte ihn an. Dann warf sie ihrem Vater einen Seitenblick zu. Er sah auf seinen Teller. Von ihm konnte sie keine Hilfe erwarten.

«Lily, der Abend hat ja gerade erst begonnen, natürlich musst du bleiben!» Sanft legte Sylta ihr eine Hand auf den Arm. «Du kannst doch später nach ihr schauen.»

Langsam ließ Lily sich wieder auf ihren Stuhl gleiten. Sie nahm die Gabel und ballte ihre Hand so fest darum, dass es weh tat.

Nachdem Lise Hanna hinausgetragen hatte, war es seltsam still im Speisesaal. Sogar Henry und Franz schien es die Sprache verschlagen zu haben.

Alfred seufzte schließlich. «Ich bin noch nicht wieder richtig auf dem Damm!» Er legte seine Serviette weg und schob den Stuhl zurück. «Bitte entschuldigt mich, aber ich muss mich hinlegen.»

Sylta stand sofort auf und begleitete ihn mit besorgtem Gesicht zur Tür. «Ich bringe dich hoch, Alfred. Du musst auch noch deine Medizin nehmen.»

Er nickte müde. «Über die Details eurer Zukunft hier in Hamburg sprechen wir morgen», sagte er, bevor er den Raum verließ. Er warf Lily einen kurzen Blick zu, und sie erwiderte ihn stumm.

Kaum hatte sich die Tür hinter ihren Eltern geschlossen, lachte Franz. «Nun, was für eine Farce!» Er kippte sein viertes Glas Whiskey hinunter. «Du kannst jetzt essen, es beobachtet dich keiner mehr», sagte er zu seiner Frau, und Roswita erstarrte mitten in der Bewegung.

Lily traute ihren Ohren nicht. Fassungslos betrachtete sie ihren Bruder. «Ich merke, du bist in unserer Abwesenheit noch ekelhafter geworden.»

Franz schnaubte. «Und dein loses Mundwerk ist anscheinend nun vollkommen außer Kontrolle», konterte er. «Ich dachte, du hättest sie besser erzogen, Henry!»

Henrys Gesicht zuckte. Er lächelte kühl. «Wie du sicher weißt, lieber Schwager, gehört es zu Lilys charakteristischen Merkmalen, dass sie sich nicht erziehen lässt», sagte er und sah Lily über die Kerzen des Leuchters hinweg stirnrunzelnd an. Etwas leiser fügte er hinzu: «Sie macht immer, was sie will.»

Zu Lilys Erstaunen war da neben der Wut in seiner Stimme noch etwas anderes, das sie zuerst nicht einordnen konnte. Dann begriff sie, dass es Anerkennung war. Verbitterte Anerkennung zwar, aber dennoch war sie da. Henry nickte ihr mit steinernem Gesicht kaum merklich zu.

Lily wusste, was er ihr sagen wollte. Sie mochten sich auf ihre ganz eigene Art hassen, aber er würde sich nicht mit Franz gegen sie verbünden.

Einen Moment lang blickten sie einander an, dann erwiderte Lily das Nicken.

«Nun, ich weiß genau, was du meinst. Ich musste mich schließlich fast achtzehn Jahre mit ihr rumschlagen!» Franz wedelte abwertend mit der Hand. «Man muss hart durchgreifen. Nicht wahr, Roswita?» Er grinste.

Roswita riss nur die Augen auf, blickte auf ihren Teller und schwieg.

Lily verstand beim besten Willen nicht, warum ihre Schwägerin Franz nichts entgegensetzte. Sie war so anders als noch vor ein paar Jahren, damals hatte sie gar nicht aufgehört zu reden. «Deine Frau ist nicht dein Fußabtreter, Franz!», schnappte sie wütend.

«Halt dich aus meiner Ehe raus», erwiderte Franz, nachdem er sein Glas mit einem großen Schluck geleert und auf den Tisch geknallt hatte. Eine unverhohlene Drohung lag in seiner Stimme.

«Oh, hältst du dich dann auch aus meiner raus?», fragte Lily unbeeindruckt. «Nein? Dachte ich es mir doch.»

Franz' Augen wurden schmal. «Halt den Mund!»

Lily lachte. «Du hast mir gar nichts mehr zu sagen, verstehst du das, Bruderherz?», sagte sie. «Wenn deine Frau sich dein widerliches Verhalten willenlos gefallen lässt, kann ich ihr leider nicht helfen. Aber mit mir wirst du nicht so umspringen. Das hier ist nicht dein Haus. Und du hast auch nicht über mich zu entscheiden. Du kannst mir nicht den Mund verbieten. Außer meiner Tochter hast du mir bereits alles genommen, was es zu nehmen gibt. Ich habe keine Angst mehr vor dir, es schert mich nicht, was du von mir denkst oder was die anderen Leute von mir denken. Ich bin nicht mehr die Lily, die du nach England geschickt hast. Je eher du das begreifst, desto besser.»

Franz starrte sie mit offenem Mund an, und sogar Henry schien schockiert. Roswita fasste sich mit bleichem Gesicht an die Brust. Ihr Mund stand offen. Sie sah Lily an, als könnte sie nicht fassen, was sie soeben gehört hatte.

Entschieden schob Lily ihren Stuhl zurück. «Ich bringe jetzt meine Tochter ins Bett.» Sie wartete eine Sekunde, ob Henry einschreiten würde, aber er bewegte sich nicht. Sie nickte. «Gute Nacht allerseits.»

Roswita verharrte in Schockstarre. Die beiden Männer scharrten unbehaglich mit den Füßen. Henry murmelte etwas Entschuldigendes davon, dass Lily müde und überreizt sei, und Franz schnaubte nur verächtlich und winkte Lise, den Whiskey zu bringen.

Roswita hatte noch nie erlebt, dass eine Frau so mit einem Mann sprach. Sie hatte überhaupt noch nie erlebt, dass eine Frau so sprach. Ihr Herz klopfte wild. Wie schrecklich peinlich es ihr gewesen war, was Franz vorhin zu ihr gesagt hatte. Noch immer prickelte ihr Rücken vor Scham. In Gegenwart seiner Eltern benahm er sich eigentlich immer tadellos, wenn auch unterkühlt. Dass er sie so vorführte … Sie spürte, wie ihr die Tränen hinter den Lidern brannten. Woher sollte sie denn diese Dinge wissen? Das waren doch wirklich keine Themen für Damen.

Wenn sie alleine waren, hatte er sich in den letzten Wochen nicht zurückgehalten, sie verspottet und verhöhnt. Dabei wollte sie doch nur das Richtige tun. Sie lief ihm hinterher wie ein unterwürfiges Hündchen – und machte es dadurch nur noch schlimmer. Er hasste ihre weinerliche Art, daraus machte er keinen Hehl. Noch nie hatte er sie so angesehen wie eben seine Schwester. Sogar seine Stimme war anders, wenn er mit Lily sprach. Voller Hass und Ablehnung zwar, aber auch voller Respekt. Er sprach mit ihr wie mit einem Mann. Mit Roswita hingegen redete er meist wie mit einem kleinen Kind. Wenn er überhaupt noch mit ihr redete.

Wie macht sie das nur?, dachte Roswita. Woher nimmt sie den Mut, so mit ihm umzugehen?

Wie ist sie so stark geworden?

2

Er wusste, dass es so weit war, noch bevor er das Haus betrat. Almas quälender Husten war bis auf den Hof zu hören. Jo hielt einen Moment inne, die Faust zum Anklopfen erhoben, und schloss die Augen. Es war ein milder Abend, die Sonne ging gerade unter, und selbst hier in dem stinkenden, dunklen Innenhof konnte er eine Amsel singen hören. Ein Hauch Frühling lag in der Luft. Es hätte ein so friedlicher Moment sein können.

Jo war unendlich müde, tiefe, schwindelig machende Erschöpfung zehrte an seinem Innersten. Nun auch noch das. Als er den Husten hörte, wäre er am liebsten auf der Stelle umgekehrt und davongerannt.

Er klopfte an und trat ein. Es war beinahe dunkel im Zimmer, seine Augen mussten sich erst an das Dämmerlicht gewöhnen, und für einen Moment sah er nur Schattengestalten. Marie und Hein saßen am Tisch, im Licht eines einzelnen Wasserdochtes. Marie hatte eines von Lilys alten Büchern vor sich liegen, Hein schob eine kleine Eisenbahn hin und her. Beide sahen müde auf, als er eintrat. Es war klar, dass sie mit aller Kraft versuchten, das Keuchen und Husten zu ignorieren, das aus der dunklen Zimmerecke drang. Das Fenster stand offen, so wie er es ihnen gesagt hatte. Alma lag wie schon bei seinem letzten Besuch auf dem Bett, das Gesicht zur Wand gedreht. Jo wusste, dass sie den Kindern den Anblick ersparen wollte. Sein Blick fiel auf das Wäschelager auf dem Boden neben dem Ofen, das die Kinder sich gebaut hatten. Dort hatten sie in den letzten Wochen geschlafen.

Er nickte ihnen zu und rang sich ein Lächeln ab. Heute hatten sie anscheinend nicht einmal mehr die Energie, sich über seinen Besuch zu freuen. Wenigstens brannte ein Feuer im Herd, er hatte die Nachbarin dafür bezahlt, sich um das Nötigste zu kümmern, und sie schien ihrer Aufgabe nachzukommen. Marie und Hein halfen, wo sie konnten, aber sie waren beide noch zu klein, um einen Haushalt allein zu stemmen. Auf der Platte brodelte Eintopf, der einen trügerisch wohligen Duft im Raum verbreitete.

«Na, ihr beiden? Hat Frau Wermut für euch gekocht?», fragte er leise und kniff Hein liebevoll in den Nacken, streichelte Marie kurz übers Haar.

«Nein, das war ich», erwiderte das Mädchen zaghaft mit piepsiger Stimme. «Sie sagt, sie will sich nicht den Tod holen.»

Ärgerlich verzog Jo den Mund. «Das hast du ganz alleine gekocht?», fragte er dann, und sie nickte.

«Das riecht ja köstlich!»

«Es ist Mamas Lieblingsessen. Aber sie hat keinen Hunger!» Marie sah ihn an, und die Augen in ihrem bleichen Gesichtchen waren riesig und dunkel. Sie weiß es, dachte Jo, und ein Schauer überlief ihn.

Er ging zu Alma und setzte sich auf die Bettkante. Vorsichtig fasste er sie am Arm und drehte ihren Oberkörper ein Stück herum. Als er ihr Gesicht sah, zuckte er zurück, lächelte dann aber den Kindern aufmunternd zu, die jede seiner Bewegungen beobachteten. Er schluckte.

«Alma, hörst du mich?», fragte er und schüttelte sie sanft.

Sie gab ein paar fiebrige Laute von sich. Plötzlich packte sie ein röhrender Husten. Die Geräusche, die aus ihrer Lunge kamen, wirkten so gequält, dass sich Jos eigener Hals zusammenzog. Das war kein Atmen mehr, nur noch ein ersticktes, verzweifeltes Fiepen. Sie bekam kaum noch Luft. Da sah Jo, dass die Wand neben ihrem Gesicht voller Blutspritzer war. Und in diesem Moment stach ihm auch der faulige Gestank in die Nase. Er blickte auf das Betttuch und merkte erst jetzt, dass es von blutigem Durchfall durchtränkt war. Ruckartig stand er auf.

«Kinder, ihr esst jetzt was, und dann bringe ich euch zu meiner Mutter», sagte er mit fester Stimme, während ihm das Herz bis zum Hals klopfte. «Ich muss einen Arzt für Alma holen, und ich will, dass sie Ruhe bekommt. Packt ein paar Sachen zusammen, ich gehe inzwischen zur Nachbarin und hole sie, damit sie bei ihr bleibt.»

Sie starrten ihn an, und er sah, dass sogar dem kleinen Hein klar war, was seine Worte bedeuteten. In den Augen beider Kinder schimmerten Tränen. Aber sie machten sich stumm daran, auszuführen, was er ihnen aufgetragen hatte. Jo füllte ihnen zwei Schüsseln mit dem Eintopf, stellte sie auf den Tisch und ging dann nach nebenan.

Eine halbe Stunde später klopfte er an die Tür seiner Mutter. Sie öffnete, einen Kochlöffel in der Hand und ein Küchentuch über der Schulter, die Haare ein wenig zerzaust, und starrte ihn verwundert an, als sie die beiden kleinen Kinder sah, die mit verweinten Gesichtern vor ihr auf der Schwelle standen.

«Mutter. Du musst dich um die beiden kümmern», sagte Jo. «Das sind Marie und Hein, Almas Kinder. Ich muss wieder zurück.» Er warf ihr einen vielsagenden Blick zu, und als sie verstand, wurden ihre Augen groß vor Mitleid.

«Oh, aber natürlich!» Sie ging in die Knie und streckte lächelnd die Hände nach den Kindern aus. «Kommt herein, ihr beiden. Wir wollen bald essen, habt ihr denn auch Hunger mitgebracht?»

Dankbar, dass er sich auf seine Mutter wie immer verlassen

konnte, machte Jo auf dem Absatz kehrt und ging zurück in die dunklen Gassen, aus denen er gekommen war.

Der Arzt, an dessen Tür er kurz darauf klopfte, weigerte sich, ihn zu begleiten. «Sie stirbt, es gibt nichts mehr, was ich tun kann», sagte er. «Das habe ich Ihnen doch neulich schon gesagt. Ich gebe Ihnen ein Mittel zur Beruhigung, aber so, wie Sie es geschildert haben, wird es nicht mehr lange dauern.»

Voller Wut und Verzweiflung trat Jo wieder auf die Straße hinaus. Er überlegte, Emma zu holen, aber auch sie hatte ihm schon damals gesagt, dass es keine Heilung gab. Wahrscheinlich würde Alma in der Zeit sterben, die er bräuchte, um Emma herzubringen, und so lief er alleine zu der kleinen Wohnung zurück.

Es dauerte die ganze Nacht. Erst gegen Morgen war es endlich zu Ende. Jo saß alleine und am ganzen Leib zitternd an Almas Bett. Er blickte durch das kleine Fenster nach draußen, hörte wieder die Amsel, die irgendwo oben auf einem Dachfirst den Tag begrüßte, und neben ihm lag die tote, ausgemergelte Frau, die nichts mehr gemeinsam hatte mit der Alma, die sie einst gewesen war. Es war ein grausamer, entwürdigender Tod gewesen. Auch ein einsamer, denn Alma hatte ihn nicht mehr erkannt, nur ab und zu, zwischen zwei keuchenden Atemzügen, um Hilfe und nach ihrer Mutter gerufen.

Irgendwann stand er auf und zog eine Decke über ihr Gesicht. Ihr Mund stand offen, er versuchte, ihn zu schließen, aber der Kiefer klappte immer wieder herunter. Er wusste, dass Alma eine gottesfürchtige Frau gewesen war und hatte das Gefühl, etwas sagen oder ein Gebet sprechen zu müssen, aber ihm fiel nicht das Geringste ein. So stand er nur einen Moment stumm da und verabschiedete sich auf seine Weise.

Als er ging, fiel sein Blick auf den verrosteten Spiegel neben der Eingangstür. Sein Gesicht wirkte hohl und ausgemergelt, wütend beinahe. Er stockte erschrocken, als er sah, dass sein Hemd über und über mit Blutspritzern bedeckt war.

Als er bei seiner Mutter ankam, war sie wach, trotz der frühen Stunde. Er sah an den Schatten unter ihren Augen, dass sie auf ihn gewartet hatte. Bei seinem Anblick schlug sie bestürzt die Hände vor den Mund.

Es tat so gut, die Verantwortung einen Moment abgeben zu können. Er ließ seine Mutter machen, sah zu, wie sie durch die Küche wirbelte, ihm Kaffee kochte, Grütze ansetzte. Sie zog ihm das Hemd aus und begann unverzüglich damit, es einzuseifen und auszukochen. Er saß am Tisch, atmete den Duft des Kaffees ein, lauschte auf das erstickte Weinen von Hein und Marie, das unter der Tür durchdrang, und fühlte gar nichts. Die Erschöpfung war einfach zu groß. Ab und an stand er auf und schaute in den Topf mit dem brodelnden Wasser, das Almas Blut rot gefärbt hatte.

Er war tot.

Charlie war sich sicher, er musste tot sein.

Aber warum war ihm dann so schlecht?

Er öffnete die Augen, blinzelte, starrte benommen auf die verschwommenen Deckenbalken über ihm. Im Wandschrank, in dem er die letzten Wochen geschlafen hatte, war grünliches Wasser am Holz entlanggelaufen, und es hatte nach schimmelnder Wolle und Kohl gestunken. Hier stank es nicht. Es roch nach frischer Bettwäsche und Kaminfeuer. Und es war still. Beinahe zu still.

Er hob den Kopf.

«Ah, ein Lebenszeichen!»

Neben seinem Bett saß eine Frau. Als er sich regte, erhob sie sich. Sie sprach Englisch. «Wie geht es Ihnen?»

Er blinzelte verwirrt. «Wo bin ich?», fragte er benommen.

«Sie können sich nicht erinnern?»

Charlie schüttelte den Kopf. Die Frau, die sich jetzt über ihn beugte und seinen Puls fühlte, war auffallend schön, aber er fand ihren Akzent so abstoßend, dass sie ihm sofort unsympathisch war.

«Nun, das wundert mich ehrlich gesagt nicht, Sie haben halluziniert vor Fieber. Als Jo Sie herbrachte, konnten Sie nur noch lallen. Wir haben drei Männer gebraucht, um Sie hier hochzukriegen. Eine schöne Lungenentzündung haben Sie da, ganz zu schweigen von Ihren Prellungen und Quetschungen.»

«Jo?» Charlie verstand gar nichts mehr.

Sie nickte. «Sie waren so krank, dass er nicht wusste, wo er Sie hinbringen sollte.»

Plötzlich fuhr Charlie mit einem Ruck in die Höhe. «Aber wie …?», stammelte er.

Die Frau drückte ihn sanft wieder ins Bett zurück. «Bitte bleiben Sie liegen, Sie müssen sich noch schonen!»

«Wer sind Sie eigentlich?», fragte er unwirsch.

«Emma Wilson», erwiderte sie ruhig.

«Sie sind *die Ärztin*!» Charlie wusste plötzlich, wen er da vor sich hatte. «Und was zum Teufel mache ich hier bei Ihnen in der Wohnung?», wollte er wissen, und sie lachte laut auf. «Das ist nicht meine Wohnung. Sie sind in einem Frauenstift. Ich arbeite hier. Zum Glück hatten wir diese Dachkammer frei.»

«Ach ja, und wozu?», fragte Charlie, nun vollends verwirrt.

«Um Sie gesund zu bekommen natürlich», erwiderte sie brüsk. «Und ich kann Ihnen sagen, dass Sie es nicht mehr lan-

324

ge machen werden, wenn Sie nicht ein bisschen besser auf sich achtgeben. Sie waren kurz davor zu sterben.»

«Unsinn!», erwiderte Charlie schroff. Dann versuchte er aufzustehen. Das war also die Ärztin. Lilys beste Freundin. Jos kleiner Bruder Karl war gestorben, nachdem sie ihm den Arm ausgebrannt hatte. Er hätte darauf verzichten können, sie persönlich kennenzulernen.

«Ich hab gesagt, Sie sollen liegen bleiben», befahl sie streng.

«Und ich sage, dass ich aufstehen will», erwiderte er ungehalten. Was bildete sie sich ein, ihm Befehle zu erteilen? Sie versuchte, ihn zurückzuhalten, und er schob sie grob zur Seite. Er kam genau zwei Schritte weit, da erfasste ihn ein grauenvoller Schwindel. Sofort sprang sie herbei, und als er in die Knie ging und sich würgend und keuchend erbrach, hielt sie ihm einen Eimer hin.

«Nächstes Mal hören Sie einfach auf mich», sagte sie wütend, und er knurrte unwillig. Sie steckte ihn wie ein Kind zurück ins Bett und wischte ihm das Gesicht ab. Dann ging sie weg und kam kurz darauf mit einem Becher wieder. «Trinken Sie das», befahl sie.

Da er schwach den Kopf schüttelte, kniff sie ihm kurzerhand die Nase zu und kippte die bittere Flüssigkeit einfach in seinen Mund. Er würgte und spuckte, aber sie presste seinen Kiefer zusammen, bis er geschluckt hatte. Als sie ihn losließ, hustete er keuchend. «Was fällt Ihnen ein?», brüllte er, aber sie zuckte nicht mit der Wimper.

«Sie brauchen die Medizin», erklärte sie.

Er knurrte wütend, aber ihr Blick ließ ihn klein beigeben. Was war das nur für ein Teufelsweib?

Wenn er nur nicht so wahnsinnig schwach auf den Beinen wäre …

Als er das nächste Mal aufwachte, war er allein. Es war hell draußen. Er horchte in sich hinein. Mit jeder Sekunde, die er wach war, wurde der Schmerz heftiger, jeder Knochen schien weh zu tun. Er stöhnte. Wie hatte er überhaupt schlafen können? Es war, als würde er bei lebendigem Leib verbrennen.

Sobald er die Augen schloss, war er wieder in der Zelle.

Sie waren nachts gekommen, damals, vor drei Jahren. Er konnte den Schlüssel schon auf dem Gang klimpern hören, und die Panik hatte ihm die Sinne vernebelt. Er wusste sofort, warum sie da waren. Jemanden, der wegen Mordes einsaß, noch dazu ein Ire, ließen sie nicht einfach so davonkommen.

Er würde Jo niemals davon erzählen. Niemandem würde er je davon erzählen.

Aber er wusste, dass es ihn bis an sein Lebensende verfolgen würde.

Neben dem Schmerz, der sofort da gewesen war, wurde nun das Verlangen immer stärker, nichts mehr fühlen zu müssen, alles zu vergessen, zu versinken im süßen Nichts des Opiumdunstes. Er stand auf und zog sich stöhnend an. Er konnte dieses Leben nur noch ertragen, wenn er es sich auf seine Weise leichter machte. Und das würde er jetzt tun. Niemand würde ihn davon abhalten.

Sieben Tage später erwachte er wieder im selben Bett. Ungläubig starrte er an die inzwischen schon bekannten Deckenbalken. Er konnte sich nicht erinnern, wie er hergekommen war, wusste nur noch, dass er die letzte Woche komplett in einem blau vernebelten Keller verbracht hatte. Er fühlte sich noch schlechter als vorher, noch elender, noch einsamer. Er war allein, von draußen drückte ein schwarzer Nachthimmel gegen das Dachfenster, und das Haus lag totenstill da. Im Mund hatte er einen sauren Geschmack. Neben seinem Bett stand Wasser, und auf einem Teller lagen ein Stück Brot und etwas Schinken. Allein der Anblick reichte, ihn zum Würgen zu bringen. Er stand auf, rannte zum Eimer in der Ecke und erbrach sich. Es kamen nur süßlich riechender Schleim und eine orangefarbene Brühe. Anscheinend hatte er lange nichts gegessen. Er sank neben dem Eimer auf den Boden und lag eine Weile einfach nur da, wartete darauf, dass es besser würde. Aber das passierte nicht.

Es wurde schlimmer.

Ich halte das nicht mehr aus, dachte er.

Und wozu auch?, flüsterte eine Stimme in seinem Kopf.

Die Erkenntnis, dass er es nicht wusste, traf ihn wie ein Schlag.

Und plötzlich war alles ganz einfach.

Er kroch zu seinem Stiefel und zog das Messer heraus, das er immer bei sich trug. Ruhig setzte er es an und machte einen tiefen, geraden Schnitt über sein Handgelenk. Der Schmerz war gar nicht schlimm, es brannte, aber er hätte gedacht, dass es mehr weh tun würde, sich das Leben zu nehmen. Er fühlte gar nichts, nur ein leises Pochen. Fast freute er sich darauf, dass es bald vorbei war. Endlich keine Schmerzen mehr, keine Traurigkeit.

«Kinderspiel», murmelte er.

Er machte den zweiten Schnitt.

Danach saß er da und sah zu, wie das Leben aus ihm herauslief. Er sah Claires Gesicht vor sich, ihr Lächeln.

Es ist gut so, dachte er.

Dann schloss er die Augen.

Lily erwachte mit Unterleibskrämpfen. Gott sei Dank, dachte sie und schickte ein stummes Gebet zum Betthimmel. Eine Weile starrte sie einfach vor sich hin, ließ sich Zeit aufzuwachen, lauschte auf die Geräusche im Haus und badete in ihrer Erleichterung. Nicht auszudenken, wenn sie wieder schwanger wäre. Seit ihrer Hochzeit war jede neue Monatsblutung für sie wie ein Geschenk.

Als Mary hereinkam, um ihr beim Ankleiden zu helfen, bat sie sie, ihre Binden und den dazugehörigen Menstruationsgürtel aus dem Schrank zu holen.

«Oh, wie schade! Ich hatte gedacht, dass Sie vielleicht doch endlich guter Hoffnung wären», rief Mary traurig. «Sie sahen so rosig aus die letzten Tage!»

«Leider nein», erwiderte Lily freudig und erntete einen überraschten Blick.

Mary rümpfte die Nase, als sie im Schrank kramte. «Wirklich, Frau von Cappeln, halten Sie diese Mode nicht für gefährlich? Ich nähe Ihnen gerne eine neue Blutungshose. Diese Binden … Denken Sie nicht, dass sie den Fluss unterbrechen? Am Ende bekommen Sie noch eine Vergiftung», sagte sie mit niedergeschlagenen Augen und roten Wangen. Es war ihr sichtlich unangenehm, über dieses Thema zu sprechen. Abhalten ließ sie sich davon allerdings nicht.

Lily, die anfangs von Marys direkter englischer Art überrascht gewesen war, winkte ab. «Ach woher, Mary. Die Binden werden doch von Ärzten empfohlen.»

«Also, wo ich herkomme, sagt man, dass man es laufen lassen muss, sonst gibt es Entzündungen.»

«Das halte ich für Unsinn», erwiderte Lily bestimmt, und Mary spitzte beleidigt den Mund. «Es kann auf keinen Fall hygienisch sein», beharrte Lily.

«Nun gut, aber rausgehen dürfen Sie heute nicht!»

«Selbstverständlich gehe ich raus. Mir geht es prächtig. Ich habe nur ein paar kleine Krämpfe. Sie wissen doch, mir macht meine Blutung nicht so viel aus, ich kann mich sehr glücklich schätzen!» Tatsächlich hatte sie heute so viel Energie wie schon lange nicht mehr. Die Tatsache, dass sie wieder einen Monat geschafft hatte, ohne schwanger zu werden, erfüllte sie mit einem euphorischen Glücksgefühl.

«Das ist nicht vernünftig. Damen wie Sie müssen an diesen Tagen ruhen. Sie wollen doch irgendwann einen gesunden Jungen gebären, da müssen Sie gut auf sich aufpassen.»

«Will ich das?», fragte Lily trocken und begegnete im Spiegel sogleich Marys aufgerissenen Augen.

«Frau von Cappeln ...», flüsterte sie.

Lily winkte ab. «Ich meinte doch nur, meine letzte Geburt hat mir eigentlich fürs Leben gereicht. Sie wissen, wie grauenvoll es war. Aber natürlich brauchen wir einen Erben für die Familie.» Diese Worte wurden von ihr erwartet, das war ihr nur allzu bewusst. Sie wollte nicht riskieren, dass man im Hause tratschte.

«Na, sehen Sie. Deswegen müssen Sie vernünftig sein!»

«Andere Frauen können auch nicht einfach auf dem Diwan herumliegen, wenn sie ihre Blutung haben, Mary», protestierte Lily ungeduldig. «Oder haben Sie sich schon einmal krankgemeldet, weil Sie Krämpfe hatten?»

Mary wurde rot bis unter die Haarwurzeln. «Selbstverständlich nicht!», hauchte sie empört. «Aber ich bin ja auch keine Dame.»

«Sie sind eine Frau. Was macht es für einen Unterschied?», fragte Lily ungeduldig.

«Einen großen sogar! Sie sind doch viel ... wie soll ich sagen ... zarter besaitet.»

«Also, Mary, so etwas will ich nicht mehr hören! Unsere Körper sind alle gleich. So, und jetzt holen Sie mir rasch den Gürtel. Ich habe gehört, dass es bald Wegwerfbinden geben soll. Wäre das nicht wahnsinnig praktisch?»

Mary erwiderte nichts darauf, aber ihr Gesicht verriet auch so, was sie von dieser neumodischen Erfindung hielt.

Nach dem Frühstück bat Alfred sie und Henry in sein Büro. Sie hatten das Gespräch über ihre Zukunft in Hamburg bisher immer wieder verschoben, da ihr Vater sich zu schwach fühlte. Heute ging es ihm aber anscheinend besser. Als sie hereinkamen, saß er wie früher hinter seinem Schreibtisch, hatte den Stuhl gedreht, sodass er über den Garten zum Fluss hinabblicken konnte. Nachdem sie sich gesetzt hatten, verschränkte er die Hände auf der Tischplatte und sah sie durchdringend an. Er wirkte müde und ernst.

«Um es kurz zu machen: Wir haben euch schon vor einiger Zeit das Haus gekauft, das ihr damals ausgesucht hattet», begann er, und Lily sah, wie Henrys Augen aufleuchteten.

«Wirklich?», rief er. «Die schöne Villa am Ufer mit den roten Ziegelsteinen?»

Alfred nickte. «Ich habe mir die Kosten mit deinem Vater geteilt, Henry. Wir finden beide, dass eine junge Familie ein würdiges Zuhause braucht, und da du in England nicht die Möglichkeit hattest, dein Studium zu beenden …»

Er ließ den Satz in der Luft hängen, und Henry sprang sofort darauf an. «Ich werde es nun umso schneller nachholen», versicherte er, und Lily stöhnte leise auf bei seinem unterwürfigen Ton.

«Da bin ich sicher. Seht das Haus als verspätetes Hochzeitsgeschenk.» Alfred lächelte erschöpft. «Es wird allerdings noch etwas dauern, bis es bezugsfertig ist. Wir hatten nicht damit gerechnet, dass ihr so schnell zurückkommen würdet.» Es war kein Vorwurf in seiner Stimme, und doch biss Lily sich auf die Lippen. «Wir müssen auch noch Personal einstellen. Gehe ich recht in der Annahme, dass ihr Mary behalten werdet?»

Henry nickte. «Auf jeden Fall. Sie spricht Deutsch fast so gut wie wir, und Hanna hat sie sehr liebgewonnen.»

Lily erwiderte nichts, denn ihr Vater hatte bei seiner Frage nur Henry angesehen.

«Gut. Sylta wird euch bei der Suche unterstützen. Bis auf weiteres wohnt ihr hier.» Alfred räusperte sich. «Ich muss wohl nicht betonen, dass ich keine alleinigen Ausfahrten in die Stadt wünsche», sagte er, diesmal an Lily gewandt.

Erschrocken zuckte sie zusammen. Dann spürte sie, wie sie zornig wurde. «Nennen wir die Dinge doch endlich beim Namen», sagte sie und merkte, wie Henry neben ihr sich verkrampfte. «Ihr habt Angst, dass ich Hannas Vater treffe. Nun, ihr müsst euch keine Sorgen machen. Ich habe keinerlei Kontakt zu ihm, er weiß weder, dass er eine Tochter hat, noch, dass wir zurück sind. Ich habe keine Ahnung, wo er wohnt, ob er verheiratet ist und was er tut. Euer Plan von damals ist ganz wunderbar aufgegangen. Ich werde ihn nicht wiedersehen.»

Alfred musterte sie mit zusammengekniffenen Augen, und sie hätte nicht sagen können, was er dachte. Schließlich seufzte er tief. «Ich hatte wirklich gehofft, dass ihr beiden in England wieder zueinanderfindet», murmelte er. Als keiner von ihnen reagierte, beide nur abweisend in verschiedene Richtungen blickten, nickte er. «Gut. Dann wäre das ja geklärt.» Er entließ sie mit einer Handbewegung.

Draußen auf dem Flur packte Henry Lily am Arm. Zu ihrem Erstaunen sah er nicht wütend aus, sondern nachdenklich. Er führte sie ans Fenster zu einer Bank, und Lily setzte sich widerwillig.

«Ich wollte mit dir sprechen.» Er holte tief Luft und nahm dann zu ihrer Überraschung ihre Hände. «Wir sind nun einmal verheiratet, ob es dir gefällt oder nicht.» Ohne sie loszulassen, setzte er sich ihr gegenüber. Er sah sie eindringlich an. «Wir werden zusammen in die Villa ziehen. Sicher bekommen wir bald ein zweites Kind. Du willst doch deinen Eltern keine neue Schande machen ...»

Er brach ab, und sie sah ihn abwartend an. «Wollen wir nicht Frieden schließen und versuchen, uns zusammenzureißen? Neu anfangen?», fragte er schließlich, und sie riss überrascht die Augen auf. «Du hast es doch selbst gesagt, dieser Bolten und du, ihr werdet nie wieder zusammen sein können. Du musst ihn vergessen! Also, warum machen wir nicht das Beste draus und hören auf, uns zu bekriegen. Ich bin es so leid. Ich liebe dich, das weißt du. Auch wenn ich manchmal ...» Er stockte. «Aber ich will nicht so enden wie Franz und Roswita.»

Einen Moment wusste sie nicht, was sie sagen sollte. Sie sah Henry nachdenklich an. «Wie heißt noch mal die Frau, mit der du bald ein Kind bekommst?», fragte sie dann, und sein Gesicht verdüsterte sich schlagartig. «Ach, und hast du gewusst, dass ich immer noch, jedes Mal wenn ich mich hinsetze, vor Schmerz zusammenzucke? Weil du mich *in den Bauch getreten hast*?» Die letzten Worte zischte sie ihm entgegen wie eine wütende Schlange.

Henry wurde blass.

Lily stand auf. «Aber du hast recht», sagte sie dann leise, und er sah sie verblüfft an. «Ich bin deine Frau. Und da ich mein Kind behalten will, wird sich daran wohl auch nichts ändern.» Er wollte etwas erwidern, aber sie sprach schon weiter. «Wir können nicht neu anfangen, Henry. Ich liebe dich nicht und werde dich nie lieben. Aber das alleine wäre nicht so schlimm, in wie vielen Ehen gibt es schon echte Liebe? Doch nach allem, was passiert ist ...» Sie seufzte. «Wie wäre es mit einem Waffenstillstand? Ich verspreche dir, dass ich nicht nach ihm suchen werde. Ich werde mich an deine Regeln halten und keine Schwierigkeiten machen.

Nach außen präsentieren wir uns als heile Familie. Aber dafür … erlaubst du mir, meine Freundinnen zu sehen.»

Er schüttelte den Kopf. «Ausgeschlossen. Wegen diesen Weibern bist du doch überhaupt erst so geworden. So … so …»

«So wie?», fragte Lily kalt.

«So … unangepasst. Schwierig!», rief er.

Lily schüttelte den Kopf. «Henry, das ist doch genau das, was du an mir magst. Oder hättest du lieber eine kleine Roswita, die du behandeln kannst wie eine hohle Puppe?»

Er schüttelte den Kopf. «Alles, was ich will, ist eine Frau, die mich nicht verachtet», sagte er leise, und beinahe tat er ihr leid. Dann dachte sie wieder an den Tag im Salon.

«Dafür ist es leider zu spät», erwiderte sie ebenso leise, und er nickte mit zusammengepressten Lippen. Schließlich schüttelte er kaum merklich den Kopf. «In Ordnung. Du kannst deine Freundinnen einmal in der Woche sehen, sobald wir in unserem neuen Haus wohnen. Aber sie kommen zu uns. Du fährst nirgendwohin ohne meine Erlaubnis.» Auch er stand jetzt auf. Sein Gesicht war wieder zu jener harten Maske geworden, die er in der letzten Zeit fast immer trug. «Und solltest du irgendetwas tun, was mir nicht gefällt, wenn du wieder mit diesem Frauenpack lächerliche Protestaktionen planst oder sonstigen Unsinn», er kam einen Schritt auf sie zu und senkte die Stimme zu einem Flüstern, «dann bringe ich Hanna in ein Kloster irgendwo weit weg auf dem Land. Und du wirst sie niemals wiedersehen. Ich meine das vollkommen ernst, Lily. Ich habe es auf die freundliche Art versucht. Ich werde mich nicht in meinem eigenen Haus zum Narren machen. Haben wir uns verstanden?»

Sie erwiderte nichts. Eine Weile starrten sie sich wortlos an. Keiner von beiden senkte den Blick.

Dann drehte Lily sich um und ging davon.

W ie geht es den beiden?» Jo nahm die Mütze ab und umarmte seine Mutter zur Begrüßung. In der kleinen Wohnung roch es nach Speck und Wäschebleiche. Wie immer war es warm, sauber und aufgeräumt, und wie immer war er dankbar, dass seine Brüder hier aufwachsen durften. Es war früher Vormittag, Wilhelm, Julius und Christian lernten in der Schule, in der Stube war es ungewohnt ruhig. Auch Marie und Hein würden bald in der Schule angemeldet sein, wenn alles so lief, wie er sich das vorstellte.

Sie seufzte. «Den Umständen entsprechend. Sie sind gerade einholen, du hast sie um zehn Minuten verpasst.»

«Das macht nichts, dann können wir ungestört reden.» Er zog die Stiefel aus, setzte sich an den Tisch, und wie immer begann seine Mutter sofort, etwas Essbares für ihn zuzubereiten.

Während sie Brot abschnitt, musterte sie ihn. «Du siehst furchtbar aus.»

«Schönen Dank!» Jo lächelte müde.

Sie machte ihm eine Schmalzstulle, stellte eine Tasse Kaffee neben seinen Teller und setzte sich ihm gegenüber. «Jo. Ich mache mir Sorgen. Du arbeitest doch schon so viel. Wie soll das werden mit zwei Mündern mehr? Es ist eine ungeheure Verpflichtung!»

Jo biss in sein Brot. «Ich weiß», sagte er kauend. «Aber welche Wahl bleibt uns denn?»

Noch am Morgen nach Almas Tod hatten sie einen Plan gefasst: Als Jo dasaß, noch erfüllt von dem Grauen und zum Umfallen müde, hatte seine Mutter den Kopf geschüttelt. «Was machen wir nur mit ihnen? Ich würde sie ja aufnehmen, aber woher sollen wir das Geld nehmen?»

Jo sah verdutzt auf. «Das würdest du tun?»

«Wenn es dafür Hilfe vom Senat gäbe, auf jeden Fall. Du weißt, wie mein Rücken mir zu schaffen macht, ich habe jetzt schon Angst vor dem Moment, wenn die Jungs mich nicht mehr brauchen und ich arbeiten gehen muss.»

Jo sah sie eindringlich an. «Das wirst du nicht. Und ich kann dich bezahlen. Wenn du dich wirklich um die beiden kümmern würdest …» Er sprang auf und tigerte in der Küche umher. «Ich kann das Geld verdienen, Mutter. Es wäre viel, aber ich würde es schaffen. Wenn du es wirklich ernst meinst.»

«Es sind zwei so liebe Kinder. Mir bricht das Herz, wenn wir sie auf die Straße schicken. Aber Jo, wie soll das gehen?»

Er hatte ausweichend geantwortet, ihr jedoch versichert, dass er es schon irgendwie stemmen würde. Sie war voller Zweifel gewesen, hatte aber auch keine Alternative gesehen.

Als sie ihn jetzt musterte, zog sie die Stirn sorgenvoll zusammen. Plötzlich griff sie über dem Tisch seine Hand. «Johannes», sagte sie, und er sah auf, den Mund voller Schmalzbrot. «Ich bin dir so dankbar für alles, was du für uns tust. Ich weiß nicht, was wir ohne dich machen würden. Ich sage es nicht oft, aber du weißt es hoffentlich?»

Er nickte überrascht. Seine Mutter war fürsorglich, aber niemals sentimental.

Sie räusperte sich, knetete ihr Geschirrtuch, fuhr sich mit den Händen über den Haarknoten in ihrem Nacken. «Ich möchte, dass du mir jetzt gut zuhörst. Ich weiß, dass du es für deine Pflicht hältst, diesen beiden Kindern zu helfen. Das ist sehr christlich von dir.» Sie sah ihn an, und er runzelte die Stirn. «Aber ich möchte nicht, dass du für sie … noch tiefer in die Dinge hineingerätst, in denen du schon steckst. Hast du mich gehört?»

Jo klappte der Mund auf. «Was?» Er verschluckte sich an seinem Brot, musste husten. «Wie meinst du das?», fragte er, als er wieder Luft bekam. Er hatte ihr doch nie erzählt, was er all die Jahre für Oolkert getan hatte.

Seine Mutter sah ihn regungslos an. «Jo, ich bin nicht dumm. Ich weiß, dass man mit einem einfachen Arbeitergehalt nicht so viel verdient, dass man eine ganze Familie so gut durchbringt wie du und sich dann noch eine Wohnung leistet und zwei Waisenkinder durchfüttert.»

Jo blinzelte. «Ich bin ja auch kein einfacher Arbeiter, ich heuere …», begann er, doch sie unterbrach ihn.

«Hast du dich nie gefragt, wie es kommt, dass du für Oolkert arbeitest?», fragte sie leise.

«Aber …», stotterte er, zu verblüfft und erschrocken, um einen ganzen Satz zu formulieren.

Sie lächelte traurig. «Hast du dich nie gefragt, warum ich, eine einfache Hausfrau aus den Gängevierteln, mir nichts, dir nichts mit meinem kleinen Jungen in die Küche eines der reichsten Männer Hamburgs spazieren und ihn um Arbeit bitten konnte?»

Jo schüttelte den Kopf. Er verstand gar nichts mehr. «Doch … natürlich. Aber ich dachte … Vater hat doch auch für ihn gearbeitet und …»

Sie nickte. «Ganz richtig, Jo. Dein Vater hat auch für ihn gearbeitet.» Sie sah ihn eindringlich an. «Er hat die gleiche Arbeit gemacht wie du.»

Plötzlich verstand er. Seine Augen weiteten sich in ungläubigem Staunen.

Seine Mutter stand auf und nahm den Topf vom Herd. Jo starrte ihren Rücken an. Er konnte nicht fassen, was sie ihm da gerade offenbart hatte. Sein Vater war auch Oolkerts Handlanger gewesen? Hatte für ihn seine Drogengeschäfte abgewickelt … und war dabei gestorben. Plötzlich setzten sich in seinem Kopf Teile zusammen, von denen er nicht gewusst hatte, dass sie zusammen gehörten, und er verstand, wie grauenvoll naiv er gewesen war. Ein dreckiger kleiner Junge aus der Steinstraße wurde nicht einfach so von einem Mann wie Oolkert eingestellt. Oolkert hatte ihn genommen, damit seine Geheimnisse bewahrt blieben, hatte sich wahrscheinlich noch gefreut darüber, dass ein Junge weniger auffiel als ein Mann, so viel leichter die Geschäfte abwickeln konnte. Jo merkte, dass er schwitzte, und wischte sich mit dem Ärmel über die Stirn. Plötzlich sah er, dass die Schultern seiner Mutter zuckten. Als sie sich wieder zu ihm umdrehte, war ihr Gesicht tränenüberströmt.

«Ich hatte keine Wahl. Ich hoffe, du glaubst mir das», sagte sie leise. «Ich habe es so oft bereut. Die vielen Male, die sie dich eingebuchtet haben oder du blau geschlagen bei mir auf dem Sofa lagst. Es hat mich fast umgebracht zu wissen, dass es meine Schuld ist. Du hättest ein ganz normaler Junge sein können, ein ganz normaler Mann mit einer normalen Arbeit.» Sie weinte jetzt so heftig, dass sie ihre Schürze nehmen und sich das Gesicht abtupfen musste. «So oft habe ich mich umgesehen, in meiner kleinen, feinen Wohnung, und habe mich gefragt, ob es das wert war. Ob es wert war, dich für unser Glück zu verkaufen.»

Jo sah sie einen Moment an ohne zu blinzeln, zu überrumpelt von dem, was er gerade erfahren hatte. Dann stand er auf und nahm sie in den Arm. «Natürlich war es das wert!», sagte er in ihr Haar und atmete einen Moment den vertrauten Geruch seiner Kindheit ein. Dann fasste er sie sanft bei den Schultern, damit sie ihn ansehen musste. «Jeder Tag war es wert, Mutter», sagte er fest. «Denk doch an die Jungs. Wie wäre es uns ergangen? Sie wären gestorben, genau wie Leni!»

Ein Schatten huschte über ihr Gesicht. «Das sage ich mir auch immer», flüsterte sie.

Er nickte. «Gut, denn es ist die Wahrheit. Gräm dich nicht. Nicht für mich. Mir geht es gut ...» Er brach ab und musste selbst lächeln. «Also gut, mir ging es schon besser. Aber das hat nichts mit der Arbeit zu tun.»

Sie setzte sich wieder hin. Plötzlich sah sie schrecklich müde aus. «Ich will nicht, dass du dir zu viel aufbürdest. Auch noch für Marie und Hein zu sorgen … Bist du sicher?»

Er dachte an den Keller voller Opium. Er dachte daran, wie unsicher das Geschäft war, einzig auf dem Wunsch nach Rache aufgebaut. Dass es ihm jederzeit um die Ohren fliegen konnte. Er dachte an Marie und Hein, die schon viel zu viel mitgemacht hatten, an ihre krummen Beine und müden kleinen Gesichter. Er seufzte leise.

«Ich bin sicher!», sagte er.

3

Sie war so stark gewesen in England. Und sie hatte geglaubt, dass sie noch stärker werden würde mit jedem neuen Jahr, jedem Tag, den sie für sich einstand, den sie an sich selbst festhielt, an der Lily, die sie sein wollte. Dass es ihr neue Kraft geben würde, wieder in Hamburg zu sein, bei ihrer Familie, ihren Freundinnen.

Doch das Gegenteil war der Fall.

Lily fühlte sich so eingesperrt und hilflos wie nie. In England waren sie nur zu dritt gewesen. Henry allein konnte sie in Schach halten, ihn manipulieren, nachgeben, wenn sie es musste, und hart bleiben, wenn es nicht anders ging. Doch mit großem Schrecken erkannte sie, welchen Fehler sie in ihren Gedanken gemacht hatte: In Liverpool war sie viel freier gewesen, als sie es hier jemals sein würde. Hier gab es überall Augen und Ohren, die sie verraten würden, sollte sie sich nicht an die Regeln halten. Und hier gab es ihren kranken Vater, den sie auf keinen Fall erneut enttäuschen oder aufregen durfte. In England hatte sie Hoffnung gehabt, die sie aufrecht hielt, die ihr Kraft gab, alles zu überstehen.

Nun, da Wunsch und Wirklichkeit miteinander kollidiert waren und sich alles so anders fügte, als sie angenommen hatte … nun fehlte ihr plötzlich die Kraft weiterzumachen. Sie hatte geglaubt, dass mit ihrer Rückkehr nach Hamburg ein besserer Lebensabschnitt beginnen würde. Dass sie wieder die Lily werden würde, die sie so vermisste, die unabhängige, freie Lily, die für sich selbst dachte und entschied. Immer hatte sie die Bilder von früher vor Augen gehabt: Sie in ihrer kleinen Wohnung am Herd, ein Tuch um den Kopf gebunden, über den Töpfen und Pfannen verzweifelnd und trotzdem glücklich, weil sie ihr eigenes Essen kochte. Sie und die anderen Frauen des Zirkels, wie sie in Marthas Wohnung zusammen rauchten, Wein tranken und über Frauenrechte, Philosophie und das Leben diskutierten. Sie in der Redaktion des *Tageblatts* und dann der *Bürgerzeitung*, die einzigen Orte der Welt, an denen sie sich jemals richtig erwachsen und ernstgenommen gefühlt hatte.

Natürlich hatte sie gewusst, dass es nicht möglich war, an diese Zeit anzuknüpfen. Aber ihr war nicht klar gewesen, wie sehr sie sich in den letzten Jahren dennoch selbst belogen hatte. Wenn sie jetzt in die Zukunft blickte, sah sie nichts als Schwärze. Was wartete noch auf sie? Hier hatte sie nur jeden Tag das Gefühl, dass die Versuchung draußen vor den Fenstern auf sie lauerte. Irgendwo hinter dem glitzernden Wasser der Alster kämpften ihre Freundinnen für ihre Rechte. Irgendwo da draußen war Jo, schnitzte, las, stritt sich mit Charlie. Lebte ein Leben ohne sie.

Sie war so nah dran und doch so unendlich weit entfernt.

Das Einzige, was noch auf Lily wartete, war eine erneute Schwangerschaft. Daran würde sie entweder sterben, oder sie würde die nächsten zwanzig Jahre damit zubringen, Henrys Kind großzuziehen.

Gedanken wie dieser hielten sie nachts wach. Sie tigerte den ganzen Tag in der Villa auf und ab, konnte sich auf nichts konzentrieren. Bald würden sie in die Backsteinvilla ziehen, dann durfte sie wahrscheinlich auch ihre Mutter nur noch ab und an sehen. Und sie würde in diesem großen, leeren Haus langsam wahnsinnig werden. *Soll ich für mein Kind mein eigenes Leben* opfern?, fragte sie sich und schämte sich gleich darauf, dass sie das überhaupt gegeneinander abwog.

Es war keine Wahl.

Für Frauen gab es keine Wahl.

Emma blickte zur Karsten-Villa hinauf, die sich dunkel gegen den rosa Abendhimmel abhob. Hinter fast allen Fenstern brannte Licht. Von der Fassade blickten die Statuen der Zunftmänner auf sie herab, und trotz ihrer Aufregung huschte kurz der Gedanke durch ihren Kopf, wie lange es wohl noch dauern würde, bis auch Frauen auf solche Art künstlerisch verewigt werden würden. Während hinter ihr die Droschke davonklapperte, eilte sie die Stufen hinauf. Das Herz klopfte ihr bis zum Hals.

Agnes öffnete. Die Hausdame blinzelte erschrocken. «Frau Wilson, wie schön, Sie zu sehen!», rief sie und warf einen unsicheren Blick über die Schulter in die Halle. «Aber wir haben gar nicht mit Ihnen gerechnet. Es ist nur …»

«Schon gut, Agnes, ich weiß, was Sie sagen wollen. Ich bin für einen kleinen Überraschungsbesuch hier, um Sylta zu sehen! Das wird doch erlaubt sein?», fragte Emma und lächelte verschwörerisch.

Agnes sah erstaunt aus, dann nickte sie, und ihre Mundwinkel zuckten. Sie zwinkerte ebenso verschwörerisch zurück und bat sie mit einer halben Verbeugung ins Haus. «Aber selbstverständlich! Ich werde Sie anmelden.»

Emma trat in die große Halle. Als Lise ihr gerade den Mantel abnahm, hörte sie einen spitzen Schrei hinter sich. Lily flog auf Emma zu und fiel ihr so ungestüm um den Hals, dass sie taumelte und fast gegen eine Vase mit Pfauenfedern gestoßen wäre.

«Aber Lily, Damen rennen doch nicht!», rief Agnes halb belustigt, halb tadelnd. Doch die beiden Freundinnen lagen sich bereits lachend in den Armen.

«Du hast dich ja gar nicht verändert!», sagte Lily, nachdem sie sich ein wenig beruhigt hatten. Sie nahm Emmas Gesicht in die Hände und betrachtete sie strahlend. «Nur noch schöner bist du geworden!»

Emma sah, dass Lily sich durchaus verändert hatte. Sie konnte erst nicht genau sagen, was es war, aber dann verstand sie: Lilys Gesicht fehlte die Unschuld. Das, dachte sie traurig, ist aber nun auch wirklich kein Wunder. Lilys Blick war zugleich härter und selbstsicherer, sie hatte Schatten unter den blauen Augen und einen strengen Zug um den Mund, der sie älter wirken ließ. Ein Hauch von Traurigkeit umgab sie, den Emma nicht an Äußerlichkeiten festmachen konnte. Er hing wie ein unsichtbarer Schleier über ihren Zügen. Man konnte es nicht leugnen: Sie war vom Mädchen zur Frau geworden.

Sylta war hinter Lily in die Halle getreten. Genau wie zuvor Agnes warf sie einen unsicheren Blick die Treppe hinauf. «Emma. Was für eine schöne Überraschung. Kommt doch schnell in den Salon, dann können wir …», sagte sie hastig, aber in diesem Moment erklang ein steifes Hüsteln über ihren Köpfen.

Henry kam langsam die Stufen herab.

Die Frauen erstarrten. Emma spürte, wie Lily neben ihr sich anspannte.

«Frau Wilson!» Henry trat mit starrem Blick auf Emma zu.

Sie musterte ihn. Lilys Ehemann sah immer noch sehr gut aus, mit seinem blonden Haar und der geraden Nase. Aber sie hatte selten jemanden verabscheuungswürdiger gefunden. Von Lily wusste sie, was er ihr in den letzten Jahren angetan hatte. Am liebsten hätte sie Henry in sein schönes Gesicht gespuckt.

Stattdessen ließ sie Lilys Hand los und trat ihm entgegen. «Henry. Wie schön, Sie wiederzusehen!», sagte sie so kühl, wie es gerade noch höflich war.

Einen Moment standen sie sich gegenüber, und die Halle schien den Atem anzuhalten. Dann beugte Henry sich vor und gab Emma zwei Luftküsschen. «Ebenfalls höchst erfreut!», erwiderte er, ohne zu lächeln.

Sylta atmete hörbar auf. «Emma, wir haben ja gar nicht mit dir gerechnet», sagte sie auf ihre übliche höfliche Art. «Trinkst du einen Tee mit uns? Dann lasse ich aufbrühen. Oder bleibst du gleich zum Abendessen?»

Emma nickte. «Sehr gerne einen Tee, wenn ihr Zeit habt. Ich wollte euch nicht überfallen.» Sie lachte gekünstelt. «Aber ich war in der Gegend und dachte, ich schaue kurz vorbei.»

«Darf ich mich den Damen anschließen?» Henry lächelte zuckersüß und bot Sylta seinen Arm. Emma sah, wie Lily wütend die Stirn zusammenzog, als er ihnen in den Salon folgte.

«Wie schade, dass Hanna gerade schläft», sagte sie. «Sonst hättest du sie kennenlernen können.»

«Ja, wirklich! Aber es wird noch genügend Gelegenheiten geben», erwiderte Emma.

Henrys Augenbrauen schossen bei diesen Worten in die Höhe, und Lily presste die Lippen zusammen. Emma spürte die Anspannung zwischen den beiden fast körperlich. Sie war sich sicher, dass Henry ihnen nicht einfach so gestatten würde, sich zu treffen. Vergeblich hatte sie seit ihrer Rückkehr auf eine Einladung oder ein Lebenszeichen aus dem Haus der Karstens gewartet. Wenn es nach Lily gegangen wäre, hätte sie Emma sicher sofort besucht. Sylta hatte ihr geschrieben, dass die Stimmung angespannt war und sie nicht wisse, wann ein guter Zeitpunkt für ein Wiedersehen sei. Aber Emma hatte es nicht länger ausgehalten und sich daher kurzerhand zu einem spontanen Besuch entschlossen.

Sie setzten sich und begannen eine steife Unterhaltung. Wäre Henry nicht gewesen, sie hätten sich vor lauter Übersprudeln nicht halten können. So aber saßen sie nebeneinander wie Fremde und sprachen über Unverfänglichkeiten. Sylta blickte unruhig von einem zum anderen. Lily zupfte an ihrem Kleid herum.

Als Emma vom Frauenstift erzählte, rief Lily: «Es ist so wunderbar, dass ihr das alles verwirklichen konntet. Ich kann es kaum erwarten, alles anzuschauen!»

Henry reagierte sofort. «Ein lobenswertes Projekt und sehr interessant. Wir können es uns jederzeit zusammen ansehen, meine Liebe!», sagte er, und Lily zuckte zusammen. Dann lächelte sie steif.

«Ja. Wir müssen eine Ausfahrt planen», erwiderte sie dumpf, und Emma verstand, wie Henry sich ihr Leben in Hamburg vorstellte. Er würde Lily auf Schritt und Tritt überwachen. Sie hatte es schon geahnt. Denkt er wirklich, dass er sie für immer von uns fernhalten kann?, fragte sie sich wütend. Aber sie wusste, dass er Lily in der Hand hatte. Ihr kranker Vater und ihre Tochter, die rechtlich Henry gehörte, waren die besten Druckmittel, die ein Mann sich nur wünschen konnte.

Als Emma eine halbe Stunde später wieder aufbrach, hatte sie kein Wort mit Lily allein wechseln können. Doch als sie sich zum Abschied umarmten, raunte die Freundin ihr ins Ohr: «Warte bei den Ställen auf mich!»

Emma hatte keine Zeit, etwas zu erwidern, denn Lily warf ihr aus großen Augen einen vielsagenden Blick zu, nahm ihre Hände und rief laut: «Wie schön, dich einmal wiederzusehen. Wenn wir in unserem neuen Haus wohnen, musst du zum Tee kommen. Mary macht ganz wunderbare Gurkensandwiches!»

«Oh, herrlich. Wie früher daheim!», lachte Emma.

Henry schüttelte ihr ebenfalls die Hand. «Eine gute Idee, meine Liebe. Sicher finden wir einen Termin, um alle in der neuen Villa zusammenzubekommen!»

Er wich Lily nicht von der Seite, bis Emma das Haus verlassen hatte.

Sobald sich die Tür hinter Emma geschlossen hatte, fuhr Lily auf dem Absatz herum. «Willst du mich jetzt zeit meines Lebens auf Schritt und Tritt überwachen?», fauchte sie.

Henry lächelte ohne eine Gefühlsregung. «Ich weiß nicht, wovon du sprichst», erwiderte er und drehte sich um.

Lily kochte vor Wut. Henry hasste Emma noch mehr als ihre anderen Freundinnen. Er war schlau genug, um zu wissen, dass Emma es an Fähigkeiten und Intelligenz sehr wohl mit ihm aufnehmen konnte, obwohl er ihre Qualitäten als Ärztin verlachte. Er wusste, wie sehr Sylta und inzwischen auch Alfred ihren Rat schätzten, und stellte sich prinzipiell gegen alles, was sie empfahl. Als Hanna ein Säugling war, hatte Lily einen regelrechten Krieg gegen ihn geführt. Einmal hatte Emma ihr geschrieben, dass sie die Fläschchen, aus denen Kinder gefüttert wurden, mit ihren langen Schläuchen und Saugnippeln für mögliche Brutstätten von Krankheiten hielt, und Lily dazu geraten, sie zur Vorsicht regelmäßig abzukochen. Henry war wahnsinnig wütend geworden. Er wollte davon nichts hören, nannte Emma ein hysterisches Mannsweib, das Lily Unsinn in den Kopf setzte, um sie von ihm zu entfremden. «Es geht ihr doch nur um Hannas Gesundheit!», hatte Lily ihn angebrüllt.

«Denkt sie, ich lasse meine Tochter an einem schmutzigen Fläschchen sterben?», hatte er zurückgeblafft. «Ich bin Arzt, denkt sie denn, ich kenne die einfachsten Hygieneregeln nicht?»

«Offensichtlich kennst du sie nicht, sonst hättest du mir davon schon erzählt!», hatte Lily wütend geantwortet. «Außerdem bist du kein Arzt. Du bist Student!»

Danach hatten sie eine Woche lang kein Wort miteinander gesprochen.

«Ich habe dir gesagt, dass ich mich an die Regeln halten werde. Ich wusste nicht, dass sie kommt!», rief Lily jetzt. «Du musst mir schon vertrauen, wenn das Ganze funktionieren soll.» Als Henry nicht reagierte, sagte sie, etwas ruhiger: «Emma hat keinerlei Kontakt zu ihm, schon seit Jahren nicht mehr. Es kann nichts passieren, wenn ich mit ihr rede. Sie ist nur eine Freundin, Henry. Das ist alles. Wovor hast du denn Angst? Glaubst du, ich starte vom Salon aus einen Aufstand der Frauenrechtlerinnen?»

Er nickte, die Hand auf dem Treppengeländer. «Ich glaube dir sogar, dass du nichts von ihrem Besuch wusstest», erwiderte er. «Es ließ sich ja auch kaum auf Dauer vermeiden. Das Problem ist nur …», er legte den Kopf schief und lächelte kalt, «dass ich dir, was deine anderen Versprechungen angeht, kein bisschen vertraue, Lily.» Er stieg die Treppe hinauf, ohne sie noch einmal anzusehen. «Nicht im Geringsten. Dieses Vertrauen wirst du dir erst verdienen müssen.»

Lily ballte die Fäuste, grub die Nägel in die Handflächen und stellte sich vor, wie sie ihm ein paar schallende Ohrfeigen verpasste. Sie sah ihm nach, bis er oben angekommen war und die Tür hinter ihm zufiel. Dann machte sie auf dem Absatz kehrt und eilte in die Küche.

«Ich war nie hier!», rief sie, während sie durch den Raum rannte. Hertha und Lise, die bis zu den Ellbogen im Brotteig steckten, starrten ihr verblüfft hinterher.

Sie hastete über den Hinterhof und blickte zu seinem Fenster hinauf. Nein, er konnte sie hier nicht sehen. Einen Moment dachte sie, dass Emma nicht auf sie gewartet hatte, doch dann trat die Freundin aus dem Schatten der Büsche, und Lilys Herz machte einen Hüpfer. Endlich konnten sie sprechen.

«Es tut mir so leid, ich darf euch nicht sehen!», rief sie und ergriff Emmas kalte Hände.

Die Freundin nickte besorgt. «Das habe ich mir schon gedacht», sagte sie und blickte kopfschüttelnd zum Haus.

Lily zog sie hinter den Hühnerschuppen. «Ich weiß nicht, was ich machen soll. Henry sagt, dass er Hanna in ein Kloster steckt, wenn ich mich nicht an seine Regeln halte. Wenn er könnte, würde er mich einsperren und den Schlüssel wegwerfen!» Plötzlich spürte sie, wie ihr die Tränen kamen. Wie sie so dastand, mit Emma in der Dunkelheit, hinter sich das erleuchtete Haus, fühlte sie mehr denn je, wie die zwei Welten in ihrem Herzen miteinander kämpften, sie in die eine und die andere Richtung zogen und sie dabei zu zerreißen drohten. Emma verkörperte alles, wonach sie sich sehnte. Aber sie würde es nicht bekommen, wenn sie nicht einen Teil von sich aufgab, ohne den sie nicht leben konnte.

«Aber Lily, weine doch nicht! Wir finden einen Weg! Das haben wir doch immer!», rief Emma und drückte sie an sich.

Lily schüttelte voller Frustration den Kopf. Energisch wischte sie sich die Tränen von den Wangen. «Ich weine ja nicht, ich bin nur so wütend», stotterte sie, und ihre Lippen zitterten. «Und ich mache mir solche Sorgen um Hanna. In England war es etwas anderes. Aber hier lebt Henry ständig in der Angst, dass ich …» Sie brach ab. Sie konnte Jos Namen nicht aussprechen, ihr Hals war mit einem Mal wie zugeschnürt. «Ich muss mich an die Regeln halten, Emma. Wir haben einen Waffenstillstand geschlossen. Ich bin die brave, angepasste Ehefrau. Dafür dürft ihr – du, Isabel und Martha – ab und an zu uns zu Besuch kommen. Das war alles, was ich ihm abringen konnte.»

Beruhigend strich Emma Lily die Haare aus dem Gesicht. «Er wird dir Hanna nicht wegnehmen. Das würde zum Bruch mit deiner Familie führen, die euch finanziert. Es wäre ein Schritt, der auch sein ganzes Leben ruiniert.»

Lily nickte unter Tränen. Emmas Worte beruhigten sie ein wenig. «Das stimmt», sagte sie hoffnungsvoll. «Er würde es wohl kaum tun, nur weil ich heimlich meine Freundinnen treffe.»

«Nein. Dazu bräuchte es wohl einen anderen Grund», erwiderte Emma, und sie blickten sich an. Keine von beiden musste aussprechen, wie dieser Grund aussah.

Emma sah Lily nach, wie sie wenig später zurück ins Haus lief. Sie hatten nur noch wenige Worte wechseln können, Kai war auf den Hof gekommen, und Lily wollte nicht riskieren, dass man sie hier zusammen sah. Wie sehr ihre Freundin sich quälte. Es machte Emma so wütend, dass sie an sich halten musste, um nicht in die Villa zu stürmen und Henry anzubrüllen.

Sie kämpfte mit sich. Alles in ihr schrie danach, Lily zurückzurufen und ihr von Jo zu erzählen. Von Charlie in der Dachkammer. Von Isabel, Martha und ihren Plänen. Sie hatten sich gar nicht richtig unterhalten können, und die Sehnsucht danach, endlich ihre Freundin zurückzuhaben, war in diesem Moment größer denn je. Aber sie durfte es nicht. Es war einfach zu riskant, und es würde Lily nur mehr verwirren, als es ihr half.

Herrje, wenn mir all diese Dinge nicht irgendwann um die Ohren fliegen, dachte sie besorgt. Sie konnte nur hoffen, dass Lily im Fall der Fälle verstehen würde, warum sie geschwiegen hatte. Als ihr klarwurde, dass bald noch ein wesentlich größeres Geheimnis hinzukommen würde, von dem Lily nicht einmal etwas ahnen durfte, lief ihr ein Schauer über den Rücken. Dann drehte sie sich um, ließ die erleuchtete Villa in all ihrem Glanz stehen und huschte durch den dunklen Garten davon Richtung Stadt.

W ieder die Deckenbalken.

Als er sich aufrichten wollte, ging es nicht.

«Ich habe Sie fixiert! Sie bleiben besser einfach ruhig liegen.»

Eine Stimme drang in Charlies Ohr. Eine Stimme mit einem Akzent, den er verabscheute. «Sie!», knurrte er.

Die Ärztin trat ans Bett, beugte sich über ihn und zog mit einem Stirnrunzeln erst sein rechtes und dann sein linkes Augenlid hoch. Verärgert drehte er den Kopf zur Seite, aber sie griff mit zwei kalten stählernen Fingern sein Kinn. «Stillhalten», sagte sie nur, und zu seinem Erstaunen gehorchte er. Als er den Kopf hob, sah er das stramm gespannte Seil, das ihm die Arme an den Körper presste. An beiden Handgelenken hatte er dicke Verbände.

«Was soll der Scheiß?», polterte er und versuchte, sich zu befreien.

«Vorsichtsmaßnahme», erwiderte die Ärztin ungerührt von dem Tisch her, auf dem sie jetzt in ihrer Tasche kramte. «Ich konnte ja nicht wissen, wie Sie reagieren, wenn Sie aufwachen. Manche sind die reinsten Lämmchen, andere kriegen Panik und schlagen um sich. Sie sind nicht gerade klein, ich hatte keine Lust, mit Ihnen um Ihr Messer zu ringen!»

«Machen Sie mich sofort los!» Charlie begann zu strampeln.

«Das Seil sitzt fest, Jo hat es selbst gebunden», sagte sie, ohne aufzusehen. «Sie vergeuden nur Ihre Kraft.»

349

«Jo?» Verblüfft hielt er inne.

«Er hat Sie gefunden. Wollte Sie besuchen und ist in Ihrem Blut ausgerutscht. Er musste weg, aber er lässt ausrichten, dass er in ein paar Stunden wiederkommt.»

Stöhnend ließ Charlie den Kopf aufs Kissen zurücksinken. «Scheiße», murmelte er.

«Kann man wohl sagen. Er hatte wahnsinnige Angst um Sie. Und das schon zum zweiten Mal innerhalb eines Tages.»

Charlie antwortete nicht. Beschämt sah er an die Decke. Das hatte er nicht gewollt. Er hatte nicht nachgedacht, hatte einfach gehandelt, als alles zu viel wurde.

Sie beobachtete ihn interessiert von ihrem Stuhl aus. «Warum haben Sie das getan? Warum will ein junger Mann, der so gute Freunde hat wie Jo, sich das Leben nehmen?», fragte sie leise.

«Was geht Sie das an?», blaffte Charlie barsch.

Sie antwortete nicht.

«Das können Sie nicht verstehen», fügte er schließlich etwas weniger schroff hinzu.

«Versuchen Sie, es mir zu erklären», forderte sie ihn auf, aber er schwieg.

Sie zuckte mit den Schultern und kramte wieder in ihrer Tasche. Charlie beobachtete sie vom Bett aus. Sie sah noch müder aus als beim letzten Mal. Dunkle Ringe hatten sich unter ihren Augen eingegraben, sie legte die Stirn in konzentrierte Falten und blickte beinahe mürrisch auf die kleine Flasche, deren Etikett sie gerade las. Schuldbewusst sah er, dass ihr Kittel und auch ihre Arme mit Blut verschmiert waren.

Mit seinem Blut.

Warum macht sie das nur?, dachte er, aber da merkte er, wie sich alles in seinem Kopf zu drehen begann. Mit einem Mal spürte er auch den pochenden Schmerz in seinen Handgelenken. Er blinzelte, als ein dunkler Vorhang sich über das Zimmer senkte und die junge Frau verschluckte.

«Oh nein!» Sie sprang auf und eilte zu ihm. «Das können Sie vergessen. He, wach bleiben, haben Sie gehört! Sie haben zu viel Blut verloren, Sie dürfen jetzt nicht einschlafen!» Mühsam kämpfte er darum, die Augen zu öffnen. Als es ihm nicht gelang, klopfte sie ihm ein paarmal unsanft auf die Wangen.

«Hey! Verdammt, lassen Sie das!» Verärgert schüttelte er sie ab. «Warum haben Sie eigentlich so verflucht kalte Hände?», fragte er dann lallend. Er war so müde, so schrecklich müde. Warum ließ ihn dieses nervige Weib nicht einfach in Ruhe schlafen?

«Weil ich seit sechzehn Stunden auf den Beinen bin, kaum etwas gegessen habe und mich jetzt mit einem sturen Esel wie Ihnen herumschlagen muss, obwohl ich eigentlich Feierabend hätte!», zischte sie.

«Hmpf», erwiderte er nur, weil ihm darauf nichts Besseres einfiel. Scham überkam ihn, aber schließlich hatte er sie nicht darum gebeten, seine Retterin zu spielen.

Plötzlich spürte er, wie sie sich an dem Seil zu schaffen machte. «Versprechen Sie mir, dass Sie ruhig bleiben, wenn ich es löse?», fragte sie, und er nickte. «Gut, es ist besser, wenn Sie sich aufsetzen und etwas essen. Außerdem müssen Sie Medizin nehmen. Ich verlasse mich darauf, dass Sie vernünftig sind?», fragte sie so streng, dass er wieder nur nickte. Woher nahm eine so zarte Frau nur so viel Autorität?

Sie sah ihn noch einen Moment abschätzend an, dann löste sie das Seil und reichte ihm die Hand, um ihn langsam hochzuziehen. Eine Welle der Übelkeit überkam ihn, und er stöhnte. Sie sprang auf und holte den Eimer, aber er winkte ab. Jetzt machte sich sein trainierter Magen bezahlt.

«Zum Glück hat Jo Sie rechtzeitig gefunden. Und zum Glück haben Sie quer geschnitten und nicht längs!» Sie lächelte ein wenig, und er sah sie erstaunt an. «Sonst wären Sie jetzt wahrscheinlich nicht hier. Sie sind nicht mehr in ernsthafter Gefahr, aber ich muss Sie heute Nacht noch überwachen, und Sie werden eine Zeit nicht arbeiten können», sagte sie dann sorgenvoll, doch er winkte nur ab. Ihm war alles egal.

Sie flößte ihm Medizin ein, die er brav schluckte, zu erschöpft für Widerstand. Dann verschwand sie für ein paar Minuten und kam mit einer heißen Brühe wieder, mit der sie ihn zu seinem großen Widerwillen füttern musste, weil seine Hände noch zu schwach waren, um den Löffel ohne zu zittern zum Mund zu führen. Etwas an der routinierten Art, mit der sie die Bewegungen ausführte, machte es weniger schlimm.

Während er aß, schwiegen sie. Ab und zu trafen sich ihre Blicke, und er sah, dass sich in das Braun ihrer Augen kleine helle Sprenkel mischten. Als sein Blick einmal etwas zu lange an ihrem schön geschwungenen Mund hängenblieb und sie es bemerkte, runzelte sie kurz die Stirn.

«So», sagte sie, als der Löffel über den Boden der Schüssel kratzte. Sie stellte sie zur Seite, setzte sich dann zu seinem Erstaunen neben ihn auf das Bett und schob sich ein Kissen in den Rücken. «Jo wird mich in ein paar Stunden ablösen. Bis dahin müssen wir uns beschäftigen.»

«Ach ja?», antwortete Charlie verwirrt.

«Ja. Sie haben viel Blut verloren. Sie müssen wach bleiben. Also ist es am besten, wenn Sie reden. Dann merken Sie nicht, wie müde Sie sind. Erzählen Sie mir etwas. Irgendwas. Woher kommen Sie? Was machen Sie in Hamburg? Warum sind Sie fortgegangen aus Irland? Warum haben Sie so viele scheußliche Tätowierungen? Reden Sie einfach mit mir. Ich werde nicht gehen, und ich werde weiterfragen, bis Sie irgendwann aufgeben. Glauben Sie mir, ich kann sehr beharrlich sein.»

Charlie glaubte ihr.

Und in den Augen dieser schönen, müden Frau mit dem scheußlichen Akzent, die er eigentlich hassen wollte, fand er etwas, das ihn dazu brachte, zum ersten Mal, seit er eines Abends Jo im Rausch seine ganze Lebensgeschichte offenbart hatte, über die Vergangenheit zu sprechen.

Er wusste nicht, was es war. Die seltsamen Umstände, die sie zusammengebracht hatten, die Medikamente, die ihm die Sinne vernebelten, oder ihre ruhige Präsenz an seiner Seite. Aber plötzlich gab etwas in ihm einfach nach. Zuerst stockend, dann immer flüssiger, unterbrochen von gelegentlichen Fragen, begann er zu erzählen.

Er erzählte ihr von Connacht in Galway, seiner Heimat, wo das Land grün war, die Luft rein und der Atlantik schäumend gegen die Felsen brandete, wo aber auch seit vielen Jahrhunderten der Hunger wohnte. Dort war seine Familie, eine der letzten in der irischen Geschichte, an den Folgen der Kartoffelfäule gestorben.

«*An Gorta Beag* nennen wir es. Die kleine Hungersnot. Es war nicht der Hunger direkt, der sie das Leben gekostet hat», erklärte er und schwieg einen Moment, als er daran dachte, was er sich sonst so gut wie nie gestattete. Ein seltsames Gefühl, es plötzlich zuzulassen. «Es waren die Krankheiten, die kommen, wenn der Körper keine Reserven mehr hat, um sich wehren zu können.»

Er erzählte von dem langsamen Dahinsiechen seiner Großeltern, die alles Essen den Kindern geben wollten und zu Skeletten abmagerten. Am Ende konnten sie kaum noch laufen und starben beide an einem scheußlichen Durchfall, der ihnen noch im Tod die letzte Würde nahm.

Während er sprach, spürte er, wie sich etwas in ihm löste. «Dann bekam mein Vater eine Lungenentzündung. Sie hätten ihn sehen müssen, er war stark wie ein Ochse, bevor der Hunger kam. Keine zwei Wochen hat es gedauert. Wir hatten kein Geld für die Beerdigung, mussten ihn auf dem Feld verscharren. Und meine Brüder ...» Er stockte, schluckte schwer. Der Tod seiner Brüder wog noch schwerer als der seiner Eltern, weil er so unnötig gewesen war. «Meine Brüder. Sie wurden dabei erwischt, wie sie unser Getreide verkauften – die Pachtabgabe, es gehörte uns nicht, wir bauten es an, aber es war für die englischen Landlords bestimmt. Sie kamen ins Gefängnis und steckten sich beinahe sofort mit Typhus an. Dann waren nur meine Mutter und ich übrig», sagte er und merkte zu seinem Entsetzen, wie ihm die Tränen über den Bart liefen.

Er hatte gar nicht gemerkt, dass er weinte, aber er konnte es auch nicht aufhalten, konnte nur weitersprechen und sich ab und zu mit beiden Händen über das Gesicht und die brennenden Augen wischen. «Fast alle sind geflohen, sie erinnerten sich an die schwarzen Jahre und bekamen Panik. Bald war unser Dorf leer. Am Ende beschlossen auch wir zu gehen, obwohl unsere Familie schon seit Jahrhunderten dort angesiedelt war. Wir sind verwachsen mit dem Land, verstehen Sie?», fragte er, und sie nickte, aber er wusste, dass sie es nicht wirklich verstehen konnte.

«Ich frage mich oft, warum ich überlebt habe. Warum Gott mich so straft, dass er mich als Einzigen übrig lässt. *To hell or to Connacht*, das sagt man bei uns», endete er schließlich mit einem schmerzvollen Lachen und verkniff sich zu sagen: aber das wissen Sie ja sicher!

Emma kannte das Sprichwort über das Sibirien Irlands, wie Connacht oft genannt wurde, weil man es als Strafe betrachtete, dort leben zu müssen. Sie wusste auch, wie die Menschen gelitten hatten, als die große Hungersnot über eine Million Todesopfer forderte. Was sie nicht gewusst hatte, war, dass die folgende, kleinere zwar in den Statistiken kaum Opfer aufführte, weil die Politiker früher eingegriffen hatten, sie das Land und die Menschen aber anscheinend beinahe genauso schlimm ausgeblutet hatte. Emma ahnte, was in Charlie vorgehen musste, wenn er sie reden hörte. Die englischen Aristokraten waren verantwortlich für die Not in seiner Heimat, sie hatten sein Volk durch die hohen Pachtabgaben über dreihundert Jahre hinweg systematisch ausgebeutet, hatten so gut wie nichts getan, als die Menschen während der großen Seuche zu Hunderttausenden verhungert waren. Sie wusste nicht, was sie sagen sollte. Es war nicht ihre Schuld, und trotzdem fühlte sie sich schuldig. Sie senkte den Blick.

«Ich kann nie mehr zurück», sagte Charlie plötzlich.

Seine Augen waren blutunterlaufen, seine Schultern hingen herab. In diesem Moment wirkte er so gebrochen, dass sie den Impuls unterdrücken musste, ihn in die Arme zu schließen. Da saß dieser riesige starke Mann und weinte wie ein kleines Kind um das, was er verloren hatte. Jetzt wusste sie, warum er zum Opium gegriffen hatte, warum er das Leben nur ertragen konnte, wenn er es nicht wahrnahm. Warum er schließlich aufgegeben hatte.

«Aber es ist meine Heimat, und es gibt keinen schöneren Ort auf der Welt und keinen schlimmeren, wenn Sie mich fragen», fügte er hinzu.

«Vielleicht können Sie es ja doch irgendwann?», sagte sie leise. «Zurückgehen und neu anfangen, meine ich.»

Aber er schüttelte den Kopf und setzte erneut zu sprechen an. Als er stockte, wusste sie, dass er noch nicht alles erzählt hatte. Seine Stimme veränderte sich plötzlich. «Es gab da ein Mädchen …», sagte er. «Claire.»

Als Jo viele Stunden später müde und zermürbt von der Arbeit vorsichtig die Tür zu der kleinen Dachstube aufdrückte, bot sich ihm ein seltsames Bild. Charlie saß auf dem Bett, ein Kissen im Rücken, und blickte ihm mit geschwollenen, aber wachen Augen entgegen. Ein kleines Lächeln breitete sich auf seinem Gesicht aus, als er ihn sah. Emmas Kopf war zur Seite gerutscht und ruhte auf Charlies Brust. Sie atmete ruhig, offensichtlich in tiefem Schlaf gefangen.

Charlie legte den Zeigefinger an den Mund. «Sie ist eingeschlafen», formte er mit den Lippen, und Jo nickte.

Vorsichtig trat er ans Bett und zog sich einen Stuhl heran, doch das reichte aus, um Emma hochschrecken zu lassen. Verwirrt rieb sie sich die Augen, dann sah sie Charlie an und wurde feuerrot. «Sie sollten mich doch nicht einschlafen lassen!», herrschte sie ihn an.

Er zuckte belustigt die Schultern. «Ich konnte nichts tun, Sie sind plötzlich einfach weggerutscht und haben angefangen zu schnarchen.»

Schnell stand sie auf und richtete ihr zerknittertes Kleid. Jo beobachtete völlig verblüfft die Szene, die sich vor ihm abspielte. Er hatte tagelang nach Charlie gesucht, war in jede Kellerkneipe, in jede Opiumhöhle, in jedes Bordell gegangen, hatte alle seine Kontakte genutzt, um ihn zu finden. Es war ein Wettlauf gegen die Zeit gewesen, und er hatte ihn gewonnen, nur um dann mitzuerleben, wie sein bester Freund sich die Pulsadern aufschnitt.

Als er fortgegangen war, hatte Charlie um sein Leben gekämpft. Nun saß er hier und wirkte munterer als nach so manch durchzechter Nacht.

«Na, Kleiner, wie geht es dir?», fragte er lächelnd, und Charlie grinste.

«Ging schon schlechter.»

Jo schüttelte den Kopf. Er wusste nicht, was hier passiert war, vielleicht besaß Emma Wunderkräfte, oder Charlie hatte gemerkt, dass er doch noch nicht bereit dazu war, diese Welt zu verlassen.

Auf jeden Fall sah es ganz so aus, als wäre er fürs Erste zu ihnen zurückgekehrt.

4

I ch muss langsam das Personal für unser Haus zusammen-
suchen.» Lily stellte ihre Tasse ab und sah Sylta mit einem
leisen Seufzer an. Wie so oft saßen sie im Salon und schauten
Hanna beim Spielen zu. Draußen ließ ein überraschender Früh-
lingsregen den Garten glitzern. Aber Lily fühlte sich wie in einem Grab. Der Tag lag lang und ereignislos vor ihr.

«Große Lust habe ich nicht. Wenigstens gibt mir das etwas
zu tun.» Müde strich sie sich über die Stirn. In letzter Zeit fühlte sie sich so schrecklich antriebslos. Gleichzeitig hatte sie eine
brodelnde Unruhe in sich, die sie fast um den Verstand brachte.
«Vielleicht hilft Agnes mir bei der Auswahl? Ich werde mich
wohl an eine Agentur wenden. Aber ich würde auch gerne Seda
fragen, ob sie wieder für mich arbeitet.»

Sylta sah sie überrascht an. Dann nickte sie zögernd. «Agnes
hilft dir sicher gern. Sie ist ja Meisterin darin, gutes Personal zu
finden. Ein Grund mehr, warum es sie grämt, dass Klara sich so
gar nicht in unseren Haushalt einfügen will.»

«Hast du einmal mit Roswita gesprochen? Schließlich ist
Klara ihr Mädchen, es geht doch nicht, dass sie sich hier so auf-
führt», erwiderte Lily lustlos.

Sylta schüttelte den Kopf. «Roswita ist, wie du vielleicht gemerkt hast, momentan in nicht sehr guter Stimmung.»

«Kein Wunder, so wie Franz sie behandelt.»

«Nun ja, er ist ein wenig unterkühlt, da hast du sicher
recht.»

Lily schnaubte leise. «Ja, wenn ihr dabei seid. Sobald ihr das Zimmer verlasst, ist er mehr als nur unterkühlt.»

Erschrocken sah Sylta auf. «Wirklich? Herrje. Ich verstehe ihn einfach nicht, was denkt er sich nur? Sie sind verheiratet, Roswita wird für immer seine Frau sein. Warum arbeitet er nicht wenigstens daran, die Beziehung zu verbessern?»

«Weil er Spaß daran hat, andere zu quälen», erwiderte Lily schulterzuckend. «In Roswita hat er das perfekte Opfer gefunden.»

«Aber Lily, sag doch so etwas nicht!» Erschrocken fasste Sylta sich an die Brust. «Er ist einfach frustriert, dass sie noch kein Kind haben. Und er ist so schrecklich überarbeitet, jetzt, wo dein Vater nicht mehr so kann, wie er gerne würde.»

«Franz hat bereits ein Kind», sagte Lily kalt. «Um das er sich nicht kümmert.»

Sylta nickte. «Das erklärt trotzdem nicht, warum er Roswita in letzter Zeit so ablehnt. Aber sie hat wirklich etwas schrecklich Irritierendes, findest du nicht? Mal ist sie geradezu hysterisch, dann wieder so schweigsam, dass man denken könnte, ihr sei der Mund zugeklebt. Immerzu mäkelt sie herum. Ich verstehe sie nicht.» Sie räusperte sich. «Neulich kam sie zu mir und wollte mit mir sprechen. Es ging wohl um … Eheprobleme!» Unruhig rutschte Sylta auf dem Sessel hin und her. «Ich hielt es nicht für passend, dass sie sich an mich wendet. Könntest du nicht einmal versuchen, mit ihr zu reden? Ich mache mir langsam Sorgen.»

Lily nickte. «Na sicher», erwiderte sie emotionslos. «Ich habe ja sonst nichts zu tun. Manchmal kommt es mir so vor, als gäbe es nichts auf der Welt außer diesem Salon. Wo wir wieder beim Thema wären … Was hältst du davon, wenn ich versuche, Seda zurückzuholen? Irgendwie muss sie doch zu finden sein.»

Sylta biss sich auf die Lippen. Sie konnte es wohl nicht länger herauszögern. «Also, wenn ich ehrlich bin ... Ich habe sie bereits gefunden», verkündete sie dann mit schuldbewusster Miene, und Lily, die sich gerade neben Hanna auf die Knie niedergelassen hatte, sah erstaunt zu ihr auf.

In knappen Worten umriss Sylta, was Herr Naumann ihr berichtet hatte. Die Informationen um Elisabeth Wiese ließ sie jedoch aus; Lily musste wirklich nicht auch noch an dieses schreckliche Erlebnis erinnert werden. «Sie hat Otto zur Adoption weggegeben», endete sie schließlich, und Lily schlug erschrocken die Hände vor den Mund.

«Das ist ja entsetzlich!», flüsterte sie. «Was hat Franz gesagt, als du es ihm erzählt hast?»

«Ich habe es nicht erzählt.»

«Was? Aber ...», Lily wollte auffahren, doch Sylta fiel ihr ins Wort.

«Dein Vater und dein Bruder wissen nichts davon, dass ich Herrn Naumann engagiert habe. Franz ist verheiratet, Lily. Was meinst du, wie Roswita reagiert, wenn wir plötzlich mit einem unehelichen Sprössling ihres Mannes daherkommen, wo sie doch selbst nicht schwanger wird?»

Lily nickte mit weißem Gesicht. «Du hast recht», flüsterte sie. «Aber was hast du gedacht, was passiert, wenn du Seda und den Kleinen findest?»

«Nun, ich dachte, dass wir ihr irgendwo eine gute Anstellung suchen können.» Sylta zögerte. «Ich hatte an das Frauenstift gedacht. Sie sind jetzt schon am Rande ihrer Kräfte und könnten Hilfe gebrauchen. Und ich hatte es mir so vorgestellt, dass Otto dann ab und an zu Besuch kommen kann ... in den Ferien, und wir würden so tun, als sei er das Kind einer Verwandten, das sich bei uns erholt. Oder etwas Ähnliches», sagte sie und wedelte ungeduldig mit der Hand. «Alfred wird es irgendwann erfahren müssen, Franz sicher auch. Aber Roswita darf auf keinen Fall davon wissen. Schon gar nicht, bevor sie selbst schwanger ist. Wir müssen das Ganze geschickt und diskret angehen.»

«Aber wir müssen doch zu ihr! Wir müssen mit Seda sprechen», rief Lily aufgeregt.

Sylta nickte unsicher. «Ich weiß. Aber du hast ja gehört, was sie Herrn Naumann gesagt hat. Ich wollte selbst auch schon zu ihr fahren, aber … ich hatte bisher nicht den Mut.»

«Dann mache ich es. Gib mir die Adresse!»

«Aber Lily, Henry will doch nicht …»

«Solange ich noch hier im Haus wohne, kann ich es riskieren. Er ist doch den ganzen Tag an der Universität. Vater legt sich mittags hin, und Franz ist ohnehin immer in der Reederei. Von euch wird mich niemand verraten. Ich werde nicht lange weg sein, ich will ja nur mit ihr reden. Emma hat recht, Henry wird es nicht wagen, sich mit Vater zu überwerfen. Er wird sich ärgern, ja, aber im Grunde kann es ihm egal sein. Seda und ich waren so gute Freundinnen, bestimmt ist es etwas anderes, wenn das Angebot von mir kommt. Sie weiß ja, dass es mir … nicht gutging, damals. Sie wird verstehen, warum ich den Kontakt nicht gehalten habe.» Lily sah Sylta mit leuchtenden Augen an. «Wenn ich sie darum bitte, wird sie bestimmt nicht nein sagen.»

J o stützte sich schwer auf den Tresen. Er hob die Hand, um einen *Lütt un Lütt* zu bestellen – ein kleines Glas Bier und einen Kümmel. Obwohl der Keller laut und überfüllt war und die Wirtsleute kaum hinterherkamen mit ihrer Arbeit, fing Pattie sofort seinen Blick auf. Sie zwinkerte ihm zu und reichte ihm einen bis zum Rand gefüllten Krug und den Kümmel.

Jo nickte dankbar. Pattie hatte ihn schon immer gemocht – und im letzten Jahr war er wahrscheinlich zu einem ihrer besten Kunden geworden. Er schob ihr die fünfzehn Pfennige hin, setzte den Krug an und trank ihn in einem Zug halb leer. Sofort spürte er ein ihm mittlerweile vertrautes Stechen im Oberbauch und presste kurz seine Hand auf die pochende Stelle. Ob an der Theorie etwas dran war, dass zu viel Alkohol der Leber schadete? Jedenfalls hatte er das in letzter Zeit oft, dieses seltsame Stechen.

Bevor er noch länger darüber nachdenken konnte, stand plötzlich Fiete neben ihm. «He, Jo.» Er lächelte sein beinahe zahnloses Lächeln, und sein kleines Gesicht zog sich in unzählige Falten, noch verstärkt durch die dunklen Rußreste, die er niemals ganz abbekam.

Jo klopfte ihm zur Begrüßung auf den Rücken, während er weitertrank. Er freute sich immer, Fiete zu sehen; so klein und schmächtig er wirkte, so ruhig und freundlich war er auch. Er mochte seine Gesellschaft. Und seit Fiete für Jo arbeitete, schien es ihm ein wenig besser zu gehen, er hatte etwas zugenommen, sah nicht mehr ganz so krank und gebückt aus. Kurz schoss Jo der Gedanke durch den Kopf, wie absurd es war, dass ein so anständiger Mann wie Fiete gezwungen war, in die Illegalität zu gehen, nur um sich ein halbwegs erträgliches Leben zu ermöglichen und sich nicht mit der Arbeit im Hafen zugrunde zu richten. Es half Jo, sein Gewissen zu beruhigen, das ihm immer wieder vor Augen rief, wie sehr Charlie unter der Opiumsucht litt.

Aber man findet immer etwas, mit dem man seinen Schmerz betäuben kann, dachte er jetzt und trank noch einen Schluck. Wenn er das Opium nicht verkaufte, würde es ein anderer tun. Charlie war schon vorher abhängig gewesen. Und so konnte Jo wenigstens die SAP unterstützen, konnte seiner Mutter Geld für

Hein und Marie geben, konnte Emma bezahlen dafür, dass sie Charlie durchfütterte, und Männern wie Fiete ein wenig Licht in ihr finsteres Leben bringen. Natürlich wusste er, dass er sich damit selbst belog. Er wollte Rache. Das war alles. Er wollte es Oolkert heimzahlen. Wenn er gekonnt hätte, er hätte ihn an seinem eigenen Opium verrecken lassen.

«Hast du gehört, was heute bei den Gaswerken los war?», fragte Fiete mit besorgter Miene. Sie setzten sich neben das Klavier an einen kleinen Ecktisch. Der Keller war so rauchvernebelt, dass Jo Fietes Gesicht nur verschwommen sah. Es roch nach Tabak, Alkohol und feuchtem Holz. Im Klubraum nebenan übte irgendein Verein die Liedertafeln, und ab und an drangen unmelodische Gesangsfetzen zu ihnen herüber.

Jo nickte. «Ja, hab's mitbekommen. Diese Schweine.»

«Es brodelt ganz schön im Viertel. Draußen ist richtig was los, bin kaum durchgekommen. Die Stadt steht unter Strom.»

Jo hatte gar nicht gemerkt, was auf den Straßen los war. Aber auch ihm war schon aufgefallen, dass es in der Kneipe heute unruhiger war als sonst, in den Ecken waren die Diskussionen lauter, die Köpfe der Männer steckten enger beisammen. Jetzt hatte er die Erklärung. Die Arbeiter der Hamburger Gaswerke hatten erst vor kurzem eine Gewerkschaft gegründet. Als der Direktor plötzlich einige von ihnen von heute auf morgen entlassen wollte, waren die anderen in den Streik getreten. Sie forderten, dass ihre Kollegen sofort wieder eingestellt werden sollten. Die Direktion wollte davon nichts wissen und drohte mit noch mehr Entlassungen. Die Fronten hatten sich verhärtet, niemand wollte klein beigeben und damit vielleicht einen Präzedenzfall schaffen.

«Die Leute haben eben die Schnauze voll, sie verstehen langsam, dass sie wirklich etwas bewirken können, wenn alle zusammenhalten», brummte er. «Wird auch Zeit. Wir hätten schon ein ganz anderes Leben, wenn sie kapieren würden, dass die da oben aufgeschmissen wären ohne uns. Wenn einfach alle gleichzeitig die Arbeit niederlegen, können sie nichts tun. Dann müssen sie sich unseren Bedingungen beugen!»

Fiete sah sich verstohlen in der Kneipe um. «Ja, aber es gibt immer Leute, die offene Stellen mit Handkuss nehmen. Wenn deine Kinder hungern, hast du keine Kraft zu streiken und keine Zeit zu warten.»

«Solange wir fleißig arbeiten und die Köpfe unten halten, ist denen da oben alles scheißegal. Aber sobald wir etwas fordern, sind sie sofort mit Aussperrungen bei der Hand.» Er sah sich um, betrachtete die Männer um sich her. «Die Politische Polizei setzt immer mal Spitzel in die Kneipen», erklärte er Fiete, der ihn fragend ansah. «Die Stadt will sichergehen, dass wir hier in den Vierteln keinen Aufstand planen.» Er verzog das Gesicht zu einem freudlosen Grinsen.

Jo trank sein Bier aus und kippte dann den Schnaps hinterher, den Fiete bestellt hatte.

Eine halbe Stunde später stand er auf dem Tisch, umringt von einer Traube Männer.

«Ewerführer, Schauerleute, Kesselreiniger, Maschinisten, Speicherarbeiter, Stauer, Anbinder, die meisten von euch haben doch gar keine feste Anstellung, verdienen so wenig, dass sie nicht einmal Steuern zahlen müssen!», brüllte er. «In den letzten zwanzig Jahren sind die Preise wie verrückt gestiegen, man kann sich ja kaum noch seinen Schnaps leisten, weil wir dem verdammten Zollverein beigetreten sind. Gleichzeitig blüht der Handel nur so – aber die Reeder können keine Lohnerhöhung zahlen?» Er schnaubte wütend. «Und was macht der feine Herr Staatssekretär? Er lacht über unsere Forderungen, nennt sie *unangemessen*.» Jo machte eine obszöne Geste, die seinen Ärger betonte. «Dabei hat er überhaupt keine Ahnung davon, was in einem Hafen eigentlich vor sich geht. Die Reeder und Kaufleute scheren sich nicht um uns, sie sitzen schön in ihrer Handelskammer und ihrer Börse und halten sich aus allem Kommunalen raus.

Wir haben fünfzehntausend Tagelöhner in der Stadt, die sich jeden Morgen die Beine in den Bauch stehen und auf Arbeit hoffen! Wenn sie euch brauchen – jaaa, dann dürft ihr zweiundsiebzig Stunden am Stück arbeiten! Aber wenn gerade mal kein Schiff da ist, das gelöscht oder beladen werden muss, dann schert es niemand, wie ihr über die Runden kommt. An manchen Tagen müssen Hunderte, ja Tausende Männer ohne Arbeit wieder nach Hause gehen! Kriegt ihr vielleicht Ersatz für den Lohn? Kriegt ihr Unterstützung vom Senat? Im Winter bei Eisgang, wenn es erst recht nicht genug Arbeit gibt, müsst ihr dann nicht auch essen? Brauchen es eure Kinder dann nicht warm? Aber wen interessiert es dann noch, dass ihr im Sommer bis zur Erschöpfung gearbeitet habt?»

Jo hatte sich in Rage geredet, seine Stimme war bereits gefährlich heiser. «Alle hier im Viertel leben unterhalb der Armutsgrenze, dabei schuften sich die Menschen halb zu Tode! Und was machen die Pfeffersäcke? Sie nehmen uns auch noch das Wenige weg, was wir haben, unseren Wohnraum! Die Gängeviertel sind ein Schandfleck, sagen sie, das stinkende Herz ihrer schönen Stadt. Immer mehr wird abgerissen, aber schert sich jemand darum, wo die Menschen hinsollen, die dort leben? Für die Speicherstadt haben schon Tausende ihr Zuhause verloren, es gibt nicht einmal eine Entschädigung, sie werden einfach vertrieben, und es interessiert niemanden, wo sie unterkommen, solange es genug Arbeitskräfte gibt, die man verheizen kann. Was bringt uns die Hochbahn, für die die Stadt Unmengen Geld verpulvert, wenn niemand sich eine Fahrkarte leisten kann? Ich frage euch, wollt ihr jeden Morgen vor eurer Zwölf-Stunden-Schicht noch mit dem Fahrrad in die Stadt fahren, weil ihr euch selbst hier, im größten Dreck und in der größten Enge, zwischen den Ratten und dem Mist keine Wohnung mehr leisten könnt? Hafenarbeiter müssen nun mal in der Nähe des Hafens wohnen. Die Notabeln und die Grundeigentümer wählen die Mitglieder der Bürgerschaft, und was haben wir mitzureden, wo wir doch diese Stadt, diesen Hafen am Leben halten? Rein gar nichts!»

Er sah leuchtende Gesichter, wo auch immer er hinblickte, die Männer nickten begeistert, hoben ihre Krüge, prosteten ihm voller Zustimmung zu. Mitten in seinem Vortrag sah er plötzlich ganz hinten im Raum zwei vertraute Gesichter, die hier aber ganz und gar nicht hingehörten. Er stutzte, blinzelte, wischte sich den Schweiß von der Stirn. Was machen die denn hier, dachte er verblüfft, aber er war zu sehr in Fahrt, und als er weitersprach, angeheizt von den Männern um sich her, hatte er die beiden schon wieder vergessen.

«Muss erst eine Seuche die Stadt befallen, damit sie merken, dass es so nicht weitergehen kann? Ich sage euch, schon vor vierzig Jahren hat es Warnungen gegeben von Untersuchungskommissionen, aber sie haben alles Geld in den Ausbau des Hafens gepumpt, und für Dinge wie Filteranlagen für unser Wasser blieb nichts mehr übrig. In Altona haben sie seit dreißig Jahren Filtration. Und hier? Hier geschieht nichts, es wird nur immer voller, immer dreckiger, immer teurer.»

Auf seine Worte folgte allgemeines Gebrüll, die Männer rissen ihre Gläser in die Höhe, klatschten Beifall.

«Essen wird immer unbezahlbarer, der Umschlag im Hafen für die Reeder immer lukrativer, und was ist mit uns? Unser Lohn bleibt gleich, wird oft sogar weniger. Und wir dürfen uns nicht beschweren, dürfen uns nicht organisieren, nicht auf die Straße gehen, wegen diesen verdammten Sozialistengesetzen. Sie wollen uns klein und hungrig halten, damit wir keine Kraft haben zu protestieren. Ich frage euch, ist das vielleicht rechtens? Die Reichen werden immer reicher und die Armen immer ärmer, so sieht es nämlich aus!»

Plötzlich war von draußen Glassplittern zu hören, dann aufgeregtes Geschrei. Sofort wandten sich die Gesichter um, und die Menschen strömten gen Ausgang.

«Es gibt Krawalle!», rief Fiete aufgeregt. «Ich wusste ja, dass da heute noch was überkocht!»

Jo fasste ihn aufgeregt am Kragen und zog ihn mit sich Richtung Tür. Im Gehen streifte er sich seinen Pullover über, wollte schon mit der Masse nach draußen stürmen, da fiel ihm plötzlich etwas ein. Er drehte sich um und blickte suchend durch den Keller. Als er die beiden sah, schüttelte er ungläubig den Kopf. Mit ausladenden Schritten durchquerte er den Schankraum.

«Was zur Hölle macht ihr hier?»

Isabel und Martha saßen rauchend vor zwei Gläsern Schnaps und wirkten, als kämen sie jeden Abend in Kneipen wie diese. «Hallo, Jo. Beeindruckende Vorstellung.» Isabel lächelte. «Wir wollten mit dir reden, hast du kurz Zeit?»

Wenig später hatte Jo sich eine Zigarette angezündet, die Ellbogen auf die Knie gestützt, und wippte ungeduldig mit den Beinen. Er wollte raus, mitmischen, sehen, was vor sich ging. Die beiden hätten sich wirklich keinen schlechteren Zeitpunkt für ihr Vorhaben aussuchen können. Außerdem war er viel zu betrunken, um es mit ihnen aufzunehmen. Diese Aktivistinnen hatten allesamt ziemlich scharfe Zungen, das hatte er schon fast vergessen. Kein Wunder, dass sie damit verspottet wurden, sie hätten Haare auf den Zähnen. Die erste Zigarette noch im Mundwinkel, rollte er sich schon eine zweite, merkte aber, dass seine Finger dazu kaum noch in der Lage waren. Alles in ihm brodelte vor Aufregung.

«Du hast dir einen Namen gemacht. Die Leute hören dir zu. Bei uns ist das ganz anders, wir werden ausgelacht, sogar von den Frauen selbst, verstehst du?» Isabel beugte sich zu ihm und fasste ihn am Arm. Stirnrunzelnd sah er auf ihre Hand hinab. Was genau wollten die beiden von ihm?

«Für sie ist es ein gottgegebenes Gesetz, dass Frauen keine Rechte haben und nichts ändern können.» Bereits seit geschlagenen zehn Minuten redete Isabel auf ihn ein. «Und die Männer haben daran natürlich noch viel weniger Interesse. Unsere Flugblätter liest niemand, unsere Petitionen werden abgeschmettert. Wir brauchen deine Stimme! Man muss den Menschen klarmachen, dass es genauso wichtig ist, dass es den Frauen gutgeht. Vielleicht sogar noch wichtiger, denn ohne Frauen bricht alles zusammen. Irgendwie scheint niemand zu verstehen, dass es ihre Schultern sind, auf denen unser Gesellschaftssystem aufgebaut ist. Diese Schultern nur immer weiter nach unten zu drücken wird niemandem etwas bringen.»

Draußen grölte jemand, aufgeregtes Rufen drang zu ihnen herein. Pattie und ihr Mann waren schon dabei, die Fenster mit Brettern zu verrammeln. Mit finsterem Blick und einem Mund voller Nägel stand die dicke Wirtin da und schwang den Hammer.

Jo schüttelte den Kopf. «Ihr wollt, dass ich mich für Frauenrechte einsetze?», fragte er ungläubig.

«Ganz genau! Nicht *nur* natürlich. Aber wir wollen, dass du uns hilfst, mehr Gehör zu bekommen. Vielleicht kannst du uns bei einer Parteiversammlung einen Podiumsplatz besorgen?

Oder ihr könntet unsere wichtigsten Belange mit auf eure Flugblätter drucken!»

«Weiß Emma, dass ihr hier seid?», fragte er, um abzulenken und sich ein wenig Zeit zum Nachdenken zu verschaffen.

«Natürlich», erwiderte Martha und warf ihm unter ihren dunklen Locken einen abschätzenden Blick zu. «Wir brauchen ihre Erlaubnis nicht, falls du das meinst!»

Jo leerte sein Glas. Das Stechen war zurück, er drückte die Hand auf den Magen. «Tue ich nicht. Aber sie würde es nicht gutheißen, dass ihr einfach hierherkommt, das weiß ich genau.»

«Wir haben keine Angst!», erwiderte Isabel herausfordernd, und er sah an ihrem Blick, dass das stimmte.

«Solltet ihr aber», brummte er. «So, und jetzt raus hier, sie machen dicht, falls es draußen eskaliert, sollten wir nicht hier drin eingesperrt sein.»

«Aber ...», protestierte Isabel, doch er war schon aufgestanden.

«Lasst uns ein anderes Mal weiterreden», winkte er ab und zog Martha am Arm vom Stuhl hoch. «Heute ist es wirklich ungünstig!»

Auf der Straße war die Hölle los. Es war, als sei das ganze Viertel in Aufruhr, die Menschen schoben und drängten sich durch die Gassen, Glas splitterte, Jo sah ein Schaufenster zu Bruch gehen, weiter hinten stand eine ausgebrannte Pferdebahn. Es war stockdunkel, irgendjemand hatte die Straßenlaternen mit Steinen zerschlagen. Verdammt, dachte Jo. Er hätte nur zu gerne mitgemischt, aber er konnte Isabel und Martha jetzt nicht alleine lassen, überall waren Betrunkene unterwegs, und er sah schon jetzt, wie gierige Blicke an der schönen Isabel hängenblieben.

«Seht ihr?», rief er. «Das ist nichts für Frauen! Ihr hättet nicht herkommen sollen. Ausgerechnet heute! Zieht eure Tücher über.»

Die beiden hielten sich zwar dicht an ihn gedrängt, wirkten jedoch unerschrocken. Martha blickte sich neugierig und mit leuchtenden Augen um. Auf Isabels Gesicht stand ein beinahe freudiger Ausdruck. «Es ist so herrlich, die Menschen aufwachen zu sehen. Endlich verstehen sie, dass man für seine Rechte kämpfen muss», rief sie.

Jo runzelte die Stirn. Mut hatten sie, aber sie begriffen anscheinend wirklich nicht, was hier los war. «Ja, aber es kann schnell kippen, die meisten hier lassen sich einfach von der Stimmung anstecken und wissen gar nicht, worum es geht. Diese Menschen sind wahnsinnig arm. Und sehr wütend. Hier wird nicht mehr zwischen richtig und falsch unterschieden. Ihr solltet sofort verschwinden!», versuchte er zu erklären.

Sie drängten sich durch eine schmale Gasse und liefen in Richtung Steinstraße. Er sah, wie eine kleine Gruppe gut gekleideter Bürger von einem wütenden Mob umringt wurde. Eine junge Dame klammerte sich an den Arm ihres Mannes, der unter seinem Zylinder leichenblass war, und schrie um Hilfe. Jo überlegte, ob er einschreiten musste, da begann die Menge um sie her plötzlich wie ein wütender Bienenschwarm zu summen. Köpfe fuhren herum, Hälse wurden gereckt. Erschrocken sah er sich um. Eine ganze Reihe Polizisten auf Pferden war aufgetaucht. Die Männer blickten grimmig unter ihren Spitzhelmen hervor, sie trugen Säbel und versuchten, die Menschen zurückzudrängen. Weitere folgten, es mussten Dutzende sein, wenn nicht Hunderte. Er verstand nicht, wo sie so schnell hergekommen waren. Plötzlich war die Straße erfüllt vom Hufgeklapper und dem beißenden Angstgeruch der Pferde.

Es wurde eine regelrechte Schlacht. Den Spitzhelmen hagelten Steine entgegen, die Pferde scheuten und wieherten, die Polizisten hieben mit ihren Säbeln in die Menge. Rundherum zerbarsten Schaufenster, es wurde geplündert und zerstört. Die Protestierer wurden von den Bewohnern des Viertels mit aller Kraft unterstützt, aus den Fenstern flogen Nachttöpfe auf die Beamten, Flaschen und Ascheimer. Die Unerbittlichkeit, mit der die Polizei einschritt, heizte die Menschen noch mehr an, und viele, die anfangs nur zugesehen hatten, mischten schon bald voller Inbrunst mit. Jo lief mit Isabel, Fiete und Martha geduckt an den Hauswänden entlang und versuchte, sie vom schlimmsten Gedränge fernzuhalten. Sie hörten, wie ein Sergeant die Besitzer eines Wirtshauses wütend dazu aufforderte, sofort zu schließen und den Demonstranten, die vom oberen Stockwerk aus Flaschen regnen ließen, keinen Unterschlupf mehr zu gewähren, aber ihm wurde als Antwort nur ins Gesicht gelacht. Jo war bloß froh, dass er Charlie sicher bei Emma in der Dachkammer wusste. Er konnte es direkt vor sich sehen, wie sein Freund mit leuchtenden Augen in das Getümmel sprang.

Zum Glück war Jo hier aufgewachsen und kannte das Viertel wie seine Westentasche. Er führte Martha, Isabel und Fiete sicher durch die dunklen Gassen und Hinterhöfe. Nur einmal packte ein Betrunkener Martha am Rock – sie wehrte sich schreiend, aber noch bevor Jo einschreiten konnte, hatte Fiete schon sein Messer gezückt, und der Mann eilte torkelnd davon.

«Danke», stotterte Martha, und nachdem sie sich ein wenig beruhigt hatte, warf sie Fiete ein unsicheres Lächeln zu.

Jo sah, wie Fiete unter seiner Mütze knallrot anlief. «Los, wir müssen weiter!», zischte er ungeduldig.

Sie nahmen die beiden Frauen in die Mitte und eilten in die nächste Gasse. Schließlich ließen sie den Tumult hinter sich und kamen in eine ruhigere Gegend. Als sie auf eine breite Straße traten, hielt Jo sofort eine Droschke an, und die beiden stiegen ein. Martha wirkte nicht mehr ganz so forsch wie vorhin, man merkte ihr den Schrecken an, aber Isabel schien beinahe traurig, dass sie nicht mehr bei der Straßenschlacht dabei sein konnte. Mit glänzenden Augen blickte sie in die dunklen Gassen, aus denen es noch immer lärmte und splitterte, und man sah ihr an, dass sie am liebsten zurückgerannt wäre. Jo wies den Kutscher an, die beiden nach Hause zu bringen, aber bevor er die Tür schließen konnte, lehnte Isabel sich zu ihm hinaus.

«Wir wollen, dass uns endlich jemand zuhört, verstehst du?», fragte sie. «Du hast so voller Leidenschaft von all den Ungerechtigkeiten gesprochen, aber was ist mit den Ungerechtigkeiten gegen uns? Interessiert dich das etwa nicht? Deine Mutter hat doch auch Rechte. Und was ist mit Lily? Als sie für sich eingestanden ist, hast du es doch auch unterstützt. Warum geht es immer nur um die Männer und wie sie ausgebeutet werden? Frauen arbeiten oft doppelt so hart, sie dürfen nicht wählen, nicht studieren, sich nicht wehren, müssen Haushalt und Fabrikarbeit stemmen, und niemanden interessiert es!»

Jo verzog das Gesicht, als Isabel Lilys Namen nannte. Dieses Gerede erinnerte ihn auf eine Weise an früher, die er im Moment wirklich nicht gebrauchen konnte. «Immer langsam. Natürlich hast du recht. Aber man kann diese Dinge nicht durchprügeln. Der Moment dafür ist einfach noch nicht gekommen», erwiderte er.

Isabel versetzte ihm empört durch das offene Fenster einen Stoß mit den Händen. «Wie bitte?», zischte sie. «Was redest du da bloß? Wir sind doch gerade mittendurch gerannt. Natürlich kann man das. Man muss es sogar! Sonst hört einem niemand zu, das hast du doch selbst gesagt!»

Jo schüttelte den Kopf. «Irgendwann kommt eure Zeit. Aber das hier ist nichts für Frauen, das habt ihr doch gesehen. Schreibt ihr eure Flugblätter und Petitionen. Auf der Straße habt ihr nichts verloren!», rief er und gab dem Mann auf dem Bock ein Zeichen, dass er anfahren solle.

Die Pferde scheuten unwillig, die Peitsche knallte, und die Kutsche setzte sich knirschend in Bewegung. Während sie davonklapperte, beugte Isabel sich aus dem Fenster. Ihr anklagender Blick ging ihm durch Mark und Bein. Er sah der Droschke nach, dann spuckte er mit grimmigem Gesicht auf den Boden, drehte sich um und lief dahin, wo er gerade hergekommen war, wo er hingehörte – zurück in die wütende, brodelnde Menge.

Fiete folgte ihm auf dem Fuß.

———•◆•———

Es köchelte mehrere Tage lang im Gängeviertel. Um die Steinstraße herum hielten sich die Protestierer in den Häusern und Wirtschaften verschanzt und lieferten sich ununterbrochen Schlachten mit der Polizei.

Revolutiönchen wurden diese Unruhen später allgemein genannt. Aber der niedliche Name täuschte, mehr als dreihundert Konstabler waren im Einsatz, es gab Dutzende Verhaftungen und viele Verletzte. Ein Vorgeschmack auf das, was kommen wird, murmelten viele. Eine einmalige Sache, die man schnell im Griff hat, behauptete Hamburgs Obrigkeit. Der Anfang einer neuen Zeit, sagte Jo mit leuchtenden Augen zu Charlie, als er ihm in der Dachkammer davon erzählte.

Ein paar Tage nachdem die Lage sich endlich ein wenig beruhigt hatte, saß Jo mit Fiete zusammen am Brunnenplatz neben dem Verbrecherkeller. Jo hatte das *Hamburger Echo* auf den

Knien und las mit wutverzerrtem Gesicht. «Ich fasse es nicht, der Polizeipräsident schiebt die Schuld an den Krawallen allein den Sozialdemokraten und ihrer angeblichen jahrelangen linken Hetze zu, und was macht die SAP? Sie behauptet, nichts mit all dem zu tun zu haben, und schiebt die Schuld weiter, auf irgendwelche halbwüchsigen Burschen aus dem Viertel, die Ärger gesucht hätten.»

Fiete lachte leise. «Damit meinen sie dich!»

Jo warf ihm einen finsteren Blick zu. Dann nahm er die Zeitung hoch. «Hör dir das an: *Die Streikenden sämtlicher Gewerke, wirkliche Arbeiter, verfolgen ernstere Ziele als eine Rempelei mit der Polizei, sie werden stets bestrebt sein, Ordnung zu halten!*» Er zerknüllte die Zeitung in der Faust. «Sie fallen uns einfach in den Rücken! Lumpenproletariat nennen sie uns, ist das nicht unglaublich?»

«Du musst das verstehen, sie haben Angst, dass es auf sie zurückfällt und die Sozialistengesetze doch verlängert werden! Sie müssen die Gewerkschaften da raushalten.»

Jo sah Fiete erstaunt an. Er hätte nicht gedacht, dass sein Freund wirklich durchschaute, was vor sich ging. Fiete überraschte ihn doch immer wieder. «Das stimmt sicher», brummte er. «Aber einfach randalierende Jugendliche zu beschuldigen ist Schwachsinn. Schau dir alleine die Männer an, die verhaftet wurden. Speicher- und Kaiarbeiter, Leute aus den unterschiedlichsten Berufsgruppen. Sie alle haben aber eines gemeinsam: Sie werden ausgebeutet. Und sie wollen es nicht mehr hinnehmen, keine Rechte zu haben.»

Er musste plötzlich daran denken, was Isabel und Martha gesagt hatten. Dann sah er Alma vor sich. Sie war mit drei kleinen Kindern alleine gewesen und an ihrer Krankheit in dem Dreck und der Enge der Gängeviertel qualvoll zugrunde gegangen.

Er dachte an Lily. Ich darf nichts, gar nichts, verstehst du?, hatte sie ihn angeschrien. Er hatte es nicht verstanden, war sogar wütend geworden, weil sie ihre Privilegien nicht erkannte.

Und seine Mutter? Was hätte sie ohne seine Hilfe getan, mit all den Kindern, ohne Mann, ohne Möglichkeiten zu arbeiten? Ohne Rechte?

Nachdenklich nahm er die Mütze ab und knetete sie in den Händen. «Ach, Scheiße», murmelte er und seufzte tief.

Mit flauem Gefühl blickte Lily auf den Zettel in ihrer Hand. Dann klopfte sie an die Tür des Wohnheims für Arbeiterinnen.

«Seda? Nee, die wohnt hier nicht mehr. Hat vor ein paar Wochen 'ne Anstellung als Plätterin gefunden. Ist da Lehrmädchen. Auf den Kaffeeböden ist sie rausgeflogen.» Die Frau, die ihr die Tür öffnete, sah verhärmt aus, trug eine fleckige Schürze und ein Haarnetz. «Konnte nicht mithalten, bei dem Arbeitstempo. Es ging ihr nicht so gut in letzter Zeit. Sie hat da ja auch nur angefangen, weil das der einzige Beruf in ganz Hamburg ist, wo sie Schwangere nehmen. Auf Dauer hält das keine aus. Nun, wenn Se mich fragen, bei den Plätterinnen wird es ihr nicht besser ergehen. Muss vielleicht weniger schleppen, aber dafür arbeiten die auch Tag und Nacht.»

Lily fuhr sofort zu der Adresse, die die Frau ihr gegeben hatte. Vor der Großbleicherei stieg sie aus der Kutsche und blickte an dem Gebäude empor. Rauch quoll aus den vielen Schornsteinen, die Fassade war dunkelgrau und wirkte abweisend.

Drinnen herrschte ein Höllenlärm. Es war unerträglich heiß, eine Wand aus dampfendem Nebel schlug ihr entgegen. Als Lily eintrat, sah sie die Reihen von Frauen, die an den Rollen arbeiteten und die Wäsche der Hamburger plätteten. Sie versuchte, über den Köpfen und Hauben Seda auszumachen, aber ihr kam sogleich ein bulliger Mann in weißer Schürze entgegen, der sie stirnrunzelnd ansah.

«Kann ich helfen?», bellte er.

Lily erklärte ihm, was sie wollte.

«Komm' Se nach Feierabend wieder», erwiderte er unfreundlich.

«Und wann genau wäre das?», fragte Lily, ohne sich aus der Ruhe bringen zu lassen.

«Heute Nacht um zwölf.»

Lily glaubte, sich verhört zu haben. Sie blinzelte. «Um zwölf?»

Er nickte ungerührt.

«Und wann fangen sie morgens an? Vielleicht kann ich …», begann sie, doch er unterbrach sie sofort.

«Um fünfe.» Er spuckte Kautabak auf den Boden. «Wenn Se da schon wach sind, könn' Se gerne wiederkomm'. Kaffeepause gibt's um achte.»

Lily starrte ihn an. «Sie belieben zu scherzen!» Sie lachte verunsichert, denn er sah eigentlich ganz und gar nicht danach aus, als würde er scherzen.

«Ich beliebe was?» Mit finsterem Blick verschränkte er die Arme vor der Brust.

«Die Frauen arbeiten von fünf Uhr morgens bis zwölf Uhr nachts an den Wäscherollen?» Lily musste an sich halten, um ihr Entsetzen nicht zu sehr zu zeigen.

«Haben Se was dagegen? Ist die normale Arbeitszeit, machen andere auch nicht anders.»

«Ich muss wirklich dringend mit ihr sprechen», beharrte Lily. «Heute noch!»

«Sie kann zehn Minuten Pause machen. Wenn sie sie später hintendran hängt», knurrte der Mann schließlich unwillig, als er merkte, dass Lily so einfach nicht wieder verschwinden würde.

Sie biss sich wütend in die Wange. «Gut. Würden Sie sie dann bitte holen?»

Während sie wartete, betrachtete Lily die Arbeiterinnen. Sie waren allesamt sehr jung und sehr bleich im Gesicht, hatten schwarze Schatten unter den Augen, wankten müde umher und wirkten, als könnten sie sich nur mit Mühe und Not aufrecht halten. Lily hatte schon gehört, dass bei den Plätterinnen die Ausbeutung besonders schlimm war, und an den Mienen der Frauen, die hier ausgebildet wurden, fand sie es bestätigt.

Plötzlich tauchte zwischen den Arbeiterinnen und den Wäscherollen ein vertrautes Gesicht auf. Ihr Herz machte einen kleinen Hüpfer. Als Seda Lily gewahrte, weiteten sich ihre Augen. Sie blieb sofort stehen.

Lily erschrak beinahe zu Tode. Dies war nicht das Mädchen, das sie damals in Hamburg zurückgelassen hatte. Seda wirkte ebenfalls ausgezehrt, aber auf eine andere Weise als die anderen Frauen. Es war, als fehlte in ihren Augen das Leben.

Sie war immer sehr hübsch und adrett gewesen, jetzt waren ihre Haare strähnig und ungepflegt, die Wangen hohl. Unsicher starrte Seda sie an. Sie kam nicht näher. Also ging Lily, nachdem sie sich vom ersten Schreck erholt hatte, auf sie zu.

«Seda!», sagte sie. «Wie gut, dich zu sehen.» Sie lächelte. «Ich habe dich so vermisst!»

Wenig später standen sie vor der Haustür der Bleicherei. Seda hatte sich unwillig mitführen lassen, aber nun verschränkte sie die Arme vor der Brust und drückte sich in eine Ecke. «Ich habe deiner Mutter schon ausrichten lassen, dass ich mit euch nichts mehr zu tun haben will», sagte sie schroff. Sie griff in ihre Schürze und zündete sich eine Zigarette an.

Lily erschrak. Nicht nur war es schockierend, Seda rauchen zu sehen, sie kannte die junge Frau auch nur leise, freundlich und höflich. Sie hatte sich nicht bloß äußerlich geändert.

«Seda, ich weiß, wie das alles auf dich wirken muss!», sagte sie hastig. «Aber meiner Mutter und mir tut es so leid! Lass es mich erklären. Mir ging es so schlecht in der ersten Zeit in England. Ich hatte alles verloren, wurde verheiratet mit einem Mann, den ich nicht mehr ausstehen konnte. Dann kam die Geburt, und es war alles so furchtbar neu und überwältigend.» Lily holte tief Luft. «Es gibt nicht viel, was ich sagen kann, außer der schlichten Wahrheit: Es ging mir nicht gut, Seda. Ich habe alle Kraft für mich selbst gebraucht. Und als ich versucht habe, dir zu schreiben, warst du schon nicht mehr in der Gebäranstalt, und ich wusste nicht, wo ich dich suchen sollte.»

Sedas Blick flackerte. «Und was ist mit deiner Mutter?», fragte sie schließlich. «Was ist mit allen anderen? Sie wussten, dass ich ein Kind habe!»

Lily nickte. «Du hast meine Mutter doch gesehen, im Hafen bei meiner Abreise. Sie war nur noch ein Häuflein Elend. Sie hatte große Schmerzen. Dass wir Michel weggeben mussten, war schon zu viel für sie, und dann kam dieser schreckliche Überfall. Dass sie mich dann auch noch verloren hat … Es ist ein Wunder, dass sie es überhaupt geschafft hat. Wir haben das nur Emma zu verdanken. Aber Seda, heute geht es meiner Mutter besser. Und ich bin wieder hier. Wir wollen alles wiedergutmachen. Wir haben dich ganz schändlich fallenlassen. Du hast uns gebraucht, und wir waren nicht da.»

Eine ganze Weile sagte Seda nichts. «Ich konnte mit dem Kind nicht weiterarbeiten», erklärte sie schließlich leise. «Ich wollte ein besseres Leben für ihn. Es war sicher richtig. Aber manchmal denke ich, wo soll er es denn besser haben als bei seiner Mutter?» Ihr Blick verlor sich in der Ferne, in ihren Augen standen keine Tränen, aber ihr Kinn zitterte. Gierig zog sie an der Zigarette und blies den Rauch durch die Nase. Sie vermied es, Lily anzusehen.

Lily brach es das Herz, ihre alte Freundin so zu sehen. Sie versuchte, nach Sedas Hand zu greifen, aber die drehte sich rasch zur Seite und wich ihr aus. Enttäuscht biss Lily sich auf die Lippen. «Du hast dein Kind weggegeben. Das ist das Schlimmste, was ich mir vorstellen kann. Ich weiß, dass du uns nicht verzeihen kannst. Aber lass uns dir wenigstens jetzt helfen.»

Seda erwiderte nichts. Sie starrte vor sich hin, und Lily wusste nicht, ob ihre Worte sie erreichten.

«Meine Mutter hat ein Frauenstift gegründet. Emma arbeitet auch dort», erklärte sie hastig weiter. «Du könntest dort umsonst wohnen und aushelfen. Und wenn wir Otto finden, kannst du ihn zu dir holen. Dort wäre für euch gesorgt.» Lily blickte am Haus empor. «Das hier ist doch kein Leben!»

Seda sah auf ihre Schuhe. Ihre Gedanken wirbelten durcheinander. Wie sollte sie erklären, wie es in ihr aussah? Diese bodenlose Schwärze, die sie einhüllte und jeden Tag ein wenig mehr verschluckte. Sie hatte versucht, wieder Anstellung als Dienstmädchen zu finden, aber mit ihr stimmte etwas nicht. Sie konnte sich nicht mehr konzentrieren, starrte oft minutenlang ins Leere, ohne es zu merken. Manchmal hatte die Herrin gesprochen, und sie hatte nicht einmal gemerkt, dass sie redete, bis sie ein paar schallende Ohrfeigen bekam, die sie in die Realität zurückholten. An anderen Tagen konnte sie nur noch weinen, die Tränen liefen einfach aus ihr heraus, dabei war nichts anders als am Tag zuvor. Sie konnte sie nicht stoppen. Und sie konnte nicht mehr höflich sein und lächeln. Alles war ein Kraftakt für sie. Jede Nacht träumte sie von Otto. Dabei war es doch so furchtbar schwierig gewesen mit ihm, er hatte nur geschrien, niemals Ruhe gegeben. Und es schien ihr, als würden ihre Kräfte jeden Tag ein wenig mehr schwinden. Die Schlepperei auf den Kaffeeböden hatte sie nicht mehr geschafft, war irgendwann unter der Last der schweren Säcke einfach zusammengebrochen. Hier in der Wäscherei wusste sie zwar vor Müdigkeit meist nicht mehr, wo oben und unten war, aber die Arbeit war leichter. Doch Lily hatte recht, sie würde auch das hier nicht bis zum Ende ihrer Ausbildung durchhalten. Man würde sie wieder feuern, und dann wusste sie erst recht nicht, wohin. Die Arbeit hier war kaum zu ertragen. Nicht nur hatten die Schichten zwischen fünfzehn und einundzwanzig Stunden, gegen Ende der Woche mussten die Frauen oft zwei Tage durcharbeiten, damit die Wäsche auch pünktlich ausgeliefert werden konnte. Überstunden wurden nicht bezahlt. Sie schliefen auf einem eiskalten Bodenverschlag, mussten frühmorgens mit der Arbeit beginnen. Kaffee gab es erst, wenn die Herrschaften ein paar Stunden später selbst zur Arbeit erschienen – denn sie wollten erst das Fett von der Milch schöpfen, bevor die Arbeiterinnen sich bedienen durften. Es war ein tristes und erschöpfendes Dasein, sie war so müde, dass sie kaum denken konnte. Anfangs hatte sie gehofft, nach der Ausbildung als Tagplätterin arbeiten zu können, aber in diesem Moment wurde ihr klar, dass sie nicht bis dahin durchhalten würde. Auf keinen Fall wollte sie jedoch erneut von den Karstens abhängig sein. Sie hatte sich geschworen, dass sie nie wieder etwas mit dieser undankbaren, selbstsüchtigen Familie zu tun haben würde. Als Dienstmädchen würde sie überhaupt nicht mehr arbeiten. Nie wieder wollte sie einem Hausherrn so ausgeliefert sein, nie wieder ihre Türe nicht verschließen können. Aber ein Frauenstift? Lily bot ihr nicht nur ihre Entschuldigung. Sie bot ihr ein besseres Leben. Doch tief in sich spürte Seda, dass es zu spät war. Frau Wiese hatte ihr unmissverständlich klargemacht, dass es bei einer Adoption kein Zurück gab. Und für sie gab es das auch nicht mehr. Sie zögerte noch einen Moment. Dann griff sie nach dem Türknauf.

«Danke für eure Mühe», sagte sie, ohne Lily anzusehen. «Aber ich muss jetzt weiterarbeiten.»

5

Charlie ging es so dreckig wie nie zuvor. Er schwitzte, dann wurde ihm wieder so kalt, dass er sich zitternd an den Ofen setzte. Sein Mund war staubtrocken, immer wieder leckte er sich über die Lippen, ging zur Schüssel und stürzte kellenweise Braunbier hinunter, aber wenn er es geschluckt hatte, war sein Mund noch trockener als zuvor. Sein Kopf schmerzte sowieso, und zweimal hatte er sich erbrochen. Das Schlimmste aber war der Harndrang. Er fühlte sich ständig, als würde er gleich explodieren, doch wenn er wasserlassen wollte, kam nur ein dünnes, heißes Rinnsal, das wie Feuer brannte und den Druck nicht erleichterte. Außerdem hatte er schreckliche Verstopfungen.

«Wenn das die Erde ist, will ich nicht wissen, wie die Hölle aussieht», murmelte er, als er mal wieder seit einer halben Stunde auf dem Eimer hockte und sich nichts bewegte. Einmal wäre er fast mit heruntergelassenen Hosen umgekippt, als ihn die Übelkeit überkam. Das Einzige, was ihn durchhalten ließ, war die Aussicht auf den Abend, wenn Emma zu ihm kam. Sie hatte ihm Bücher dagelassen, aber lesen war nichts für ihn, und so gab es nichts, womit er sich beschäftigen konnte. Bereits am Nachmittag lauschte er auf ihre Schritte auf der Stiege. Er konnte sie von allen anderen unterscheiden. Jo sprang die Treppe herauf, immer zwei Stufen auf einmal, mit seinen schweren Arbeiterstiefeln. Ruth ging langsam, aber voller Energie. Emma lief schnell und zielstrebig mit leichten, kaum hörbaren Schritten. Er tat immer überrascht, wenn sie hereinkam, als hätte er vergessen, dass sie ihn jeden Abend nach der Arbeit besuchte. Dabei fieberte er den ganzen Tag dem Moment entgegen, in dem ihr Gesicht im Türrahmen auftauchte.

Es war sein dritter verzweifelter Versuch, vom Opium wegzukommen. Weil er es allein nicht schaffte, Angst hatte, wieder rückfällig zu werden, und außerdem nicht arbeiten und daher keine Miete zahlen konnte, blieb er im Stift in der kleinen Dachwohnung. Emma hatte ihm angeboten, seine Entwöhnung dort zu begleiten, so gut sie konnte, wenn er sich an Regeln hielt: In den ersten Wochen durfte er nicht allein ausgehen. Er musste sein Messer abgeben und sich unauffällig und ruhig verhalten, denn seine Anwesenheit in der kleinen Dachkammer konnte sie in Schwierigkeiten bringen.

Danach würde er im Stift kleinere Hausmeistertätigkeiten übernehmen, um sich seinen Aufenthalt zu verdienen, und wenn es ihm besserging, hatte sie ihm in Aussicht gestellt, dass dies eine feste Arbeit für ihn werden könnte.

«Kannst du mir nicht irgendetwas geben, das es leichter macht?», fragte er verzweifelt, als sie an diesem Abend die Tür öffnete. Er lag auf dem Bett und konnte kaum die Augen offen halten.

Emma schüttelte den Kopf. «Das würde ich gerne, aber so ein Mittel ist noch nicht erfunden.» Sie trat ans Bett, setzte sich neben ihn und legte eine Hand auf seinen Arm. «Früher hat man versucht, Opiumsüchtige mit Morphium zu heilen. Weißt du, was Morphium ist?»

Nun war es an ihm, den Kopf zu schütteln. «Nicht wirklich. Kriegt man gegen Schmerzen, oder?»

Sie nickte zufrieden, als sei er ein Schüler, der eine Frage korrekt beantwortet hatte. «Richtig. Es ist quasi die Seele des

Opiums. Vor beinahe hundert Jahren schon wurde es von einem jungen deutschen Apothekerlehrling entdeckt. Monatelang hat er den klebrigen Mohnsaft in seinem Hinterzimmer bearbeitet, hat ihn erhitzt, getrennt, destilliert, versucht, ihn zu erforschen. So entstanden Hunderte an neuen Zusammensetzungen, die er, so sagt man zumindest, zuerst an streunenden Hunden und dann sogar an seinen Freunden und sich selbst ausprobierte. Ist das nicht spannend?»

Charlie wusste genau, was Emma tat. Sie lenkte ihn ab, indem sie ihm Geschichten erzählte. Das Einzige, was ihm helfen konnte, seine Schmerzen zu vergessen. Und eine Frau wie Emma erzählte keine Märchen oder rezitierte Liebesgedichte – sie berichtete von Medikamenten, Drogen und Apothekerlehrlingen. Und obwohl sein ganzer Körper nach Erlösung schrie, sprang er nicht auf, er schlug ihre Hand nicht weg. Ein Lächeln huschte über sein gequältes Gesicht. «Sprich weiter», sagte er leise und schloss die Augen.

«Nun.» Er hörte an ihrer Stimme, dass sie lächelte. «Der junge Mann, Sertürner hieß er, verstand irgendwann, dass Opium aus der Mohnpflanze nicht eine einzige Substanz ist, sondern eine komplexe Zusammensetzung aus vielen Zutaten. Besonders stark sind die Alkaloide unter ihnen. Sertürner gelang es, den stärksten dieser Stoffe, denjenigen, der dem Opium seine Wirkung verleiht und wegen dem du hier liegst wie ein gequälter Hund …»

Charlie grinste, ohne die Augen zu öffnen. «Schönen Dank auch», murmelte er.

«… jedenfalls konnte er jenen Stoff isolieren. Er wirkt zehnmal stärker als Opium.»

Charlie pfiff leise durch die Zähne. «Davon hätte ich jetzt gerne einen Tropfen!»

«Glaub mir, hättest du nicht», rügte Emma ruhig, aber streng. «Er nannte ihn Morphium. Nach Morpheus. Weißt du, wer das ist?»

Charlie hob schmunzelnd die Augenbrauen. Er fühlte sich wie ein kleiner Junge, der krank im Bett lag und von der Mutter vorgelesen bekam. «Nein, wer?»

«Der Gott der Träume», erklärte Emma, und er nickte. «Das passt», murmelte er und dachte an Claires Gesicht, das aus dem blauen Rauch auftauchte, über ihm schwebte, so real und gleichzeitig so ungreifbar wie ein Nebelfetzen. Ihr Bild lag noch immer im Seesack unter seinem Bett, und beinahe jede Nacht holte er es hervor und starrte es an, wusste nicht, was er denken sollte.

«Sertürner forschte immer weiter, obwohl niemand seine Arbeit ernstnahm und die Wissenschaft ihn auslachte. Er kreierte immer reinere Formen des Morphiums und probierte es an sich selbst aus.»

«Wirklich?», fragte Charlie erstaunt. «Aber warum?»

«Weil er wissen wollte, was es kann, wie es wirkt.» Emma zuckte die Achseln. «Manche Menschen haben das einfach in sich, diese brennende Neugier.»

«Menschen wie du.»

«Ja.» Emmas Stimme klang plötzlich seltsam. «Menschen wie ich. Sie opfern alles der Wissenschaft, der Berufung, der Arbeit. Sie können nicht anders, sie würden sich zugrunde richten, nur um weitermachen zu können, um anderen zu helfen oder um neue Dinge zu erforschen. Es ist einfach in uns drin, wenn wir es nicht tun, sind wir nicht wir selbst. Aber es kostet uns sehr viel.» Ihre Stimme war leiser geworden. Als er blinzelte und sie ansah, blickte sie mit starrem Gesicht an die Wand.

Charlie antwortete nicht. Er hatte es gesehen. Sie arbeitete bis zum Umfallen, kümmerte sich um ihn, obwohl sie nichts dafür bekam, saß mit brennenden Augen an seinem Bett, mit vor

Müdigkeit verzerrtem Gesicht. Was sie wohl noch alles geopfert hatte? Sie war nicht verheiratet, hatte, soweit er wusste – und er hatte sehr genau hingehört – keinen Liebhaber, niemanden, der ihr den Hof machte. Wofür, das hatte er sich schon oft gefragt. Wofür die langen, erschöpfenden Tage, die Undankbarkeit der Menschen, die Gefahr, sich anzustecken? Jetzt begann er, eine Ahnung davon zu bekommen, was Emma antrieb.

«Was ist mit ihm passiert?», fragte er leise, als sie eine Weile nicht mehr gesprochen hatte.

Emma zuckte leicht zusammen, als wäre sie mit den Gedanken woanders gewesen, setzte sich dann ein Stück auf. «Tja, du wirst es kennen. Anfangs fühlte er sich wie berauscht, glückselig, erlebte die schönsten Träume, wähnte sich im Paradies. Dann bekam er plötzlich starke Verstopfung.»

Charlie verschluckte sich beinahe an seiner Zunge. Er hustete krampfhaft. Dass eine Dame wie Emma, Ärztin hin oder her, von Verstopfung redete, war nun wirklich schockierend. Aber sie zuckte nicht mit der Wimper, wartete, bis er sich beruhigt hatte, und sprach dann weiter.

«Als er versuchte, mit dem Mittel aufzuhören, bekam er schlimme Depressionen und dann auch noch grauenvollen Hunger, der ihn fast den Verstand kostete.»

Charlie fand es seltsam tröstlich, dass auch andere Menschen vor ihm schon Ähnliches durchlebt hatten.

«Einmal hätte Sertürner es beinahe geschafft, sich umzubringen. Und seine Freunde gleich mit dazu», sprach Emma weiter. Ihre Stimme war jetzt wieder voller Energie. «Über eine halbe Stunde hinweg nahmen sie ununterbrochen Morphium zu sich. Nur weil er schließlich zur Besinnung kam und ihnen allen ein Brechmittel einflößte, konnte er sie noch retten.»

«Woher weißt du das alles?», fragte Charlie kopfschüttelnd. Er spürte, wie er vor Müdigkeit langsam im Bett nach unten rutschte. Aber er wollte nicht, dass Emma aufhörte zu reden. Seltsam, dass er ihre Stimme noch vor kurzem so gehasst hatte. Jetzt erschien sie ihm warm und melodisch. Vertraut. Wunderschön.

«Ich habe es gelesen natürlich. Sertürner starb, ohne dass jemand würdigen konnte, was er erfunden hatte. Andere haben den Ruhm und das Geld eingeheimst. Nur seinetwegen konnte Jahre später auch Codein isoliert werden. Es ist in vielen Hustensäften enthalten. Kann einen Ochsen umhauen. Du kennst es sicher. Mit Sertürners Methode wurden immer mehr Alkaloide gefunden; aus Pflanzen wie Kaffee, Tabak, Koka und Brechnuss konnte man schließlich Koffein, Nikotin, Kokain, Chinin und unzählige weitere gewinnen. Sie sind alle miteinander verwandt. Ein junger, unbedeutender Apotheker aus Deutschland hat in seinem Hinterzimmer die Welt für immer verändert. Allein durch seinen Wissensdurst, seine unbezähmbare Neugierde. Und er hat es nicht einmal gewusst. Schläfst du schon?»

«Noch … nicht», murmelte Charlie, aber seine Augenlider flatterten. «Erzähl mir weiter das Märchen vom Opium.»

Emma lächelte. «Morphium», korrigierte sie. «Aber streng genommen hast du recht. Nur ist es kein Märchen.» Sie schob sich ein Kissen in den Nacken. «Morphium wurde schon bald als Schmerzmittel unerlässlich für die Medizin. Man konnte es besser dosieren, und es wirkte stärker als Opium. Doch man konnte es zunächst nur oral verabreichen. Oder als Zäpfchen.»

Charlie zuckte zusammen. Er hielt die Augen geschlossen, aber als Emma weitersprach, hörte er wieder Belustigung in ihrer Stimme. Zäpfchen … Ob es überhaupt etwas gab, das dieser Frau peinlich wahr?

«Man überlegte also, wie man den Menschen das Mittel besser einflößen konnte.» Emma war noch immer mitten in ihrer Erzählung. «Einatmen war schwierig, denn das führte oft zu Übelkeit. Es auf die Haut aufzutragen verursachte Bläschen. Man ritzte mit Messern kleine Schnitte in die Arme und rieb das Mittel mit Nadeln und Spänen hinein, aber das war schmerzhaft und schwer zu dosieren. So wurde die erste Spritze erfunden. Das wäre eine Geschichte für sich, aber ich fürchte, das führt heute zu weit?»

Charlie gab ein undefinierbares Geräusch von sich.

«Das erzähle ich dir dann beim nächsten Mal», sagte Emma heiter, und seltsamerweise verursachte dieser Satz ein warmes Gefühl in seinem Bauch.

Er nickte und tat so, als sei es ihm egal. Dann spürte er wieder eine grauenvolle Übelkeit aus dem Magen hinaufschießen, dorther, wo eben noch jene wohlige Wärme gewesen war. Er fuhr in die Höhe und krächzte, konnte nicht einmal mehr etwas Warnendes sagen. Doch Emma war schnell. Sie hielt eine Spuckschüssel bereit, und er beugte sich darüber und erbrach keuchend alles, was er vorher zu sich genommen hatte. Und, so fühlte es sich zumindest an, auch noch ein wenig mehr. Es wollte gar nicht mehr aufhören, sein Körper schien alles abzustoßen, was er ihm jemals zugeführt hatte. Er hatte nicht einmal mehr die Kraft, darüber nachzudenken, wie demütigend das Ganze war, so viel kostete ihn das Würgen und das Krampfen seines Magens.

Emma wischte ihm mit einem feuchten Lappen sanft die Stirn und redete einfach weiter, mit ruhiger Stimme, als könnte sie den sauren Geruch nicht riechen, als sähe sie die Spucketropfen nicht, die ihm im Bart hingen, hörte nicht das Würgen und Keuchen, das Platschen in der Schüssel.

«Wie dem auch sei, man hatte Hoffnung, nun auch Opiumsüchtigen helfen zu können, da das Medikament bei Schmerzen sofort Linderung verschaffte, wenn man es in den Körper spritzte. Aber es war genau die gleiche Droge, nur viel, viel stärker.» Sie wischte ihm auch über den Bart, und als er sich erschöpft zurücklehnte, deckte sie ihn zu. Er hörte ein Klirren, als sie die Schüssel wegstellte. Dann spürte er erneut etwas Kühles auf der Stirn. Aber dieses Mal war es ihre Hand. Sie lag ganz ruhig da, nur ihr Daumen machte kreisende Bewegungen, die ihn sanft streichelten wie ein kleines Kind mit Fieberträumen. Es war ihm furchtbar peinlich. Und gleichzeitig war es so angenehm, und er war so erschöpft, dass er es einfach geschehen ließ.

«Eine Spritze Morphium verschaffte also nur noch schneller den gewünschten Rausch. Bald eroberte das Mittel die Welt.» Er spürte nun auch etwas Kühles am Mund und gleich darauf eine Flüssigkeit, die ihm die Kehle hinunterrann. Er trank durstig. «In den Lazaretten gab es keine größere Erlösung für die Menschen. Im Bürgerkrieg in Amerika pflanzten Frauen den Mohn in ihren Gärten an, um Morphium an die Front bringen zu können. Später lernten die Veteranen schnell, wie man sich selbst Spritzen setzte und sich damit für kurze Zeit von den körperlichen und seelischen Schmerzen des Krieges erlöste …» Ihre Stimme wurde immer leiser. Er merkte, dass er einschlafen würde.

«Ich bin so müde», erklärte er.

«Das ist gut, Schlaf ist wichtig. Im Schlaf kann der Körper heilen», sagte Emma. Sie zog ihre Hand weg, die die ganze Zeit noch ruhig und schwer auf seiner Stirn gelegen hatte, und ihm entfuhr ein leiser Laut des Bedauerns. Er hoffte, dass sie es nicht gehört hatte. Charlie wusste, dass sie gehen würde, wenn er einschlief, und so blinzelte er krampfhaft, versuchte, die Augen zu öffnen und sich aufzusetzen. Aber sie drückte ihn sanft ins Kissen zurück. «Schlaf, Charles. Ich bleibe hier sitzen und lese ein bisschen. Ich habe ein neues Buch über Gynäkologie.»

«Gynä…?»

«Frauenheilkunde. Wenn du aufwachst, erzähle ich dir etwas über Kaiserschnitte.»

«Lieber nicht», konnte er gerade noch flüstern.

Emma lachte leise. «Und übrigens, auch ich habe Zäpfchen in meiner Arzttasche. Du hörst also lieber auf mich. Denn ich habe keinerlei Scheu, sie einzusetzen.»

Er spürte, wie er flammend rot wurde, und dachte, dass das tatsächlich die einzige Drohung seit langem war, die ihn wirklich einschüchterte. Trotzdem lächelte er, als er in den Schlaf hinüberglitt.

Emma betrachtete ihn eine Weile. Wie sehr er sich dagegen wehrte, dass jemand sich um ihn kümmerte. Sogar im Schlaf noch war seine Stirn gerunzelt, sein Gesicht verkniffen. Er konnte einfach nie entspannen. Heimgesucht, dachte sie. Er ist heimgesucht.

Plötzlich hörte sie schwere Schritte auf der Treppe. Schnell stand sie auf und öffnete die Tür. Als sie Jo sah, dessen sommersprossiges Gesicht zu ihr aufblickte, legte sie den Finger auf den Mund. Er hielt inne und nickte. Wortlos gingen sie zusammen nach unten in die Küche.

«Dann komme ich morgen wieder …», setzte Jo an und wollte schon den Türgriff fassen, aber Emma unterbrach ihn.

«Setz dich, Bolten», wies sie ihn an und deutete auf einen Stuhl.

Er zögerte kurz, dann ließ er sich mit finsterem Gesicht nieder. Emma begann, Tee zu machen.

«Wie geht es ihm?», fragte Jo nach einem Moment der Stille.

Emma zuckte die Achseln. «Es wird», sagte sie. «Aber wenn seine Seele nicht heilt, sehe ich wenig Chancen.»

Jo nickte und seufzte schwer. «Ich weiß.»

Emma zögerte. «Er hat etwas angedeutet. Von einer Frau … Claire. Er wollte nicht viel erzählen, aber ich hatte das Gefühl, dass er sehr leidet.»

«Er spricht nie über sie. Es ist keine schöne Geschichte. Ich weiß, was passiert ist, aber ich denke, er muss es dir selbst erklären.»

Emma nickte verständnisvoll. «Ich verstehe …», erwiderte sie. Sie setzte sich ihm gegenüber. «Du weißt, dass Lily zurück ist?», fragte sie zögernd. «Schon eine ganze Weile.»

Er erwiderte nichts, blickte auf seine Hände, die die Tasse umklammerten. Aber sie sah, dass seine Wangen zuckten. Beinahe sah er wütend aus.

«Ich kann ein Treffen arrangieren, wenn du das möchtest.»

Überrascht blickte er auf. «Ich dachte, du bist auf ihrer Seite?»

«Es gibt keine Seiten, Jo», fuhr sie ihn gereizt an. «Natürlich halte ich zu Lily, sie ist meine beste Freundin. Aber du musst doch deine Tochter kennenlernen. Ihr müsst euch wiedersehen, miteinander sprechen.» Sie stockte, durfte es nicht erzählen, aber die Worte kamen einfach aus ihr heraus: «Sie werden herkommen. In drei Wochen, am Sonntag. Um sich das Stift anzuschauen …»

Eine ganze Weile war es still in der kleinen Küche. Der Herd in der Ecke bollerte leise vor sich hin. Jo starrte ins Nichts. «Das klingt wahrscheinlich dumm», sagte er irgendwann, und seine Stimme war rau. Er sah Emma an, und sie dachte, was für ein gutaussehender, trauriger Mann er doch war. «Aber ich habe das Gefühl, dass etwas zerbrochen ist. Etwas Kostbares, das nur uns beiden gehört hat. Etwas, das es nur einmal gibt.» Er lächelte gequält. Obwohl er noch so jung war, war sein Gesicht von den Jahren im Hafen bereits wettergegerbt, in die Haut um seine Augen hatten sich kleine Fältchen gegraben. «Wir haben alles verspielt, was wir hätten haben können. Nun ist es zu spät. Sie ist verheiratet, Emma. Daran kann man nichts ändern. Sie gehört jetzt einem anderen. Was bringt es noch zu reden?»

Emma biss sich auf die Lippen. Es stimmte. Für Lily und Jo gab es keine Zukunft – nicht wenn Lily Hanna behalten wollte. Sie nickte traurig. «Ich weiß. Du hast recht. Aber was ist mit deiner Tochter? Möchtest du sie nicht sehen?»

Jo schüttelte den Kopf. «Natürlich», sagte er. «Aber es ist besser so. Wenn ich sie nicht kenne, weiß ich auch nicht, was ich vermisse!» Er stand auf. «Sie hat einen Vater. Mich braucht sie nicht. Es würde nur alles durcheinanderbringen.» Mit müdem Blick nahm er seine Kappe. «Ich komme morgen wieder und sehe nach Charles.»

Sie nickte, und Jo ging mit schweren Schritten über das knarzende Holz des Küchenfußbodens, öffnete die Tür und verschwand in der Nacht.

Emma sah ihm nach. Sie trank einen Schluck Tee. Ihr Blick verlor sich im Flackern der Kerze auf dem Fenstersims.

Jo liebte Lily noch immer. Das konnte sie hören an der Art, wie er ihren Namen sagte.

Ein Mal, ein einziges Mal nur hatte es auch in ihrem Leben jemanden gegeben, der ihren Namen so aussprach. Auf diese Weise, die klarmachte, dass es keinen wichtigeren Menschen gab als sie.

Zumindest am Anfang.

Dann war irgendwann nur noch Verbitterung in seiner Stimme gewesen. Und schließlich Hass. Plötzlich roch sie ihn. Leder, Tabak, die Steinfels-Seife, die er verwendete. Sie sah seine langen, eleganten Hände, mit denen er immer ihre Wangen umschloss, die runde Brille. Und sie hörte seine Stimme. «Emma, das kann nicht dein Ernst sein!»

Es war ein schrecklicher, verregneter englischer Sommer gewesen. Arthur und sie saßen in der Gartenlaube. Um sie bildete der Regen eine schillernde Glocke. Es rauschte und gurgelte, und noch vor wenigen Minuten war es romantisch gewesen. Sie hatten sich geküsst, geschützt vor den Blicken, auch wenn sie genau wusste, dass seine Mutter im Haus am Fenster stand. Aber dann hatte sie den Moment zerstört. Sie hatte so sehr gehofft, dass er verstehen würde. Er hatte es immer an ihr gemocht, dass sie so klug war, so anders als die anderen Frauen. Dass schöne Kleider und Schmuck sie nicht so beeindruckten wie Bücher, dass sie mit ihm über Geschichte und Politik diskutieren konnte und ihm dabei in nichts nachstand. Angegeben hatte er mit ihr, seiner schlauen Verlobten. Doch an diesem Tag hatte sie erfahren, dass diese Bewunderung eine Grenze hatte.

Und die hieß Universität.

Wie dumm sie gewesen war. Sie hatte von einer Ehe geträumt, in der sie beide ihre Ziele verfolgen konnten und sich gegenseitig unterstützten, in der sie stolz darauf waren, dass es bei ihnen anders lief als bei den anderen. In der ihr Mann sie studieren ließ und sich nicht dafür schämte. Ein Akademikerpaar, das abends zusammen lernte, sich zu den Geburtstagen Bücher schenkte und auf Studienreisen ins Ausland fuhr. Ihr Mund verzog sich zu einem bitteren Lächeln, als sie daran dachte, wie naiv ihre Träumereien gewesen waren.

Nur ein paar Wochen später hatte er die Verlobung aufgelöst. Er hatte wieder und wieder versucht, sie umzustimmen, ihr eingeredet, dass sie ihr Leben wegwarf, ihre Zukunft. Wie sollten sie eine Familie gründen, wenn sie studierte und arbeitete?

«Ich liebe dich, Emma!» Arthur hatte ihr Gesicht in die Hände genommen wie schon Hunderte Male zuvor und ihr mit dem Daumen über Nase und Wangen gestreichelt. «Aber ich brauche eine Frau, die mir eine Stütze sein kann. Eine normale Frau!»

Die Worte hallten immer noch nachts durch ihre Träume.

Eine normale Frau.

Es würde sie ihr Leben lang nicht loslassen, die Zurückweisung dessen, was sie war. Denn es stimmte, sie war keine normale Frau. Keine Frau wie die meisten anderen. Sie hatte das schon sehr früh verstanden und akzeptiert. Ihr Fehler war es, anzunehmen, dass er das genauso tat.

Dabei hatte er die ganze Zeit vorausgesetzt, sie würde sich ändern.

Drei Monate später heiratete er ihre Schwester. Es war der schlimmste Tag in Emmas Leben. Sie nahm nicht an der Trauung teil, sondern schloss sich in ihrem Zimmer ein und las die ersten Bücher für die Universität. Den ganzen Tag, die ganze Nacht, bis ihr der Kopf irgendwann auf die Seiten sank. Keinen einzigen Gedanken an die beiden hatte sie sich zugestanden, obwohl es in ihrer Brust stach, so stark, dass es ihr beinahe den Atem nahm. Als sie am nächsten Tag gegen Mittag mit schmerzendem Rücken aufwachte, war ihr Gesicht nass von Tränen. Sie packte noch am selben Abend ihre Koffer. Seit jenem Tag hatte sie keinen der beiden mehr gesehen.

Ohne ihre Mutter hätte Emma es nicht geschafft. Sie war Witwe und konnte deshalb frei über das Geld der Familie verfügen, die Träume ihrer Tochter verwirklichen, auch wenn sie sie nicht verstand.

Frauen müssen einander helfen, sonst schaffen sie es nicht in dieser Welt, dachte Emma jetzt. Und genau deshalb hatte sie sich auch entschlossen, nach Hamburg zu kommen, um ihre seit Jahren bettlägerige Mutter zu pflegen. Die Frau, die immer an sie geglaubt, ihr den Rücken gestärkt und frei gehalten hatte. Ohne die sie nicht die wäre, die sie heute war.

Emmas Schwester lebte noch immer in England. Sie hatte

inzwischen fünf Kinder und litt unter hysterischen Zuständen, so beschrieb sie es zumindest in den Briefen an die Mutter, die Emma nachts heimlich las. Arthur erwähnte sie nur selten, aber wenn sie es tat, krampfte sich alles in Emma zusammen.

Eigentlich, dachte sie jetzt und blies spielerisch in die Flamme der Kerze, die vor ihr auf dem Tisch stand, sollte ich den beiden dankbar sein. Allein durch die Enttäuschung, die Bitterkeit hatte sie es geschafft. Sie hatten sie durchhalten lassen.

In den Monaten und Jahren danach hatte es unzählige Momente gegeben, in denen sie aufgeben wollte. Das Studium an sich brachte sie schon an ihre Grenzen. Dazu kamen die Anfeindungen der Kommilitonen, die Verachtung der Professoren. Die Steine, die ihr überall in den Weg geworfen wurden, die soziale Ausgrenzung, der Spott. Sie musste immer in allem die Beste sein, sonst wurde sie ausgelacht. Wenn sie es dann war, wurde sie dafür gehasst. Alles wurde härter geprüft als bei den männlichen Studenten, man versuchte, sie von Vorlesungen auszuschließen, gab ihr die falschen Bücher, die falschen Stundenpläne. Die Frauen waren beinahe noch schlimmer als die Männer, verstießen sie noch hartnäckiger aus ihren Reihen. Emma ließ sie ihr eigenes Leben in Frage stellen, zeigte ihnen, dass es andere Möglichkeiten gab. Und das machte ihnen Angst. Sie gehörte nun weder zur einen noch zur anderen Seite. Sie musste ihren Weg alleine gehen.

Und sie hatte es geschafft.

Im Laufe der Jahre hatte sie andere Frauen kennengelernt, die so waren wie sie. Und ab und an auch Männer, die diese Frauen mochten, ja bewunderten. Die jedoch waren fast noch seltener als bildungshungrige Frauen.

Als sie in die Schweiz ging, in der Frauen schon seit zwanzig Jahren studieren durften, eröffnete sich ihr eine neue Welt. Sie konnte es nicht fassen, als sie die Hörsäle sah. Die meisten ihrer Kommilitoninnen waren Jüdinnen aus Russland oder Osteuropa, und ihre brillanten Leistungen standen denen der Männer in nichts nach. Es war das erste Mal in ihrem Leben, dass sie sich wirklich zugehörig fühlte. Doch die Zahl der Schweizer Studentinnen blieb lächerlich gering. Es gab keine Gymnasien, die die Mädchen auf ein Studium hätten vorbereiten können. Hinzu kam, dass es ihnen von allen Seiten nahezu unmöglich gemacht wurde, nach dem Studium auch einen Beruf auszuüben. Ärztinnen bekamen keine Assistenzstellen, Lehrerinnen durften nur an den nichtexistierenden Mädchenschulen unterrichten, Jurastudentinnen keine Anwältinnen werden, Theologinnen nicht predigen. Es stand den Frauen also frei, Jahre ihres Lebens zu investieren, nur um dann nicht im erlernten Beruf arbeiten zu dürfen.

Emma selbst musste ihre Assistenzzeit im deutschen Kaiserreich absolvieren. Hier durften Frauen zwar nicht studieren, die Assistenzstelle bekam sie jedoch, absurderweise. Es tat sich etwas, es kamen immer mehr Risse ins Gefüge.

Sie stand auf, räumte ihre Tasse in die Spüle und blies die Kerze aus. Dann nahm sie ihren Mantel, der neben der Küchentür am Haken hing. Sie hatte sich vor langer Zeit für ihren Weg entschieden, und sie bereute es nicht. Trotzdem hätte sie alles dafür gegeben, jemanden zu finden, der sie so sehr liebte wie Jo Lily.

Oder Lily Jo.

Jo warf die Tür hinter sich zu. Einen Moment stand er auf der Schwelle und ballte die Hände zu Fäusten, so fest, dass es weh tat. Er war so wütend auf Emma, dass er an sich halten musste, um nicht gegen die Tür zu treten. Warum musste sie es ihm so schwermachen? Er schaffte es gerade so klarzukommen, irgendwie die Tage durchzustehen. Zu wissen, dass der Mensch, den er auf der Welt am meisten liebte, und seine Tochter, die er noch nie gesehen hatte, in Hamburg waren, war schon kaum auszuhalten. Er war sicher schon ein Dutzend Mal abends zur Villa gewandert, hatte am Zaun gestanden und die Auffahrt hinaufgeblickt, den Garten umschlichen in der Hoffnung auf ein Lebenszeichen. Einmal hatte er hinter einem der erleuchteten Fenster eine Frauengestalt gesehen, die Lily hätte sein können. Allein die Silhouette hatte gereicht, um ihn tagelang in Unruhe zu versetzen.

Zu wissen, wann und wo er sie wiedersehen könnte, und der Versuchung zu widerstehen, das war unmöglich. Aber er durfte es nicht, es würde alles noch schlimmer machen. Für sie und für ihn. Verdammt, Emma, dachte er und lief los, in die dunklen Gassen der Gängeviertel, die bald hinter dem Frauenstift begannen und sich labyrinthartig in die Stadt hineinbohrten.

Er hatte nur ein Ziel: Vergessen.

Roswita saß in der dunklen Küche und presste die Hände auf den Bauch. Ihr war gleichzeitig übel und schwindelig. Sie wusste nicht mehr, wie viel sie gegessen hatte, ihr Gehirn hatte vollkommen ausgesetzt. Seit Hertha eingeweiht war und Roswita damit nicht mehr Gefahr lief, für fehlendes Essen in Erklärungsnöte zu geraten, aß sie noch mehr als vorher. Manchmal stopfte sie das Essen regelrecht in sich hinein, wühlte sich wie ein hungriger Bär durch die Speisekammer. Meistens erbrach sie es hinterher, manchmal aber auch nicht. Es war ihr beinahe egal geworden, ob sie zunahm, wozu sollte sie noch schlank sein? Sie mochte es, wenn ihr Bauch voll und schwer war, es gab ihr ein Gefühl von Sicherheit und Wärme. Das Gefühl, das sie in ihrem Leben vermisste.

Seit jenem Tag, an dem Franz nach Hause gekommen war und sie schäumend vor Wut angeschrien hatte, warum sie wegen ihrer privaten Eheprobleme zu ihrem Vater rannte, waren bei ihm alle Dämme gebrochen. Sie schauderte, wenn sie daran dachte. Dabei hatte sie sich nie bei ihren Eltern beschwert. Sie mussten wohl gemerkt haben, wie traurig sie war, und sich ihren Teil gedacht haben.

Er war so gehässig zu ihr, dass sie in ständiger Angst vor seinen Launen und zynischen Kommentaren lebte. Seit Lilys Rückkehr war es fast noch schlimmer. Roswita zuckte zusammen, wenn sie nur seine Stimme hörte, und ging wie auf Eiern umher, um ihn nicht zu provozieren. Aber es nützte nichts, ihre bloße Anwesenheit schien ihm sauer aufzustoßen. Er quälte sie, man konnte es nicht anders sagen. Und er hatte Freude daran. Der Gedanke, dass sie für den Rest ihres Lebens mit diesem Mann verheiratet sein würde, ließ sie nachts stundenlang in ihr Kissen schluchzen. Was, wenn sie niemals schwanger wurde? Was, wenn er nur immer gemeiner und bösartiger wurde, sie irgendwann in ihr eigenes Haus zogen und sie dann mit ihm alleine war? Wie hatte sie sich nur so blenden lassen? Sein Aussehen, sein kühler, überheblicher Charme hatten sie damals ganz verrückt nach ihm gemacht. Dabei hatte sie keine Ahnung gehabt, wer er eigentlich war.

Das Schlimmste war, dass sie immer noch Gefühle für ihn hegte. Für ein Lob von ihm hätte sie sich einen Finger abgeschnitten. Sie wusste selbst, wie erbärmlich das war, aber sie konnte es nicht ändern. Trübsinnig nahm sie das Honigglas, das vor ihr stand, und tauchte einen Löffel hinein. Es war bereits halb leer, aber sie aß immer weiter, obwohl die schwere Süße ihr langsam den Magen umzudrehen begann. Löffel um Löffel stopfte sie sich in den Mund. Alles an ihr klebte, ihre Hände, ihr Kinn, sogar auf ihren Bauch und ihre Knie war der Honig schon getropft. Aber wenn sie nicht weiteraß, musste sie wieder nach oben ins Bett gehen, zu ihrem Mann. Dann konnte sie nicht hier sitzen bleiben in ihrer schönen warmen Blase, in der die Zeit stillstand.

Plötzlich merkte sie, wie ihr schwindelig wurde. Einen Moment presste sie die Hände auf die Tischplatte, während sie in sich hineinhorchte. Alles drehte sich, ein grauer Schleier schien sich über die Küche zu legen. Sie würgte und fiel zur Seite von der Bank. Der Honigtopf schlug krachend auf dem Küchenboden auf.

Lily saß an ihrem Schreibtisch und las, als sie ein Geräusch hörte. Ein dumpfer Knall drang aus dem dunklen Haus zu ihr nach oben. Sie runzelte die Stirn. Es war mitten in der Nacht. Wer war so spät noch wach? Nach ein paar Sekunden des Zögerns griff sie ihren Morgenmantel und wickelte ihn um sich. Vorsichtshalber schob sie die Papiere in die Schublade. Emma hatte sie Sylta mitgegeben, Manifeste und Mitschriften der Frauenrechtlerinnen sowie eine Ausgabe des verbotenen *Berliner Volksblattes*, und sie wollte nicht riskieren, dass jemand sie in ihrem Zimmer fand.

Alles war dunkel, die Villa lag schweigend da. Vielleicht ist nur irgendwo etwas umgefallen, dachte sie, als sie über die Fliesen in Richtung Küche tappte. Sie zündete ein Öllämpchen an und runzelte die Stirn, als sie einen einzelnen Löffel auf dem Tisch liegen sah. Hertha würde doch niemals zu Bett gehen, ohne die Küche sauber zu machen? Plötzlich stieß ihr Fuß gegen etwas

Warmes, und sie schrie auf, als sie Roswita sah, die halb unter dem Tisch lag.

Einen Moment war Lily starr vor Entsetzen. Roswitas Kopf lag in einem See aus Erbrochenem. Ihr Gesicht war verschmiert und blau angelaufen, die Augen waren halb geöffnet, aber verdreht, sodass nur das Weiße zu sehen war.

«Himmel!», flüsterte Lily. Sie ging in die Knie und schüttelte Roswita, nahm ihren Kopf und drehte ihn nach oben, damit sie nicht ihr eigenes Erbrochenes einatmete. Hektisch klopfte sie ihr auf die Wangen und fühlte dann ihren Puls. Roswita war so weiß, dass sie eine Sekunde das Schlimmste befürchtete, aber dann stöhnte sie. «Oh, Gott sei Dank! Roswita, hörst du mich?»

Langsam kam Lilys Schwägerin wieder zu sich. Sie blinzelte und sah sich verwirrt um, dann setzte sie sich langsam auf. «Was ist passiert?», fragte sie mit brüchiger Stimme.

«Das fragst du mich? Ich kam hier runter, und du lagst auf dem Boden!», erklärte Lily besorgt. Da entdeckte sie den Honigtopf. «Hast du den etwa leer gegessen?», rief sie bestürzt.

Roswita senkte ertappt den Blick.

«Ja, kein Wunder, dass du da ohnmächtig wirst. Hast du noch mehr gegessen?»

Ihre Schwägerin antwortete nicht, aber nach einer Weile nickte sie kaum merklich.

«Und dann ist dir schlecht geworden?»

«Ja», hauchte Roswita und blickte zu Boden.

Lily überlegte kurz. Sie stand auf, holte ein Glas, füllte es mit Braunbier und gab einen großen Löffel Salz hinein. «Hier, steh langsam auf. Dann gehen wir zum Eimer, und du trinkst das. Du musst noch mehr erbrechen. Sicher hast du einen Schock von all dem Zucker!»

Roswita gehorchte willenlos. Sie ließ sich in ihrem besudelten

Nachthemd zum Kübel führen, Lily setzte ihr das Glas an die Lippen, und sie trank zwei große Schlucke, bevor sie sich würgend nach vorne beugte.

«Sehr gut, lass alles raus, so ist es gut», murmelte Lily beruhigend, während sich Roswita erbrach. Um Gottes willen, wie viel hat sie gegessen!, dachte sie bestürzt. Lily wandte sich ab, so gut sie konnte, während sie ihrer Schwägerin mitfühlend den Rücken streichelte und die Haare hochhielt, die aus der Nachthaube gerutscht waren. Irgendwann richtete Roswita sich auf und wischte sich mit zitterndem Handrücken über den Mund. Mit Tränen in den Augen sah sie Lily an, hilflos wie ein kleines Kind.

«Jetzt komm, setz dich erst mal», wies Lily sie an und führte sie zum Esstisch zurück. Dabei mussten sie der Pfütze aus Erbrochenem ausweichen, die sich auf dem Boden verteilt hatte.

«Es tut mir leid. Ich mache das gleich weg», stotterte Roswita.

«So ein Unsinn. Ich mache das schon», erwiderte Lily bestimmt.

Sie ließ ihr keine Zeit zu protestieren, schöpfte erneut Bier in ein Glas, stellte es vor sie hin und ging dann in die Besenkammer. Es dauerte ein wenig, bis sie die Putzsachen gefunden hatte, noch nie hatte sie nach ihnen suchen müssen, aber schließlich kam sie mit einem Eimer und mehreren Lappen zurück. Unverzüglich machte sie sich an die Arbeit.

Roswita beobachtete sie mit gequältem Gesichtsausdruck. «Das musst du nicht tun!», flüsterte sie. «Das ist doch schrecklich ekelhaft.»

«Ach, wenn du wüsstest.» Lily lachte leise. «Ich habe in Liverpool in einem Workhouse gearbeitet. Das ist ein Auffanghaus für Arme, Obdachlose und Waisenkinder. Du hast ja keine Ahnung, was ich da schon alles gemacht und gesehen habe. Dagegen ist das hier gar nichts!»

«Henry hat dich dort arbeiten lassen?», fragte Roswita ungläubig und schniefte leise.

Lily zuckte zusammen. Das hatte sie ganz vergessen. «Nein», sagte sie schließlich, denn jetzt war es ohnehin zu spät. «Er weiß nichts davon.»

Sie sah Roswita an, und die schüttelte schnell den Kopf. «Ich werde es bestimmt nicht verraten!», versicherte sie.

Lily nickte. «Danke.»

Roswita zog die Nase hoch. «Wie schaffst du es, so zu sein?», fragte sie plötzlich mit leiser Stimme, und Lily sah erstaunt zu ihr auf.

«Wie?»

Roswita suchte nach Worten. «Ich weiß nicht, wie ich es sagen soll … so … ohne Angst. Ich würde mich so etwas nie trauen.»

Lily verzog den Mund zu einem schiefen Lächeln. «Oh, Roswita. Ich habe Angst!», erwiderte sie nachdrücklich. «Jeden Tag. Ich habe Angst, dass mein Mann mir meine Tochter wegnimmt. Dass ich nie wieder ein Leben leben werde, das mich erfüllt oder mir auch nur im Geringsten Freude bereitet. Dass ich irgendwann vor Langeweile sterben werde. Dass ich es eines Tages nicht mehr aushalte, wieder fortgehe und damit meinen Vater so sehr verletze, dass er sich nicht mehr davon erholt. Dass ich nie wieder glücklich werde.» Dass ich Jo nie mehr sehen werde, fügte sie in Gedanken hinzu, sprach es aber nicht aus.

Roswita sah sie mit großen Augen an. «Aber man merkt es nicht», warf sie dann zaghaft ein. «Du bist so stark und … laut.»

«Ich? Laut?», Lily lachte. Das hatte ihr nun wirklich noch nie jemand gesagt. Aber gut, verglichen mit Roswita mochte es sogar stimmen.

«Und du hast keine Angst vor Franz», sagte ihre Schwägerin plötzlich, und Lily horchte auf.

«Nein», gab sie zu. «Die habe ich nicht. Nicht mehr. Hast du Angst vor ihm?»

Roswita zögerte, dann nickte sie. «Manchmal. Aber vor allem habe ich Angst, dass ich niemals schwanger werde.» Plötzlich begann sie, wieder zu weinen. Schwere, dicke Tränen tropften ihr über die Wangen. «Was, wenn ich kein Kind kriege? Welche Schande das wäre. Was mache ich denn dann mit meinem Leben?»

Lily stöhnte innerlich auf. Zwei gegensätzlichere Frauen hätten heute Nacht wohl kaum ihren Weg in diese Küche finden können. «Es gibt sogar sehr viel, was du machen könntest», protestierte sie, aber sie sah an Roswitas Blick, dass sie sich eine Rede über ein selbstbestimmtes Leben sparen konnte. Ihre Schwägerin wollte nicht ausbrechen und frei sein. Sie wollte das tun, was die Gesellschaft von ihr erwartete.

Roswita schluchzte verwirrt. Lily setzte sich ihr gegenüber und betrachtete sie. «Roswita, wenn du nicht schwanger wirst, kann es an dir liegen, aber genauso gut an Franz. So lange seid ihr nicht verheiratet, warte noch ab, bevor du verzweifelst. Falls du wirklich so unglücklich mit ihm bist, dann kannst du dich scheiden lassen. Immer mehr Leute tun das, was sollte dir im Wege stehen? Du könntest jemand Neues finden.»

Entsetzt schüttelte Roswita den Kopf. «Niemals!», stieß sie unter Tränen hervor. «Alle würden über mich reden. Meine ältere Schwester will sich scheiden lassen. Ihr Mann schlägt sie seit Jahren, sie erträgt es nicht mehr. Aber meine Mutter will nichts davon hören, sie sagt, eine Scheidung gibt es in der Familie nicht. Dass es sie ruinieren würde. Ich könnte mit der Schande nicht leben. Und ich will es auch nicht …»

«Aber was willst du dann?», fragte Lily.

Roswita öffnete den Mund, stockte. «Ich will eine glückliche

Familie», erwiderte sie dann unsicher, «ich will ... auf Feste gehen und Bälle und meinen Mann an meiner Seite haben, schöne Kleider tragen, viele Kinder kriegen, im Sommer an die See fahren, ein Haus kaufen und einrichten ...»

Einen Moment lang betrachtete Lily ihre Schwägerin. Sie hatte keine Ahnung, was sie zu diesen Träumen sagen sollte. Dann fiel ihr ein, was ihre Mutter ihr neulich erzählt hatte. «Habt ihr Eheprobleme?», fragte sie. «Du und Franz? Ist das der Grund, warum du nachts in der dunklen Küche sitzt und einen ganzen Topf Honig isst? Es kann doch nicht nur daran liegen, dass du noch nicht schwanger bist!»

Roswitas Wangen überzogen sich mit einer glühenden Röte. Sie senkte den Blick und knetete die Finger. «Ich ... weiß nicht, ich ...», begann sie, brach aber ab.

Lily seufzte. Doch sie erinnerte sich, wie schamhaft sie selbst noch vor wenigen Jahren gewesen war. Inzwischen machte Scham sie ungeduldig. Aber sie konnte von ihrer Schwägerin nicht erwarten, dass sie genauso unempfindlich war. «Hat jemand mit dir über das Ehebett gesprochen?», fragte Lily resolut. «Weißt du, du musst dir nicht alles gefallen lassen!»

Roswita erwiderte nichts, und Lily hatte das Gefühl, ins Schwarze getroffen zu haben. «Kannst du es denn gar nicht genießen?»

Ganz zaghaft, kaum war die Bewegung zu sehen, schüttelte Roswita den Kopf. «Aber das soll ja so sein!», hauchte sie dann. «Nur denke ich manchmal, es kann doch nicht sein, dass man sich so quält. Und ich habe schon ... nun, manche meiner Freundinnen machen Andeutungen, dass es ihnen sogar gefällt!» Sie sah Lily an. «Manchmal habe ich das Gefühl, dass wir etwas falsch machen», flüsterte sie dann und schlug sich sogleich erschrocken die Hand vor den Mund. «Oh Gott, bitte sag das niemandem! Ich wollte das gar nicht … Es ist mir so rausgerutscht!»

Lily hätte gelacht, hätte Roswita ihr nicht so leidgetan. «Nun, ich weiß nicht, ob man dabei so viel falsch machen kann. Aber ich sage dir was. Ich habe ein sehr gutes Buch, das ich dir geben kann. Da steht alles drin, was man zu dem Thema nur wissen kann. Das leihe ich dir. Und wegen dieser Sache hier …», sie deutete auf die Küche und den Honigtopf, «… solltest du wirklich mit einem Arzt reden. Oder noch besser mit meiner Freundin Emma.»

«Das hat deine Mutter auch schon vorgeschlagen. Aber Frauen sind doch keine Ärzte. Und sie ist nicht mal verheiratet. Wer weiß, was sie mir erzählt?»

Lily wollte erbost etwas erwidern, stoppte sich aber in letzter Sekunde. Woher sollte Roswita es besser wissen? «Ich mache dir einen Vorschlag: Ich beschreibe ihr, wie es dir so geht, und bitte sie um Rat. Dann sehen wir weiter. Und morgen leihe ich dir das Buch. Aber jetzt gehen wir erst mal schlafen, was meinst du?»

Roswita nickte dankbar. «Ich wäre dir sehr verbunden, wenn du …»

«Niemandem etwas erzählst?» Lily nickte. «Selbstverständlich nicht. Genau wie du auch bitte niemandem von meiner Arbeit in Liverpool berichtest.»

«Auf keinen Fall!», versprach Roswita hastig.

Die beiden Frauen sahen sich an. So unterschiedlich sie auch waren, in diesem Moment einte sie nicht nur die Tatsache, dass sie beide nicht das Leben führten, das sie wollten. Sondern auch das Wissen, dass es Dinge gab, die ihre Ehemänner unter keinen Umständen herausfinden sollten.

6

Die Armut waberte Sylta geradezu entgegen. Sie umgab Elisabeth Wiese wie ein Nebel, schien in pulsierenden Wellen von ihr auszuströmen. Sie hing in der Luft, im Gestank nach ungewaschenen Körpern und faulendem Essen. Sie steckte in Frau Wieses Kleidung, die löchrig und abgetragen war. In ihren strähnigen Haaren, die aussahen, als wären sie seit Jahren nicht mit Wasser in Berührung gekommen.

Die Armut flüsterte Sylta zu, sie solle so schnell sie konnte wieder umkehren.

Als die Tür aufging, bohrten sich die stechenden schwarzen Augen ohne jede Freundlichkeit in sie hinein. Frau Wiese erinnerte Sylta an einen Raben. Berechnend, dachte sie. Frau Wiese sah berechnend aus. Als würde sie im Kopf durchgehen, wie viel Geld Sylta wohl besaß und wie sie es so effektiv wie möglich aus ihr herausbekam. Unwillkürlich zog sie ihren Überwurf ein wenig enger um sich.

«Wegmachen?»

Sylta zuckte zusammen. «Wie bitte?» Die Stimme passte zu der Frau, sie war krächzend und genauso kalt wie ihr Blick.

«Soll ich es wegmachen? Das kostet jetzt doppelt. Habe meine Preise geändert. Wird immer gefährlicher, die Arbeit.»

Jetzt verstand sie. «Ich bin nicht schwanger!» Sylta strich sich indigniert eine Locke hinters Ohr. Alleine, dass die Frau sie so unverblümt anredete, zeigte, dass sie in einer vollkommen anderen Welt lebte.

Frau Wieses Augen wurden schmal, trotzdem spielte ein kleines, freudloses Lächeln um ihre Mundwinkel. Ihr Blick blieb einen Moment zu lange an Syltas Halskette hängen. «Hätte mich auch gewundert, in Ihrem Alter! Was wollen Se dann?»

«Darf ich einen Moment hereinkommen? Ich habe eine Frage.»

«Nein!», erwiderte Frau Wiese bestimmt. «Ich beantworte keine Fragen.» Sie machte einen Schritt ins Zimmer zurück, aber Sylta hob rasch ihr Täschchen in die Höhe, das sie die ganze Zeit schon umklammert hielt.

«Ich habe Geld!», rief sie, und Frau Wiese hielt inne, die Tür schon fast geschlossen, sodass nur ihre lange Hakennase und eines ihrer stechenden schwarzen Augen noch zu sehen waren. Wie eine Hexe aus dem Märchen schaut sie aus, dachte Sylta und schauderte bei dem Gedanken, die Wohnung zu betreten und mit dieser Frau alleine zu sein. Trotzdem zögerte sie keine Sekunde, als Frau Wiese die Tür wieder öffnete und Sylta ohne ein Wort mit einer ungeduldigen Geste hineinscheuchte.

Was ist das für ein Geruch, dachte Sylta, als sie in das halbdunkle Zimmer trat, und presste unwillkürlich eine Hand auf den Magen. Noch nie hatte sie etwas Ähnliches gerochen, es ließ sie schwindeln, schien sich auf ihre Zunge zu legen, in ihre Poren zu kriechen. Es gab nur einen einzigen düsteren Raum. Ein Bett stand an der Wand, ein eiserner Herd an der anderen. Die Decke darüber war schwarz vom Kohlenabzug, der alte Holzboden quietschte bei jedem Schritt. Ein paar Kakerlaken wuselten in die dunklen Ritzen unter dem Bett. Es gab kein Bild an der Wand, nichts, was die triste Kargheit ein wenig hätte mildern können. Das einzige Fenster ging auf eine Twiete hinaus und ließ kaum Helligkeit herein. Das wenige Licht im Zimmer stammte von einem Eimer Wasser, in dem ein Docht auf einer Schicht

Wachs schwamm. Es war kalt hier drin, obwohl Sylta draußen in der Frühlingssonne geschwitzt hatte.

«Würde Sie ja in den Salon bitten, aber heute ist Großreinemachen», krächzte Frau Wiese und lachte freudlos. Auf ihren Wink setzte Sylta sich an den Tisch, der neben dem Herd stand. Er war mit Essensresten und Wachs verkrustet, und schnell nahm sie ihre Hände, die sie auf die Tischplatte gelegt hatte, wieder zu sich und verschränkte sie im Schoß. Besser, hier nicht allzu viel anzufassen, dachte sie und nahm sich vor, als Erstes ein Bad zu nehmen, wenn sie nach Hause kam.

Frau Wiese nahm ihr gegenüber Platz. «Erst das Geld», sagte sie und hielt die Hand auf.

Sylta öffnete ihre Tasche und reichte ihr ein paar Münzen. Frau Wiese steckte sie wortlos ein und hielt dann erneut die Hand auf. Sylta musterte sie eine Sekunde, dann griff sie wieder in die Tasche.

Frau Wiese nickte. «Schießen Se los.»

«Ich brauche Informationen über ein Adoptivkind, das von Ihnen vermittelt wurde», erklärte Sylta und bemühte sich um einen umgänglichen Ton. «Otto heißt er. Er muss vor etwas über zwei Jahren zu Ihnen gekommen sein?»

Frau Wieses Blick flackerte. «Sie haben den Mann geschickt», sagte sie. «Diesen Detek… Detek…»

«Detektiv», half Sylta aus, und Frau Wiese nickte mit zusammengepressten Lippen.

«Dann wissen Se ja schon, dass ich keine Auskünfte gebe», sagte sie und machte Anstalten, sich wieder zu erheben.

«Alles hat einen Preis!» Sylta ließ sich nicht aus der Ruhe bringen, auch wenn sie innerlich vor Anspannung fast verging. Dies hier war das Rebellischste, was sie in ihrem Leben jemals getan hatte. Und trotz ihrer Angst fühlte es sich gut an, die Dinge endlich selbst in die Hand zu nehmen, nicht mehr zu warten, wie die Männer entschieden, und sich dann damit abzufinden. Fast war sie ein wenig stolz auf sich. Lily wäre es ganz sicher. Der Gedanke an ihre Tochter und alles, was sie schon durchgestanden und geschafft hatte, machte ihr Mut. Sie öffnete die Tasche erneut und holte eine ganze Handvoll Münzen hervor. Es war ihr Haushaltsgeld für die nächsten Wochen.

Frau Wieses Augen verengten sich vor Gier. Beinahe fürchtete Sylta, dass sie einfach nach dem Geld greifen würde. Die Frau erinnerte sie jetzt nicht mehr an einen Raben, sondern an eine lauernde Spinne. Ihr Rücken prickelte.

Frau Wiese, die sich schon halb erhoben hatte, setzte sich wieder. Ihre Pupillen waren so schwarz, dass Sylta im Halbdunkel des Raumes nicht genau ausmachen konnte, wo sie hinblickte. Diese Augen hatten zugesehen, als die Frau versuchte, das Kind in Lilys Leib mit einem Metallstück aus ihr herauszukratzen. Sylta bohrte die Nägel in die Handfläche.

«Ich bin bereit, noch mehr zu zahlen. Ich muss wissen, wo der Kleine ist. Nennen Sie mir Ihren Preis», sagte sie ruhig, als würde sie jeden Tag solche Verhandlungen führen.

Frau Wiese erwiderte eine ganze Weile nichts. «Ich kann den Aufenthaltsort nicht verraten», sagte sie dann. «Ich verspreche absolutes Stillschweigen. Was meinen Se, was passiert, wenn ich Kinder vermittel und dann plötzlich jemand auftaucht und sie ihren neuen Familien wieder wegnimmt. Besonders nach so langer Zeit.» Sie schüttelte den Kopf. «Er hat jetzt ein neues Zuhause. Finden Se sich damit ab. Es geht ihm gut, mehr müssen Se nicht wissen.»

Syltas Gedanken rasten. «Ich kann Ihnen so viel Geld geben, dass sie die nächsten Jahre gar nicht mehr arbeiten müssen!», sagte sie und beugte sich vor. «Sie können irgendwo neu anfangen, sich einen guten Ruf aufbauen. Ich will nur mit der Familie reden, sicherlich kann man sich irgendwie einigen. Ich will ihn ja gar nicht wegnehmen, ich muss ihn nur sehen, wissen, dass es ihm gutgeht.»

«Ich sachte doch, es fehlt ihm an nichts!», erwiderte Frau Wiese ungeduldig. Plötzlich raschelte es, und aus dem Bett tauchte ein Kopf auf. Sylta schrie vor Schreck leise auf, sie hatte nicht bemerkt, dass unter dem Deckenwust ein Körper versteckt lag. Zuerst dachte sie, es wäre ein Kind, dann sah sie jedoch, dass es sich um eine junge Frau handelte.

«Ist nur meine Tochter», erklärte Frau Wiese. «Also, Se gehen jetzt besser. Ich kann Ihnen nicht helfen.»

Sylta blieb sitzen. Es widersprach allem, was sie ihr Leben lang gelernt hatte, einer so klaren Aufforderung zum Gehen nicht sofort zu folgen. Vor ein paar Jahren noch wäre sie jetzt eingeknickt und hätte sich entschuldigt. Aber vor ein paar Jahren hätte sie gar nicht hier gesessen. Sie war noch nie alleine auf St. Pauli gewesen – eigentlich war sie noch nie irgendwo alleine gewesen. Außer ein Mal. Und dieses eine Mal hatte sie beinahe das Leben gekostet. Es war die größte Überwindung für sie gewesen, heute hierherzukommen, und sie würde sich so leicht nicht abschütteln lassen. «Frau Wiese, ich muss wissen, wo er ist», sagte sie in ihrem strengsten Ton, den sie für unfolgsame Dienstmädchen vorbehielt. «Es ist meine Schuld, dass die Mutter ihn weggeben musste.» Sie holte tief Luft. «Otto ist mein Enkel.»

Frau Wiese musterte Sylta wortlos. Sylta konnte nicht sagen, ob diese Information sie überraschte. Wieder war nicht zu sehen, wohin ihre Augen genau gerichtet waren, aber sie spürte ihren Blick wie kleine Nadeln in der Haut.

«Ihr Enkel, sagen Sie ...»

Sylta nickte.

«Man kann sich von seiner Schuld nicht freikaufen.» Frau Wiese kratzte langsam mit ihren langen gelben Fingernägeln über die Tischplatte, und die Haare in Syltas Nacken stellten sich auf. «Egal, wie stinkreich man ist. Es gibt Dinge, die kann man nicht mehr rückgängig machen.»

Sylta zögerte. «Vielleicht nicht. Aber ich muss einfach versuchen, meinen Enkel zu finden. Ich bitte Sie, es wird doch eine Summe geben, für die Sie bereit sind, mit mir zu kooperieren.»

«Koop…?» Frau Wieses Augen wurden schmal.

«Zusammenzuarbeiten», erklärte Sylta rasch.

Frau Wiese lehnte sich im Stuhl zurück und verschränkte die Arme. Sie zögerte, musterte Sylta, als könnte sie sich nicht entscheiden, ob sie sie rauswerfen oder sich auf ihr Angebot einlassen sollte. Ihre Tochter beobachtete die beiden. Sie war klein und verhärmt und wirkte genauso ungepflegt wie ihre Mutter. Als sie die Decken zurückschlug, brandete eine Welle muffigen Körpergeruchs durch den Raum. Sie trug weder eine Haube, noch hatte sie die Haare eingeflochten, sodass diese nun wild um ihren Kopf abstanden. Die Frau hatte ihrem Gespräch offensichtlich zugehört, sie setzte sich auf die Bettkante und sah Sylta an.

«Sie wird es Ihnen nicht sagen», flüsterte sie plötzlich mit rauer Stimme.

Frau Wieses Kopf ruckte herum. «Still», herrschte sie ihre Tochter an.

Die klappte den Mund wieder zu, aber ihr Blick hing immer noch auf Sylta.

«Steh auf und schür das Feuer, du fauler Nichtsnutz!», schrie Frau Wiese jetzt.

Ihre Tochter rührte sich nicht. Ein seltsames Lächeln spielte um ihre Lippen. Es wirkte beinahe boshaft. Die Augen der jungen Frau waren vom Schlaf so verquollen, dass sie wie Schlitze aussahen. Sylta fragte sich, ob die beiden sich das schmale Bett teilten oder ob sie abwechselnd schliefen.

«Paula, wenn du nicht bei drei auf den Beinen bist, hol ich den Schürhaken.»

Sylta hatte keinerlei Zweifel, dass Frau Wiese diese Drohung wahrmachen würde. Paula anscheinend auch nicht, denn sie erhob sich mühsam und krabbelte aus dem Bett. Sie hatte in ihrem Kleid geschlafen, und Sylta dachte, dass die beiden Frauen wahrscheinlich ihre Sachen einfach immer anbehielten. So rochen sie jedenfalls. Ihr Blick fiel auf den Nachttopf neben dem Bett, und sie sah, dass er nicht geleert war. Nun, das erklärte zumindest einen Teil des Gestanks.

Als Paula an ihr vorbeiging und zum Herd wankte, stach Sylta Alkoholgeruch in die Nase. Das Mädchen kniete sich hin, öffnete die Klappe und stocherte im Feuer herum, legte ein Scheit nach.

«Kämm dich und geh zum Markt. Du hast lang genug geschlafen!», keifte Frau Wiese. Sie gab ihrer Tochter einen Stoß mit dem Fuß, und Paula plumpste auf ihren Hintern. Der Blick, den sie ihrer Mutter zuwarf, war so hasserfüllt, dass Syltas Magen sich zusammenzog. Aber das Mädchen gab keinen Laut von sich. Sie rappelte sich wortlos hoch. Etwas stimmte nicht mit ihrem Blick, er schien Sylta entrückt, die Augen flackerten hin und her, hielten sich an nichts richtig fest. Sie sah nun auch, dass Paula kaum mehr als fünf Zähne im Mund hatte. Sie schwankte zu einem Stuhl in der Ecke, nahm eine zerknitterte Haube, raffte sich die Haare zusammen und stopfte sie mit ungelenken Bewegungen darunter. Dann setzte sie sich, zog mühsam und leise schnaufend ihre Schuhe an. Sylta beobachtete sie fasziniert und schockiert zugleich. Niemand sprach ein Wort, bis Paula mit einem Korb über dem Arm die Wohnung verlassen hatte. Sie knallte die Tür hinter sich zu, dann hörten sie, wie sie über den Flur davonstampfte.

Frau Wiese sah Sylta an. «Hat mir schon immer nichts als Ärger gemacht. Genau wie mein Nichtsnutz von einem Mann.»

«Ist er ... bei der Arbeit?», fragte Sylta.

«Bin Witwe», erwiderte Frau Wiese schroff.

«Mein Beileid. Woran ist er verstorben?», fragte Sylta weiter, um Frau Wiese in ein Gespräch zu verwickeln.

«Magen», erwiderte die Frau vage, und auch in ihrem Blick schien etwas zu flackern. Plötzlich stand sie auf. «Kommen Se am Samstag wieder. Und bringen Se das Geld mit. Dann sag ich Ihnen, wo er ist.» Sie nannte eine astronomisch hohe Summe, die Syltas Gesichtsmuskeln versteinern ließ. Aber sie nickte.

«Dafür brauche ich ein wenig länger Zeit», erklärte sie, und Frau Wiese grinste boshaft.

«Mann hält den Deckel drauf, was?», schnarrte sie. «Hat keine Ahnung, dass Se hier sind, vermute ich. War bei mir genauso, um jeden Pfennig musste ich betteln, dabei hab ich mir den Buckel wund gearbeitet. Der Drecksack hat alles eingesteckt und versoffen. Na, er hat gekriegt, was er verdient.» Sie lachte kalt. «Nur müssen Paula und ich jetzt für uns selber sorgen. Nicht dass er als Kesselflicker viel heimgeholt hätte. Und das Wenige hat er in Schnaps gesteckt.»

Sylta erhob sich. «Ich werde das Geld besorgen. Geben Sie mir zwei Wochen. Oder lieber drei», sagte sie.

Frau Wiese lächelte schief. «Abgemacht!»

Langsam stieg Sylta die schmalen Stufen hinunter. Es war so duster, dass sie nicht sah, wo sie hintrat. Sie klammerte sich an das speckige Tau, das als Geländer diente. In jedem Stockwerk kam sie an einem Abtritt vorbei, Fliegen surrten um die Scheiben, in einer Ecke schlief eine einäugige Katze auf ein paar Lumpen. Das Tier hob den Kopf und miaute kläglich, fauchte dann aber leise, als Sylta ihre Röcke raffte und an ihm so schnell sie konnte vorbeilief.

Rasch ging Sylta im Kopf ihre Optionen durch. Sie hatte keine Ahnung, wie sie das Geld zusammenkriegen sollte. Alfred würde es ihr nicht geben. Nicht für das, was sie vorhatte. Wenn sie den Jungen erst mal gefunden und nach Hause gebracht hatte, würde er sich schon für ihn erwärmen, da war sie sicher. Wenn Seda ihn nicht wollte, würde Sylta ihn eben aufnehmen. Sie sah es schon vor sich, wie der kleine Otto mit Hanna durch die Villa tobte. Vielleicht passten ihm Michels alte Matrosenanzüge noch, sie hatte alles auf dem Dachboden in Kisten verstaut. Auf jeden Fall könnte Otto in seinem Zimmer wohnen, sie würden Fräulein Söderlund als Erzieherin zurückholen und allen erzählen, sie hätten das Kind einer verstorbenen Verwandten aufgenommen.

Er würde wieder Leben ins Haus bringen.

Doch Alfred würde niemals zulassen, dass sie nach ihm suchte. Und was Franz dazu sagen würde, dass sie seinen illegitimen Sohn nach Hause holen wollte, wollte sie sich gar nicht vorstellen. Ganz zu schweigen von Roswita. Nun, dann würde sie eben lügen müssen. Aber wenn sie Otto erst gefunden hatte und die beiden ihn sahen, würden sie schon einwilligen. An diese Hoffnung klammerte sie sich. Sie würde einen Weg finden.

Sie konnte mit dieser Schuld nicht länger leben.

Sylta war beinahe unten im Haus angekommen, da griff aus dem Dunkel plötzlich jemand nach ihrem Arm. Sie schrie auf und stolperte zurück.

Paula hatte im Schatten unter der Treppe auf sie gewartet. «Sie wird es Ihnen nicht sagen!», flüsterte sie wieder und schüttelte heftig den Kopf. Beim Geruch ihres fauligen Atems musste Sylta würgen.

«Wie bitte?» Sie presste sich so unauffällig wie möglich die Hand vor den Mund. «Lassen Sie mich los!»

Paula hielt noch immer ihren Arm umklammert, zog nun aber zögerlich die Hand zurück. «Sie wird es Ihnen nicht sagen. Sie nimmt das Geld und tischt Ihnen ein Lügenmärchen auf. Und schneller, als Sie gucken können, ist sie fort, und Sie sehen sie niemals wieder. Wie viel will sie von Ihnen?», fragte sie.

Sylta zögerte kurz, dann nannte sie die Summe.

Paulas Augen weiteten sich. «Geben Sie es ihr nicht!», flüsterte sie und blickte nach oben ins dunkle Treppenhaus, als habe sie Angst, dass ihre Mutter über dem Geländer hing und sie belauschte. «Ich weiß, wie es ist, wenn man sein Kind zurückwill!», sagte sie, und ihre Augen füllten sich auf einmal mit Tränen. «Aber sie wird es Ihnen nicht sagen.»

«Ich … aber …», stammelte Sylta überrascht, die nicht wusste, wie sie mit der Situation umgehen sollte.

Paula schniefte. «Glauben Sie mir!», flüsterte sie noch einmal, dann ließ sie sich plötzlich erschöpft auf die Treppe sinken und verbarg das Gesicht in den Händen. «Sie denkt nur ans Geld. Es ist ihr egal, wie es Ihnen dabei geht.» Ihre Schultern zuckten.

Sylta konnte ihre Unterröcke sehen und verspürte den starken Impuls, ihr zu sagen, dass sie sofort die Beine zusammennehmen sollte. Sie musterte die junge Frau. Paula war betrunken und offensichtlich nicht ganz richtig im Kopf. Dennoch kam ihr plötzlich ein Gedanke. «Was, wenn ich es *Ihnen* gebe?»

Paula hob langsam den Kopf und sah Sylta an, als brauche sie einen Moment, um sich daran zu erinnern, wer sie war. «Mir?», fragte sie dann beinahe ängstlich und wischte sich Tränen von den Wangen und Rotz von der Nase.

«Wissen Sie, wo mein Enkel ist?»

Paula zögerte, dann nickte sie.

«Gut. Ich würde das Geld lieber Ihnen geben als Ihrer Mutter. Werden Sie mir die Wahrheit sagen?», fragte sie und bemühte sich um einen geschäftsmäßigen Ton.

Paula erwiderte nichts.

«Sie könnten ein neues Leben anfangen. Von hier fortgehen.» Plötzlich war Sylta ganz aufgeregt. «Wir machen es so: Ich gebe Ihnen sogar noch ein wenig mehr. Aber ich bezahle die Hälfte im Voraus und die andere, wenn wir Otto gefunden haben.»

Paula öffnete den Mund. «Das ist ...» Sie brach ab. Eine ganze Weile sagte sie nichts, saß auf der Treppenstufe und starrte mit glasigem Blick vor sich hin.

Sylta betrachtete sie abwartend. Sie musste einmal recht hübsch gewesen sein, bevor ihr Gesicht vom Alkohol aufgequollen und ihre Haut von Hunger und Kälte rissig geworden waren. Wie absurd diese Situation ist!, dachte sie. Dieses Haus, in dem sicher Hunderte Menschen zusammengedrängt lebten, dieser Gestank, die Dunkelheit, die zusammengekauerte Gestalt da vor ihr auf der Treppe, das alles schien ihr wie aus einer Parallelwelt. Und dennoch war ihre Familie mit dieser Welt verbunden. Sie dachte an die Villa und ihr sauberes, ruhiges Leben. Wie gut habe ich es doch ... Eine Welle von Dankbarkeit flutete durch sie hindurch. Wie unglaublich gut. Und wie wenig weiß ich es zu schätzen.

Paula nickte langsam. «Ich mach's!», sagte sie. Dann zögerte sie einen Moment. «Aber vielleicht habe ich nicht das zu erzählen, was Sie hören wollen.»

Sylta hielt die Luft an. «Wie meinen Sie das?» Sie hatte die ganze Zeit schon einen Verdacht gehabt, und in Paulas unsicher umherirrendem Blick fand sie ihn bestätigt. Ihr wurde schwindelig. «Otto ist gar nicht bei einer wohlhabenden Familie im Ausland, oder?», flüsterte sie.

Paula nickte wieder.

Sylta hielt sich am Treppengeländer fest. Ihre Knie waren plötzlich ganz wackelig. Frau Wiese hatte Seda reingelegt. Sie hatte Otto verkauft! «Wo ist er?», rief sie, aber Paula sah sie bloß an.

«Erst das Geld», sagte sie leise, beinahe entschuldigend. Sylta konnte es ihr nicht einmal verübeln.

Sie holte tief Luft, zwang sich, die Angst zurückzudrängen, die plötzlich durch ihren Körper pulsierte. Der arme kleine Otto, ganz allein bei irgendwelchen Fremden, die ihn für wer weiß was benutzten. Sie durfte gar nicht an die Möglichkeiten denken. «Gut. Ich besorge es. Wir treffen uns an der Alster. Beim Schwanenwärter», sagte sie, weil ihr nichts Besseres einfiel. «Ich werde Ihnen einen Botenjungen mit dem genauen Datum und der Uhrzeit schicken. Es kann eine Weile dauern, bis ich das Geld zusammen habe.»

Paula sah sie an. «Sie sollten ihn einfach vergessen», murmelte sie plötzlich. «Sie werden ihn nicht finden.»

Sylta schüttelte den Kopf. «Das lassen Sie meine Sorge sein. Sie sagen mir, wo er hingekommen ist, und ich kümmere mich um den Rest.» Sie wollte sich schon wieder umdrehen, da blieb sie stehen und musterte das Mädchen, das wie ein Häufchen Elend auf der Treppe saß und so mitgenommen wirkte, dass es sich kaum aufrecht halten konnte.

Paula starrte vor sich hin, schob plötzlich einen Ärmel zurück und begann, sich wie wild zu kratzen. Sylta sah, dass ihre Haut von kleinen roten Strichen übersät war. Krätze, dachte sie erschrocken und erinnerte sich, dass Paula sie eben angefasst hatte. Einen Moment verfolgten Syltas Augen die Linien, die die kleinen Insekten unter Paulas Haut gebohrt hatten. Sie trat einen Schritt zurück. «Was ist mit Ihrem Kind passiert?»

Paula sah sie nicht an. «Tot», erklärte sie mit dumpfer Stimme und kratzte sich weiter. Ihre Hände zitterten.

Syltas Mundwinkel zuckten. «Das tut mir sehr leid», erwiderte sie leise. «Warum ist es gestorben?»

Paula erhob sich, stützte sich an der Wand ab, schwankte und rieb sich mit dem Handrücken über den Mund. «Ertrunken», erwidert sie schroff. Dann schob sie sich an Sylta vorbei und stolperte nach draußen.

Sie wich erschrocken an die Wand zurück, aber Paula machte keinerlei Anstalten, sie erneut anzufassen. «An der Alster dann also?», rief Sylta hinter ihr her.

«Ja», erwiderte Paula nur. «Aber ich sag es Ihnen. Sie werden ihn nicht finden.»

Jo erwachte stöhnend und blinzelte benommen. Er blickte in das bärtige Gesicht eines Fremden. Der Mann schlief friedlich wie ein kleines Kind, die Wange auf die gefalteten Hände gelegt, und immer, wenn er pfeifend ausatmete, formten sich kleine Spuckebläschen in seinem Mundwinkel. Jo runzelte die Stirn. Er wusste einen Moment weder, wer, noch, wo er war. Sein Kopf hämmerte, als hätte jemand darauf herumgetrampelt. Als er sich aufsetzte und der Raum um ihn her Konturen annahm, wurde ihm klar, dass er wieder einmal im Hinterzimmer des Verbrecherkellers lag, inmitten von mindestens einem Dutzend anderer Männer, die hier für ein paar Pfennige auf dem Boden der Kneipe übernachtet hatten. Er erhob sich mühsam und stolperte aus dem stinkenden Raum hinaus und zur Theke. Sein Mund schmeckte, als habe er am Boden geleckt, und jeder

Knochen im Leib tat ihm weh. Er hatte dunkle Erinnerungen an eine Prügelei, wusste aber beim besten Willen nicht mehr, ob er sie geträumt oder wirklich erlebt hatte.

«Wie spät ist es?», fragte er und rieb sich das Gesicht. Sein Pullover roch nach Bier und Schweiß.

Pattie sah ihn mitleidig an, dann stellte sie einen Klaren vor ihn hin, verschränkte die Arme vor der ausladenden Brust und sagte: «Zehne in der Früh.»

Jo nickte und kippte den Schnaps runter. Danach fühlte er sich ein bisschen besser. «Welcher Tag?» Er schob das Glas zurück, seine Hand zitterte.

Pattie hob sorgenvoll eine Augenbraue, nahm aber die Flasche und schüttete nach. «Sonntag», erwiderte sie. «Johannes, du treibst es in letzter Zeit ganz schön wild. Ich mache mir langsam Sorgen.»

Er lächelte müde. «Ich weiß schon, wann's genug ist», winkte er ab, obwohl er kaum einen klaren Gedanken fassen konnte. Er klopfte seine Hose nach Geld ab und runzelte die Stirn, als er etwas Hartes in der Tasche fühlte. Er zog die kleine Holzkatze heraus, die er für Hanna geschnitzt hatte. Einen Moment stand er wie vom Donner gerührt da und betrachtete die Figur. Wann hatte er sie eingesteckt? Er konnte sich nicht erinnern. Plötzlich durchfuhr es ihn. «Sonntag», murmelte er. Langsam drehte er die Katze in den Fingern und spürte zu seinem Entsetzen, dass ihm Tränen in den Augen standen. So fest er konnte, kniff er sich mit Daumen und Zeigefinger zwischen die Brauen. Er hatte alles versucht. Aber es ging nicht anders.

«Ich bezahle morgen, Pattie. Muss etwas Wichtiges erledigen!», erklärte er, machte auf dem Absatz kehrt und lief los.

Lily bemühte sich, nicht zu auffällig aus dem Kutschenfenster zu schauen. Die wenigen Male, die sie in den letzten Wochen in der Stadt gewesen war, hatte sie mit den Augen unermüdlich die Straßen und Gassen abgesucht. Auch heute konnte sie ihren Blick nicht von der Welt da draußen lösen, obwohl sie wusste, wie ganz und gar unwahrscheinlich es war, dass Jo zufällig an ihrer Kutsche vorbeilief. Trotzdem hatte sie gute Laune. So lange hatte sie darauf gewartet, Emmas neue Arbeitsstätte und das große Projekt ihrer Mutter zu sehen. Außerdem machte die Eintönigkeit daheim sie rasend, sie lechzte nach Abwechslung.

Ich werde verdammt noch mal jede Sekunde dieser Ausfahrt genießen, dachte sie bockig, egal, ob Henry dabei ist oder nicht. Er hatte sich ewig bitten lassen, wollte aber natürlich auch nicht, dass sie ohne ihn fuhr, und saß nun lustlos und schlecht gelaunt neben ihr. Sylta hingegen sah genau wie Lily aufgeregt aus dem Fenster. Sie lächelte und schien guter Dinge, verzog nur ab und an das Gesicht, wenn die Kutsche über eine Unebenheit im Boden holperte und sie alle durchgerüttelt wurden.

Als sie vorfuhren, stand Emma schon auf der Schwelle des Frauenstifts und winkte. Sie schien Lily ein wenig nervös, begrüßte sie aber voller Freude. Sicher hat sie Angst, dass Henry sich in ihre Arbeit einmischt, dachte Lily und betrachtete Emma besorgt.

Das Haus beeindruckte Lily tief. Einige der Frauen saßen in den Wirtschaftsräumen an Handarbeiten oder am Webstuhl, die Kinder spielten um sie herum, und es herrschte allgemeine Geschäftigkeit. Obwohl an diesem Ort traurige Schicksale zusammenkamen, spürte man davon nichts, im Gegenteil, die Atmosphäre war warm und heimelig. Ruth bereitete in der Küche gerade mit einer anderen Frau das Mittagessen zu. Lily sog alles gierig in sich auf. Was würde sie darum geben, wenn sie auch hier arbeiten könnte! Wie aufregend es wäre, wieder etwas zu tun zu haben.

«Henry, möchten Sie unser Untersuchungszimmer anschauen?», fragte Emma, nachdem sie gemeinsam Tee getrunken hatten, und stand vom Tisch auf. Die ganze Zeit über hatte sie nicht stillsitzen können. «Mich würde Ihre Meinung zu unserer Ausstattung interessieren.»

Alle starrten sie verwundert an. «Natürlich», erwiderte Henry nach ein paar Sekunden. Man sah ihm an, dass er genauso von Emmas Frage überrascht war wie Lily und Sylta.

«Sehr schön!» Emma lächelte. «Ihr zwei könnt ja hierbleiben, das ist sicher nichts für euch. Oder schaut euch den Hof an. Wir haben auch Hühner!» Wieder dachte Lily, dass sie heute irgendwie nervös wirkte.

«Nun, Hühner haben wir daheim auch.» Sylta lachte. «Ich denke, wir trinken noch unseren Tee aus, und dann zeige ich Lily den Schulraum?»

«Gute Idee.» Emma nickte und schickte sich an, Henry vorauszugehen.

Was hatte sie sich nur dabei gedacht, Jo zu sagen, dass Lily heute hier sein würde? Natürlich war Henry mitgekommen, er begleitete sie schließlich überallhin. Was, wenn Jo jetzt in die Küche gestürmt kam? Es wäre ein Desaster, nicht auszudenken, was geschehen würde. Trotzdem, nun hatte sie ihm Bescheid gegeben, jetzt musste sie auch dafür sorgen, dass es einen Moment gab, in dem Henry sich außer Hörweite befand. Nervös biss Emma sich auf die Lippen. Sie hatte Lilys Sicherheit aufs Spiel gesetzt. Es war schwer genug gewesen, Charlie für einen Tag außer Haus zu beschäftigen. Aber Sylta hatte den Besuch unbedingt hinter sich bringen wollen, damit Lily nicht darauf drängte, wenn nächste Woche das wesentlich größere Geheimnis hier Einzug halten würde, das Emma noch viel stärkere Kopfschmerzen bereitete.

Es war einfach ein Desaster, all die Lügen und Geheimnisse, die sich angesammelt hatten. Wenn es nur irgendeine Möglichkeit gäbe, ihre Worte zurückzunehmen, sie hätte es getan. Sie führte Henry in das Krankenzimmer, zeigte ihm die Medizin und die Gerätschaften und tat, als suche sie seine Empfehlungen und seinen fachmännischen Rat. Dabei sah sie immer wieder nervös aus dem Fenster. Würde er kommen? Und wenn ja, was würde geschehen?

Jo stolperte durch die Gassen. Er wusste, dass er ein abstoßendes Bild abgab, er hatte drei Tage durchgetrunken, war unrasiert, stank nach Bratfett und Rauch. Aber es war ihm egal. Alles war ihm egal, wenn er sie nur sehen konnte. Warum hatte er so lange gezögert? Emma hatte recht, sie mussten reden, er musste seine Tochter kennenlernen. Irgendwann würde es ohnehin passieren, warum sich noch länger quälen?

Als er das Frauenstift erreichte, hastete er um das Haus herum, stieß mit beiden Händen die Tür zum Hintereingang auf und stürmte in die Küche.

Emma trocknete gerade ihre Hände an einem Geschirrtuch und fuhr erschrocken herum. Als sie ihn sah, riss sie die Augen auf. «Oh!», rief sie, und an der Art, wie sie die Schultern hochzog, sah er, dass er zu spät gekommen war.

«Jo», sagte Emma leise und blickte ihn bestürzt an. «Jo, es tut mir so leid. Sie sind schon wieder fort!»

7

Du bekommst einen neuen Mitbewohner.»
Charlie schreckte aus dem Halbschlaf hoch. Emma steckte den Kopf zur Tür herein, und hinter ihr trat eine Frau ins Zimmer, eine Dame in einem eleganten hellblauen Kostüm. Ihm stockte der Atem. Sie waren sich nie vorgestellt worden, aber er erkannte sie sofort, hatte sie damals im Krankenhaus beobachtet, als er sich heimlich hineingeschlichen hatte. Lilys Mutter.

Hinter ihr blickte sich ein kleiner Junge schüchtern um. Als Charlie im Halbschatten der dämmrigen Beleuchtung sein Gesicht sah, zuckte er zusammen. Im ersten Moment war er abgestoßen, dann musterte er den Jungen ein wenig genauer und sah das Kind hinter den schrägen Augen, dem seltsam verformten Kopf und dem offenen Mund.

Er trat auf den Jungen zu, lächelte und ging in die Knie. «Hallo. Du musst Michel sein. Ich bin Charles. Aber du darfst mich Charlie nennen. Ich habe gehört, wir werden Zimmergenossen? Ich hoffe, du schnarchst nicht?» Er streckte Michel die Hand entgegen. Der kleine Junge musterte ihn mit angstvoll aufgerissenen Augen. Charlie merkte, wie sein Blick über die Ringe in seinen Ohren und die Tätowierungen auf seinen Unterarmen glitt. Seine Mutter schob ihn sanft am Rücken weiter, und er machte einen Schritt auf Charlie zu und schüttelte ihm die Hand.

«'allo», sagte er und zuckte dann hastig zurück, als hätte er etwas Verbotenes getan.

Emma nahm Michel beiseite und zeigte ihm sein Bett und

seinen Schrank. Währenddessen trat Sylta auf Charlie zu. Auch sie streckte ihm die behandschuhte Hand entgegen.

«Herr Quinn. Wir kennen uns nicht, ich bin Sylta Karsten, Lilys Mutter. Meine Tochter hat mir viel von Ihnen erzählt.»

Erstaunt schüttelte er ihre Hand. «Ach ja?», fragte er.

Sylta lächelte. «Sie wissen vermutlich, dass sie vorerst nichts von diesem … Arrangement hier wissen soll?»

Charlie nickte. «Emma hat mir alles erklärt», erwiderte er. «Es tut mir leid, was Ihrem Sohn passiert ist.»

«Danke. Wenn Lily erfährt, dass Michel hier ist, wird sie ihn besuchen wollen. Und da ihr Mann weder etwas von Michel wissen darf noch gestattet, dass sie alleine in die Stadt fährt … Nun, es ist für alle das Einfachste, wenn sie gar nicht erst davon erfährt.» Sylta sah müde und besorgt aus, trotzdem lächelte sie. «Emma hat mir versichert, dass Sie bereit sind, sich vorübergehend seiner anzunehmen? Wir werden Sie selbstverständlich gebührend entlohnen. Meine Tochter hat Ihnen damals viel Vertrauen entgegengebracht, und Emma spricht nur in den höchsten Tönen von Ihnen. Ich bin also sehr froh, dass Sie sich zur Verfügung stellen. Sie arbeiten hier neuerdings als Hausmeister?»

Charlie murmelte etwas Unverständliches, warf Emma einen erstaunten Blick zu, den sie mit einem Lächeln erwiderte. «Stimmt!», antwortete er.

Sylta nickte. «Ich werde meinen Sohn etwa einmal die Woche besuchen. Öfter ist es mir momentan nicht möglich, Sie verstehen sicher, warum. Aber sobald Lily mit Henry in ihr eigenes Haus zieht, werde ich häufiger kommen. Und sein Vater auch.»

Charlie verzog bei der Erwähnung von Henry das Gesicht. Sylta räusperte sich. «Wie ich weiß, sind Sie … gut befreundet mit Hannas Vater?»

Er nickte stumm.

«Er besucht Sie hier?»

Wieder nickte Charlie.

Sylta seufzte leise. «Ich werde versuchen, meine Besuche anzukündigen und so zu legen, dass wir einander nicht begegnen. Ich bitte Sie, mit Michel nicht über seine Schwester zu sprechen. Es regt ihn auf.»

Charlie nickte ein drittes Mal.

«Gut.» Sylta warf einen Blick zu Emma und Michel. «Vielleicht können Sie meinen Jungen ein wenig in Ihre Arbeit einbinden. Er langweilt sich entsetzlich, wenn niemand sich mit ihm beschäftigt. In den letzten Wochen hat er langsam wieder gehen gelernt, aber er muss noch vorsichtig sein und sich schonen.»

Charlie hob ein wenig überfordert die Schultern. «Wir kommen schon zurecht, machen Sie sich keine Sorgen», beschwichtigte er, obwohl er sich da selbst nicht so sicher war.

H ast du schon einmal von Clara Zetkin gehört?» Isabel zündete sich eine Zigarette an.

Jo rutschte unbehaglich auf seinem Stuhl hin und her. Isabel und Martha hatten ihn schon wieder im Keller abgefangen und zu einem Gespräch genötigt. Nun saßen sie sich streitlustig gegenüber. Keiner wollte von seinem Standpunkt abweichen. Jo sah ein, dass alle ihre Argumente Geltung hatten, aber es widerstrebte ihm, dass sie im Kampf um soziale Gerechtigkeit auf der Straße und an der Seite der Arbeiter mitmachen wollten. Er fand, sie sollten andere Wege gehen, um sich Gehör zu verschaffen.

Er runzelte die Stirn. «Das war die Frau, die in Paris auf dem Sozialistenkongress gesprochen hat?»

Isabel nickte begeistert. «Richtig. Und weißt du auch, was sie gesagt hat?»

«Nicht so genau», erwiderte er ausweichend. «Hat sich für Frauenrechte ausgesprochen.»

«Nun, sie hat ein Grundsatzreferat gehalten. Über den Zusammenhang zwischen der Frauen- und der sozialen Frage. Der Kongress hat es voll befürwortet.» Isabel trank ihren Whiskey aus und knallte mit glänzenden Augen das Glas auf den Tisch. «Sie hat damit grundlegende Werte für die Theorie der Frauenemanzipation festgehalten, an denen wir uns in der Zukunft orientieren können. *Wie der Arbeiter vom Kapitalisten unterjocht wird, so die Frau vom Manne; und sie wird unterjocht bleiben, solange sie nicht wirtschaftlich unabhängig dasteht*», zitierte sie mit leuchtenden Augen. «Es ist so wahr! Die Frauenfrage ist eine politische Frage.»

Jo kratzte sich im Nacken, dann drehte er sich eine Zigarette. Er beugte sich vor, stützte die Ellbogen auf die Knie und sah Isabel an. «Hast ja recht», sagte er langsam. «Nur fürchte ich, entschuldige, wenn ich mich wiederhole, dass es einfach noch nicht an der Zeit ist. Wir müssen erst für die Rechte der Arbeiter kämpfen, das System verbessern. Und dann haben die Männer den Kopf frei, um auch an die Frauen zu denken. Verstehst du, was ich meine? Man kann nicht an allen Fronten gleichzeitig sein. Dann denken sie da oben doch, dass wir gleich das komplette Staats- und Gesellschaftssystem kippen wollen, und kriegen Panik.»

Isabel wollte auffahren, aber Martha hielt sie am Arm fest. «Das Argument ist nicht haltbar, Jo», sagte sie ruhig. «Frauen fordern seit Jahrzehnten ihre Rechte ein und werden immer beiseitegeschoben. Deswegen hat der gemäßigtere Flügel der Bewegung sich bisher darauf beschränkt, mehr Bildung zu fordern, ein Recht auf Arbeit. Sie hoffen schon ewig darauf, dass ihnen das Stimmrecht von alleine gegeben wird, wenn sie sich als wür-

dig erweisen. Aber wir sehen das anders. Die Grundvorausset-
zung ist das Wahlrecht. Wenn wir immer weiter warten, passiert
gar nichts. Nichts! Wir leben am Ende des neunzehnten Jahrhunderts, Herrgott, nicht im Mittelalter. Und wir wollen unsere
Ziele zusammen mit den Sozialdemokraten erreichen. Weil man
sie nicht trennen kann! Wir werden zusammen ausgebeutet. Und
wir dürfen nicht mehr gegeneinander kämpfen. Seite an Seite,
gemeinsam gegen die Bourgeoisie, für eine neue Gesellschaft!»

Jo nickte nachdenklich. Langsam blies er den Rauch zur Decke. «Es stimmt ja. Trotzdem … Ich finde es einfach gefährlich.
Es brodelt in der Stadt, in den nächsten Jahren wird viel passieren, und dieser Kampf wird auf der Straße stattfinden. Das ist
kein Ort für Frauen. Ihr habt doch gesehen, wie es zugeht. Es hat
Verhaftungen geben, Gerichtsurteile. Das war nur der Anfang.
Wollt ihr im Gefängnis landen?»

«Wenn es nötig ist!»

Er schüttelte den Kopf. «Denkt doch einmal nach, damit
erreicht ihr nichts. Sie werden euch nur für hysterisch erklären
und euch dann gar nicht mehr zuhören!»

«Und wie sollen wir es deiner Meinung nach angehen?», fragte Isabel scharf. «Weiter den Kopf unten halten und Bittschriften
verfassen? Petitionen, die keiner liest?»

«Jedenfalls nicht auf radikalem Wege. Das wird nach hinten
losgehen!»

Isabel erhob sich. «Schön, ich sehe schon, hier sind unsere
Bemühungen verloren. Schade, ich hatte wirklich mehr von
dir erwartet, Jo. Gerade nachdem du an Lily gesehen hast, wie
es für Frauen sein kann. Ihr Kind gehört Henry. Euer Kind. Er
kann mit Hanna machen, was er will. Das ist auch ein Teil der
Frauenfrage. Findest du das ebenfalls nicht wichtig genug? Nicht
dringend genug?» Sie warf einen verbitterten Blick auf Jo und

drehte sich um. «Komm, Martha, wir verschwenden hier nur unsere Zeit.»

Jo sah Isabel und Martha gedankenversunken nach und zuckte zusammen, als die Glut der Zigarette seinen Finger erreichte. Er ließ sie fallen, trat sie aus und fuhr sich müde mit beiden Händen über den Kopf. Dann bestellte er noch einen Kümmel. Sie hatten recht, er konnte es nicht leugnen. Aber er blieb bei seiner Überzeugung – ihre Zeit war noch nicht gekommen. Erst musste es Rechte für die Arbeiter geben, dann konnte man sich der nächsten Frage widmen. Wollte man zu viel auf einmal, lief man Gefahr, am Ende gar nichts zu bekommen.

C harlie erwachte von leisen Schluchzern in der Dunkelheit. «He!» Mit steifem Rücken kletterte er aus dem Bett und zündete eine Kerze an. «He, mein Freund, was ist denn los?»

Als das Licht auf Michels Gesicht fiel, zuckte Charlie kurz zurück. Man musste sich wirklich erst an seinen Anblick gewöhnen. Doch als der Junge sich aufrichtete und sich mit kleinen Fäusten die verquollenen Augen rieb, fand Charlie, dass er etwas sehr Zerbrechliches, beinahe Niedliches an sich hatte. Wie dem auch sei, er war Lilys Bruder, und Charlie würde ihn nicht einfach in der Dunkelheit weinen lassen. «Was hast du?», fragte er freundlich.

Michel tastete nach seiner Brille und setzte sie auf. Dann blinzelte er Charlie an. «Traurig», flüsterte er mit rauer Stimme.

Charlie nickte. «Ich auch», sagte er.

Das schien Michel zu überraschen. «’rum?», fragte er, und Charlie verstand erst nach ein paar Sekunden, dass es «warum» bedeuten sollte.

Er zuckte die Schultern. «Ich bin eigentlich immer traurig»,

428

erwiderte er, und es schockierte ihn, diese Worte aus seinem eigenen Mund zu hören. «Weil ich ...», er stockte. «Weil ich alleine bin», sagte er dann und musste schlucken.

Michel starrte ihn an. «Michel auch 'leine», sagte er dann.

Charlie setzte sich auf das knarzende Bett. «Ich weiß. Das muss sehr schwer sein. Du bist ja noch so klein, und sie haben dich einfach weggegeben.»

Michel schien nicht zu verstehen, was er damit meinte. Er weinte weiter leise vor sich hin, Tränen liefen ihm über die Wangen, und er fuhr sich mit den Händen immer wieder über das verquollene Gesicht. Er sah so winzig und schmal aus, wie er da im Bett saß, mit seinen bebenden kleinen Schultern, dass es Charlie das Herz brach. Emma hatte ihm erzählt, was im Heim passiert war, und der Gedanke daran erfüllte ihn mit prickelnder Wut.

«He, Kleiner, jetzt wein nicht mehr!», sagte er. «Sollen wir ...» Hilflos brach er ab. Dann hatte er eine Idee. «Soll ich dir etwas vorspielen?»

Michel hob den Kopf. «Vorpielen?»

Charlie nickte. Er stand auf, ging zu seinem Seesack und wühlte darin herum, bis er fand, was er suchte. Mit einem flauen Gefühl im Bauch zog er seine alte Mundharmonika hervor. Kalt lag sie in seinen Händen. So viele Jahre hatte er sie nicht angefasst, von Wohnung zu Wohnung mitgeschleppt und doch nie darauf gespielt. Ihn überlief ein Schauder. Aber Michel sah ihn erwartungsvoll an.

Und so setzte er sie an die Lippen.

Als er spielte, war es, als würde ein Damm in ihm brechen. Er musste leise sein, es war schon spät, und so blies er behutsam in das Instrument hinein, entlockte ihm erst ein paar kratzige, schiefe Töne, dann wurden sie immer klarer, sein Spiel selbstsicherer. Schließlich wurden die Töne zu einer Melodie. Einer Melodie, von der er nicht gewusst hatte, dass er sie noch kannte.

Es war Claires Lieblingslied gewesen. So oft hatte er es für sie gespielt, dass er jede Note im Schlaf kannte, auch nach so vielen Jahren noch. Michel saß mit großen Augen da und hörte ihm zu. Charlie spielte und spielte und vergaß alles um sich herum. Es war, als wäre er wieder daheim, er sah alles in einer Deutlichkeit vor sich, die ihm fast den Atem nahm, durchlebte Momente seines alten Lebens, die er längst vergessen geglaubt hatte. Tränen liefen ihm übers Gesicht, tropften ihm in den Bart. Er spielte mit geschlossenen Augen.

Als er schließlich zu sich kam und sein Lied beendete, war die Kerze auf dem Nachttisch halb heruntergebrannt. Michel war eingeschlafen. Seine kleine Brust hob und senkte sich friedlich. Charlie spürte ein warmes Ziehen im Herzen, als er die Decke etwas enger um den kleinen Jungen stopfte.

J o ging mit großen Schritten durch die Lagerhalle. Die Werft war ein Babel, eine Welt der bunten Sprachgemische. Mehr und mehr Menschen aus dem Osten kamen, besonders polnische und russische Juden. Es gab Gerede über Auswandererhallen, die man vor der Stadt bauen lassen wollte, weil die Angst vor eingeschleppten Seuchen wuchs.

Obwohl Platt und Englisch überwogen, schallte einem an jeder Ecke ein neuer Akzent oder ein Schwall fremder Worte entgegen. Wer im Hafen arbeitete, hörte buchstäblich Stimmen aus aller Welt. Allein die Seeleute vertraten so gut wie alle Nationen: Amerikaner, Holländer, Franzosen, Portugiesen, Griechen, Araber, Türken, Japaner, Inder, Dänen, Norweger. Die Chinesen mit ihren Zöpfen und Trachten fielen besonders auf und natürlich die Schwarzen, von denen es ebenfalls mehr und mehr in der Stadt gab. Jo liebte es, dieses Gefühl, dass ihn ein Hauch der weiten Welt anwehte, dass er mittendrin war, da, wo etwas passierte.

Er war auf dem Weg zu seinem Büro, wo er die Arbeitslisten für den Tag überprüfen musste. Manchmal fragte er sich, wie das überhaupt alles funktionierte. Wenn man allein alle Werftarbeiter der Stadt zusammenzählte, waren es sicher zehntausend Mann. Zimmerer, Anbinder, Schauerleute, Maler, Kranführer, Kesselflicker, Nieter, Metall- und Holzarbeiter, Blockmacher, Jollen- und Barkassenführer. Dazu kamen noch einige tausend Kutscher. Und es würden immer mehr werden. Sie hatten in Hamburg tiefes Fahrwasser, die Eisenbahn direkt an der Kaimauer und die besten Bedingungen, um Schuppen und Landeplätze anzukaufen oder neu zu bauen. Er schätzte, dass sich in den nächsten Jahren sicher noch andere Großwerften hinzugesellen würden. Nun, sollten sie nur machen. Ihm war jeder willkommen, der Oolkert den Kampf ansagte.

Im Gehen ließ er den Blick aus den Fenstern und über das Wasser schweifen. Genau wie die vielen Sprachen liebte er das Gewimmel im Hafen, die Ewerführer, die mit ihren Haken die Kähne, Ewer und Schuten über den Fluss peekten, die Elbfischer auf ihren Booten, die fliegenden Händler, das Durcheinander der Schiffe und Dampfer, die Hunderten kleinen Jollen, die die Männer zu ihren Arbeitsplätzen brachten und jeden Morgen einen Stau im Wasser auslösten. Alle auf einem Fluss und doch jeder auf seinem eigenen Weg. Und es gab nicht nur den Schiffsverkehr. Im Hafen wurden auch die Waren verarbeitet, die aus der ganzen Welt eintrafen, Getreide-, Reis-, Gewürz-, Öl- und Tabakmühlen arbeiteten rund um die Uhr, Kaffee und Kakao wurden verlesen und geröstet, Jute und Rohbaumwolle verarbeitet, Leder gegerbt, Eisen gegossen, Kork geschnitten, Sprit hergestellt, Holz zu Fässern und Schiffsplanken verarbeitet. Ganz zu schweigen von den Fisch- und Gummifabriken.

Er musste an die Aufstände am Ersten Mai denken, in die er so viel Hoffnung gelegt hatte. Sie waren eine bittere Enttäuschung gewesen. Auf der ganzen Welt hatten Männer ihre Arbeit niedergelegt, es hatte Aussperrungen und Streiks gegeben – und nichts hatte sich geändert. Er hatte an diesem Tag verstanden, dass es ewig dauern würde, Jahre, vielleicht Jahrzehnte, bis sich wirklich etwas tat. Und dass er keine Kraft mehr hatte für den Kampf. Er musste sich jetzt um andere Dinge kümmern.

Plötzlich packte ihn eine Hand an der Schulter. «Bolten, wir müssen reden!»

Als Jo sich umdrehte, blickte er in Roys kantiges Gesicht. «Doch nicht hier!», zischte er sauer, und Roy nickte.

«Ist aber dringend.»

«Gut, dann komm später in mein Büro.» Sie nickten sich knapp zu, und als er ging, zog Roy sich seine Mütze ein wenig tiefer in die Stirn. Er sah sich verstohlen um, und Jo wusste, dass Roy keine guten Nachrichten haben würde. Andererseits – wann bekam er schon mal gute Nachrichten?

Als Roy wenig später den Kopf zur Tür reinsteckte, brütete Jo gerade über ein paar Listen. Neben seinem Fuß stand eine Flasche Kümmel. Den brauchte er, um sich besser konzentrieren zu können. Nun war er so versunken, dass er Roy erst bemerkte, als der mit zwei Fingern auf seinen Schreibtisch klopfte.

Jo zuckte zusammen. «Was gibt's?», fragte er und schob die Papiere beiseite.

Roy machte die Tür zu, dann ließ er eins der schiefen Rollos herunter, die vor den Fenstern hingen. Jos Büro, eigentlich eine bessere Bretterbude, ging auf eine große Halle hinaus, und jeder konnte sehen, wer ihn hier drin besuchte.

«Oolkert hat mich einbestellt.» Roy kam wie immer direkt zur Sache. Er hielt sich nie mit Geplänkel auf, eigentlich sprachen sie überhaupt kaum miteinander. Jo wusste so gut wie nichts über ihn, und umgekehrt war es genauso.

Sofort wurde Jo hellhörig. «Dich? Warum?»

«Für einen Auftrag.» Roy lehnte sich gegen den Schrank. «Er will, dass ich herausfinde, wer für den Opiumdiebstahl verantwortlich ist. Soll mich umhören.»

Jo holte tief Luft. Er ließ sich im Stuhl zurückfallen und verschränkte die Arme im Nacken. «Okay», sagte er langsam. «Das ist einerseits gut und andererseits schlecht. Er hat gemerkt, dass etwas nicht stimmt, aber das war eine Frage der Zeit. Wir konnten es nicht ewig auf die Inder und die Tallyleute schieben. Andererseits ist es gut, dass er gerade dich beauftragt hat.»

Es wunderte Jo ein bisschen, dass Oolkert nicht zu ihm gekommen war. Hoffentlich nicht aus Misstrauen. Aber Roy führte ab und an schmutzige Aufträge für Oolkert aus, so wie den vor ein paar Jahren, als Charlie wegen Mordes hinter Gittern gelandet war.

Roy verzog das Gesicht, als müsste er über Jos Worte nachdenken. «Ist einerseits schon gut», sagte er bedächtig. «Andererseits … hat er mir viel Geld geboten, wenn ich herausfinde, wer seine Waren klaut …»

Die Worte hingen zwischen ihnen in der Luft. Jo nickte. «Wie viel?», fragte er.

Roy nannte ihm die Summe. Jo seufzte und ließ die Arme sinken. «Verstehe. Ich habe letzte Woche einen neuen Deal mit einem Lieferanten geschlossen. Oolkert ist schließlich nicht der

Einzige, der importiert. Der Klau war ja nur der Anfang, ab jetzt verlegen wir uns auf den Handel. Wir sind in kürzester Zeit sehr gewachsen. Wenn wir so weitermachen, werden wir eine ernsthafte Konkurrenz. Du kriegst dein Geld.»

«Und noch was obendrauf.»

«Und noch was obendrauf», erwiderte Jo zähneknirschend. «Hab nur noch ein wenig Geduld. Wir mussten uns erst mal etablieren, aber jetzt ziehen wir an. Ich habe durch Chang beste Kontakte. Du kannst Oolkert sagen, dass du alles überprüft hast und es nur Unregelmäßigkeiten bei den Lieferlisten gab. Wenn dann ab jetzt alles glattläuft, wird er nicht weiter nachbohren. Ich bin dabei, Lizenzen zu beantragen, dann eröffnen wir bald ein paar legale Höhlen.»

Roy nickte. «Gut. Ich verlass mich auf dich!»

«Das kannst du», erwiderte Jo kühl. Ohne ein weiteres Wort verließ Roy das Büro.

W as müssen Fremde denken, die am Hauptbahnhof anlangen und von dort in die Spitalerstraße gehen? Es mutet ja geradezu mittelalterlich an. Ein regelrechtes Seuchenviertel.»

«Wenn man vom Glockengießerwall kommt, hat man rechts auch diesen grauenvollen Anblick. Da ist es fast noch schlimmer», warf Franz ein.

Alfred seufzte leise. Die Oolkerts hatten überraschend ihre Aufwartung gemacht, und nun saßen die drei Männer am Sonntagnachmittag in seinem Büro in der Villa, während die Frauen im Salon Kaffee tranken. Sie hatten ein Thema angeschnitten, über das auch Franz in letzter Zeit immer wieder sprach: die Entkernung der Gängeviertel.

Oolkert nickte. «Für das Ansehen der Stadt ist es von unschätzbarem Wert, das Lumpenproletariat in die Vororte zu schaffen.»

«Aber dann braucht es Ersatzwohnungen», gab Alfred zu bedenken. «Und verlässliche Beförderungsmittel. Wie sollen die Männer in den Hafen kommen? Wir haben eine Reederei und eine Werft, es ist besonders für uns von höchstem Wert, unsere Arbeiter strategisch günstig anzusiedeln.»

«Sicher, sicher. Wohnungen werden wir auch bauen. Aber es schadet ja niemandem, morgens mit der Fähre zur Arbeit zu fahren. Oder mit dem Rad. Die Männer müssen arbeiten, also müssen sie auch in den Hafen kommen. Sie werden immer einen Weg finden.»

«Die Fährschiffe in der Stadt sind aber nicht ausgelegt für einen größeren Andrang», warf Alfred ein. «Und vor einer Zwölf-Stunden-Schicht hat sicher niemand großen Gefallen daran, noch zwei Stunden mit dem Rad zur Arbeit zu fahren, ganz zu schweigen vom Rückweg. Die Hochbahn ist zu teuer für die Arbeiter, und nachts fährt sie nicht.»

«Das muss man alles bedenken, sicher. Es ist ein auf lange Zeit angelegtes Projekt. Ihr könnt mir glauben, wenn ich sage, dass diese sich oft am meisten auszahlen. Man muss in die Zukunft denken, dem Senat einen Schritt voraus sein.» Oolkert trat an einen gemalten Stadtplan, der neben Alfreds Schreibtisch an der Wand hing. «Schaut euch doch an, wie Hamburg aufgebaut ist. Hier der Bahnhof. Hier wird das neue Rathaus entstehen.» Er zog mit dem Finger langsam die Straßen nach. «Und wie gelangt man von einem zum andern …?» Er drehte sich mit einem triumphierenden Lächeln zu ihnen um. «Irgendwann wird es dort einen Boulevard geben, merkt euch meine Worte. Eine Prachtstraße, eine herrliche Flaniermeile mit Einkaufsmöglichkeiten, besten Wirtschaften. Man muss beobachten, wie Städte wachsen, welche Maßnahmen sie in anderen Ländern ergreifen. Es wird neue Beförderungsmittel geben. Eine Unterpflasterbahn wie in London.»

«Meinst du wirklich?», fragte Franz erstaunt. «Hier in Hamburg, mit all dem Wasser?»

Oolkert lächelte überlegen. «Wasser kann man stauen. Es ist bereits alles in Planung, ich war selbst dabei, als es im Senat besprochen wurde. Hamburg wird eine … Wie nennt man es noch? Eine *City* werden, eine Weltstadt. Und die Schmutzviertel wird man ausradieren. Bester Wohnraum mitten in der Stadt, im Herzen Hamburgs, man wäre doch geradezu wahnsinnig, den nicht zu nutzen. Nur die lästigen derzeitigen Bewohner müssen wir noch loswerden.»

«Aber es herrscht bereits jetzt großer Unmut, weil es keinen bezahlbaren Wohnraum in der Stadt mehr gibt. Ich fürchte wirklich, dass es irgendwann zu Aufständen kommen wird», warf Alfred ein. «Mehr noch, als wir sie jetzt schon haben. Wenn die Sozialistengesetze erst auslaufen und man wieder streiken und protestieren darf … Du hast doch gesehen, was am Ersten Mai passiert ist, und ich habe gehört, das soll jetzt jedes Jahr so kommen. Wenn die Menschen von Umbaumaßnahmen Wind kriegen, die nicht im Interesse der Bevölkerung, sondern in dem reicher Unternehmer sind, gehen sie auf die Barrikaden. Man kann es ihnen nicht verdenken!»

Franz seufzte leise. «Dann wird man die Aufstände eben wieder niederschlagen müssen. Willst du denn nicht auch, dass sich das Stadtbild verbessert? Dass wir uns nicht schämen müssen für unsere Slums?»

Alfred schüttelte den Kopf. «Ich war schon immer dafür, diese elenden Viertel abzureißen und neu aufzubauen. Das weißt du. Sie wuchern wie Schimmelpilze vor sich hin, die Menschen bauen ja ohne Sinn und Verstand kreuz und quer ihre Bretterbuden aufeinander. Nein, das kann nicht so weitergehen! Ich habe die Zustände damals bei Lily mit eigenen Augen gesehen ...» Er brach ab. «Aber man muss dort neuen Wohnraum schaffen, den unsere Arbeiter sich leisten können. Es kann nicht sein, dass einzelne Unternehmer ...», er warf Oolkert einen vielsagenden Blick zu, «... sich die Grundstücke unter den Nagel reißen, dort luxuriöse Neubauten hinstellen und die Menschen vertrieben werden, die dort seit Jahrhunderten leben.»

Oolkert lachte leise in sich hinein. «Unverbesserlicher Philanthrop, der du bist, lieber Alfred. Man kann nicht umhin, es zu ... bewundern. Doch ich muss dir leider in aller Deutlichkeit sagen: Deine Sicht mag aus einem gewissen sozialen Blickwinkel durchaus berechtigt sein. Aber sie ist naiv. Die Grundstücke werden verkauft. Der Senat kann die Kosten nicht alleine stemmen, das würde die Stadt ruinieren. Schon die Erschließungskosten allein, und dazu kommen die infrastrukturellen Maßnahmen, die nötig sein werden: der Bau neuer Straßen, neuer Verkehrsmittel. Die komplette Neustadt muss erhöht werden, der Schaarmarkt stand ja letzte Woche schon wieder unter Wasser. Sie müssen sich Hilfe holen. Und Unternehmer haben immer ihr eigenes Interesse im Sinn, außerdem füllen sie die Stadtkasse.» Er verschränkte die Arme vor der Brust und lächelte siegessicher. «Irgendwann werden diese Viertel abgerissen, und der neue Wohnraum wird gewinnbringend genutzt werden. Die Frage ist nur: von wem? Wollen wir dabei sein und bei diesem Millionenprojekt mitwirken, das das Stadtbild für immer verändern – und ich wage zu sagen: verbessern – wird? Oder wollen wir aus reiner Nächstenliebe nur zusehen, wie der Lauf der Dinge unaufhaltsam seinen Weg geht und andere die Früchte einheimsen, die so leicht die unsrigen sein könnten?» Er machte eine vielsagende Pause. «Außerdem seid ihr doch längst dabei, die Menschen zu vertreiben.»

Alfreds Kopf fuhr herum.

«Die Speicherstadt …» Oolkert betrachtete nachdenklich die goldene Ente am Knauf seines Gehstocks. «Sie wurde für den Ausbau des Freihafens gebaut. Wollt ihr mir erzählen, dass ihr davon nicht profitiert? Euer Warenumschlag hat sich doch sicher verdoppelt. Allein im Auswanderergeschäft schlummern Millionen.» Er beugte sich vor. «Wir müssen rechtzeitig dafür sorgen, dass die richtigen Beamten an den richtigen Stellen sitzen. Wir müssen vor den offiziellen Bekanntgaben Bescheid wissen, müssen den Behörden einen Schritt voraus sein, die staatlichen Absichten verstehen, bevor sie selbst wissen, was sie eigentlich planen. Spekulieren kann man nur, wenn man seine Augen und Ohren überall hat – und das meine ich nicht im übertragenen Sinne. Wir müssen die richtigen Grundstücke kaufen. Und wir müssen sehr vorsichtig sein. Die Menschen wissen, wie es bei den Enteignungen auf der Wandrahm-Insel und dem Kehrwieder zugegangen ist.»

«Ludwig, wir bewegen uns damit an der Grenze zur Illegalität. Ja, ich möchte meinen, dass wir sie sogar weit überschreiten würden», rief Alfred.

Oolkert wedelte ungeduldig mit der Hand. «Gesetze sind Auslegungssache, das weißt du so gut wie ich. Und man müsste uns solche Absichten erst mal beweisen. Nennen wir es mal verdächtig glückliche Spekulationen. Die gibt es immer.» Er räusperte sich. «Ich werde in dieser Sache voranschreiten, ob ihr dabei seid oder nicht. Aber wir sind jetzt eine Familie, und ich wollte euch von meinen Plänen unterrichten. Vielleicht kann man auch deinen Schwiegersohn mit ins Boot holen?»

Alfred lachte auf. «Henry? Er hat keinerlei Vermögen. Er ist

438

der jüngste Sohn und hat mit dem Familiengeschäft nichts zu tun. In den letzten Jahren lief es bei den von Cappelns nicht allzu glatt. Natürlich sind sie immer noch unverschämt reich, aber vor dem Tod seines Vaters hat Henry davon nichts. Wir halten ihn aus. Bis er sich eine Praxis aufgebaut hat, wird es Jahre dauern. Ihn können wir vergessen.»

Oolkert schürzte die Lippen. «Zu schade. Aber ich verstehe, warum ihr ihn trotzdem in die Familie habt einheiraten lassen.» Er hüstelte vielsagend, und Alfred hätte ihm gerne seinen Gehstock in den Rachen gerammt. «Es wird noch einige Jahre dauern, bis die Dinge ins Rollen kommen. Aber man kann nicht früh genug anfangen zu planen. Wenn wir uns als Spekulanten gegenseitig Rückendeckung geben, kann nichts passieren! Wofür wir jedoch als Allererstes sorgen müssen, ist, dass die Sozialisten sich nicht weiter ausbreiten.»

Alfred nickte langsam. Oolkert hatte recht. Man konnte diese Dinge nicht stoppen. Städte veränderten sich, und diese Veränderungen forderten immer Opfer. Man konnte es schon jetzt beobachten in den Vierteln, die für die Speicherstadt abgerissen worden waren. Niemand hatte sich darum gekümmert, wo die Bewohner hinsollten. Und was das Projekt gekostet hatte … astronomische Summen, über hundert Millionen Mark. Allein die Tausenden von riesigen Eichenpfählen, auf denen die Lagerhäuser standen! Und Hamburgs Gesicht wandelte sich weiter. Gerade jetzt wurde das Gebiet zwischen Innenstadt und Holstenwall zugunsten der neuen Kaiser-Wilhelm-Straße durchbrochen. Ganze zwanzig Meter breit würde sie sein. Die Stadt war bereits durch den Freihafen an die äußersten Grenzen ihrer finanziellen Belastbarkeit gegangen. Der Senat zögerte seit Jahren mit dem Ausbau der Wasserfilterung, weil einfach kein Geld mehr da war. Für Männer wie ihn, die mehr als andere in Hamburg vom Hafen profitierten, bedeutete das im Umkehrschluss, dass ihr Vermögen auf Kosten anderer gewachsen war. Auf Kosten der unzähligen Arbeiter, die Hafen und Speicherstadt mit ihren Händen erst erschaffen hatten, an deren Komfort und Sicherheit nun gespart wurde.

Er ging langsam zum Fenster und blickte in den Garten, hinunter zum glitzernden Fluss. Während er nachdachte, war es still im Zimmer. Die beiden starrten vor sich hin, warteten auf seine Entscheidung. Er hatte plötzlich ein Bild vor Augen. Franz und Oolkert, die wie die Aasgeier über seinem Grab kreisten, sich an seinem Leib weideten, ihn gierig verschlangen, bis nichts mehr von ihm übrig war.

Schließlich nickte er kaum merklich. «Ihr habt recht. Man kann diese Dinge nicht aufhalten. Wenn wir es nicht tun, tun es andere.»

Lily wich von der Bürotür zurück. Sie hatte schon vor einer Weile die Frauen im Salon ihren Gesprächen überlassen und sich mit der Entschuldigung, Hanna für ihren Mittagsschlaf hinlegen zu müssen, zurückgezogen. Schon beim Essen hatte sie es kaum ausgehalten, mit Oolkert in einem Raum zu sein. Niemand wusste von ihrem Aufeinandertreffen damals vor dem Bordell, jenem Moment, in dem sich ihr Leben zum Schlimmen gewandelt hatte. Sie hatte seine Blicke ununterbrochen auf sich gespürt. Ihr Bruder hatte außerdem eine regelrechte Schau abgezogen, war liebevoll und charmant zu Roswita gewesen – die hatte seine Aufmerksamkeit gefressen wie eine Verhungernde.

Lily wollte am liebsten aus der Villa fliehen und warten, bis die Familie verschwunden war. Auf der anderen Seite war Ludwig Oolkert eine Verbindung zu Jo. Sie hatte nicht vorgehabt

zu lauschen, doch als sie an der angelehnten Bürotür vorbei-
gekommen war, hatte sie nicht widerstehen können. Die Ge-
sprächsfetzen, die zu ihr herausdrangen, zogen sie magisch an.
Die Männer hatten vor, die Gängeviertel aufzukaufen und den
Wohnraum abzureißen? Wo würden all die Menschen leben? Sie
dachte an Jo, an Charlie und Alma und die Kinder, die sie immer
noch nicht besucht hatte, an Seda und Jos Mutter, und ihr wurde
ganz flau im Magen. Was würde aus ihnen werden? Sie konnte
nicht glauben, dass ihr Vater entschieden hatte, bei diesen illega-
len Plänen mitzumachen. Es passte nicht zu ihm!

Franz' Einfluss wird immer stärker, dachte sie traurig. Von
sich aus hätte er niemals eingewilligt. Und was er über Henry
gesagt hatte, setzte sich erst langsam in ihrem Kopf fest. Emma
hatte recht gehabt, er wurde von ihrem Vater finanziert. Wenn
er sich mit Alfred überwarf, würde er alles verlieren ... Doch
vielleicht war sie nicht ganz so hilflos, wie sie gedacht hatte. Sie
stieg langsam die Treppe hinauf. Der drängende Impuls überkam sie, irgendjemandem zu erzählen, was sie gerade gehört
hatte. Was würde Jo nur sagen, wenn er davon wüsste, dachte
sie, und ihr war in diesem Moment, als wollte die Sehnsucht
nach ihm ihren Brustkorb von innen zersprengen. Aber es gab
niemanden, mit dem sie hätte sprechen können. Stumm stieg
sie die Treppe hinauf, alleine mit ihren Gedanken, ihren Sorgen
und nun auch mit einer kleinen Hoffnung, die gerade zu keimen
begann.

R oswita lag mit glühenden Ohren auf ihrem Bett, neben
sich einen halbleeren Teller Kekse. In der letzten Stunde
hatte sie sich durch zehn Stück geknabbert, ohne es auch nur
zu merken. Das Aufklärungsbuch von Lily lag aufgeschlagen vor

ihr, daneben das Buch, das Franz ihr nach ihrer Hochzeit gegeben hatte. Sie hatte die letzten Tage damit verbracht, die beiden zu vergleichen – nun war sie verwirrter als vorher.

Der Ratgeber von Dr. Weißbrodt, *Die eheliche Pflicht*, war so ganz anders als das Buch von Lily. Sie seufzte. *Der Mann allein muss entscheiden, wann es zur ehelichen Umarmung kommt, da er sich bei zu häufiger Überreizung des Gehirns das Rückenmark schädigen könnte und so Gefahr läuft, vorzeitig zu altern oder geisteskrank zu werden. Die Frau soll den Mann also keinesfalls reizen, sich aber, wenn er so weit ist, willig und ohne Zierereien seinen Bedürfnissen hingeben.*

Gut, das wusste sie schon, es war im Großen und Ganzen das, was Franz ihr gesagt hatte. Zwar beschrieb auch Dr. Weißbrodt ausdrücklich, dass man sich merkwürdig verhalten musste, um sich fortzupflanzen, leider erläuterte er aber nicht näher, worin diese Merkwürdigkeiten bestanden. Sie las weiter. *«Das Weib verhält sich bei der Begattung mehr leidend als handelnd.»*

Sie nickte betrübt. Hier stand es schwarz auf weiß. Dass in dem Buch von Lily dagegen ausdrücklich betont wurde, Frauen sollten und durften durchaus Lust beim Zeugungsakt empfinden, war ihr keine Hilfe. Plötzlich stutzte sie. Sie fuhr mit dem Finger über die kleinen geriffelten Fäden im Inneren des Buches von Franz. Jemand hatte Seiten herausgerissen. Sie schlug um und blätterte hastig weiter. Hier auch. Ein paar Seiten weiter schon wieder. Sie runzelte die Stirn. Roswita überlegte kurz. Dann stand sie auf, wischte sich die Krümel aus dem Ausschnitt und läutete die kleine Glocke neben ihrem Bett. Als Klara an die Zimmertür klopfte, saß sie bereits auf ihrem Schemel vor dem Spiegel.

«Ich fahre aus, Klara», verkündete sie ohne Begrüßung. «Das hellrosa Kleid, denke ich. Und den Hut mit den Kirschen. Ich muss eine Besorgung machen!»

Wenig später stieß Roswita die Tür des Buchladens auf. Als sie auf die Theke zusteuerte, klopfte ihr Herz zum Zerspringen. Sie hatte so gehofft, dass vielleicht eine Frau im Geschäft stehen würde – aber natürlich hatte sie kein Glück.

Wie so oft, wenn sie unsicher war, setzte sie eine kühle Miene auf. Trotzdem dämpfte sie die Stimme und lehnte sich diskret über die Theke. «Haben Sie den ehelichen Ratgeber von Dr. Weißbrodt vorrätig?», fragte sie den Verkäufer mit dem weißen Schnäuzer, der sich ihr neugierig mit hochgezogenen Augenbrauen entgegenbeugte. «Meine Schwester heiratet, und ich will ihn ihr zur Vermählung schenken.»

Der Mann nickte wissend. «Ah, selbstverständlich, es ist unser Verkaufsschlager. Wir haben den Titel immer da!», sagte er. «Eine ausgezeichnete Wahl für Frischvermählte, medizinische Regeln unter strenger christlicher Beleuchtung. Sie können mit dem Buch nichts falsch machen.»

Roswita lächelte. «Sie dürfen es als Geschenk einpacken.»

Sobald sie wieder in der Kutsche saß, Toni war noch nicht angefahren, riss sie die kunstvoll gebundene Schleife auf und schmiss das Papier in die Ecke. Sie zog ihr eigenes Exemplar aus der Tasche und blätterte hastig zu der Stelle, an der die ersten Seiten fehlten. Als sie zu lesen begann, stutzte sie schon nach wenigen Zeilen.

«Ich habe es doch gewusst!», zischte sie. Obwohl sie alleine war, lief sie hochrot an vor Scham. «Dieser Mistkerl!» Heiße Tränen brannten ihr in den Augen. «Ich wusste, ich kann so nicht schwanger werden!», rief sie, und Toni fuhr langsamer.

«Wie bitte, Madame?», fragte er.

«Nichts!», erwiderte Roswita weinend und zog die Nase hoch. «Ich habe nichts gesagt, fahren Sie weiter, Toni!»

Sie verstand die Welt nicht mehr. Aber was hat er nur davon?, dachte sie. Oder weiß er selbst nicht … War er vielleicht gar nicht derjenige gewesen, der die Seiten herausgetrennt hatte? Franz hatte ihr erzählt, er hätte das Buch von seiner Großmutter bekommen. Aber selbst wenn, sie konnte ihn unmöglich darauf ansprechen, schon bei dem Gedanken wand sie sich auf ihrem Platz hin und her. Verzweifelt warf sie das Buch auf den Platz ihr gegenüber und ließ die Stirn gegen das Fenster sinken. Als die Kutsche über einen Stein fuhr, stieß ihr Kopf schmerzhaft gegen das Glas.

Charlie wusste nicht, wie es kam, aber Michel veränderte alles. Seit dem Tag, an dem der kleine Junge mit dem seltsamen Gesicht und dem flaumigen roten Haar seinen Kopf zur Tür hereingesteckt und ihn unter seiner Brille hervor angeblinzelt hatte, nahm Charlie wieder am Leben teil.

«Du hast eine Aufgabe gebraucht, jemanden, um den du dich kümmern kannst, das habe ich von Anfang an gedacht», sagte Emma oft und lächelte dabei zufrieden.

Es musste wohl stimmen.

Michels Gegenwart beruhigte Charlie. Er wusste plötzlich, wo er hingehörte, was er zu tun hatte. Er fühlte sich nicht länger überflüssig und übrig geblieben, sondern gebraucht. Nachts schlief er durch, grübelte nicht mehr in der Dunkelheit. Morgens wachte er auf, und der Tag war keine endlose Leere vor ihm, sondern etwas, das es anzupacken galt. Und zwar am besten mit einem ordentlichen Frühstück im Bauch. Er vermisste die Arbeit im Hafen keine Sekunde. Und auch nicht die Nächte in den Opiumkellern.

Claires Bild holte er seltener und seltener hervor.

Charlie beschützte Michel. Sie hatten das gleiche flammend rote Haar, und viele Menschen hielten den Jungen für seinen Sohn. In den Gängevierteln scherte man sich nicht besonders um seinen Anblick. Wenn ihnen doch jemand dumm kam, verstummten die hämischen Spottrufe schnell, sobald der riesige Charlie sich drohend vor den kleinen Jungen stellte. Charlie verstand jetzt, warum Lily die Lüge von Michels Tod damals bis ins Mark erschüttert hatte. Der Junge war etwas Besonderes, man wollte ihn behüten und glücklich machen.

An Charlies Seite sah Michel das erste Mal Hamburg bei Tageslicht. Der Junge bestaunte die Stadt wie ein Wunder. Er liebte die Märkte und das bunte Treiben, konnte stundenlang am Hafen stehen und den Schiffen zusehen, wanderte mit offenem Mund über die Brücken der Speicherstadt, stand an Hagenbecks Schaufenster und drückte sich die Nase platt, freute sich wie ein Schneekönig über den Schwanenwärter und die wimmelnden Tiere auf dem Pferdemarkt. Charlie hatte Gefallen daran, ihm Hamburg zu zeigen. Er sah die Welt mit Michels freudigen Kinderaugen und merkte, wie auch er sie immer schöner und bunter fand. Wie sich ganz langsam der Schleier der Trauer lüftete, der ihn so lange eingehüllt hatte.

Ihm wurde erst jetzt klar, wie wenig er gelebt hatte in den letzten Jahren.

Nacheinander machten sie Ausflüge zum Hopfen-, Schaar-, Großneu- und Fischmarkt, bestaunten die Bürstenbinder, Uhrmacher, Schleifer, Sattler, Reep- und Eisenschläger, als wäre ihr Handwerk eine faszinierende Theatervorstellung. Er nahm den Jungen mit ans nördliche Elbufer, wo die Bauern aus dem Umland, die Fischer und andere Händler vom Schiff herunter direkt an den Anlegern ihre Waren anboten.

Auf dem Meßberg bestaunte sogar Charlie die Trachten der

Frauen aus den Vierlanden, mit ihren bunten Röcken, weißen Strümpfen und den Fischbeinflügeln in ihren Frisuren. Besonders angetan hatten es Michel die kurzen Hosen der Männer, die weißen Schuhe und silbernen Schnallen. «Ganz schön rausgeputzt, was?», flüsterte Charlie dem Jungen ins Ohr, der mit einem Finger im Mund dastand und die Menschen anstarrte. Er nickte nur ehrfürchtig.

Hier am Meßberg herrschte lautes Treiben. Da es keine festen Preise gab, musste man feilschen, immer hing Gebrüll in der Luft, den ganzen Tag wurde gehandelt, Pferdekarren parkten neben Kähnen direkt am Wasser, in den spitzgiebeligen Häusern, die den Platz umgaben, waren Wirtschaften und kleine Ladengeschäfte, in denen es Kolonialwaren, Körbe, Fleisch und Käse zu kaufen gab. Dazwischen schlenderte der Marktvogt und sorgte für Ordnung.

Sie kauften sich Brot und Wurst und aßen es am Wasser. Michel teilte sein Essen mit den Möwen, die sie bald in kreischenden Scharen umgaben. Charlie sah ihm zu und wünschte sich, Emma und Lily könnten den Jungen jetzt sehen, das Glück in seinem Gesicht.

In der nächsten Woche fuhren sie bis nach Altona, weil Charlie ihm den Fischmarkt zeigen wollte, denn es war der bunteste, interessanteste Ort, der ihm einfiel. Hier wurden neben Obst, Fisch und Gemüse auch Hunde verkauft, Singvögel, Affen, Papageien, Kleidung, Möbel, Gemälde, Krebse, lebende Aale und Bücher. Charlie hatte schon nach manch wilder Nacht auf St. Pauli hier am Sonntagmorgen das Treiben genossen. Als Michel die Tiere sah, kriegte er sich vor Verzückung und Staunen gar nicht mehr ein. Der Händler ließ ihn einen zahmen Affen auf die Schulter nehmen, und der Junge presste vor Aufregung beide Hände auf den Mund und lachte laut und gluckernd.

Michel half Charlie bei den Hausmeistertätigkeiten, und bald liefen die beiden mit identischen braunen Mützen und Hosenträgern herum, fütterten Hühner, reparierten Zäune und Möbel, schleppten Wasser und Kohle, hackten Holz, bauten Schränke. Die Frauen im Haus gewöhnten sich schnell an den Jungen, die meisten erkannten sein liebevolles Wesen und ließen ihn die Säuglinge wiegen oder die Wolle halten.

Der Junge folgte Charlie wie ein Schatten. Der lernte, dass man Michel oft den Mund abwischen musste, weil er nicht merkte, dass er offen stand. Dass er sich nicht überanstrengen durfte, sonst bekam er Atemnot. Und dass er manchmal nicht zu bändigende Wutanfälle hatte, die aus dem Nichts kamen, aber wieder aufhörten, wenn man ihn ablenkte. Charlie verstand, dass Michels Familie ihn nicht bei sich behalten konnte. Er war laut und wild, kaute mit offenem Mund, lachte mit in den Nacken gelegtem Kopf, und nichts und niemand konnte ihn ändern. Er passte nicht in die Villen an der Bellevue. Bei dem Gedanken, dass Michel sich jahrelang hatte verstecken müssen, konnte Charlie nur mit dem Kopf schütteln. Aber hier, beschützt von der Anonymität der Innenstadt, wo es unzählige Kuriositäten und Sonderbarkeiten gab und wo jeder sich um seine eigenen Belange scherte, blühte der Junge auf. Wenn Michel auf seinem Schoß saß und mit strahlenden Augen ein Eibrot aß, wenn sie abends zusammen am Tisch in der kleinen Küche ein Brettspiel spielten, nachdem es im Haus schon ruhig geworden war und die Kerzen in den Fenstern brannten, dann blickte Charlie ihn an und fragte sich, ob es sich so ähnlich anfühlte, Vater zu sein.

Manchmal dachte er, dass nicht Emma, sondern Michel ihm das Leben gerettet hatte. Oder beide zusammen.

Ein paar Wochen nachdem Michel eingezogen war, machten sie gerade zusammen Besorgungen, liefen mit einem Beutel Gemüse über den Schaarmarkt, als Michels Hand in Charlies schlaff wurde. Er blieb stehen, seine Augen rollten in den Kopf zurück. Sein kleiner Körper erstarrte und begann, in Krämpfen zu zucken. Plötzlich stand ihm Speichel wie Schaum vor dem Mund. Er röchelte hilflos und sank zu Boden.

Charlie war wie festgefroren. Er starrte Michel an, eine eisige Panik lähmte seine Glieder. Was sollte er tun? Die Menschen um sie her blieben stehen, begannen zu gaffen und mit den Fingern zu zeigen. Einige riefen, man solle einen Arzt holen, die meisten wirkten aber eher verängstigt.

«Der hat die Tollwut!», blaffte eine Frau und bekreuzigte sich.

«Das sind böse Geister!», rief eine andere. «Kinder wie das da gehören in den Fluss!»

Charlie beugte sich über Michel, versuchte, ihn festzuhalten, murmelte beruhigend auf ihn ein. Aber Michel war nicht ansprechbar.

Charlie stand der Schweiß auf der Stirn. Panisch hielt er einen Einspänner an, der gerade vorbeifuhr, und lief dabei beinahe vor das Pferd. «He, Sie müssen uns mitnehmen, der Junge braucht einen Arzt!», rief er. Aber als der Kutscher Michels Gesicht sah, knallte er erschrocken mit der Peitsche. Charlie sah ihm zwei Sekunden sprachlos hinterher, dann nahm er Michel kurzerhand auf die Arme und rannte los.

Er rannte wie noch nie in seinem Leben. Die Strecke kam ihm endlos vor. Schwitzend und keuchend lief er durch die Gassen, rempelte Menschen um, sprang über Pfützen und hielt den zuckenden Michel eisern fest. «Wir sind gleich da, halte durch», keuchte er, aber er wagte es nicht, nach unten zu schauen und Michels bleiches Gesicht zu sehen. Er hörte auch so, dass der

448

Kleine kaum Luft bekam. «Emma wird dir helfen!», versprach er und hoffte mit jeder Faser seines Seins, dass sie es auch konnte.

Als er schließlich im Stift ankam und die zwei Stufen zur Eingangstür hochsprang, war Michels Körper in seinen Armen schlaff geworden.

«Ich brauche Hilfe!», brüllte Charlie, und Ruth, die gerade im Gemeinschaftsraum Fenster putzte, schrie erschrocken auf und ließ den Lappen fallen.

Emma eilte mit blutiger Schürze aus dem Untersuchungsraum. Als sie Charlie sah, der keuchend im Flur stand, den reglosen Michel in den Armen, riss sie erschrocken die Augen auf. «Ruth, übernimm du für mich, es muss nur noch verbunden werden!», rief sie. «Der Küchentisch!», wies sie dann an, und Charlie reagierte sofort, legte Michel behutsam ab und trat einen Schritt zurück, ließ sich keuchend auf einen Stuhl fallen. Er war klatschnass, aber er bemerkte es gar nicht.

«Ein Krampfanfall, es ist schon wieder vorbei», sagte Emma ruhig und hob nacheinander Michels Augenlider. Dann lockerte sie seinen Kragen und untersuchte seine Zunge. Sie holte eine Schüssel mit Wasser und betupfte vorsichtig sein Gesicht. «Das passiert manchmal. Man muss dann nur aufpassen, dass er sich nicht an seiner Zunge verschluckt», erklärte sie. «Meistens gehen sie von selbst wieder vorbei.»

«Himmel, hättest du mir das nicht sagen können?», fragte Charlie, der immer noch keuchte.

Zerknirschte schaute Emma ihn an. «Es tut mir leid, ich dachte, du wüsstest es!»

Einige Bewohnerinnen waren hereingekommen und drückten sich im Türrahmen herum, beobachteten genau wie Charlie mit aufgerissenen Augen, was vor sich ging. «Wird er wieder gesund? Was hat er denn?»

«Ja, er wird wieder gesund», beruhigte Emma.

Michel kam langsam zu sich, er war verwirrt und schlecht gelaunt und begann erst mal, laut zu weinen.

«Du brauchst jetzt Ruhe, wir bringen dich ins Bett», sagte Emma, und Charlie stand sofort auf und nahm Michel hoch.

Hintereinander stiegen sie die schmale Treppe in die Dachkammer hinauf. Sie legten Michel hin, und weil er sich nicht beruhigen wollte, las Emma ihm ein Märchen vor. Charlie ließ sich auf das Bett gegenüber fallen und lauschte ihnen. Er spürte noch immer die Nachwirkungen der Panik. Alles in ihm kribbelte, und obwohl er so erschöpft war wie selten, wollten seine Gedanken nicht zur Ruhe kommen. Als der Junge schließlich schlief, standen Emma und Charlie neben seinem Bett und betrachteten ihn.

«Er sieht so klein aus», sagte Emma leise und strich Michel übers Haar.

«Winzig», brummte Charlie bestätigend. «Nicht auszudenken, was er mitgemacht haben muss in den letzten Jahren.»

Emma nickte. Sie zögerte kurz. «Er wird nicht sehr alt werden. Hat man dir das schon gesagt?», fragte sie zaghaft, und Charlie spürte ein Ziehen in der Brust.

«Nein», erwiderte er mit rauer Stimme.

Danach standen sie einfach da und sahen eine Weile zu, wie das flackernde Licht der Kerze Schatten auf Michels schlafendes Gesicht malte.

8

Im Frühstückszimmer tranken Sylta, Roswita und Lily Kaffee und unterhielten sich, als die Türglocke sie unterbrach. Erstaunt sah Sylta auf. «Erwartet ihr jemanden?»

«Sicher eine von Roswitas Freundinnen», erwiderte Lily, denn außer Gerda kam ansonsten nie jemand zu Besuch.

Sie hörten, wie Agnes durch die Halle ging, um zu öffnen, gleich darauf erklangen eilige Schritte auf den Fliesen, und Emma kam ins Zimmer gestürmt. «Bitte entschuldigt!», rief sie. Lily erhob sich, sie sah sofort, dass etwas nicht stimmte.

«Isabel und Martha sind verhaftet worden», japste Emma auch sogleich, völlig außer Atem. «Ihr braucht wirklich unbedingt ein Telefon. Sie haben einen Botenjungen geschickt. Ich fahre hin und versuche, ihnen zu helfen. Ich wollte fragen ... Wenn eine von euch mitkommen würde ... Euer Name hat Gewicht in der Stadt», sie stockte. «Ich weiß, es ist viel verlangt, Sylta, aber ich dachte ...»

Lily unterbrach sie: «Ich fahre mit!»

Sie war selbst überrascht, wie schnell sie alle Vorsicht fahrenließ, wie entschlossen sie war. Es war vollkommen unvernünftig, würde Konsequenzen nach sich ziehen. Aber es war ihr egal. Vorrangig war die Sorge um ihre Freundinnen, doch sie musste sich eingestehen, dass das nicht alles war, was sie antrieb: Mit einem Mal spürte sie den verzweifelten Wunsch nach Leben, nach Ablenkung. Endlich passierte etwas, endlich konnte sie aus der endlosen Ödnis der Tage hier ausbrechen.

«Aber Lily, Henry würde niemals …»

«Henry ist nicht hier. Das ist ein Notfall. Sie sind meine Freundinnen.» Lily war schon auf dem Weg in die Halle. «Mama, kümmere dich bitte um Hanna.»

«Lass mich doch gehen, Lily. Ich will nicht, dass du Probleme bekommst!», rief Sylta bittend.

In diesem Moment trat Alfred aus dem Büro. Erstaunt schloss er die Tür hinter sich. «Was ist hier los?»

Lily zog bereits ihren Mantel über. «Zwei Freundinnen von mir sind in Schwierigkeiten. Wir fahren in die Stadt, um ihnen beizustehen, Papa.»

Ihr Vater musterte Emma und Lily. «Ohne Henrys Zustimmung?»

«Es ist eine Ausnahmesituation, Alfred. Ich versichere Ihnen, ich werde Lily sicher wieder zurückbringen», erklärte Emma.

Alfred klemmte sich mit einem zweifelnden Ausdruck in den Augen die Zeitung unter den Arm, in der er gerade gelesen hatte. Lily war klar, dass er vor Emma nicht so sprechen konnte, wie er es normalerweise getan hätte. «Ich vertraue Ihnen vollkommen, Emma, das wissen Sie. Dennoch denke ich, dass meine Tochter …», begann er, aber Lily war schon auf dem Weg Richtung Tür.

«Papa, Henry ist nicht hier. Ich bin kein Kind mehr. Ich verspreche, dass ich nichts tun werde, das du nicht gutheißt oder das dich in Schwierigkeiten bringt. Ich muss zu ihnen. Henry würde es sicher verstehen!», sagte sie im Gehen – obwohl alle Anwesenden wussten, dass Henry es keineswegs verstehen würde.

«Lily!» Ihr Vater schien fassungslos, aber sie war schon an der Tür.

Emma sah sich noch einmal zu Sylta und Alfred um, die mit verblüfften Gesichtern dastanden, Sylta händeringend, Alfred erstarrt, dann lief auch sie los. «Es tut mir leid!», rief sie über die Schulter, dann rannten die beiden Frauen die Treppen hinab und auf die wartende Kutsche zu.

Während der Fahrt beugte Lily sich nervös aus dem Fenster. Als die Kutsche endlich auf das vierstöckige Gebäude der Hüttenwache zuhielt und Lily am Ende der Straße den hölzernen Turm des Michels sehen konnte, bemerkte sie, dass sich eine kleine Menschenmenge vor dem Haus versammelt hatte. Zu ihrem Erstaunen waren es ausschließlich Frauen. Sie stiegen aus, und Emma fragte eine Magd, die etwas am Rande stand, was geschehen war. «Ach, es war fürchterlich. Sie haben sie einfach gepackt und auf den Boden geworfen!», empörte die Frau sich. «Haben ihnen in den Bauch getreten, so etwas habe ich noch nicht erlebt.»

Emma wurde blass. «Wem? Über wen sprechen Sie?»

«Na, die beiden Damen, die auf dem Rathausplatz gesprochen haben. Sie haben über uns geredet, über uns Arbeiterinnen und den Ersten Mai. Deswegen sind wir stehen geblieben. Und Broschüren verteilt haben sie, aber ich kann ja nicht lesen. Dann kam plötzlich die Polizei, und da war dieser Hauptmann, ein ganz rotes Gesicht hatte der und einen Bauch.»

«Oh nein …», stöhnte Emma. «Das ist Beets. Ich kenne ihn. Er hasst Frauenrechtlerinnen.»

Lily trat unbehaglich von einem Fuß auf den anderen. «Warum sind Sie mitgegangen?», fragte sie jetzt.

«Na, das war doch nicht rechtens, wie sie die Damen behandelt haben. Außer uns hat es doch niemand gesehen. Wir wollen als Zeuginnen aussagen!»

Lily war gerührt von der Anteilnahme der Frauen, aber Emma flüsterte ihr zu, dass es nichts nützen würde. «Sie werden sie gar nicht anhören. Niemand wird sie unterstützen, die Polizisten hassen uns, und Beets ist der schlimmste. Er würde uns am liebsten allesamt in den Kerker sperren und den Schlüssel wegwerfen. Wir sind in den letzten Jahren schon öfter mit ihm aneinandergeraten.»

Sie gingen an der Ansammlung der Frauen vorbei in das Gebäude hinein. Drinnen war es laut und verraucht, es herrschte rege Geschäftigkeit, und Lily sah sich staunend um. Vor hohen, mit Akten und Papieren gefüllten Holzregalen standen Schreibtische, an denen Beamte in Zivilkleidung arbeiteten, dazwischen liefen ein paar uniformierte Polizisten in ihren langen Mänteln und Spitzhelmen herum. Lily sprang hastig zur Seite, als ein offensichtlich gerade verhafteter Mann in Handschellen an ihnen vorbeigeführt wurde, der den Polizisten Beleidigungen entgegenschmetterte. Niemand beachtete sie. Als Emma an einen der Tische trat und höflich erklärte, was sie wollten, wurden sie sofort abgewiesen. «Die Festgenommenen dürfen keinen Besuch empfangen», sagte der diensthabende Wachmann, der sie unter halbgeschlossenen Lidern beinahe abfällig ansah. «Schon gar nicht von anderen keifenden Mannsweibern.»

Emma, die in ihrem bestickten Kleid und mit ihrer Hochsteckfrisur aussah wie eine Dame zu Hofe und ganz sicher nicht wie ein keifendes Mannsweib, holte, ohne eine Miene zu verziehen, zwei Münzen aus ihrer Handtasche und schob sie ihm über den Tisch. Er hob eine Augenbraue, dann stand er schwerfällig auf.

«Sie haben fünf Minuten», sagte er und öffnete eine Tür. «Die dritte Zelle rechts, hinten ums Eck.»

Die beiden eilten durch einen Schwall von Anzüglichkeiten, die ihnen entgegengeschleudert wurden, den schmalen Gang entlang, der an beiden Seiten von Zellen begrenzt wurde. Lily versuchte, nicht zu neugierig zu starren. In einigen Zellen war es ruhig, aus anderen streckten sich ihnen gierige Männerhände entgegen. Sie war noch nie zuvor auf einer Wache gewesen. Dies hier war nur die Untersuchungshaft, doch das reichte aus, um sie schaudern zu lassen. Sie hatte Schreckensgeschichten über die Hamburger Zuchthäuser gehört, niemals jedoch hätte sie erwartet, einmal selbst mit ihnen in Berührung zu kommen.

«Martha! Isabel!» Emma schob erschrocken die Hände durch das Gitter.

Isabel lag auf einer kleinen Holzpritsche. Sie blickte mit weit geöffneten Augen an die Decke. Martha saß neben ihr und strich ihr mit besorgter Miene über die Stirn. Als sie die beiden sah, sprang sie auf, zog Emma durch die Gitterstäbe an sich und umklammerte angstvoll ihre Hände. «Oh, Emma, es geht ihr nicht gut, sie ist schwach und war vorhin ohnmächtig!», sagte sie. Auch Martha war die Auseinandersetzung anzusehen, sie hatte Schrammen an den Händen, ihre Haare waren zerzaust und ihr Rock fleckig und zerrissen. Im Gegensatz zu Isabel wirkte sie aber ansonsten wohlauf.

«Sie hat sich gewehrt und um sich geschlagen, da haben sie sie auf den Boden gedrückt. Es war schrecklich …» Sie schüttelte den Kopf, wie um die Erinnerung zu vertreiben.

Emma betrachtete Isabel stirnrunzelnd. «Fühl nach, ob sie Herzrasen hat», wies sie Martha an, die sogleich den Puls der Freundin ertastete.

«Mir geht es gut, ich bin nur ein wenig müde», flüsterte Isabel.

«Nun?», fragte Emma ungeduldig, und Martha schüttelte den Kopf.

«Ich glaube nicht.»

«Gut. Ist sie kaltschweißig, hatte sie Angst oder Schwindel, war sie unruhig?», fragte sie schnell und sah sich hastig um, ob auch niemand kam, um sie schon fortzuholen.

«Nein, sie ist ganz warm», sagte Martha und fühlte Isabels Stirn, die unwillig den Kopf zur Seite drehte.

«Gut. Das ist gut!», sagte Emma. «Dann hat sie hoffentlich keinen Schock. Sie sollte trotzdem liegen bleiben. Roll die Decke zusammen und stopf sie ihr unter die Knie. Ich müsste sie eigentlich abtasten, aber sie scheint keine inneren Verletzungen zu haben. Ich will nicht, dass sie schon aufsteht. Du hast doch keine Schmerzen im Bauch, oder?», fragte sie laut.

Isabel schloss die Augen. «Nein, ich muss nur etwas ruhen», sagte sie leise.

Lily hatte sie noch nie so gesehen, Isabel war immer laut, immer aufgeregt, immer wütend, immer voller Energie. Dieses stumme, blasse Etwas auf der Pritsche war nicht die Freundin, die sie kannte.

«Hör zu, wenn sie über Schmerzen im Bauch klagt, über Schwindel oder Herzrasen, wenn kalter Schweiß ausbricht, dann verlange einen Arzt, und zwar sofort!», sagte Emma eindringlich zu Martha. «Sollten sie sich weigern, drohe ihnen meinetwegen an, dass dein Vater sie allesamt vor Gericht zerrt. Wenn etwas davon auftritt, dann muss sie behandelt werden, hast du verstanden? Das ist sehr wichtig!»

Martha nickte erschrocken.

Plötzlich erklangen laute Schritte hinter ihnen. «Treten Sie zurück von der Zelle!», bellte eine barsche Stimme.

Lily fuhr herum, hinter ihnen stand ein Wachtmeister. Er war groß, hatte ein rotes Gesicht und einen gezwirbelten Kaiserbart. Das musste der Mann sein, von dem die Frau draußen gesprochen hatte.

Der Mann, der Isabel getreten hatte.

«Die Besuchszeit ist um», sagte er scharf. «Man hätte Sie gar nicht vorlassen sollen.»

«Damit wir nicht sehen, was Sie den Frauen angetan haben?», fragte Emma kalt und trat einen Schritt vor.

Er sah sie an, sein Blick wurde noch härter. «Name?», bellte er so laut, dass sie beide zusammenzuckten.

Emma blinzelte, wich aber nicht zurück. «Emma Wilson», erwiderte sie.

Er runzelte die Stirn. Dann packte er Emma so schnell und hart am Arm, dass sie überrascht aufkeuchte. «Ah. Von Ihnen habe ich schon gehört. Sie sind die Ärztin.» Er spuckte das Wort höhnisch aus. «Was für eine Familie! Der Vater stirbt, und die Frauen haben nichts Besseres zu tun, als sein Lebenswerk zu verschandeln und sein Geld in die Gosse zu schmeißen. Er würde sich sicher im Grabe umdrehen, wenn er wüsste, was seine Tochter so treibt. Wir werden bald mal auf einen Besuch in Ihrem Stift vorbeikommen und schauen, dass dort auch alles seinen rechten Gang geht! Schließlich dürfen Sie hier keinesfalls praktizieren.» Er lächelte bei den Worten so unheilvoll, dass Lily schlucken musste. Immer noch hielt er Emma fest.

«Lassen Sie mich sofort los!», zischte sie und versuchte, sich zu befreien.

«Sonst?», fragte er gelassen, aber mit einem gefährlichen Unterton in der Stimme. «Holen Sie die Polizei?» Er grub seine Finger tiefer in ihren Arm und machte keinerlei Anstalten, sie gehenzulassen. «Was machen Sie eigentlich bei diesen Weibern? So wie Sie aussehen, haben Sie das doch gar nicht nötig», sagte er und musterte Emma, als wäre sie eine besondere Leckerei.

Lily hielt es nicht mehr aus. Sie trat vor. «Herr Wachtmeister. Vielleicht kennen Sie meinen Vater, Alfred Karsten.»

Sein Kopf fuhr herum. Er hatte sie bisher gar nicht beachtet.

«Und meinen Onkel, Robert Karsten. Den Anwalt.» Lily wusste selbst nicht, woher sie den Mut nahm, diese Worte auszusprechen. Ihr Onkel war Anwalt, sogar ein sehr angesehener. Aber niemals würde er gutheißen, was die Frauen auf dem Rathausplatz getan hatten. Geschweige denn sie unterstützen.

Wachtmeister Beets musterte sie einen Moment aus schmalen Augen, dann ließ er Emma endlich los. Sie trat hastig zurück und rieb sich den Arm. «Selbstverständlich kenne ich sie», sagte er, und sein Blick war nicht mehr ganz so fest wie zuvor. «Zwei der angesehensten Männer unserer Stadt. Was würden sie wohl dazu sagen, dass ihre Tochter im Untersuchungsgefängnis ist?»

«Ich bin nicht im Untersuchungsgefängnis. Ich bin eine Besucherin», sagte Lily und hielt seinem Blick stand.

Er musterte sie, und plötzlich flackerte Erkennen in seinem Blick auf. «Karsten», sagte er. «Die Reedersleute. Sind Sie etwa die Tochter, über die man in der Stadt die wilden Geschichten erzählt?» Sein Blick wanderte zwischen Lily und Emma hin und her. «Na, wenn Sie mit der da und diesen keifenden Weibern zu tun haben, würde mich das nicht wundern», lachte er abfällig.

Lily holte scharf Luft. «Mein Privatleben tut hier wohl kaum etwas zur Sache», erwiderte sie kühl. «Aber ich werde sofort einen Boten losschicken und meinen Onkel herkommen lassen, wenn Sie es für nötig halten.»

Beets trat einen Schritt zurück. «Das wäre wohl etwas voreilig!» Lily konnte sehen, dass er ihrem Bluff nicht ganz traute, es aber auch nicht wagte, das Risiko einzugehen. «Aber Sie sollten Ihren Umgang überdenken, Fräulein Karsten. Diese Frauen sind eine Schande für unsere Stadt und für Ihr Geschlecht im Allgemeinen.»

«Ich danke Ihnen für den Rat», erwiderte Lily voller Verachtung. «Was geschieht nun mit ihnen?»

Er zuckte unbestimmt die Achseln. «Wir werden ihre Familien über die Verhaftung informieren. Dann werden wir weitersehen.» Wahrscheinlich meinte er damit, dass er abwarten wollte, wie viel Schweige- und Bestechungsgeld die Väter anbieten würden.

Emma bedeutete Lily mit den Augen, sie solle es gut sein lassen.

«Schön. Dann werde ich mich morgen wieder nach ihrem Befinden erkundigen.» Lily lächelte, als würde sie mit einem netten Bekannten reden. Innerlich zitterte sie vor Wut – und auch vor Angst.

Beets schüttelte den Kopf. «Ich kann nicht garantieren, dass sie dann noch hier sind. Wir sind überbelegt, wahrscheinlich bringen wir sie heute noch nach Fuhlsbüttel.»

«Aber … das ist ein Gefängnis!», rief Lily erschrocken. «Sie wurden ja noch nicht einmal gehört!»

«Ganz richtig, Fräulein Karsten. Straftäter kommen ins Gefängnis. Ihre Freundinnen wurden auf frischer Tat dabei ertappt, wie sie sich gegen die Gesetze unseres Kaisers auflehnten. Ich war selbst vor Ort. Es ist vollkommen rechtens, sie bis zu auf weiteres zu verlegen, wenn die Umstände es verlangen.»

«Aber …», setzte Lily an, doch er hatte sich schon abgewandt.

«Kommen Sie morgen wieder!» Er nickte steif und verschwand mit einem letzten gierigen Blick auf Emma.

Auf der Straße sahen sie sich ratlos an. «Was machen wir nun?», fragte Lily. Sie fröstelte.

Emma schüttelte den Kopf. «Ich weiß es auch nicht. Wir können jetzt nur warten und –»

In diesem Moment hielt eine Kutsche so scharf vor dem Tor der Wache, dass die Pferde scheuten. «Hoooo!» Der Kutscher sprang sofort ab, aber die Türen hatten sich bereits geöffnet. Ein grimmiger Herr mit Zylinder kletterte heraus, gefolgt von einem jüngeren Mann, der augenscheinlich sein Sohn war und nicht weniger düster dreinschaute.

«Das ist Marthas Familie!», flüsterte Emma mit großen Augen.

Sie beobachteten, wie die Männer in die Wache eilten. Keine zehn Minuten später kamen sie wieder heraus, eine aufgelöst wirkende Martha in ihrer Mitte. Die Kutsche fuhr vor, und ehe sie sichs versahen, waren sie verschwunden.

«Was ist mit Isabel?», fragte Lily, doch Emma schüttelte den Kopf.

«Ich glaube kaum, dass sie sich für sie eingesetzt haben. Sie denken sicher, dass Isabel unsere Wortführerin und für alles verantwortlich ist.» Emma rang nervös die Hände. «Wenn sie ins Gefängnis muss, darf sie nicht mehr als Lehrerin arbeiten», sagte sie, und Lily sah sie erschrocken an.

«Aber sie lassen sie doch sicher wieder frei!», rief sie. «Sie hat doch nichts getan.»

«Sie hat gegen das Gesetz verstoßen, Lily. Diesem Widerling Beets traue ich alles zu. Er will sicher ein Exempel an ihr statuieren!»

Sie konnten nichts anderes tun, als nach Hause zu fahren. «Versprich mir, dass du zu uns kommst und berichtest», verlangte Lily, bevor sie in die Mietdroschke stieg, die sie in die Villa bringen würde. Sie ergriff Emmas Hände. «Morgen kann ich bestimmt nicht noch einmal mitkommen, es war heute schon viel zu gewagt. Ich will gar nicht wissen, wie Henry reagiert, wenn er davon erfährt.»

Emma nickte besorgt. «Es tut mir leid, ich hätte nicht zu euch kommen sollen, ich dachte nur …»

«Nein, nein, du hast das Richtige getan!», protestierte Lily.

Emma versprach ihr, sie zu informieren, sobald sie konnte, dann fuhr Lily davon.

Als sie ins Haus zurückkam, war Henry noch nicht wieder da. Sie zog den Mantel aus und ging auf direktem Wege zu ihrem Vater ins Büro.

Er blickte auf, als sie anklopfte und eintrat, sagte aber nichts.

«Ich bin wieder da …» Zögernd näherte Lily sich seinem Schreibtisch.

«Das sehe ich!» Er lehnte sich im Stuhl zurück. «Ich brauche wohl nicht zu sagen, dass ich eine Szene wie die vorhin nicht noch einmal erleben möchte?», fragte er mit so viel kalter Wut in der Stimme, dass Lily schlucken musste.

«Ich hoffe, das wirst du nicht», sagte sie, um Fassung bemüht. «Aber wenn meine Freundinnen in Schwierigkeiten sind, werde ich ihnen zu helfen versuchen. Dasselbe würdest du auch für deine Freunde tun.»

Einen Moment sah er sie durchdringend an. «Ja, Lily, das würde ich», sagte er schließlich. «Aber zwischen dir und mir gibt es einige sehr bedeutende Unterschiede.»

Sie nickte. «Das ist mir klar, Vater.»

Er blickte auf die Papiere vor sich. «Nun, es ist die Sache deines Ehemannes, dich für dein Verhalten zur Rechenschaft zu ziehen. Brauchst du noch etwas von mir?»

Erstaunt sah Lily ihn an. «Nein», erwiderte sie leise.

«Gut.» Er nickte. «Mach bitte die Tür hinter dir zu.»

Mit einem Kloß im Hals drehte sie sich um. Dann blieb sie noch einmal stehen. «Ich wollte dich nicht verärgern», sagte sie leise.

Er seufzte. «Ich weiß», erwiderte er. «Das willst du nie. Aber das ändert nichts.»

Lily wartete den ganzen Abend und den nächsten Morgen auf Henrys Wut, darauf dass er sie zu sich holen und zur Rede stellen würde. Aber nichts dergleichen geschah. Als er ihr und Sylta am nächsten Mittag gut gelaunt vorschlug, doch mit Hanna eine Runde um die Alster zu spazieren, verstand Lily, dass ihr Vater ihm nichts erzählt hatte.

Emma ging nervös auf und ab, sie knetete die Hände und hatte rote Flecken auf den Wangen. Martha saß bleich neben ihr am Tisch und rauchte ihre dritte Zigarette.

«Du weißt, wie Isabel ist. Sie lässt sich nicht den Mund verbieten. Sie ist keine, die schweigt, damit sie nicht mehr getreten oder früher entlassen wird. Sie wird sich dadrin in ernsthafte Schwierigkeiten bringen. Was machen wir nur?», sagte Emma. «Kann dein Vater nicht erwirken, dass sie auch freigelassen wird?»

Martha schüttelte den Kopf. «Meine Eltern denken, dass es ihre verdiente Strafe ist, was nun geschieht.»

«Das kann doch nicht sein!»

Martha nickte traurig. «Leider doch. Ich wollte bei ihr bleiben, aber sie haben mir gar nicht zugehört. Mein Vater sagt, dass sie meine Zuwendung streichen, wenn ich mich weiter mit euch abgebe.» Sie zog nervös an ihrer Zigarette. «Aber es wird ohnehin Zeit, mich ganz von ihnen abzunabeln. Ich will ihre Almosen nicht mehr.»

«Aber wovon willst du leben?», fragte Emma besorgt.

Martha zuckte die Achseln. «Mir wird schon was einfallen», erwiderte sie. «Andere schaffen es schließlich auch. Jetzt geht es erst mal um Isabel.»

«Vielleicht kann Lilys Onkel etwas unternehmen?», murmelte Emma, doch Martha schnaubte nur leise.

«Er könnte sicher, aber ich sage dir jetzt schon, dass er das nicht tun wird, wenn er hört, warum sie verhaftet wurde. Sind doch alle gleich in diesen Dingen.»

«Dann müssen wir uns eben selbst etwas einfallen lassen.»

Doch wie sich herausstellte, hatten sie sich umsonst Sorgen gemacht, Isabel wurde bereits am selben Tag entlassen und direkt ins Krankenhaus St. Georg gebracht.

«Sie hatten wohl Angst, dass sie in Schwierigkeiten kommen, wenn sie Isabel nicht zu einem Arzt bringen», sagte Emma grimmig und beugte sich über ihr Bett. Mit gerunzelter Stirn betrachtete sie die Medizin, die auf dem Nachttisch stand, dann überprüfte sie mit geübtem Blick Isabels Herzfunktion, als keine der Schwestern hinsah. «Du wirst bald wieder gesund», sagte sie, und Isabel lächelte schwach. Sie wirkte benommen, ihre Augen glänzten fiebrig.

«Wir müssen ab jetzt vorsichtiger sein», mahnte Martha eindringlich.

Aber Isabel schüttelte den Kopf. «Jetzt erst recht», erwiderte sie mit brüchiger Stimme, und Emma sah, wie Martha sorgenvoll die Augenbrauen zusammenzog. Es war, als habe sich die Atmosphäre im Raum plötzlich verdunkelt.

Auf dem Nachhauseweg schwiegen sie bedrückt. Die schwache Isabel alleine im Krankenhaus zurückzulassen fiel ihnen schwer. Sie wussten, dass sie keine Familie hatte und niemand außer ihnen nach ihr sehen würde. Emma wollte nicht schon wieder in die Karsten-Villa fahren und Lily in Schwierigkeiten bringen, daher schickte sie einen Botenjungen mit einer Nachricht.

Isabel im Krankenhaus. Alles in Ordnung. Mach dir keine Sorgen.

Sie sah dem Jungen nach und spürte ein Prickeln im Nacken. Sie selbst war weit weniger optimistisch als ihre Nachricht.

Klara hasste Großreinemachen. Was für eine elende Plackerei! Letztes Mal hatte sie einen verdorbenen Magen vorgetäuscht, sich so glaubhaft in Krämpfen gewunden, dass sie um das Schuften herumgekommen war. Aber das konnte sie nicht jedes Mal veranstalten. Agnes hatte ihr schon damals nicht wirklich geglaubt, das hatte sie genau gesehen. Nicht einmal eine Wärmflasche hatten sie ihr gebracht, niemand hatte gefragt, wie es ihr ging, dabei hätte man denken können, sie habe die Pest, so sehr hatte sie gestöhnt und sich den Magen gehalten. Nun, die anderen konnten sie eben alle nicht ausstehen. Und das beruhte auf Gegenseitigkeit.

Wie Agnes sie alle antrieb – als wäre in der Villa noch nie zuvor geputzt worden. Sie kehrten das Innere des Hauses nach außen, jede Schublade wurde geöffnet, der Inhalt sortiert, gereinigt und wieder hineingelegt. Den ganzen Tag rannte Klara die Treppen hinauf und wieder hinunter, sie scheuerten jede Oberfläche, polierten und wachsten alle Böden, putzten selbst die Fenster des Dachbodens, schlugen im Hof die Matratzen und Teppiche aus. Am Abend nieste und hustete sie grau. Nun war auch noch die Rede davon, nächste Woche Waschtag zu machen.

Klara biss die Zähne zusammen und arbeitete so langsam wie möglich. Als sie gerade im Hof die Teppiche ausklopfte, ließ Toni die Kutsche vorfahren. Kai trug eine Tasche aus dem Haus und stellte sie auf das Gepäckfach, kurz darauf kam der junge Herr Karsten aus der Vordertür. Er richtete sich die Krawatte und blickte wie immer finster drein. Toni hielt ihnen die Tür auf, sie stiegen ein und fuhren davon.

Seit Kai sich mit den anderen gegen sie verbündet hatte, würdigte er sie keines Blickes mehr, und Klara tat es ihm gleich. Sie hatten seither kein einziges freundliches Wort gewechselt. «Der macht sich ein faules Leben und lässt uns hier ackern wie die Pferde», murmelte sie durch die Zähne, während sie der Kutsche nachblickte, die langsam die Auffahrt entlang und dann die Bellevue hinabfuhr. Seit Franz die Wohnung in der Stadt hatte, nahm er Kai mindestens zweimal die Woche als Leibdiener mit. Und sie musste die Arbeit im Haus auffangen, die dadurch liegenblieb. «Ausgerechnet am Großreinemachen», zischte sie.

«Na, was ziehst du denn schon wieder für ein Gesicht?» Agnes war neben ihr aufgetaucht und deutete mit in die Hüften gestemmten Fäusten und hochgezogenen Augenbrauen auf die Teppiche, die sie eigentlich gerade klopfen sollte.

«Kai ist schon wieder mit Herrn Karsten in der Stadt. Dabei wissen die doch, dass wir heute Putztag haben!», murrte Klara.

«Ja, denkst du, das kümmert Herrn Karsten? Er braucht nun mal jemanden, der ihm in der Wohnung zur Hand geht, das ist doch selbstverständlich. Soll er vielleicht seinen Zeitplan nach dir richten und warten, bis du die Teppiche geklopft hast?»

Agnes lachte laut und ging wieder ins Haus. Wütend starrte Klara ihr hinterher.

Wenige Tage später schlurfte sie frühmorgens in die Küche. Es war noch dunkel draußen, aber die Waschfrau kam um sechs, und es war Klaras Aufgabe, vorher Feuer zu machen und die Kessel anzuheizen. Mit vor Müdigkeit verquollenem Gesicht schichtete sie das Holz in der Waschküche und füllte die Kessel. Dann begann sie, die Seifenstücke zu schneiden. Schon beim Frühstück zwei Stunden später war sie so erschöpft, dass sie dem langen Tag, der vor ihr lag, mit Grauen entgegenblickte.

«Waschtag?», fragte Kai feixend, als sie mit offenem Mund gähnte und sich die Augen rieb.

«Ganz recht, du musst also heute leider die Betten machen», erwiderte sie schroff.

Kai schnaubte belustigt und nahm sich eine zweite Scheibe Graubrot. «Leider nein. Ich fahre gleich mit Herrn Karsten in die Stadt.»

«Schon wieder?» Klaras Kopf fuhr herum.

Er nickte zufrieden. «Was dagegen?»

«Es kann nicht angehen, dass ich immer deine Arbeit mit erledigen muss!», rief sie. Aber in diesem Moment kam Agnes herein, und sie verstummte. Wütend musterte sie Kai, der pfeifend sein Brot nahm und mit einem überheblichen Grinsen das Zimmer verließ.

Den ganzen Tag lang kochten und rieben sie die Wäsche. Abends waren Klaras Hände rot und rissig. Es gab zwar eine Wringmaschine im Haus, die die Arbeit ein wenig erleichterte, trotzdem spürte sie jeden Knochen im Leib. Und am nächsten Tag ging es weiter mit dem Bleichen. Und am übernächsten mit dem Blauen. Klara war so erschöpft, dass sie kaum noch geradeaus gucken konnte. Danach würden sie noch alles mangeln und bügeln müssen. Und bald ging dann alles wieder von vorne los. Kai war noch immer mit Herrn Karsten in der Stadtwohnung, Lise machte die Hausarbeit, und an ihr blieb die ganze Wäsche hängen. Die Tagfrau war ein faules Stück, ständig stahl sie sich davon, um heimlich Pause zu machen, und ließ sie mit den Bergen an Weißwäsche allein.

Klara hatte noch nie alleine geblaut, aber als die Frau am dritten Tag wieder zu spät kam und sie ihren Feierabend in immer weitere Ferne rücken sah, krempelte sie kurzerhand die Ärmel hoch. «So schwer kann es ja nicht sein», murmelte sie. Ohne zu zögern nahm sie das Ultramarin-Farbpulver, schüttete einen guten Schuss davon in ein Glas mit Wasser und sah zu, wie es sich auflöste. Die Farbe diente dazu, den bläulich weißen Ton der Weißwäsche zu halten. Sie hatte die Prozedur schon oft beobachtet. Mürrisch füllte sie den Zuber mit kaltem Wasser und seihte die Farbe durch ein dünnes Leinensäckchen. Als das Wasser sich blau färbte, warf sie einen ganzen Arm voll weißer Spitzenwäsche hinein und drückte sie mit einer Kelle nach unten. Es ist schon ein ziemlich dunkles Blau, dachte sie unsicher. Aber dann würde sie die Stücke eben nicht allzu lange drin lassen. Erschöpft ließ sie sich auf einen Schemel sinken. Sollte das jetzt ihr ganzes Leben so weitergehen? Arbeiten, bis sie nicht mehr konnte, und dann irgendwann tot umfallen?

Wenig später wurde sie von einem spitzen Schrei geweckt. «Herrgott, Mädchen!» Die Waschfrau tauchte die Kelle ins Wasser und zog eilig die kostbare Spitzenwäsche hervor, die Klara in den Zuber geworfen hatte.

Sie war blau.

«Oh, nein!» Vor Schreck wurde Klara übel. Wenn sie das alles bezahlen musste, würde sie ein Jahr umsonst arbeiten. «Ich bin eingeschlafen!», rief sie verzweifelt und fuhr in die Höhe wie von einer Wespe gestochen.

Die Tagfrau schimpfte und wetterte vor sich hin, während sie versuchte zu retten, was zu retten war. Von ihrem Geschrei alarmiert kam Agnes in die Waschküche gerannt. Sie wurde ganz weiß im Gesicht, als sie die Wäsche sah. Dann gab sie Klara eine schallende Ohrfeige. «Was hast du angerichtet?», rief sie. «Die ganze Wäsche der Madame!»

Klara hielt sich die pulsierende Wange. Vor Angst und Wut schossen ihr die Tränen in die Augen. «Ich wollte doch nur ...», rief sie, aber Agnes ließ sie nicht zu Wort kommen.

«Halt den Mund und geh ins Haus, du faules Stück. Du bist wirklich zu nichts zu gebrauchen. Lise wird hier weitermachen, und du übernimmst ihre Aufgaben drinnen, wo ich dich im Auge behalten kann!» Bestürzt betrachtete Agnes den Schaden. «Na, wenn dich das mal nicht dein Gehalt kostet», prophezeite sie düster, und Klara stöhnte verzweifelt auf und rannte ins Haus.

Den Rest des Tages arbeitete sie noch fahriger und unkonzentrierter als ohnehin. Sie zerbrach zwei Gläser und kassierte dafür eine erneute Ohrfeige.

Nach dem Abendessen nahm Agnes sie beiseite. «Wir werden einiges bleichen können. Aber die besonders feinen Stücke sind ruiniert. Was hast du dir nur gedacht?»

Klara nickte schuldbewusst. «Die Frau kam zu spät, und ich wollte schon anfangen.»

Agnes seufzte und sah sie halb mitleidig, halb zornig an. «Nun, das war wirklich keine gute Idee. Der Ersatz wird dir vom Lohn abgezogen werden.»

Sie nickte wieder.

Agnes schüttelte den Kopf «Mädchen, was ist nur mit dir los? Ich verzichte auf eine Strafe, das Geld ist dir sicher Lektion genug.» Agnes stand auf. «Gut, für heute soll es reichen. Aber jemand muss Herrn Karsten noch seine frische Wechselwäsche und neue Laken bringen. Da Lise sich ihren Feierabend heute wirklich mehr verdient hat, wirst du fahren.»

«Heute noch?», rief Klara entsetzt. Sie war vollkommen erschöpft von den letzten Tagen und würde morgen wieder zwei Stunden früher aufstehen müssen, um mit dem Mangeln und Bügeln zu beginnen.

«Wie bitte?», fragte Agnes leise, und ihre Augen funkelten gefährlich.

Klara senkte den Blick. «Ja, Frau Agnes», presste sie wütend hervor. Sie hätte weinen können. So ein schrecklicher Tag, alles tat ihr weh, sie würde die nächsten Wochen umsonst arbeiten, und nun verlor sie auch noch wertvollen Schlaf.

Agnes hatte ihr den Zweitschlüssel gegeben. «Falls kein Licht mehr an ist, stellst du die Tasche einfach rasch in den Flur und gehst wieder. Dass du auch ja niemanden störst!»

Klara würde sich hüten, sie konnte den jungen Herrn Karsten nicht ausstehen, er machte ihr Angst mit seinen kalten Augen und der herrischen Stimme. Und Kai musste sie heute wirklich nicht auch noch begegnen.

Als die Kutsche vor dem Haus hielt, seufzte sie erleichtert. Küche und Salon lagen dunkel da. Entweder war Herr Karsten ausgegangen, und Kai hatte den Abend frei, oder sie hatten sich in den Wohn- und Schlafbereich zurückgezogen, der nach hinten hinaus lag. Eilig stieg sie das dunkle Treppenhaus hinauf und drehte geräuschlos den Schlüssel im Schloss. Auf Zehenspitzen tappte sie durch den Flur und wollte gerade die Tasche neben den Spiegel stellen, da hörte sie Geräusche aus dem Schlafzimmer.

Sehr eindeutige Geräusche.

Klara erstarrte. Herr Karsten hat eine Mätresse!, dachte sie. Erst war sie empört, dann fand sie, dass es eigentlich nicht überraschend war. Man konnte es ihm nicht einmal verübeln, Roswita war so scheußlich maulig und immer schlecht gelaunt oder weinerlich. Trotzdem … Musste sie es ihrer Herrin sagen? Unschlüssig stand sie da. Doch plötzlich runzelte sie die Stirn. Dieses Stöhnen. Irgendetwas stimmte nicht.

Klara spürte, wie ihr ein leises Prickeln den Rücken hinabfuhr. Langsam ging sie auf die Schlafzimmertür zu. Sie bückte sich und schaute durchs Schlüsselloch.

Es war, als würde ihr das Blut in den Adern gefrieren. Sie presste die Hände vor den Mund und wich bis an die Wand zurück, die Augen vor Entsetzen weit aufgerissen. Ein paar Sekunden stand sie da und versuchte, ihren Atem zu kontrollieren. Sie zitterte am ganzen Leib. Dann drehte sie sich um, rannte aus der Wohnung und flog die Treppe hinab und zur Haustür hinaus.

In der Kutsche saß sie händeringend da, starrte mit großen Augen aus dem Fenster. Draußen rauschte die dunkle Stadt vorbei. Normalerweise hätte sie es genossen, sich herumfahren zu lassen wie die feinen Herrschaften. Jetzt konnte sie nicht einmal daran denken. Sünde war es, was sie soeben gesehen hatte. Die reinste, schrecklichste, dunkelste Sünde.

Sie zitterte, gleichzeitig war sie vor Schreck wie gelähmt. Ihr Puls pochte in ihrem Hals. Was sollte sie jetzt tun? Wenn sie es ihrer Herrin sagte, würde nichts mehr sein wie zuvor. Roswita musste sich von diesem Monster scheiden lassen, es blieb ihr ja keine Wahl.

Und dann?

Plötzlich stutzte Klara. Und dann? Dann würden sie fortgehen aus diesem schrecklichen Haus. Wieder zurück ins Palais, wo es so viele Dienstboten gab, dass man sich leicht davonstehlen konnte. Wo die Arbeit für jeden Einzelnen nicht so schwer war. Wo ihre Freundinnen waren. Ein zaghaftes Lächeln huschte über Klaras Gesicht. Roswita würde es allein ihr verdanken, dass sie vor ihrem verdorbenen Ehemann gerettet wurde. Sie würde sich sicher erkenntlich zeigen. Vielleicht würden sie zusammen fortgehen, bis Gras über den Skandal gewachsen war. Irgendwohin ans Meer, nach Scharbeutz vielleicht, wo die Oolkerts ein Logierhaus hatten. Oder ins Ausland. Sie würden zusammen reisen, mit dem Schiff, so wie Lily Karsten, als sie von einem anderen

Mann schwanger gewesen war. Endlich würde etwas passieren in ihrem Leben. Sie war sowieso Roswitas Vertraute, und wenn sie dieses Geheimnis teilten, würde sie das noch enger zusammenschweißen.

Roswita starrte Klara verständnislos an. «Was redest du denn?» Sie lachte unsicher. «Du bist ja nicht bei Verstand! Hast du Fieber?» Mit verkniffenem Gesicht trat sie auf Klara zu und fühlte ihre Stirn. «Du scheinst mir wirklich etwas Temperatur zu haben. Vielleicht nimmst du ein wenig Stärkungsmittel fürs Blut? Ich habe etwas im Nachtschrank.»

«Aber Madame, Sie verstehen nicht …» Verzweifelt knetete Klara ihre Schürze in den Händen. Es war bereits nach zehn, Roswita hatte sich schon in ihr Schlafgemach zurückgezogen. Noch nie hatte Klara so spätabends an ihre Tür geklopft. Aber sie war sich sicher, dass die Situation einen Notfall darstellte. Auf keinen Fall konnte sie bis zum Morgen warten. Doch als sie ihrer Herrin nun gegenüberstand, fehlten ihr plötzlich die Worte. Roswita sah so jung und verletzlich aus, ungeschminkt und mit ihrer Nachthaube über der hässlichen, niedrigen Stirn. Kaum älter als Klara selbst. Wie würde sie reagieren auf das, was sie zu erzählen hatte?

Es brachte Klara so durcheinander, dass sie nur Unverständliches vor sich hin stotterte. Sie erzählte vom Waschtag, der verunglückten Spitze, der Tasche mit der Wäsche, aber alles sprudelte durcheinander aus ihr heraus.

«Nun komm zum Punkt!», rief Roswita irgendwann. «Was willst du mir sagen?»

«Madame. Ich habe sie zusammen gesehen. Sie …»

«Wen? Wen hast du zusammen gesehen?» Roswita fasste sie

ungeduldig am Arm und zog sie ins Zimmer hinein. Sie warf einen Blick auf den dunklen Gang, dann schloss sie die Tür. «So, jetzt noch mal von vorne. Und der Reihe nach!»

Klara biss sich auf die Lippen. «Ihren Mann, Herrn Karsten. Ihn habe ich gesehen. Ich war in der Stadtwohnung. Ich wollte nur die Tasche mit der frischen Wäsche in den Flur stellen. Und da habe ich es gehört!» Sie stockte.

Roswita trat einen Schritt auf sie zu. «Was?», fragte sie scharf. «Was hast du gehört?» Sie war bleich geworden. Klara sah an ihrem Gesicht, dass sie bereits etwas ahnte.

«Ich … Geräusche. Aus dem Schlafzimmer.» Plötzlich konnte sie ihrer Herrin nicht mehr in die Augen schauen. So sehr sie sich auch sonst damit brüstete, dass nichts und niemand sie verunsichern konnte, so zittrig fühlte sie sich mit einem Mal. Sie senkte den Blick.

«Oh Gott», flüsterte Roswita. «Er hat eine Affäre. Ich habe es ja geahnt!» Sie schluchzte laut auf. Plötzlich fuhr sie herum. «Wer ist sie? Hast du sie gesehen? Bestimmt diese Maria Schustersen, sie hatte es schon immer …»

«Madame. Sie verstehen nicht …» Hastig unterbrach Klara sie. «Es war keine Frau dort. Nur Herr Karsten. Und Kai.»

Roswita starrte sie mit offenem Mund an, und Klara dachte, dass sie aussah wie eine Kuh im Regen. Dann lachte sie plötzlich schrill. «Der Kammerdiener?» Erleichtert schüttelte sie den Kopf. «Ach, Klara, du Dummchen. Kai wohnt doch bei ihm, wenn er in der Stadt ist. Natürlich war er in der Wohnung, wo soll er denn sonst sein. Himmel, hast du mich erschreckt, ich dachte schon …»

«Frau Roswita.» Wieder unterbrach Klara ihre Herrin, normalerweise wäre sie dafür schwer getadelt worden. «Das ist es nicht. Ich rede von …» Ihr fiel das Wort nicht ein, sie stotterte, stand mit offenem Mund da, und nichts kam heraus. Dann war es plötzlich wieder da. «Sodomie!», hauchte sie, und Roswita wich alle Farbe aus dem Gesicht.

Und was für Frauen leben hier genau?»
Herr Kross von der Armenhilfe ihr gegenüber am Tisch sah Emma mit gespitzten Lippen an. Die warf Gerda einen Blick zu.

«Nun», erwiderte sie. «Diejenigen, die keine andere Wahl haben. Frauen, die durch Zwangsräumungen heimatlos geworden sind zum Beispiel. Sie wissen ja, dass abgerissen wird ohne Unterlass, und niemand kümmert sich darum, wo die Menschen hinsollen!»

Er nickte und fuhr sich mit der Hand über den Bart.

«Viele sind arbeitslos und können sich keine Bleibe leisten. Aber wir nehmen auch Opfer von häuslicher Gewalt auf.»

«Interessant!» Sein Mund wurde noch spitzer, und er machte sich eine Notiz.

Der Herr hatte am Vormittag unangemeldet vor der Tür des Frauenstifts gestanden und verkündet, dass er für eine Inspektion gekommen sei, um dem Missbrauch von Unterstützungsgeldern entgegenzuwirken. Passenderweise war genau in diesem Moment Gerda zu ihrem wöchentlichen Besuch mit der Kutsche vorgefahren. Emma war froh gewesen, die Inspektion nicht alleine begleiten zu müssen. Jetzt war sie aber nicht mehr so sicher, ob es klug war, Gerda dabeizuhaben, die nie ein Blatt vor den Mund nahm und es gewohnt war, dass die Welt sich ihrem Willen unterwarf. Die alte Dame lehnte sich gerade neugierig vor, um zu sehen, was Herr Kross aufschrieb. Er hob den Blick, und Gerda zuckte ertappt zusammen. Sie lehnte sich jedoch nicht wieder zurück, sondern zwinkerte ihm verschwörerisch zu.

Herr Kross erstarrte. Er lief rot an und hüstelte verlegen. Emma stieß Gerda unter dem Tisch mit dem Fuß gegen den Rock.

«Und inwiefern unterscheiden Sie sich von der Hamburger Armenfürsorge?», fragte Herr Kross, nachdem er sich wieder gefangen hatte.

Emma setzte zu einer Antwort an, aber zu ihrer Überraschung war Gerda schneller. «Das kann ich Ihnen ganz genau sagen, junger Mann», verkündete sie selbstsicher. «Wir sind wesentlich unbürokratischer. Dort scheitern viele Frauen ja schon an dem unsäglichen Aufnahmeverfahren.» Sie wedelte ungeduldig mit der Hand. «Das ist bei uns einfacher. Wir geben natürlich keine Spenden oder Essensmarken aus und auch keine Mietzuschüsse. Wir sind eine Übergangslösung, ein Auffangort, wenn Sie so wollen. Eine Zufluchtsstätte. Wir machen keinen Unterschied nach Konfession oder Stand, wollen nichts über die Herkunft der Frauen wissen. Wir helfen und schicken sie dann in besserem Zustand wieder zurück ins Leben, sodass sie hoffentlich alleine für sich sorgen können. Wir leisten sozusagen weibliche Rettungsarbeit! Es sollte noch wesentlich mehr Asylheime wie das unsere geben. Eine Schande ist es, dass der Senat mit seinen Geldern so geizt.»

Verblüfft starrte Emma Gerda an. Sie hätte nicht gedacht, dass Gerda diese Dinge wusste, geschweige denn so eloquent ausdrücken konnte. Auch Herr Kross schien beeindruckt. Er nickte wohlwollend und begann wieder zu kritzeln.

«Wo wir gerade dabei sind, wir brauchen dringend noch neue Ausstattung für die Wohn- und Wirtschaftsräume. Können Sie nicht ein gutes Wort für uns einlegen?» Gerda zeigte ihr breitestes Lächeln.

In diesem Moment kam Charlie in die Küche. Emma zuckte zusammen, an ihn hatte sie nicht gedacht. Charlie trug eine Arbeiterhose, schwere Stiefel und war über und über bedeckt mit kleinen Holzspänen. Er nickte dem Mann überrascht zu und stellte sich vor. «Charles Quinn, freut mich», sagte er und nahm sich einen Kuchen vom Tablett auf der Anrichte.

«Und Sie sind?», fragte Herr Kross überrascht. «Ich dachte, hier wohnen und arbeiten nur Frauen!»

«Ich bin der Hausmeister», antwortete Charlie stolz, und Emmas Puls beschleunigte sich.

«Er wird privat bezahlt!», rief sie und stand schnell auf, um Charlie am Arm zu fassen und aus der Küche zu bugsieren. «Wir brauchen doch jemanden für die schwereren Arbeiten. Machen Sie sich keine Gedanken, sein Gehalt kommt nicht aus den Stiftungsgeldern und auch nicht aus den Zuschüssen.»

Herr Kross nickte. «Nun, das ist ja selbstverständlich», sagte er. «Wie sollen denn ein paar Frauen alleine so ein großes Projekt stemmen. Natürlich brauchen Sie da männliche Hilfe.»

Emma sah genau, dass Gerda etwas Schnippisches erwidern wollte, und warf ihr einen mahnenden Blick zu. Charlies Augen weiteten sich erstaunt, aber bevor er reagieren konnte, schob sie ihn aus dem Zimmer. «Michel sollte er nicht sehen!», mahnte sie leise und warf ihm die Tür vor der Nase zu.

Später machten sie und Gerda mit Herrn Kross noch einen Rundgang durch die Zimmer. Er wirkte zufrieden und las ihnen stolz vor, was er abschließend notiert hatte: «*Alles ist einfach, aber sehr freundlich und hübsch eingerichtet, und die Heimchen haben Freude daran, ihre Zimmerchen schmuck und ordentlich zu halten.*»

Emma und Gerda sahen sich an. «Nun. Wenn Sie mit Heimchen die Frauen meinen, dann haben Sie recht mit dieser Aussage! Allerdings weiß ich nicht, ob es ihnen gefallen würde, so genannt zu werden», rügte Gerda brüsk, und Emma seufzte innerlich. Diplomatie war noch nie Gerdas Stärke gewesen.

Von da ab veränderte sich Herrn Kross' Ton, wurde deutlich kühler. Und als sie ihm das Untersuchungszimmer zeigten, verdunkelte sich sein Blick. «Wofür brauchen Sie eine solche Einrichtung?», fragte er streng.

«Ich arbeite hier als Krankenschwester», erwiderte Emma.

Er sah sie an. «Sie haben eine Ausbildung?»

«Sie hat Medizin studiert. Frau Wilson ist Ärztin», erklärte Gerda stolz, und die Augenbrauen von Herrn Kross schossen in die Höhe.

«Aber Sie praktizieren doch wohl nicht?», fragte er und machte sich rasch eine Notiz.

Erschrocken sah Emma ihm dabei zu. «Nein, nein!», erwiderte sie. «Ich habe ja keine Zulassung hier im Reich. Für alle …», sie stockte unwillig, «… schwierigen oder notwendigen Belange lassen wir daher selbstverständlich einen Arzt kommen.»

Gerda verzog den Mund. «Was vollkommen unnötig ist!», sagte sie, und Emma hätte sie gerne erneut getreten. Nur leider hatten sie jetzt keinen Tisch mehr zwischen sich.

«Aber gesetzmäßig», erwiderte Herr Kross nachdrücklich, der sich von Gerdas teuren Kleidern und ihrem Auftreten nicht einschüchtern ließ, was, dachte Emma, man ihm irgendwie auch anrechnen musste. «Und das hat seine Gründe. Frauen können doch nicht als Ärztinnen arbeiten. Wo kämen wir denn da hin!», murmelte er.

In diesem Moment trat eine der Bewohnerinnen, die Emma erst gestern wegen Magenbeschwerden behandelt hatte, auf sie zu und fasste sie am Arm. «Frau Doktor, es wird nicht besser, vielleicht sollten Sie sich doch noch einmal meinen Bauch ansehen! Die Medizin, die Sie mir gegeben haben, wirkt nicht», klagte sie mit bleichem Gesicht, und alle drei erstarrten.

Egal, was sie auch versuchten, Herr Kross war nicht mehr umzustimmen. «Ich muss das melden!», verkündete er, bevor er eilig das Haus verließ und beinahe seine Mütze in der Tür einklemmte. «Das fällt nicht in meinen Zuständigkeitsbereich!»

«Nun machen Sie doch mal aus einer Mücke keinen Elefanten!», rief Gerda ihm unmutig hinterher, aber er war schon gegangen, und sie sahen ihm nach, wie er beinahe um die Hausecke rannte.

«Was sollte das vorhin?» Emma war zu Charlie in die Dachkammer getreten, und sie hatte noch nicht die Tür hinter sich geschlossen, da fuhr er sie schon an. «Privat bezahlt?», fragte er und baute sich mit verschränkten Armen vor ihr auf.

«Das muss dich nicht kümmern», erwiderte sie ausweichend. «Wo ist Michel?»

«Bei Ruth», erwiderte er knapp. «Ich will wissen, was du vorhin gemeint hast.»

«Gar nichts! Das waren nur Fachsimpeleien», erklärte sie leichthin und wollte zum Tisch gehen, aber er hielt sie fest.

«Sprich nicht mit mir wie mit einem Kind», blaffte er wütend. «Was bedeutet ‹privat bezahlt›?»

Emma seufzte und rieb sich die Stirn. «Es ging um die Gelder für das Stift. Herr Kross ist von der Armenfürsorge, er überprüft, ob wir auch keinen Missbrauch betreiben mit den finanziellen Mitteln, die uns vom Senat und von privaten Gebern zur Verfügung gestellt werden.»

Charlie nickte. «Und?», fragte er.

Emma wand sich unruhig hin und her. «Und ... du wirst nicht von den Mitteln bezahlt, sondern privat. Von ... mir», erwiderte sie. «Und von Gerda und Sylta natürlich!», rief sie hastig, als sie seinen Blick sah.

«Was?», fragte er leise.

Emma merkte, wie ihr Herz zu klopfen begann. «Ich verstehe nicht, warum dich das aufregt», versuchte sie zu beschwichtigen. «Wir hatten nun mal keinen Hausmeister vorgesehen, haben dann aber gemerkt, dass wir einen brauchen und …»

«Almosen!», zischte Charlie. Er war blass geworden. «Denkst du, ich kann keine Arbeit finden? Dass ich auf deine Hilfe angewiesen bin? Ich sage dir mal was, ich kann überall Anstellung finden, ich brauche niemanden, der mich aushält!»

«Davon redet doch auch keiner!», rief Emma. Sie hatte sich schon gedacht, dass er nicht begeistert reagieren würde. Dass es ihn aber dermaßen wütend machte, überraschte sie doch.

«Ihr braucht gar keinen Hausmeister, oder?», fragte Charlie jetzt, einen seltsamen Ausdruck in den Augen.

«Natürlich brauchen wir den. Das siehst du doch! Du bist den ganzen Tag beschäftigt. Und alleine, was du für Michel tust …»

«Dafür würde ich niemals Geld nehmen!», brüllte Charlie, und sie zuckte zusammen. Er tigerte im Raum auf und ab. «Du hast dir eine Beschäftigung für mich ausgedacht!», schnaubte er. «Weil ich dir leidgetan habe. Weil du dachtest, du musst mich retten. Weil es nicht genug war, dass du mich am Boden gesehen hast, in dem erbärmlichsten Zustand, den man sich nur denken kann. Dem armen, einsamen Mann, der niemand hat, den niemand liebt, der hier auf diesem scheiß Dachboden in seiner Kotze liegt, dem muss ich helfen, so wie ich allen helfe, weil ich mich sowieso immer in alles einmische. Emma Wilson, die Retterin der Armen und Kranken.» Seine Stimme bebte jetzt. «Also nehme ich ihm nicht nur seinen Stolz, sondern auch noch den Rest seiner Würde und tue so, als würde ich ihn brauchen, damit er nicht wieder versucht, sich umzubringen.» Er blieb stehen und sah sie mit roten Augen an. «Und dabei war ich euch die ganze Zeit nur lästig! Ist es nicht so?», brüllte er.

«Nein!», stieß Emma verzweifelt hervor. «Natürlich nicht, was redest du denn nur? Wir brauchen dich sogar sehr.» Sie wollte ihn festhalten, aber in seinem Blick sah sie, dass er nicht mehr er selbst war, Wut und Verletzung machten ihn rasend. Er stürmte an ihr vorbei zur Tür hinaus.

«Ich wollte doch nur … dass du hierbleibst!», rief sie.

Er blieb stehen.

Langsam drehe er sich zu ihr um, auf seinem Gesicht eine Mischung aus Verwirrung und Wut.

«Ich wollte, dass du hier bei uns bleibst», sagte Emma noch einmal, aber diesmal so leise, dass es kaum zu hören war.

Charlie antwortete nicht. Er starrte sie nur weiter an, eine Hand auf dem Geländer, die Mimik unlesbar. «Warum?», fragte er irgendwann, nachdem sie sich so lange in die Augen gesehen hatten, dass Emma meinte zu explodieren, wenn er nicht gleich etwas tun würde. Sie schüttelte den Kopf, öffnete den Mund, um etwas zu sagen, aber es kam kein Laut heraus.

Emma Wilson, du feiges Stück, dachte sie. Zu ihrer Überraschung merkte sie, dass ihre Hände zitterten. «Weil», sagte sie und hörte ein Rauschen in den Ohren, «ich mich jeden Abend darauf gefreut habe, dich zu sehen.»

Er starrte sie nur immer weiter an, und sie sah den Unglauben in seinem Gesicht. Immer noch schien er im Begriff, sich umzudrehen und davonzurennen. Emma seufzte, als sie verstand, dass er nicht auf sie zukommen würde. Ihr Herz hämmerte jetzt so sehr, dass sie das Gefühl hatte, es würde ihr gleich in der Brust zerspringen. Sie holte tief Luft. Dann durchquerte sie mit drei zielstrebigen Schritten die kleine Dachkammer, schlang Charlie die Arme um den Hals, zog ihn zu sich hinunter und küsste ihn.

Eine Sekunde war Charlie wie festgefroren. Dann erwiderte er ihren Kuss so leidenschaftlich, dass sie ein überraschtes Stöhnen von sich gab. Emma glaubte, ihre Knie würden gleich nachgeben, sie klammerte sich an ihn, und er nahm sie hoch, trug sie ins Zimmer und warf die Tür hinter ihnen zu. Dann drehte er den Schlüssel um, ohne mit dem Küssen aufzuhören.

«Das hättest du auch früher sagen können», knurrte er gegen ihren Mund, aber sie hörte, dass er lächelte.

«Ich habe auf ein Zeichen von dir gewartet», antwortete sie zwischen zwei Küssen und zog ungeduldig an seinem Hemd.

«Ich bin schüchtern», erwiderte Charlie, und sie lachte schallend, denn seine Hände waren inzwischen forschend und ganz und gar nicht schüchtern unter ihr Kleid gewandert. Er zog sie an sich, küsste ihren Hals, ihr Gesicht, ihr Dekolleté, und sie meinte, vor Wonne zu vergehen.

Ich hätte es wirklich früher sagen sollen, dachte sie, bevor Charlie sanft an ihrem Haar zog, sie in den Hals biss und ihre Gedanken ausgeschaltet wurden.

Später lagen sie leise keuchend und schweißgebadet nebeneinander. Emmas braune Haare hatten sich über das Kissen verteilt. Sie sah viel jünger aus und so schön, dass Charlie es kaum ertragen konnte. «Davon habe ich schon seit Wochen geträumt», sagte sie leise und lächelte ihn halb schamhaft, halb kokett an.

Er schüttelte den Kopf. Noch immer konnte er nicht glauben, was gerade passiert war. Eine Frau wie Emma und ein dreckiger, versoffener Hafenarbeiter wie er. Auch er hatte davon geträumt, öfter und intensiver, als es ihm lieb war. Aber niemals hätte er gedacht, dass es ihr genauso ging. Dass seine Träume Wirklichkeit werden könnten. «Frag mich mal …», brummte er verlegen, und sie lachte leise.

«Wir sollten uns wieder anziehen, nicht dass noch jemand hochkommt», seufzte Emma, machte aber keinerlei Anstalten, sich zu bewegen. Charlie hätte alles gegeben, was er besaß, sein letztes Hemd, ja sogar das Bild von Claire, um diesen Augenblick mit ihr festhalten zu können. Sicher war es für sie nur ein einmaliges Abenteuer. Er musste jede Sekunde aufsaugen, die er ihren Duft einatmen, ihren warmen, nackten Körper an sich pressen konnte.

«Weißt du, ich habe schon gedacht … Im zweiten Stock wird ein Zimmer frei. Vielleicht könnte Michel da einziehen? Da hat er mehr Platz und wird nicht … gestört?», sagte Emma vorsichtig.

Charlie war so überrascht, dass er nur nicken konnte.

«Oder nicht?», fragte sie unsicher.

«Doch, doch!», beeilte er sich zu sagen.

«Findest du wirklich, ich habe ein Helfersyndrom?», fragte Emma nach einer Weile, in der sie gedankenversunken in seinem Arm gelegen hatte.

Charlie lächelte. «Ja!», erwiderte er. «Aber ich habe vor, es voll auszunutzen.»

Sie sah überrascht auf. «Ach ja? Und wie?»

Er grinste. «Nun, zum Beispiel gerade jetzt tut mir alles weh. Sie sollten einmal nachschauen, Frau Doktor. Ich brauche dringend ärztliche Hilfe!» Er hob die Decke und deutete auf seinen Oberkörper.

Emma machte eine besorgte Miene. «So? Das hört sich nicht gut an. Na, da muss ich sofort sehen, was ich tun kann», erwiderte sie und glitt unter das Laken. «Wo genau tut es denn weh?»

Franz lag in der Dunkelheit und lauschte auf Kais Atem. Er fühlte sich so zufrieden. Es war die beste Entscheidung seines Lebens gewesen, diese Wohnung zu mieten.

Er hatte einen sicheren Hafen geschaffen, ein kleines Refugium, in dem er und Kai sie selbst sein konnten. Manchmal lag er nachts da, sah dem Mondlicht zu, wie es über die Tapete wanderte, und stellte sich vor, wie es wäre, dieses Zimmer nie wieder verlassen zu müssen. Wenn er an die Welt da draußen dachte, die Verantwortung, die auf ihm lastete, wurde ihm das Atmen schwer. Nicht nur hatten sie die neue Kalkutta-Linie, das Opiumgeschäft und die *Luxoria*, nun auch noch die ganzen Unglücksfälle, diese vermaledeite Pechsträhne. Nicht zuletzt wegen Lily hatten sich immer mehr Aktionäre von ihnen abgewandt – und Oolkert war jedes Mal zur Stelle gewesen, um einzuspringen. Franz hatte ihm über die Jahre heimlich immer mehr Anteile verkauft. Langsam, Stück für Stück, erschlich Oolkert sich die Reederei, und Franz' Vater ahnte es nicht einmal. Mit jedem Geschäft, das sie abschlossen, hatte sein Schwiegervater ihn ein wenig mehr in der Hand. Und nun war Lily wieder hier, und wer wusste, was sie sich in ihrem Egoismus und mit ihrem verdrehten Hirn noch so alles einfallen lassen würde.

Er seufzte, drehte sich um und strich mit der Hand sanft über Kais Rücken. Kai machte ein leises Geräusch im Schlaf. Wie es wohl wäre, einfach Hand in Hand mit ihm durch die Stadt spazieren zu können? Aber er vermochte es sich nicht vorzustellen. Im Grunde sind Michel und ich gar nicht so verschieden, dachte er. Wenn die Welt sehen könnte, was ich bin, würde man mich ebenfalls verstoßen. Er seufzte und starrte an die Decke. Dann drehte er die kleine Lampe an, die auf dem Nachtschränkchen stand. Er dimmte das Licht mit einem Tuch, denn Kai raschelte unruhig mit dem Laken. Als er sicher war, dass sein Atem wieder tief und regelmäßig ging, zog er das Buch hervor. *The Sins of the Cities of the Plain*. Gespannt studierte er den Einband. Er hatte es extra aus England kommen lassen. Es hatte ein kleines Vermögen gekostet, das Buch war privat gedruckt worden, und es existierten nur zweihundertfünfzig Exemplare weltweit. Außerdem hatte er für einen verschwiegenen Postweg sorgen müssen und dafür extra gezahlt. Es war reiner Zufall gewesen, dass er im Klub mit angehört hatte, wie ein paar seiner Freunde über das Buch sprachen, das in England Furore gemacht habe.

Bereits auf den ersten beiden Seiten schoss ihm das Blut ins Gesicht. Auf der achten Seite der Erzählung keuchte er entsetzt auf. Er konnte nicht fassen, dass jemand es wirklich gewagt hatte, diese Dinge aufzuschreiben, mit einer so kühnen, expliziten Selbstverständlichkeit. Als müsste man sich nicht dafür schämen. Bisher hatte er nur psychiatrisch-medizinische Abhandlungen zu dem Thema studiert. Sie alle stellten das, was er war, als krankhaft dar, als Perversion. Erst vor ein paar Jahren hatte ein Arzt ein neues Werk herausgebracht. *Psychopathia Sexualis* beschrieb das, worunter Männer wie Franz litten, als angeborene neuropsychopathische Störung, als erbliche Nervenkrankheit. Der Autor war der Meinung, dass sie unzurechnungsfähig seien, für ihre «Missbildung» nicht selbst verantwortlich und man sie daher vom Stigma der Sünde befreien solle. Franz hatte sich nach der Lektüre noch schlechter gefühlt als vorher.

Jetzt aber las er weiter, und obwohl ihn die detaillierten Beschreibungen erschreckten, teilweise sogar ekelten, spürte er ein Kribbeln, das seinen ganzen Körper überzog. Es war keine Erregung. Es war Glück.

Noch nie hatte er sich so gefühlt. Es gab ein Buch über Männer wie ihn! Außer Kai hatte er erst ein Mal jemanden kennengelernt, der ebenfalls Männer liebte – und der hatte sich zwei Jahre später umgebracht. Es gab Gerüchte, er wusste natürlich, dass andere wie er existierten, und er wusste sogar, wo er theoretisch auf St. Pauli hingehen müsste, um Gleichgesinnte zu finden. Aber für einen Mann seines Standes war das Risiko einfach zu groß. Man kannte sein Gesicht in dieser Stadt. Dies war eine sehr kleine Welt, die nur im Untergrund existierte – und nicht einmal dort konnte er dazugehören. Aber davon zu lesen, schwarz auf weiß, von anderer Hand geschrieben, das war etwas völlig Neues für ihn. Selbstverständlich war das Buch Schund, billigste Pornographie, verdorben und von niedrigstem intellektuellen Niveau. Trotzdem hatte er selten etwas Kostbareres in den Händen gehalten.

Er verschlang Seite für Seite, die Augen wie am Papier festgeklebt. Plötzlich hörte er ein Geräusch aus dem Flur. Er sah auf, die Lesebrille tief auf der Nase, und runzelte die Stirn. Als alles still blieb, schüttelte er den Kopf. Vielleicht war es aus der Nachbarwohnung gekommen, oder im Schrank war ein Schirm umgefallen. Er blätterte auf die nächste Seite, da wurde die Schlafzimmertür aufgerissen, und eine Gestalt stürmte mit lautem Kreischen ins Zimmer.

Franz fuhr wie elektrisiert in die Höhe, neben ihm fiel Kai fast aus dem Bett, er taumelte gegen den Nachtschrank, sodass klirrend die Lampe herunterfiel. Sie standen da, beide nackt, wie Gott sie schuf, und starrten Roswita an. Franz fühlte gar nichts. Der Schock lähmte ihn. Aber er wusste, dass sein Leben von diesem Moment an nie wieder dasselbe sein würde.

Er hatte immer gewusst, dass es eines Tages passieren konnte. Und doch kam es überraschend.

Auch für seine Frau war es offensichtlich ein extremer Schock. Roswita, die wie eine wild gewordene Furie ins Zimmer gestürmt war, stand nun da wie erstarrt. Ihr Brustkorb hob und senkte sich rasselnd, als hätte sie Schwierigkeiten, genug Luft in die Lungen zu bekommen. Für ein paar Momente sagte niemand etwas. Franz spürte noch immer diese Taubheit in sich, diese lähmende Kälte, die seine Glieder zu Eis gefror. Aber langsam sickerte die Angst durch. Sein Körper begann zu prickeln. Bevor er wusste, was er sagen sollte, raffte Kai seine Klamotten zusammen und floh aus dem Zimmer. Franz hörte, wie er die Treppe hinunterrannte und die Haustür zufiel.

Er konnte es ihm nicht verdenken. Was sie getan hatten, war strafbar. Sie würden ins Gefängnis kommen.

Es war anders, als er erwartet hatte. Er hatte immer gedacht, wenn alles über ihm zusammenstürzte, würde es laut sein, wie ein krachendes Donnerwetter. Aber nach den ersten lauten Schreien stieß Roswita bloß ein leises Wimmern aus und sackte ohnmächtig in sich zusammen. Franz stürzte nicht auf sie zu, um sie aufzufangen. Er stand einfach bewegungslos da und horchte auf den Sturm, der in seinem Inneren zu tosen begann. Im Zimmer war es mucksmäuschenstill, draußen klapperte eine Kutsche vorbei, in der Ferne tutete ein Zug. Unzählige Möglichkeiten kamen ihm in den Sinn. Ausreden, Lügen, wilde Geschichten, die vielleicht erklären konnten, was Roswita da gerade gesehen hatte.

Aber er wusste, dass es zu spät war.

Plötzlich dachte er an seine Großmutter. Und aus dem Wirrwarr seiner galoppierenden Gedanken begann sich eine Idee zu formen. Es wäre so einfach. Sie lag vollkommen wehrlos da, der weiße, schlaffe Hals entblößt. Er könnte ihr die Kehle durchschneiden und sie in den Fluss werfen, es wie einen Unfall aussehen lassen. Vielleicht war das seine einzige Chance.

Sie oder ich, dachte er und ging wie in Trance auf den Rasiertisch zu.

Roswita stöhnte. Sie blinzelte, öffnete die Augen und setzte sich langsam auf. Franz hielt inne. Als ihm klarwurde, was er beinahe getan hätte, durchfuhr ihn ein heißer Schreck. Niemals wäre er damit durchgekommen, was dachte er sich nur? Draußen wartete der Kutscher vor der Tür. Aber er wusste, dass es einfach nur die Angst war, die ihn trieb. Kalte, rohe Angst, die ihm den Atem nahm.

Seine Frau zog sich stöhnend am Bett hoch, ihr Gesicht kreidebleich. Er sah jetzt, dass sie ihr Nachthemd unter dem Mantel trug. «Ich wusste immer, dass mit dir etwas nicht stimmt!», flüsterte sie. Dann brach sie in Tränen aus. Sie zeigte mit dem Finger auf ihn und schrie plötzlich. «Ich wusste, dass wir es falsch machen. In dem Buch steht es ganz anders beschrieben. Und du hast mich ausgelacht! Dabei hast du die ganze Zeit …» Sie konnte nicht weitersprechen, bedeckte das Gesicht mit den Händen und stieß hohe Schluchzer aus.

Er trat unsicher auf sie zu, fasste sie an der zuckenden Schulter. Sie schrie auf, wich in die Zimmerecke zurück, als hätte er eine ansteckende Krankheit. «Fass mich nicht an! Fass mich nie wieder an, hast du gehört?», schrie sie.

In seiner Verzweiflung begann Franz, beschwörend auf sie einzureden. «Roswita, hör zu. Hör mir zu. Es ist alles nicht so schlimm, wie du denkst!»

«Nicht so schlimm? Du bist krank. Pervers. Eine Missgeburt!», schrie sie. «Wie konntest du mich nur heiraten? Du hast mein Leben ruiniert!»

Er schüttelte den Kopf. «Roswita, das, was ich habe … Man nennt es Homosexualität. Es ist noch nicht sehr genau erforscht, aber … viele Männer leiden darunter. Wir fühlen uns nicht von Frauen angezogen. Aber das heißt nicht, dass wir sie nicht lieben können.» Er hörte selbst, wie erbärmlich er klang.

«Was redest du denn?», rief sie auch sogleich mit einem hysterischen Lachen. Sie begann, im Zimmer auf und ab zu laufen. «Nicht lieben können? Du hasst mich, Franz! Du hast mich schon immer gehasst. Und jetzt weiß ich endlich, warum.» Plötzlich fuhr sie herum. «Du wirst alles verlieren, das ist dir klar?», keifte sie. «Wenn mein Vater erfährt, was du bist, dann wird er …»

Franz überkam kalte Wut. Er trat auf Roswita zu, packte sie und drückte sie mit aller Kraft, die er hatte, gegen die Wand. «Gar nichts wird er, du dämliche Kuh! Es wird alles auf dich zurückfallen. Wenn du deinen Mund nicht hältst, wirst du in der ganzen Stadt verlacht. Denkst du denn, dich heiratet noch jemand, nach einem solchen Skandal? Nachdem alle wissen, dass du mit mir im Bett warst? Wenn ich eine Missgeburt bin – dann bist du die Frau der Missgeburt.»

Roswita starrte ihn an, ohne zu blinzeln, und in ihren Augen sah er, wie ihr langsam dämmerte, dass er recht hatte. Ermutigt von ihrer Unsicherheit sprach er weiter, seine Stimme hatte jetzt ihre gewohnte Härte wiedergefunden. «Du wirst schön deinen Mund halten, wenn du nicht als alte, geächtete Jungfer im Haus deiner Eltern enden willst. Niemandem ist gedient, wenn du das hier an die große Glocke hängst, verstehst du? Niemandem. Geht das in dein kleines Schafhirn hinein? Es würde nicht nur die Reederei ruinieren. Was glaubst du, wer unser größter Investor ist? Bei wem wir unsere Schiffe bauen lassen? Dein Vater wäre von dem Skandal genauso betroffen wie wir.»

Er konnte beinahe dabei zusehen, wie ihr das Blut aus dem Gesicht wich. Ihre Lippen wirkten blau, als stünde sie kurz davor zu ersticken. «Aber …», stotterte sie. «Du kannst doch nicht glauben, dass wir einfach so weitermachen wie bisher!»

Franz ließ sie los und trat einen Schritt zurück. Er war noch immer nackt und griff jetzt nach seinem Morgenmantel. «Doch», sagte er und war selbst überrascht, wie ruhig seine Stimme klang. «Genau das denke ich.» Er band den Gürtel zu, strich sich durch die Haare, trat vor den Spiegel und richtete seinen Bart. «Und wenn du dich ein wenig beruhigt hast, wirst du es auch so sehen.»

Sie ballte die Hände zu Fäusten, als wüsste sie nicht, wohin mit ihren Emotionen. Ein Würgen drang aus ihrer Kehle, das ihn an ein verwundetes Tier erinnerte. Dann machte sie Anstalten, an ihm vorbei aus dem Zimmer zu stürzen. Er griff ihren Arm, grub seine Finger so fest in ihr Fleisch, dass sie ein gepeinigtes Wimmern von sich gab.

«Überleg dir gut, was du tust, wenn du dieses Haus verlässt», sagte er leise. «Wir sind verheiratet. Mein Skandal ist auch dein Skandal. Von deinen Eltern kannst du vielleicht noch Mitgefühl erwarten. Vom Rest Hamburgs ganz sicher nicht!»

Sie sahen sich ein paar Sekunden lang in die Augen, und ihr Gesicht, tränenüberströmt und bleich, war für ihn nicht zu lesen. Dann machte sie sich von ihm los und rannte türenschlagend aus dem Zimmer.

Franz sah ihr nach und spürte seinen Puls in den Wangen klopfen.

9

L ily hörte ein Flüstern hinter sich.

«Also, ich weiß nicht, das ist doch wirklich nicht schicklich!»

«Aber es ist jetzt die neueste Mode, Beatrice! An der See machen sie es schon lange so. Es ist doch recht keusch auf diese Art, ich denke, man könnte es einmal versuchen.»

Zwei Frauen in weißen Sonntagskleidern standen etwas entfernt am bewaldeten Ufer im Sand und beobachteten interessiert, was Lily, Martha, Isabel und Emma machten.

Die vier warfen sich Blicke zu. Dann lachten sie schallend los. «Beeilung, wir haben die Karren nur eine halbe Stunde gemietet!» Martha lief voran, ihre Röcke wehten in der sanften Maibrise. «Und wir müssen Lily doch das Schwimmen beibringen!»

«Wenn es heute nicht klappt, kommen wir einfach bald noch mal!», rief Isabel freudig.

Seit einiger Zeit hatte das Elbstrandbad Neumühlen auch für Frauen geöffnet. Jetzt liefen sie zu viert über die langen Stege aufs Wasser hinaus, ihre Schwimmkleider, Badehauben und Trockentücher in den Händen. Eigentlich war es im Mai noch viel zu kalt zum Baden. Aber Henry war für ein paar Tage verreist, um in Berlin an einem Chirurgie-Kongress teilzunehmen, und Lily hatte verstanden, dass sie diese seltene Chance nutzen musste. Natürlich hatte er Vorkehrungen getroffen, um sie zu überwachen. Mary wich ihr nicht von der Seite, und auch die neuen Angestellten waren selbstverständlich darüber informiert, dass sie nicht alleine ausfahren durfte, und würden ihm nach seiner Rückkehr Bericht erstatten.

Henry, Lily und Hanna wohnten inzwischen in der Backsteinvilla. Nun hatte Lily nicht einmal mehr ihre Mutter, mit der sie sprechen konnte. Sie konnte Hertha nicht mehr in der Küche besuchen und sich nicht mehr in ihr kleines Zimmer zurückziehen. Am Tisch waren sie nur noch zu dritt. Lily wurde immer reizbarer und schlechter gelaunt, hatte zu nichts mehr Lust, fühlte sich eingesperrt und hilflos. Ihre Freundinnen durften sie ab und an besuchen, aber Henry war bei diesen Gelegenheiten stets in Hörweite.

Sie wurde langsam aber sicher wahnsinnig.

Daher hatte sie in einem Anflug von Größenwahnsinn einen Besuch bei ihren Eltern erfunden und sich so bei Mary und den Angestellten für ein paar Stunden ein wenig Freiheit erlogen. Sie durfte sich nicht ausmalen, was geschehen würde, sollte Henry davon erfahren. Aber seit sie das Gespräch zwischen Franz, Oolkert und ihrem Vater belauscht hatte, wusste Lily, dass er zwar sehr wütend werden, im Grunde aber nicht viel ausrichten konnte.

Martha war durch eine Zeitungsannonce auf die Idee mit dem Schwimmen gekommen, und so hatten die Freundinnen am ersten Tag der Saisoneröffnung gleich zwei Badekarren gebucht. Lily war noch nie richtig geschwommen. Zwar hatte Hamburg schon seit den sechziger Jahren eine Frauenbadeanstalt, aber Kittie hätte schon allein bei dem Gedanken hyperventiliert, dass Lily sich dort vor aller Augen im Schwimmkostüm zeigen könnte. Und auch heute noch schickte es sich nicht für Damen, sich am Strand oder in Kabinen umzukleiden und dann vor den Blicken der Spaziergänger oder anderer Badegäste in ihren Schwimmsachen ins Wasser zu gehen. Seit allerneustem gab es

daher die aus den Strandbädern übernommene Sitte der Badekarren, die es auch Damen ermöglichte, in einer öffentlichen
Anstalt schwimmen zu gehen.

Die großen ziehbaren Holzkisten standen auf Rädern im halb
tiefen Wasser und dienten als Umkleidekabinen. Damit man
sich nicht die Füße nass machte, betrat man sie auf langen Holz-
stegen, die je nach Tidenhub, der hier gut und gerne drei Meter
Unterschied ausmachen konnte, ein- oder ausgezogen werden
konnten. Lily fand, dass sie aussahen wie riesige Puppenwagen.
Halbrunde Zelte aus weißem Stoff hingen an den Kisten, in denen man sich geschützt vor neugierigen Blicken umkleiden und
dann direkt ins Wasser steigen konnte.

Martha und Isabel rannten jetzt über den einen Steg, Lily und
Emma ein paar Meter weiter über den nächsten. In dem Karren
war es dunkel und roch nach nassem Holz. Sie zogen sich hastig
um, kicherten wie kleine Mädchen, wenn sie dabei in der Enge
aneinanderstießen, und verhakten sich in ihren Kleidern. Lustig
sahen sie aus in ihren Ganzkörperbadeanzügen. Emmas war
nach der neuesten Mode gefertigt und ließ die Knie frei, Lilys war
züchtiger und ging bis zu den Knöcheln. Sie hatte ihn vor einer
Stunde erst in der Stadt gekauft. Als sie fertig umgekleidet war,
ließ Emma sich ohne zu zögern über die Strickleiter im Inneren
des Wagens ins Wasser gleiten und zog dann an der Schnur, die
den hinteren Teil des Zeltes wie einen Vorhang hochhob, sodass
sie auf den Fluss hinausschwimmen konnte. «Himmel, ist das
eisig», rief sie, quietschte dabei aber vergnügt. «Komm, es ist hier
noch nicht tief!»

Lily hörte, wie nebenan auch Martha und Isabel ins Wasser
platschten, und an ihrem Kreischen merkte man, dass die Elbe
wirklich kalt sein musste. Isabel machte sich lautstark über
Marthas altmodisches Badekleid lustig, das Gewichte in den

weiten Rock eingenäht hatte, die den Stoff unter Wasser halten sollten.

«Ich habe eben jetzt kein Geld mehr für modischen Schnickschnack!», rief Martha lachend, der die Neckerei nichts ausmachte, und an dem darauffolgenden Platschen und Spritzen hörte Lily, dass die beiden offensichtlich versuchten, sich gegenseitig unterzutunken. Wie herrlich es war, Isabel wieder lachen zu hören. Sie hatte den Krankenhausaufenthalt unbeschadet überstanden und war wieder ganz gesund. Trotzdem wusste Lily, dass das Ereignis seine Spuren hinterlassen hatte. Die Freundin schien nun meist noch ernster, noch verbissener als vorher.

«Nun komm schon rein!», rief Emma, die inzwischen mit kräftigen Zügen ein ganzes Stück weit rausgeschwommen war.

«Ich trau mich nicht», erwiderte Lily, lachte aber dabei. Sie setzte sich auf das Holz, wo die Stricke der Leiter am Steg festgemacht waren, und hielt die Füße ins Wasser. Sofort überzog sich ihr Körper mit einer Gänsehaut. «Es ist furchtbar kalt!»

«Ja, aber herrlich! Es ist ganz leicht, du musst dich eigentlich nur bewegen, dann bleibst du oben!»

Martha und Isabel kamen angeschwommen, und alle drei feuerten sie an. «Nur Mut, es ist nicht schwer!»

«Wir halten dich, wenn du untergehst!»

«Dir kann nichts passieren!»

Unter ihren anspornenden Rufen ließ Lily sich schließlich ins Wasser gleiten. Sie riss erstaunt die Augen auf, als ihre Zehen im Schlamm versanken. Die Elbe ging ihr bis zur Brust. Vor Schreck krampfte sich ihre Lunge zusammen, es war, als würden sich Hunderte kleine Nadeln in ihre Haut bohren.

«So, und jetzt die Arme ausbreiten!» Isabel schwamm neben sie und zeigte ihr, wie sie die Bewegungen machen musste. «Und die Beine bewegen wie ein Frosch!»

Martha paddelte in ihrem Kleid auf Lilys andere Seite. «Wir legen unsere Hände unter deinen Bauch, dann kannst du nicht untergehen», sagte sie.

Und mit der Hilfe ihrer Freundinnen lernte Lily zu schwimmen. Martha und Isabel hielten sie von rechts und links, und Emma planschte vorweg und korrigierte ihre Haltung. Lily musste grinsen bei dem Gedanken, dass das Bild, das sie in diesem Moment abgaben, die Essenz ihrer Freundschaft ausmachte.

Nach einer Viertelstunde hatte sie den Dreh so weit raus, dass sie schon ein bisschen alleine schwimmen konnte. Es fühlte sich unglaublich an, das Wasser machte sie schwerelos, und trotz der Kälte, die sie mit den Zähnen klappern ließ, genoss sie jede Sekunde dieses Abenteuers. Genau wie die anderen. Die vier Frauen lachten und kreischten wie kleine Mädchen, spritzten mit Wasser und waren so ausgelassen, wie Lily sie noch nie erlebt hatte.

Seit über vier Jahren hatte sie sich nicht so vollkommen frei und glücklich gefühlt. Wie sehr ich diese Frauen vermisst habe!, dachte sie jetzt und spuckte ein bisschen Wasser in Isabels Richtung, die empört kichernd zurückspuckte. Wie selten sie gelacht hatte in letzter Zeit.

Es sollte der letzte glückliche Tag werden, an dem die vier zusammen waren, und Lily würde ihn für den Rest ihres Lebens in Erinnerung behalten. Wie fröhlich die sonst immer so wütende Isabel aussah. Wie jung und mädchenhaft die resolute Emma. Wie ausgelassen die ernste Martha. Der Tag im Mai, als wir so glücklich waren, dachte sie später oft, und ihr Blick schwamm nach innen und sah sie zu viert im Fluss, mit ihren Netzhäubchen aus Wachstaft, ihren rot gefrorenen Wangen und den glitzernden Wassertropfen in den Wimpern.

«Ist langes Baden gefährlich, Frau Doktor?», fragte Martha

prustend und schwamm eine Runde um Emma herum. «Ich spüre nämlich meine Finger und Zehen nicht mehr!»

«Nun, die ärztliche Empfehlung zurzeit lautet, dass man eigentlich nur drei- bis viermal untertauchen und dann schleunigst wieder rauskommen soll!» Emma spritzte Wasser nach Martha. «Sonst bekommt man Schnupfen. Aber meine Empfehlung lautet, dass wir uns warm schwimmen und so lange drinbleiben, wie wir die Karren gemietet haben! Und dann trinken wir in einem Caféhaus eine heiße Schokolade zum Aufwärmen. Wir haben es uns alle verdient, ein bisschen Spaß zu haben!»

«Habt ihr gehört, dass sie neue Schuppen und einen öffentlichen Badeplatz in Blankenese eröffnen und dafür das freie Baden völlig verbieten wollen? Die Leute gehen auf die Barrikaden, es gibt jeden Tag Leserbriefe in der Zeitung, es ist zu lustig. Aber der Kirchspielvogt sagt, dass die Männer, wenn sie aus den Fabriken kommen, nackt am Elbstrand herumrennen, um sich zu waschen, und dass es endlich unterbunden werden muss.» Isabel lachte. «Mich würde es ja nicht scheren!»

Lily kicherte. «Das würde ich zu gerne mal sehen!», rief sie.

«Dann lass uns doch einen Ausflug machen!», jubelte Martha.

Und plötzlich war die Stimmung dahin.

Keine sagte mehr etwas. Alle wussten, dass Henry in ein paar Tagen zurückkommen würde und Lily dann keine Ausflüge mehr mit ihnen würde machen dürfen.

Sie würde gar nichts mehr mit ihnen machen dürfen.

Nach einer Weile stiegen sie aus dem Fluss, und als sie sich abtrockneten, war es Lily, als streiften sie mit den Wasserperlen von ihren Körpern auch die Geister der unbekümmerten jungen Mädchen von sich ab, die sie beim Schwimmen für einen Augenblick wieder gewesen waren.

Umgezogen und mit feuchten Haaren balancierten sie über

die Stege zurück, als Lily plötzlich stehen blieb. «Friedrich?», rief sie ungläubig und lief zu dem braun gelockten Mann mit der hellen Melone, der am Ufer stand und Fotos von den Badekarren machte.

Er hatte eine Zigarette im Mundwinkel, ein Notizblock ragte aus der Brusttasche seines Jacketts. Als er ihre Stimme hörte, sah er auf, und sein Gesicht verzog sich zu einem Ausdruck ungläubigen Staunens. «Lily?» Er kam über den Sand auf sie zu. «Du bist zurück?»

Ihr alter Freund vom *Tageblatt* stand staunend vor ihr. «Lily Karsten. Das gibt es ja nicht. Wie ist es dir ergangen? Ich dachte, du lebst jetzt in England.»

«Das ist eine lange Geschichte», erklärte Lily. «Aber ich bin wieder in Hamburg», sagte sie dann, und auf seinem freundlichen Gesicht zeigte sich ein Lächeln.

«Also, das ist doch … Dass wir uns mal wiedersehen! Schreibst du wieder für die *Bürgerzeitung*? Oder das *Hamburger Echo*, wie sie jetzt heißt? Wenn nicht, hätte ich vielleicht was für dich.»

Lily biss sich auf die Lippen. «Ich schreibe nicht mehr», erwiderte sie.

«Ihr Mann lässt sie nicht.» Isabel reichte Friedrich die Hand. «Isabel Winter, sehr erfreut», sagte sie, und er betrachtete sie staunend und schüttelte ihnen nacheinander die Hände.

«Aber so eine Verschwendung!», rief er dann, als er Lilys Lage verstand. «Und wenn du wieder anonym veröffentlichst?»

Bekümmert schüttelte sie den Kopf. «Ich fürchte, ich kann nicht», sagte sie. Plötzlich hatte sie einen Kloß im Hals. Sie hätte sich den rechten Arm abgehackt, um wieder schreiben zu können. Plötzlich fiel ihr etwas ein. «Hast du noch Kontakt zu Berta?» Ein seltsames Gefühl überlief sie, als sie an ihre ehemals beste Freundin dachte, die sie damals so schändlich verraten hatte.

Friedrich zögerte. «Nein. Es hat nicht wirklich gepasst mit uns. Ich habe gehört, sie hat sich mit einem Franzosen verlobt. Und du weißt ja, ich bin ohnehin mit meiner Arbeit verheiratet.»

Bevor Lily reagieren konnte, mischte sich Isabel in die Unterhaltung ein.

«Sie recherchieren für einen Artikel?» Neugierig betrachtete sie Friedrichs Kamera. Wie nebenbei fuhr sie sich mit der Hand durch das blonde Haar, in dem noch Wassertropfen glitzerten.

Friedrichs Blick hing wie hypnotisiert an ihr, die Zigarette im Mundwinkel hatte er anscheinend vergessen. «So ist es», erwiderte er und zeigte ihr die Kamera. «Ich springe für einen kranken Kollegen ein. Die Karren sind eine Neuheit, die manchen Leuten Sorgen macht. Sie haben wie immer Angst, die Sitten könnten verrohen.» Plötzlich strahlte er. «Aber wie herrlich wäre das? Wollen Sie nicht für mich posieren? Frauen wie Sie vor den Karren, das wäre das richtige Signal.»

Isabel und Martha nickten sofort begeistert, aber Lily trat hastig einen Schritt zurück. Nicht auszudenken, wenn ihr Bild in die Zeitung käme.

«Mein Mann weiß nicht, dass ich hier bin …», erklärte sie, und Friedrich nickte verständnisvoll. Auch Emma lehnte ab, also schoss er ein Foto von Isabel und Martha, die strahlend vor den neuen Badekarren standen und mit ihrer bloßen Anwesenheit Werbung dafür machten, dass Schwimmen nicht länger eine Männerdomäne blieb.

«Phantastisch, herzlichen Dank, die Damen!» Friedrich reckte zufrieden einen Daumen in die Höhe.

Dann sah er Lily an. «Los, jetzt noch eins von euch allen, als Andenken!», rief er, und nach einer Sekunde des Zögerns traten auch Lily und Emma vor die Kamera, und alle vier ließen sich lachend vor der glitzernden Elbe ablichten.

«Schreiben Sie bloß darunter, dass alle, die denken, Frauen dürften nicht baden, in ihrer geistigen Entwicklung im Mittelalter stehengeblieben sind», diktierte Isabel, und Emma und Lily sahen sich vielsagend an. «Baden ist wichtig für die Gesundheit und muss allen zugänglich sein. Wussten Sie, dass in Blankenese das Baden nur für Männer erlaubt sein wird? Wir suchen übrigens für unsere Zwecke schon lange einen Kontakt bei der Zeitung. Wissen Sie, ich und meine Freundinnen hier engagieren uns für Frauenrechte, und ich dachte ...» Isabel nahm Friedrichs Arm und zog ihn mit sich, während sie einen wahren Redestrom auf ihn einprasseln ließ. Lachend liefen die anderen hinter ihnen her.

K lara steckte sich zwei Haarnadeln in den Mund und beugte sich konzentriert nach vorne. Roswitas Haare waren so dick und glatt, dass sie jeden Morgen ihre liebe Mühe hatte, sie aufzustecken. Sie nahm einen der goldenen Kämme von der Konsole, um ihn seitlich in die Frisur zu drapieren, da traf sie plötzlich ein tadelnder Blick im Spiegel.

«Wirklich, Klara, wir sind doch hier nicht bei Bauersleuten. Nimm sofort die Nadeln aus dem Mund. Wolltest du das etwa in meine Haare stecken?»

Ertappt spuckte Klara die Nadeln in die Hand.

«Und jetzt nimm neue!», wies Roswita sie an.

Klara nickte erschrocken. Ihre Herrin war in letzter Zeit nicht sie selbst. Auch sonst war sie oft grantig und unfreundlich, aber sie erinnerte dabei mehr an ein schlecht gelauntes Kind, das man nur mit den richtigen Worten beruhigen musste. Nun hatte sich ein neuer Ton in ihre Stimme geschlichen. Sie war bestimmter. Herrischer.

Selbstsicherer.

Klara konnte es sich nicht erklären. Eigentlich sollte Roswita sich weinend im Bett verkriechen und vor Scham nicht mehr aus dem Zimmer kommen, schließlich war ihr Mann ein Verbrecher der schlimmsten Sorte. Doch das Gegenteil war der Fall, sie sah besser aus, rosiger, ihr Blick war zwar härter geworden, aber sie wirkte nicht mehr unglücklich, sondern entschlossen. Kai arbeitete immer noch in der Villa. Nach zwei Tagen Abwesenheit war er plötzlich wieder da gewesen. Fahrig und unkonzentriert zwar, aber gefeuert war er offensichtlich nicht. Klara hatte es nicht gewagt, ihm zu sagen, dass sie ihn und den jungen Herrn entdeckt hatte.

Als Roswita an jenem schrecklichen Abend nach Hause gekommen war, weiß wie eine Wand, hatte es Klara vor Spannung fast zerrissen. Aber ihre Herrin hatte nichts gesagt. Sie hatte Klara einfach zu Bett geschickt und sich in ihrem Zimmer eingeschlossen. Seither beobachtete Klara jede ihrer Regungen, lauschte den ganzen Tag auf einen Streit, eine Veränderung, irgendetwas, das endlich Konsequenzen wegen der Ungeheuerlichkeit ankündigte, die sie aufgedeckt hatte.

Doch nichts geschah.

Frau Roswita war bleich und still, aber ansonsten wie immer. Sie blieb drei Tage mit der Entschuldigung einer Unpässlichkeit im Bett. Als sie wieder aufstand, tat sie, als sei nichts geschehen. Roswita schlief weiterhin mit ihrem Mann in einem Zimmer. Und noch immer hatte sie kein Wort über Scheidung oder einen geplanten Auszug oder eine Reise verloren.

Klara wurde langsam unruhig.

Sie räusperte sich. «Verzeihung, Madame. Ich habe nicht nachgedacht. Dafür ist das Flechtwerk am Hinterkopf heute besonders schön geworden. Soll ich den kleinen Spiegel halten, damit Sie es sich anschauen können?» Sie wollte danach greifen, aber Roswita winkte ab.

«Nicht nötig, es wird schon gehen. Mach es einfach fertig, ich sitze hier schon ewig!»

Überrascht nickte Klara. Dann fasste sie sich ein Herz. «Frau Roswita, wie geht es denn nun weiter … mit Ihnen und Ihrem Mann? Sie werden doch wohl bald ausziehen, oder nicht?», fragte sie zaghaft und versuchte, einen verschwörerischen Unterton in ihre Stimme zu legen.

Roswita hob den Blick. Mit kalten Augen sah sie Klara an. «Wie bitte?»

«Nun ja, ich meine … Sie müssen doch … Sie können doch nicht», stotterte Klara, völlig aus der Fassung gebracht von ihrem unfreundlichen Ton.

Roswita erhob sich. Sie drehte sich zu Klara um und riss ihr mit einem Ruck die Bürste aus der Hand. «Ich weiß nicht, was du meinst, an diesem Abend in dem Zimmer gesehen zu haben, aber es war nicht das, was du denkst.»

Klara keuchte auf. «Aber …», rief sie, doch Roswita fuhr dazwischen.

«Aber? Du wagst es, ‹aber› zu mir zu sagen? Glaubst du denn, ich kenne meinen eigenen Mann nicht?» Sie trat einen Schritt auf Klara zu und hob drohend die Bürste. «Du wirst diese scheußlichen Lügen nie mehr wiederholen, haben wir uns verstanden? Wenn du weiter hier arbeiten willst, dann vergisst du diesen Abend und alles, was dazugehört. Mein Mann und ich haben uns ausgesprochen. Es war alles ein Missverständnis, das niemals nach außen dringen darf. Nicht auszudenken, was passiert wäre, hättest du diese scheußlichen Gerüchte herumgetratscht. Franz könnte dich ins Gefängnis bringen dafür, dass du solche Sachen über ihn erzählst, ist dir das klar? Du hast es allein meiner Güte und unserer vertrauten Beziehung zu verdanken, dass ich dich noch nicht aus dem Haus geworfen habe. Agnes hat sich schon mehrfach bei mir über dich beschwert, und ich habe mich immer schützend vor dich gestellt, aber langsam reicht es. Wenn du nicht so gut im Frisieren wärst, ich hätte dich schon längst ersetzt.»

Vollkommen schockiert starrte Klara ihre Herrin an. «Aber Madame, ich habe es mit eigenen Augen gesehen!», rief sie. «Sie müssen mir glauben!»

Roswita holte tief Luft, ihr Mund war nur mehr ein weißer Strich. «Denkst du wirklich, ich glaube einer Magd mehr als meinem Mann?», fragte sie leise.

Klara zuckte zusammen.

«Du wirst niemandem diese Lügen erzählen. Wenn mir auch nur das leiseste Flüstern zu Ohren kommt, werde ich dafür sorgen, dass du in dieser Stadt nie wieder Arbeit findest. Nicht einmal mehr als Hure, hast du verstanden? Und jetzt raus!»

Klara rannte auf den Flur hinaus wie ein geprügelter Hund. Dort blieb sie stehen, starrte mit hämmerndem Herzen die Tür an und versuchte zu verstehen, was gerade geschehen war. Wie konnte Frau Roswita nur so ungerecht sein? Sie hatte sie beschützt, ihr geholfen, niemandem etwas erzählt, obwohl sie seither an nichts anderes mehr denken konnte. Und zum Dank wurde sie angeschrien und aus dem Zimmer geworfen? Sie sollte weiter mit diesen beiden Männern unter einem Dach wohnen, die die schlimmste vorstellbare Sünde begangen hatten, und so tun, als sei nichts geschehen?

Sie begann zu zittern, als ihr klarwurde, was Roswitas Sinneswandel bedeutete. Sie würden nicht zurück ins Palais ziehen. Nicht an die See fahren. Es würde kein neues Leben für Klara geben. Sie würde hier in der Villa arbeiten, bis sie irgendwann vor Langeweile oder Erschöpfung tot umfiel. Vor Wut und Enttäuschung knirschte sie mit den Zähnen, sie hätte am liebsten geschrien oder sich wie ein kleines Kind auf den Boden geworfen und geweint.

Dann kam ihr plötzlich ein Gedanke. Sie hielt inne, legte den Kopf schief und ließ ihn in sich nachhallen.

Wenn Roswita nicht gewillt war, sie anzuhören oder ihr zu glauben … Vielleicht würde es jemand anderes tun.

10

Noch eine Blüte.» Lily ließ die Sticknadel durch den Stoff gleiten und verdrehte gelangweilt die Augen. «Und noch eine Blüte. Und noch eine Blüte. Und irgendwann haben wir ein Bild voller Blüten, das niemanden interessiert, das niemand jemals wieder anschauen wird und das mich Stunden um Stunden meines Lebens gekostet hat, die ich niemals wiederbekomme», sang sie vor sich hin, während ihre Hände mechanisch die Bewegungen ausführten.

Sie saß alleine im Salon der Backsteinvilla. Der Sommer war in Hamburg angekommen, durch das geöffnete Fenster wehte der Geruch von warmen Steinen und Gras herein. Hannas Lachen klang über die Wiese. Sie war mit der Erzieherin im Garten, Lily hatte sie nicht begleiten dürfen. Henry fand, dass sie zu viel Zeit miteinander verbrachten, und hatte daher angeordnet, dass Hanna jeden Morgen zwei Stunden alleine mit der Lehrerin schon ein wenig die Grundvokabeln in französischer Konversation lernen sollte. Es erfüllte Lily mit diebischer Freude, dass Hanna keinerlei Interesse an Französisch zeigte, sich dem auferlegten Lehrplan widersetzte, wo sie nur konnte, und anscheinend auch gerade jetzt Henrys Pläne sabotierte. Als sie aufblickte, sah sie ihre Tochter in dem kleinen Matrosenkleid über die Wiese flitzen, ein atemloses Fräulein Grünlich trippelte hinter ihr her und versuchte, sie einzufangen. Lilys Mund zuckte amüsiert. Lauf, meine Kleine, dachte sie. Lauf, so schnell du kannst, und sieh zu, dass sie dich niemals einfangen, so wie sie mich eingefangen haben.

Wie jeden Tag, wenn sie ihre Tochter sah, schickte Lily ein kleines Gebet zum Himmel, dass Hanna einmal anders leben würde. Dass die Dinge sich drehten und sie frei sein konnte zu tun und zu lassen, was sie wollte. Sein durfte, wer sie war. Lieben konnte, wen sie liebte.

Es klopfte, Mary trat ein. «Frau von Cappeln, ein Eilbrief für Sie!»

Erstaunt legte Lily den Stickrahmen zur Seite. Sie erkannte Friedrichs Handschrift sofort und riss mit gerunzelter Stirn das Couvert auf.

Lily,
es war eine Verwechslung im Verlag. Es tut mir so leid, ich
hoffe, du bekommst keine Unannehmlichkeiten! Lass mich
wissen, wenn ich irgendwie helfen kann. Und überleg dir
noch mal, ob du nicht doch zurückkommen willst.
Friedrich

Lily starrte auf das Papier. Sie verstand kein Wort. Eine Verwechslung? Was meinte er denn? Dann dämmerte es ihr. «Oh nein!», hauchte sie. Erschrocken sprang sie auf und rannte aus dem Zimmer. Aber eigentlich wusste sie gar nicht, was sie tun sollte. Im Flur blieb sie stehen, lief wieder zurück, fasste sich unwillkürlich an den Hals, weil sie plötzlich das Gefühl hatte, nicht mehr richtig Luft zu bekommen. Henry las die Zeitung jeden Morgen. Sie konnte sie nicht einfach verschwinden lassen. Unruhig tigerte sie auf und ab. Vielleicht hatte sie Glück, und der Artikel war in einer Spalte erschienen, die er nur überflog. Aber was, wenn er ihn sah? Wenn er ihn bereits gesehen hatte?

Es dauerte bis zum Abend. Den ganzen Tag war sie angespannt, zuckte bei jedem Geräusch zusammen, lauschte auf den Moment, in dem er aus der Universität nach Hause kam. Doch er begrüßte sie wie immer kühl, aber höflich und ging dann direkt nach oben, um sich umzukleiden. Das Abendessen war die reinste Folter, Lily versuchte, gelassene Konversation zu betreiben, aber Henry war grantig und abweisend, wirkte unkonzentriert und schlecht gelaunt. Lily kam es vor, als krabbelten ihr Ameisen über den ganzen Körper. Wusste er es schon? Aber warum sagte er dann nichts?

Gerade hatte sie Hanna zu Bett gebracht und ging wieder nach unten, um noch eine Kaneelmilch zu trinken, da erschien Mary vor ihr auf der Treppe.

«Sie mögen bitte zu Ihrem Mann ins Studierzimmer kommen.» Zögernd stand sie da und sah ihr nicht in die Augen. Als Lily an ihr vorbeiging, fasste Mary sie plötzlich am Arm. «Er ist sehr aufgebracht!», flüsterte sie mit angstvollem Blick.

Lily schluckte. «Danke, Mary», erwiderte sie gefasst.

Als sie eintrat, stand Henry am Fenster. Lily ging stumm zum Schreibtisch. Automatisch suchten ihre Augen nach einem Glas oder einer Flasche, fanden aber nichts. Er ließ sie warten, beachtete sie nicht, bis sie es nicht mehr aushielt. «Du wolltest mich sprechen?»

Langsam drehte er sich zu ihr um. Seine Miene war undurchdringlich. «Ich habe eben einen Anruf bekommen. Mein Vater wollte wissen, ob das meine Frau ist, die da in der Zeitung mit nassen Haaren vor diesen seltsamen neuen Badekarren posiert.» Er sah sie an und schüttelte kaum merklich den Kopf. «Beinahe wärst du damit durchgekommen», sagte er leise. «Beinahe hätte ich nicht davon erfahren.»

Lily bohrte ihre Finger in die Handflächen. «Es war nur ein Tag!», erklärte sie dann und hasste sich dafür, wie unterwürfig ihre Stimme klang. «Du warst in Berlin, und ich bin fast wahnsinnig geworden hier allein. Ich wollte bloß einmal etwas Schönes machen. Wir waren nur baden und Kakao trinken, ich schwöre, es war nichts weiter!»

Er nickte stumm. Dann öffnete er die obere Schreibtischschublade und zog einen Umschlag heraus. «Und das hier? War das auch eine einmalige Sache?»

Lily erkannte mit Entsetzen Kates Handschrift auf dem Couvert. «Du fängst meine Post ab?», zischte sie, doch beim Anblick seines Gesichts blieb ihr die Wut im Hals stecken.

Henry reichte ihr den Umschlag über den Schreibtisch. Er war dick, und am Stempel sah sie, dass er schon vor Wochen angekommen sein musste. Mit zitternden Fingern zog sie einen Brief und eine zusammengefaltete Zeitungsseite heraus. Sie wusste, was es war, noch bevor sie das Foto der ausgemergelten kleinen Jungen sah, die zusammen an einem Brunnen saßen und in die Kamera strahlten.

Sie schluckte hörbar.

Henry starrte sie an. «Wie lange ging das?», fragte er, und Lily wusste, dass es keinen Sinn mehr hatte zu lügen. «Wie lange habt ihr euch hinter meinem Rücken gegen mich verbündet?»

«Ich habe einen Artikel über Straßenkinder geschrieben. Es war eine einmalige Sache, Mr. Huckabee hatte mich gefragt, und ich …»

Henry schlug mit der Faust auf den Schreibtisch, und Lily schrie vor Schreck leise auf. «Was wird noch alles herauskommen?», fragte er. «Werde ich morgen erfahren, dass du wieder von einem anderen Mann schwanger bist? Oder eine geheime Wohnung in den Gängevierteln hast?» Lily stotterte eine Antwort, aber er hörte sie gar nicht. «Du bist eine Gefahr für unser Kind. Eine Lügnerin. Eine Ehebrecherin.»

«Ich habe niemals …», rief Lily, aber wieder donnerte er

mit der Faust auf den Tisch. Sie wusste, dass diese Faust auch sehr schnell ein anderes Ziel finden konnte, und verstummte. Plötzlich aber durchflutete sie Wut, und wie es so oft passierte, wenn sie sich stritten, konnte sie mit einem Mal nicht mehr an sich halten. «Machen wir uns nichts vor, Henry. Mein Vater würde es niemals zulassen, dass du mir Hanna wegnimmst oder sie in ein Kloster steckst. Er finanziert dein ganzes Leben, dein Studium, sogar deine Mätresse!» Sie lachte voller Hohn. «Mein Onkel ist Anwalt. Du kannst nichts tun. Wenn du mir schaden willst, schadest du nur dir selbst. Im Gegensatz zu dir habe ich unsere Ehe nicht gebrochen. Ich habe nichts getan, außer einmal schwimmen zu gehen und einen Artikel zu schreiben. Du solltest dir vielleicht lieber einmal an die eigene Nase fassen. Hören wir doch also einfach auf mit diesem Theater.»

Mit ungläubigem Blick richtete Henry sich auf. Dann kam er so schnell um den Schreibtisch herum, dass Lily nur erschrocken gegen die Wand zurückweichen konnte. Zentimeter von ihr entfernt blieb er stehen und musterte ihr Gesicht. Sie hatte Angst. Aber die Wut war immer noch stärker.

«Du kannst mich nicht mein Leben lang überwachen!», zischte sie. «Wenn das hier irgendwie funktionieren soll, musst du mir entgegenkommen, sonst werden sich Szenen wie diese immer wiederholen!»

Er starrte sie regungslos an. Obwohl er nüchtern war, wusste Lily, dass er sie gleich schlagen würde, sie konnte die Erniedrigung, die dunkle Wut in seinem Blick sehen. Doch er drehte sich um, ging zum Schreibtisch zurück und klingelte die kleine Glocke für die Angestellten. Lily beobachtete ihn verblüfft. Ihre Beine zitterten.

Als Mary kurz darauf den Kopf zur Tür hereinsteckte, fragte Henry: «Ist mein Gast schon da?»

Sie nickte und warf Lily erneut einen angsterfüllten Blick zu. «Er wartet im kleinen Salon.»

«Bitten Sie ihn herein!»

«Was soll das?», fragte Lily unruhig. Sein Verhalten passte nicht zu ihm. Sie konnte diesen gefassten, stummen Henry nicht einschätzen.

Wenige Sekunden später trat ein älterer Herr ins Zimmer. Er hatte eine schwarze Tasche bei sich.

«Ah, Rolf, danke, dass du kommen konntest!» Henry reichte ihm zur Begrüßung die Hand, dann deutete er auf Lily. «Meine Frau. Ich habe dir den Fall ja bereits geschildert. Es wäre wunderbar, wenn du sie dir einmal anschauen könntest. Deine Expertise kann sicher helfen!»

Lily starrte die beiden an, und leise Panik sickerte ihr wie Wassertropfen durch die Venen. Was hatte das zu bedeuten? «Wer ist das?», rief sie und wich instinktiv hinter den Schreibtisch zurück, als der Mann auf sie zukam.

«Frau von Cappeln, bitte, haben Sie keine Angst. Ich bin Arzt», sagte er beruhigend. «Nervenarzt. Ihr Mann erzählte mir, dass es Ihnen in letzter Zeit nicht gutging, und bat mich, Sie einmal anzuschauen. Keine Sorge, das tut überhaupt nicht weh.»

Lily runzelte die Stirn. «Wie bitte? Aber mir geht es gut!», rief sie. «Was soll das, Henry?»

Henry stand mit vor der Brust verschränkten Armen da und sah sie einen Moment lang einfach nur an. Dann wandte er sich an den Mann. «Du siehst, sie ist störrisch, aber wir müssen ihr helfen. Es ist furchtbar, sie so zu sehen», sagte er bekümmert, mit einer Stimme, die Lily nicht kannte. «Ihre Zustände werden immer schlimmer.»

Der Arzt nickte verständnisvoll. «Hysterie ist ein weit verbreitetes Leiden unter Frauen. Besonders bei jungen Müttern findet man es häufig. Frau von Cappeln, wenn Sie sich einmal einen Moment aufs Sofa setzen würden …», bat er Lily und klang dabei, als würde er mit einem kleinen Kind sprechen.

Lily schüttelte entsetzt den Kopf. «Was reden Sie denn da? Ich bin doch nicht hysterisch! Fassen Sie mich nicht an!», brüllte sie dann panisch, als der Mann Anstalten machte, um den Schreibtisch herum auf sie zuzukommen.

Henry seufzte dramatisch. «Du siehst, was ich tagtäglich mitmache. Es hat wohl keinen Sinn heute, sie ist zu aufgeregt. Vielleicht kannst du uns etwas zur Beruhigung aufschreiben und bald noch einmal wiederkommen? Es tut mir leid, dass ich dich umsonst bemüht habe.»

«Selbstverständlich. Ich lasse euch Tropfen da und schreibe noch etwas zur Stärkung auf.»

Wie betäubt sah Lily zu, als der Arzt Henry ein kleines Fläschchen übergab, etwas auf einen Zettel kritzelte und sich dann mit einem besorgten Blick auf sie verabschiedete.

Kaum hatte er das Zimmer verlassen, veränderte sich Henrys Gesicht, er wurde wieder zu dem Mann, den sie kannte. Lily ging wie eine wütende Katze auf ihn los. Doch er packte sie, bevor sie ihn erreicht hatte, hielt sie mit eiserner Hand fest und drückte sie gegen den Schreibtisch. Ein triumphierendes Lächeln umspielte seine Mundwinkel.

«Was sollte dieses kleine Theaterspiel?», fragte Lily gepresst. Seine Finger bohrten sich schmerzhaft in ihre Unterarme.

Henry musterte sie einen Moment. Dann ließ er sie plötzlich los. «Gar nichts», erwiderte er gelassen. «Ich mache mir nur Sorgen, das ist alles.» Er reichte ihr die kleine Flasche. «Nimm bitte die Tropfen, ja? Sie sind wirkungslos, aber es kann deinem aufsässigen Gemüt nicht schaden.»

Verdattert nahm Lily die Flasche entgegen, dann schmiss sie

sie voller Abscheu auf den Boden, wo sie in tausend kleine Splitter zerbrach. «Ich will wissen, was das eben sollte!»

Henry lächelte wieder dieses überhebliche Lächeln, das sie völlig aus der Fassung brachte. Er seufzte. «Nur zu, weiter so. Du spielst mir wunderbar in die Hände.» Er machte eine kleine Pause, fuhr sich durch die blonden Haare. «Du hast recht. Ich kann dir Hanna nicht wegnehmen, Lily. Dein Vater würde es niemals zulassen. Und ich will es auch nicht. Du hörst es sicher nicht gern, aber ich liebe Hanna. Sie ist meine Tochter, und ich will sie nicht wegschicken, nur um ihre aufsässige, aus der Art geschlagene Mutter unter Kontrolle zu halten.» Er setzte sich hinter den Schreibtisch. «Deswegen habe ich mir etwas anderes überlegt.» Wieder dieses Lächeln, Lily lief es eiskalt den Rücken hinunter. «Ich brauche Hanna nicht wegzugeben. Was ich brauche, ist die Gewissheit, dass du an einem Ort bist, an dem du nichts tun kannst, was ich nicht gutheißen würde. Wo du sicher verwahrt bist, außer Reichweite von deinen keifenden Freundinnen und dieser Hafenratte, die du so sehr liebst.»

Plötzlich dämmerte Lily, was er ihr sagen wollte. Ihr wurde übel.

Henry schürzte die Lippen. «Ich bin Arzt, Lily. Noch nicht auf dem Papier, aber so gut wie. Ich habe viele Freunde an der Universität, viele Bekannte, die für ein bisschen Geld oder eine Gefälligkeit bereitstehen, um mir mit meiner Frau zu helfen, die mir das Leben mit ihren hysterischen Zuständen schwermacht.» Seine Augen verdunkelten sich. «Ich habe schon seit Wochen überall in der Stadt herumerzählt, wie schlecht es dir geht. Man kennt dich und weiß, dass du nicht stabil bist. Du hast wenige Freunde hier in Hamburg. Dein Bruder würde Geld dafür zahlen, dich so lange wie möglich aus der Stadt zu schaffen. Und dein Vater, nun, dein Vater ist schwach und krank. Es wird ein

Leichtes sein, ihn auf meine Seite zu bringen, wenn ich ihn davon überzeuge, dass es das Beste für dich ist! Und sobald man einmal einen Ruf als geistesgestört hat ... Nun, sagen wir mal, es ist sehr schwer, sich von so etwas zu erholen.»

Das Zimmer um Lily schien seine Konturen zu verlieren. «Aber ...», stotterte sie, vollkommen perplex, doch Henry stand auf und ging mit starrer Miene an ihr vorbei.

«Ich fahre zu Elenor. Du brauchst nicht auf mich zu warten.»

Lily stand da wie festgefroren. Ihr ganzer Körper schien zu vibrieren. Sie konnte keinen klaren Gedanken fassen. Irgendwann ging sie wie in Trance auf den Flur hinaus. Als sie in die Eingangshalle trat, sah sie draußen die Droschke davonfahren.

«Madame, geht es Ihnen gut?» Mary fasste sie zaghaft am Ärmel. Lily fuhr herum.

«Meinen Mantel.»

«Aber, Frau von Cappeln ... Sie dürfen doch nicht –», stotterte Mary, doch Lily herrschte sie mit eisiger Stimme an:

«Meinen Mantel! Ich muss zu meiner Mutter.»

Mary senkte den Blick und holte ihren Sommermantel aus weißer Spitze aus dem Schrank. «Aber was soll ich Ihrem Mann sagen, wenn er zurückkommt und ...»

«Er wird nicht zurückkommen. Er ist bei seiner Geliebten.» Lily spürte ihre Lippen und Fingerspitzen nicht mehr. Ein schüttelfrostartiges Zittern überkam sie.

«Geht es Ihnen nicht gut, Sie sind so blass?», fragte Mary vorsichtig, aber Lily riss ihr die Tasche aus den Händen und rannte aus dem Haus.

Blindlings stolperte sie die Straße entlang, an den riesigen Villen vorbei, bis sie irgendwann eine Mietdroschke fand. Die Fahrt kam ihr ewig vor, sie sah weder die Stadt vor dem Fenster, noch konnte sie einen klaren Gedanken fassen. Endlich hielten sie an. Sie stieg aus, lief zum Haus und hämmerte gegen die Tür.

Als Ruth öffnete und Lily auf der Schwelle des Frauenstifts sah, ließ die junge Frau vor Überraschung ihr Handtuch fallen. «Ist Emma noch da?», fragte Lily, bevor die Wirtschafterin etwas sagen konnte.

«Ich, ja, aber Sie können nicht …», stotterte Ruth, doch Lily schob sich wortlos an ihr vorbei ins Haus. Sie stürmte den Flur entlang und polterte in die Küche.

Drei Augenpaare sahen ihr erstaunt entgegen. Emmas Mund klappte auf. Charlie erbleichte und ließ das Brot sinken, in das er gerade hatte hineinbeißen wollen. Michel ließ seine Tasse fallen, Milch schwappte über das Tischtuch.

Lily stand da und starrte die drei an, ohne einen Muskel zu bewegen.

In diesem Moment ging die Hintertür auf und Jo trat in die Küche.

Teil 3

1

Es war, als hätte jemand ein wildes Klavierstück gespielt und mitten im Crescendo plötzlich die Hände von den Tasten genommen.

In der Küche herrschte eine so dröhnende Stille, dass Lily ihr eigener keuchender Atem zehnfach verstärkt in den Ohren widerhallte. Was sie vor sich sah, konnte nicht sein. Es war unmöglich.

Sie öffnete den Mund, wusste nicht, ob sie lachen, weinen oder schreien sollte. Aber kein Laut kam heraus.

Jos Gesicht war eine Maske des Schocks. Er hatte die eine Hand noch immer auf der Türklinke, die andere halb erhoben, um seine Mütze abzunehmen. Lilys Blick glitt zwischen ihm und Michel hin und her, unfähig zu begreifen, unfähig, sich zu bewegen.

Ihr Bruder reagierte als Erster. Mit einem heiseren Freudenschrei sprang er vom Stuhl und rannte auf sie zu, stieß sie beinahe um, als er seine Arme um ihre Taille schlang und sich gegen sie presste. Von Michel aus ihrer Starre gerissen, erhoben Emma und Charlie sich gleichzeitig. Emmas Stuhl fiel um. Beide warfen sich unsichere Blicke zu, sie wussten offensichtlich ebenso wenig wie Lily, wie sie mit der Situation umgehen sollten.

Als Lily nach einer Ewigkeit begriff, dass sie tatsächlich ihren kleinen Bruder in den Armen hielt, den sie so unendlich vermisst hatte, wollten ihre Beine sie plötzlich nicht mehr halten.

Langsam sank sie in die Knie, sodass sie nun zu Michel aufsah, der auf und ab hüpfte und das Wiedersehen in seiner kindlichen Naivität nicht hinterfragte, sondern sich einfach nur freute. Lily hingegen schüttelte ununterbrochen den Kopf. Ihre Augen suchten jeden Millimeter seines Gesichtes ab, als wäre er ein Wunder, das zu sehen sie nicht fassen konnte.

Und genau so war es ja auch.

«Aber was machst du denn nur hier?», fragte sie immer wieder, während Michel mit seiner heiseren Stimme einen aufgeregten Redestrom auf sie einprasseln ließ, von dem sie kein Wort mitbekam. Sie merkte erst, dass sie weinte, als er plötzlich in seinem Freudentaumel verstummte, ihr mit besorgter Miene beide Hände auf die Wangen legte und die Tränen fortwischte.

«Traurig?», fragte er, und Lily musste lachen und schluchzen gleichzeitig.

«Nein, ich bin nicht traurig. Ich bin froh!», erklärte sie, und er lächelte unsicher. Dann machte er sich plötzlich von ihr los, rannte zur Küchenbank, holte ein Blechflugzeug und einen kleinen geschnitzten Hund und brachte beides zu ihr. Lily erkannte auf den ersten Blick, dass der Hund von Jo stammte. Sie verstand einfach nicht, was hier vor sich ging.

«Lily, wir konnten es dir nicht sagen!» Händeringend trat Emma nun auf sie zu und ließ sich neben ihr auf die Knie sinken. Das schlechte Gewissen stand ihr ins Gesicht geschrieben.

Charlie setzte sich langsam wieder auf seinen Stuhl. Auch er wirkte angespannt, fuhr sich wieder und wieder mit der Hand übers Gesicht. «Nun, das musste ja passieren!», brummte er, und Emma warf ihm einen schneidenden Blick zu.

Jo hatte noch immer kein Wort gesprochen. Seine Miene war undurchdringlich. Er stand jetzt gegen die Tür gelehnt, die Arme vor der Brust verschränkt. Lily vermied den direkten Blick in seine Richtung, aber seine Gegenwart sendete pulsierende Wellen durch den Raum und machte jeden klaren Gedanken unmöglich.

Weil sie nicht wusste, wie sie auf ihn reagieren sollte, sah sie Emma an. «Ich verstehe das nicht …» Unbeholfen versuchte sie, sich die Tränen von den Wangen zu wischen. Auch ihre Nase lief jetzt, und Emma stand auf und reichte ihr ein Tuch von der Anrichte. Dann erklärte sie so gut sie konnte, wie dieses seltsame Aufeinandertreffen zustande gekommen war. Als sie berichtete, dass Michel im Heim misshandelt worden war, schlug Lily entsetzt die Hände vor den Mund. Ihre schlimmsten Befürchtungen bewahrheiteten sich, und es fühlte sich an, als hätte ihr jemand in den Magen getreten.

«Deine Eltern wollten es dir nicht sagen, sie hatten Angst, dass Henry etwas mitbekommen könnte. Sie wussten, dass du Michel besuchen wollen würdest … Aber sie konnten ihn auch nicht dort lassen. Dies hier ist nur vorübergehend, bis sie wissen, was mit ihm geschehen soll.»

Obwohl sie ihn nur aus den Augenwinkeln sah, merkte Lily, wie Jo sich bei der Erwähnung von Henry versteifte. Auch Charlie warf seinem Freund einen unruhigen Blick zu. Er stand nun ebenfalls auf, kam auf Lily zu, zog sie hoch und in seine Arme.

«Gut, dich wieder hier zu haben, Mädchen!», brummte er in ihr Haar. Lily drückte sich an ihren riesigen Freund und atmete seinen vertrauten Geruch ein. Als sie sich von ihm löste, schüttelte sie erneut den Kopf.

«Ich kann es nicht begreifen. Du, hier? Ihr alle seid hier. Und ich habe nichts gewusst.» Sie brach ab, und Charlies Gesicht zog sich sorgenvoll zusammen. Für Lily war es, als würden zwei Welten, die bisher ohne Berührungspunkte nebeneinanderher existiert hatten, mit einem Mal zusammenknallen und sie dabei gewaltvoll zur Seite stoßen. «Und du hast dich um Michel ge-kümmert?», fragte sie. «Wenn ich das gewusst hätte!»

Er nickte. «Es war mehr oder weniger Zufall.» Charlie warf einen Blick auf Jo. «Wir gehen gleich und lassen euch zwei reden. Aber sag uns zuerst, warum du hier bist.»

Lily hatte Henry und alles, was geschehen war, für einen Moment vollkommen vergessen. Nun brach es wieder über sie herein. Stotternd versuchte sie zusammenzufassen. Die Mienen in der Küche verfinsterten sich. Emma presste besorgt die Lippen aufeinander, Charlie knirschte mit den Zähnen. Jo sagte noch immer nichts, aber in seinen Zügen lag pure Wut.

«Ich bin einfach losgelaufen. Mary glaubt, ich sei bei meiner Mutter. Henry ist bei Elenor und wird sicher nicht vor morgen früh zurückkommen. Er bleibt eigentlich immer die ganze Nacht, seit er weiß, dass sie schwanger ist.» Plötzlich merkte sie, wie ihr die Kräfte schwanden. «Was mache ich denn nur?», flüsterte sie, ließ sich auf einen der Küchenstühle sinken und rieb sich mit beiden Händen über die Stirn.

«Lily, du musst mit deinem Vater und Franz reden!» Emma setzte sich neben sie und legte ihr die Hand auf den Unterarm. «Du musst ihnen sagen, was er plant. Ich glaube nicht, dass Henry wirklich so weit gehen würde. Er will dir nur Angst machen. Aber falls doch, ist dein Vater der Einzige, der es verhindern kann. Er muss wissen, was Henry für ein Spiel spielt.»

Lily nickte schwach. «Aber Henry hat auch bei ihm schon seine Lügen verbreitet. Was, wenn sie ihm glauben?» Sie starrte auf ihre Hände, die zitternd auf der Tischplatte lagen. «Ich weiß einfach nicht, was ich tun soll», flüsterte sie mit vom Weinen rauer Stimme, und das Schweigen, das ihr entgegenschlug, bestätigte ihr, dass auch die anderen es nicht wussten.

Schließlich schüttelte Emma den Kopf. «Wir werden uns etwas einfallen lassen. Aber jetzt bringen wir erst mal Michel ins Bett. Komm, Charles.»

Michel protestierte heftig, ließ sich aber mitnehmen, als Lily ihm versprach, gleich noch einmal nach ihm zu sehen. Sie blickte den dreien nach, wie sie den Flur entlang auf die Treppe zugingen. Der Ton zwischen ihnen war so vertraut. Als sie Hamburg verlassen hatte, waren sich diese drei Menschen noch nie begegnet … und nun … Michel lief in der Mitte, zwischen Emmas schlanker Gestalt und Charlies hünenhafter Silhouette – und sie wirkten fast wie eine kleine Familie.

Schließlich konnte sie es nicht länger hinauszögern. Langsam drehte sie sich um.

Jo lehnte noch immer an der Tür. Er hatte die Stirn gerunzelt und blickte sie an, als hätte er ein unlösbares Rätsel vor sich.

Langsam trat Lily auf ihn zu. Vor ihr stand der Mensch, den sie besser kannte als jeden anderen. Und doch war er ihr fremd. Sie spürte ihren Herzschlag im Hals. Irgendwo, in einer anderen Welt, erklangen die geschäftigen Geräusche des Hauses, eine Kutsche fuhr draußen vorbei, im Stockwerk über ihr knarzte der alte Holzboden.

Als sie sich nicht rührte, nur dastand und ihn anstarrte, schüttelte Jo irgendwann den Kopf. «Warum sagst du nichts?», fragte er. Seine Stimme war rau.

Lily schluckte. Weil ich Angst habe zu erfahren, wer du wirklich bist, dachte sie. «Weil … Ich … Es ist so seltsam, dich zu sehen!», erwiderte sie stattdessen und hörte selbst, wie hoch und gekünstelt ihre Stimme klang.

Er nickte langsam. Hätte sie ihn nicht so gut gekannt, sie hätte geglaubt, dass ihm das alles hier nichts bedeutete. Aber an der Art, wie sein Kiefer sich verkrampfte, sah sie, dass er nur mit Mühe seine Emotionen unter Kontrolle hielt.

Jo betrachtete ihr Gesicht und wusste nicht, ob er davonlaufen oder sie an sich ziehen wollte. Als er vor weniger als zwanzig Minuten halb betrunken und müde in die Küche gekommen war, hatte er erwartet, mit Charlie gegenüber in der Wirtschaft noch ein Bier zu kippen, eine Runde Karten zu spielen und dann nach Hause zu wanken. Noch immer war er nicht sicher, ob sie tatsächlich vor ihm stand oder ob sich seine Phantasie nun doch verselbständigt hatte. Wenn man allzu oft von etwas träumte, wurde es vielleicht irgendwann Wirklichkeit.

Er hörte ihr Kleid rascheln, sah, wie sich die roten Locken um ihre Stirn kringelten. Er roch sogar ihren Duft, den er über die Jahre fast vergessen hatte und der nun eine Welle aus Erinnerungen über ihn hereinbrechen ließ. So oft hatte er sich vorgestellt, wie es sein würde. Aber nun war es, als wäre plötzlich alles in ihm erstarrt. Es ging zu schnell, Traum und Wirklichkeit durften nicht auf diese Weise aufeinanderprallen.

Trotzdem spürte er bereits, wie die Mauer aus Kälte und Wut, die sich in den letzten Jahren in ihm aufgebaut hatte, ins Wanken geriet. So lange hatte er sich eingeredet, er hätte Lily nie richtig gekannt. Dass die Frau, die er liebte, nicht die Frau sein konnte, die ihn einfach verließ, einen anderen heiratete, sein Kind von ihm wegriss und in ein fremdes Land ging. Irgendwann hatte er sich selbst davon überzeugt, dass sie ein Trugbild gewesen sein musste, nie echte Gefühle für ihn hatte. Wie sonst konnte sie ihn einfach verlassen, nur für die Aussicht auf ein besseres Leben. Doch in den letzten Minuten, in denen er sie und Michel beobachtet hatte, war ihm klargeworden, dass nichts davon stimmte.

Sie war noch immer genauso wie damals.

Zu seiner Überraschung schien sie beinahe ängstlich. Sie sagte nichts, und auch er wusste nicht, wie man ein Gespräch begann, das über so vieles entscheiden konnte. Plötzlich fasste sie in den Ausschnitt ihres Kleides und zog etwas heraus. Ein kleines viereckiges Stück Papier. «Ich habe es immer bei mir», erklärte sie leise.

Er blickte auf das Foto, das sie ihm reichte. Und sah seine Tochter.

Jo versuchte, den Sturm an Gefühlen zu kontrollieren, die in ihm tobten. Benommen betrachtete er das Bild, schluckte mit rauer Kehle. «Sie sieht genauso aus wie Leni», sagte er schließlich, und Lily lächelte. Ihre Augen hielten einander fest. Doch plötzlich ging ein Ruck durch Lily, als würde sie aus einem Traum aufwachen.

Sie wischte sich die Tränen von den Wangen, strich ihre Haare glatt. «Ich muss zurück. Ich weiß nicht, was in mich gefahren ist, aber ich kann nicht bleiben. Falls er doch früher nach Hause kommt ... Nun, ich will es mir gar nicht ausmalen. Er ist so wütend ...»

Jo sah, wie durcheinander sie war. Ihre Hände zitterten, unter den Augen hatte sie lila Schatten. Er beschloss, dass sie auch zu einer anderen Zeit reden konnten. «Ich bringe dich nach Hause», sagte er und setzte seine Mütze auf.

Sie nickte, als hätte sie nichts anderes erwartet, und sein Herz zog sich schmerzhaft zusammen. Seltsam, dass man solche Dinge körperlich spürt, dachte er und fasste sich unwillkürlich an die Brust.

Schnell verabschiedeten sie sich von Michel, der Lily unter Tränen das Versprechen abrang, bald zurückzukommen. Jo stand in der Tür und sah zu, wie sie mit sich kämpfte, als sie ihrem kleinen Bruder ins Gesicht log. Lily bedeckte Michels Gesicht mit Küssen, die ihn lachen ließen, weil sie ihn kitzelten, löste sich dann abrupt und lief an Jo vorbei aus dem Raum. Ein Blick in ihr Gesicht reichte, um zu wissen, was sie gerade durchmachte.

Mit schnellen Schritten gingen sie nebeneinanderher durch die dunkle Stadt. Jo musterte Lily aus den Augenwinkeln. Er hatte Angst, dass sie verschwinden würde, wenn er zu lange nicht hinsah. Sie hatte die Schultern hochgezogen und wischte sich immer wieder mit dem Handrücken über die Wangen. Er hätte sich nie vorgestellt, dass sie so traurig sein würde bei ihrem Wiedersehen. Wütend, ja. Kalt und abweisend. Aber traurig? Bei ihrem Anblick zerbröckelte auch der letzte Rest seiner Wut. Zurück blieb eine Art Lähmung. Und plötzlich hielt er es nicht mehr aus. Er blieb stehen, und als sie nach ein paar Schritten merkte, dass er nicht mehr neben ihr lief, drehte sie sich überrascht um. Sie hatten inzwischen das Ufer der Alster erreicht, in der Luft lag der Geruch des Flusses. Um sie her war es dunkel, nur die fernen Lichter der Stadt malten Schatten auf Lilys Gesicht.

Jo stand mit hängenden Armen da und versuchte, Worte zu finden. Aber bevor er etwas sagen konnte, trat Lily auf ihn zu. «Es tut mir so leid», sagte sie leise, und er spürte, wie etwas in ihm sich löste. Etwas, das ihm wie ein Bleigewicht seit Jahren auf der Brust gelegen hatte.

Emma hat recht gehabt, dachte er. Ich war so dumm. So stolz. Wenn ich nach ihr gesucht, ihr geschrieben hätte …

«Ich hätte niemals gehen dürfen. Ich war so durcheinander, schon als ich auf dem Schiff war, wollte ich zurück. Aber du warst verschwunden, und ich dachte …»

Sie war jetzt ganz nah, er nahm ihren Duft wahr und wusste, dass er dieser Frau nichts entgegenzusetzen hatte. Auch wenn sie wieder fortgehen, ihn verraten, ihn im Stich lassen sollte, er liebte Lily, und er würde sie immer lieben. Er war ein Narr, dass er das jetzt erst erkannte.

«Hat Emma es dir erzählt?», wollte er wissen, und sie schüttelte fragend den Kopf.

«Was erzählt?»

Er hob seinen Pullover und zeigte ihr die wulstige Narbe an seinem Bauch. «Warum ich verschwunden war.»

Lily gab einen erstickten Laut von sich. Sie streckte vorsichtig die Finger aus, und diesmal trat er nicht zurück. Aber als sie ihn berührte, zuckte er unmerklich zusammen. «Was ist das?», fragte Lily und blickte ihn mit großen Augen an. Es war so dunkel, dass ihre Pupillen fast schwarz wirkten.

Jo erklärte ihr in knappen Worten, was damals geschehen war.

«Und Emma hat es gewusst?», rief Lily entsetzt und wich zurück, doch er packte rasch ihr Handgelenk und hielt sie fest.

«Erst seit ein paar Wochen. Und sie hat es dir nicht gesagt, um dich zu schützen. Um Hanna zu schützen. Emma würde alles für dich tun.»

Sie biss sich auf die Lippen und nickte. «Das stimmt», gab sie zu. Plötzlich stöhnte sie gequält. «Es hätte mir klar sein müssen. Aber Franz … Sie haben gesagt … und ich dachte …» Wieder begann sie zu weinen, und Jo unterbrach sie.

«Ich weiß, Lily. Ich verstehe es.» Er merkte erst, als er es aussprach, dass er es wirklich verstand. Menschen machten Fehler. Sie war krank gewesen, durcheinander, von Trauer zerfressen, schwanger, allein und voller Angst. Vielleicht hätte er genauso gehandelt.

«Ich habe es entsetzlich bereut!», schniefte sie.

Er wollte sie so gerne an sich ziehen, sie küssen, sie endlich wirklich wiederhaben. Aber er musste ihr erst noch etwas sagen. «Lily, ich … Du musst etwas wissen.» Er fuhr sich mit beiden

Händen durchs Gesicht, konnte ihr nicht in die Augen sehen, als er weitersprach. «Charlie hatte mich gefunden. Im Gefängnis. An dem Tag, als das Schiff ging. Ich weiß nicht, ob er es noch geschafft hätte, aber eine Chance gab es sicher. Ich habe ihm gesagt, dass er es nicht versuchen soll.» Seine Stimme war so rau, dass sie ihm beim letzten Wort den Dienst versagte. «Er hat mir deinen Brief gegeben.» Jo brach ab. Es gab keine Worte, die erklären konnten, wie er sich damals gefühlt hatte. Aber Lily verstand auch so.

«Ich war ja genauso. Ich hätte versuchen können, dich zu finden, ich wusste schließlich, dass du noch in der Stadt warst. Irgendwann hat Emma von dir gehört, von deinem Arbeiterkampf.» Ein Lächeln zuckte um ihren Mund. «Aber ich war zu …»

Stolz, dachte er. Verletzt. Sie hat die ganze Zeit genau so gefühlt wie ich. Wie dumm wir beide waren, dachte er verzweifelt. Wie viel wir kaputt gemacht haben durch unsere Angst. All die Jahre, die wir nie zurückbekommen werden.

«Ich habe dich jeden Tag vermisst.» Lily sprach aus, was er nicht konnte. Sie war schon immer besser darin gewesen, Dinge in Worte zu fassen. «Du hast bei allem gefehlt. Es war die Hölle, Hanna aufwachsen zu sehen und zu wissen, dass du es verpasst.» Sie weinte jetzt nicht mehr, ihr Gesicht war hart geworden. «Und das Schlimmste ist, es gibt keinen Ausweg. Es gibt kein Zurück. Ich bin verheiratet, Hanna gehört ihm. Wir können nichts tun.»

Jos Brust war nichts als ein brennender Knoten. «Ich weiß», flüsterte er. Sie sahen sich an, und in diesem Moment teilten sie die gleiche Qual. Dann schlang Lily Jo die Arme um den Hals und küsste ihn. Es war einer der schmerzhaftesten Momente seines Lebens.

Und zugleich der schönste.

Als sie bei der Villa angekommen waren, in der überall Lichter brannten, hielt Jo Lily am Arm fest. «Gib ihr die von mir, ja?», sagte er und zog die kleine Katze hervor, die er für seine Tochter geschnitzt hatte.

Lily blickte auf seine Hand, und ihre Augen wurden weich. Aber sie schüttelte den Kopf. «Nein, Jo. Die wirst du ihr selbst geben! Bald! Ich verspreche es.» Sie drehte sich um und blickte zur Villa. «Die Droschke ist noch fort. Aber Mary wird auf mich warten. Ich muss gehen. Denk an unser Zeichen!»

Er nickte. «Als ob ich es vergessen könnte», erwiderte er. Dann sah er ihr nach, wie sie die Auffahrt entlanglief und ihr Kleid einen langen Schatten auf den Kies warf. Eine schwarze Silhouette vor dem hell erleuchteten Haus.

Jo wartete, bis sie verschwunden war. Seine Brust schien ihm zu eng zum Atmen. Als sich die Tür hinter ihr geschlossen hatte, zog er seine Mütze in die Stirn, drehte sich um und verschwand in der Dunkelheit.

Lily, was redest du da nur? Natürlich hast du das falsch verstanden. Henry würde dich niemals irgendwo einweisen lassen!» Ihr Vater lachte auf. «Er macht sich einfach Sorgen!»

«Papa, er hasst mich. Du weißt nicht, wie er ist. Er hat es mir angedroht, mit genau diesen Worten. Ich sage die Wahrheit, du musst mir glauben!»

Nach einer schlaflosen Nacht, in der Henry nicht nach Hause gekommen war, hatte sie auf gut Glück in der Reederei angerufen, wo ihr Vater jetzt wieder ab und an nach dem Rechten sah. Zu ihrer Erleichterung hatte sie ihn tatsächlich erwischt. Lily hatte sich noch nicht an das für sie neue Telefonieren gewöhnt, es war seltsam, seine Stimme aus diesem merkwürdigen Apparat zu hören. Sie hatte das Gefühl, dass sie sich ohne Gesten und Mimik nicht richtig verständlich machen konnte. So war sie nicht besonders überrascht, als Alfred irritiert seufzte: «Wie mir scheint, hat er aber nicht ganz unrecht mit seinen Behauptungen. Du bist ja regelrecht hysterisch.»

Lily klammerte die Finger um den Hörer. Sie schloss die Augen und zwang sich, langsam zu atmen. «Papa. Ich bin vollkommen ruhig. Ich möchte dir nur sagen, dass Henry mir gedroht hat, mich wegsperren zu lassen. Er verbreitet Lügen über mich, hält mich hier im Haus wie eine Gefangene. Und er hat mir gesagt, dass er auch schon mit dir und Franz über meinen angeblichen Zustand gesprochen hat. Ich möchte doch nur ...»

«Jetzt ist Schluss mit dem Unsinn.» Ihr Vater klang empört. Es raschelte und knackte in der Leitung. «Wie redest du nur? Du bist keine Gefangene. Aber du wirst wohl verstehen, dass dein Mann nach allem, was du dir damals geleistet hast – und nach diesem Artikel gestern zu schließen, noch immer leistest –, nicht freiwillig dabei zusieht, wie du dein altes Leben wieder aufnimmst. Ich habe ihm höchstpersönlich empfohlen, deine Ausfahrten zu überwachen, aus gutem Grund, wie du weißt. Es stimmt, er war bei uns. Aber du hättest ihn hören sollen, Lily. Er macht sich doch nur Sorgen, dass es dir nicht gutgeht hier in Hamburg, mit all den Erinnerungen. Ja, er hat einen möglichen Sanatoriumsaufenthalt erwähnt, aber ...»

«Ich brauche keinen Sanatoriumsaufenthalt!» Es wurde still am anderen Ende, und Lily wurde klar, dass sie ihren Vater scharf unterbrochen hatte. «Entschuldige. Ich wollte dir nicht ins Wort fallen. Aber das Ganze ist wirklich unsinnig, mir geht es gut», beteuerte sie.

Als ihr Vater weitersprach, war seine Stimme plötzlich sanfter. «Nun, die ganze Situation kann für dich nicht gerade einfach sein.»

Erstaunt hielt sie inne. «Nein, ist sie nicht», gab sie zu. «Aber ...»

«Siehst du? Das ist alles, worum es Henry geht. Er versucht lediglich, das Beste aus der Lage zu machen. Jede Frau fährt ab und an zur Erholung, Lily, das ist nun wahrhaftig kein Grund, Verfolgungswahn zu entwickeln.» Sie hörte, wie er den Kopf schüttelte. «Wenn ich dich so höre, scheinst du mir wirklich ein wenig überspannt.»

Lily merkte, dass sie mit ihrem Telefonat genau das Gegenteil von dem erreichte, was sie eigentlich wollte, und biss sich auf die Lippen. «Ich mache mir nur Sorgen, dass er mir Hanna wegnimmt», sagte sie leise. «Von außen mag es so aussehen, als sei alles in Ordnung, aber er benutzt sie als Druckmittel.»

Sie hatte nicht geplant, ihrem Vater diese Dinge zu sagen. Aber nun, da sie ausgesprochen waren, fühlte sie sich erleichtert.

Am anderen Ende der Leitung war es eine Weile still. «Du weißt, wie wichtig Hanna mir geworden ist. Glaubst du, ich würde zulassen, dass man sie dir wegnimmt?»

«Nein, das nicht. Deswegen tut er das ja alles. Er weiß, dass er sie mir nicht wegnehmen kann, also will er mich w...»

Diesmal war es an Alfred, sie zu unterbrechen. «Lily, hör mir gut zu. Es ist absolut unziemlich, mit dir über diese Dinge zu sprechen, deswegen sage ich dir das jetzt nur ein Mal. Dein Mann ist finanziell von uns abhängig. Das Familiengeschäft wird von seinem Bruder und seinem Vater geleitet. Henry wird von diesem Vermögen in den nächsten Jahrzehnten nur auf dem Papier etwas haben. Verstehst du, was ich dir damit sagen will?»

Lily öffnete den Mund, aber ihr Vater sprach schon weiter. «Er würde sich niemals gegen meinen Willen stellen. Und solange du mir keinen Grund gibst, ebenfalls an deinem Geisteszustand zu zweifeln, musst du dir keine Sorgen machen, dass irgendjemand versucht, dich wegzusperren oder dir dein Kind wegzunehmen. Ich hoffe, du hörst selbst, wie lächerlich das klingt. So, und nun muss ich weiterarbeiten. Schönen Tag noch.» Nach diesem ungehaltenen Wortschwall legte ihr Vater einfach auf.

Lily starrte den Hörer an. Erleichterung durchflutete sie. Er war auf ihrer Seite! Auch wenn er ihr nicht glaubte, er wusste jetzt von ihren Ängsten, und falls Henry es tatsächlich wagen sollte, sie gegen ihren Willen in ein Sanatorium bringen zu lassen, würde er ihr sicher zu Hilfe kommen. Emma hatte recht, Henry konnte es sich gar nicht leisten, sich mit ihrer Familie zu überwerfen.

Jetzt kann ich nur hoffen, dass mein Vater noch lange gesund und rüstig bleibt, dachte sie, als sie ebenfalls auflegte. Denn wenn nur Franz übrig bleibt, ende ich wahrscheinlich irgendwann in einem dunklen Kerker bei Wasser und Brot.

E twas traf ihn schmerzhaft am Bauch. Verwundert sah Franz von seiner Zeitung auf. Roswita hatte ihm ein Buch in den Schoß geworfen.

«Ich will, dass wir es so machen, wie es hier beschrieben steht!» Sie baute sich vor ihm auf. Die Hand, mit deren Zeigefinger sie auf ihn deutete, zitterte kaum merklich, aber sie wirkte fest entschlossen.

Franz nahm langsam das Buch auf und las stirnrunzelnd den Titel. «Die eheliche Pflicht?» Fragend sah er seine Frau an.

Sie nickte mit hartem Blick. «Ganz genau. Und zwar die ungekürzte Version.» Sie schnaubte wütend. «Ich will, dass wir es so machen, wie es Dr. Weißbrodt beschreibt. Und zwar jeden Abend. So lange, bis ich schwanger bin.»

Franz hielt den Atem an. «Wie bitte?» Er lachte auf.

Roswita verschränkte die Arme vor der Brust. «Ich gebe dir ein Jahr.»

Langsam ließ er die Zeitung sinken, die er immer noch aufgeschlagen in den Händen hielt. Nanu, dachte er. Was ist denn mit meiner Roswita passiert? Ihre Stimme war so fest, ihr Gesicht so entschlossen. Noch nie hatte er sie so gesehen. Und wie sie mit ihm sprach. Man könnte fast beeindruckt sein, wenn sie nicht so lächerlich aussehen würde in ihrem zu engen Rüschenkleid. Er wollte aufbrausen, doch sie fuhr dazwischen.

«Hör mir zu!», schrie sie, und er zuckte doch tatsächlich zusammen. Sie schloss die Augen und presste die Finger gegen die Schläfen, als müsse sie sich sammeln. Als sie weitersprach, war ihre Stimme ruhiger, aber statt der Finger bebte jetzt ihre Unterlippe. «Du hast recht, wenn ich es an die große Glocke hänge, werde ich genauso leiden wie du. Aber weißt du, was mir klargeworden ist?» Sie lächelte. «Das brauche ich gar nicht. Ich muss es nur meinem Vater erzählen.»

Franz schoss das Blut ins Gesicht.

Roswita nickte mit kaltem Blick. «Ganz genau, ich sehe, du verstehst. Ich habe ihn gestern ganz nebenbei gefragt, wie viele Anteile er an der Reederei und der Kalkutta-Linie hat.»

Kalte Wut wühlte sich durch seine Eingeweide. Er wollte aufstehen, ihr eine schallende Ohrfeige verpassen, ihr dummes, hässliches Gesicht gegen die nächste Wand drücken. Aber er tat es nicht. Er blieb stocksteif sitzen.

Denn sie hatte recht.

Seine Handflächen prickelten. Er fuhr sich langsam mit den Fingerspitzen über den Bart. Noch immer erwiderte er nichts, sah sie nur an und versuchte, einen klaren Gedanken zu fassen.

«Ein Jahr. Wenn ich bis dahin nicht schwanger bin, gehe ich zu meinem Vater und erzähle ihm alles. Er wird dich nicht anzeigen, damit würde er der ganzen Familie schaden. Aber er wird dir das Leben zur Hölle machen. Du hast nicht nur mich getäuscht, sondern auch ihn. Was glaubst du, wird er dazu wohl zu sagen haben?» Sie verschränkte die Arme vor der Brust und sah ihn abwartend an.

Franz gab ein ersticktes Geräusch von sich. «Aber wie kannst du meine Frau bleiben wollen ...», fragte er, zu verblüfft, um länger wütend zu sein. Mit allem hatte er gerechnet, nur damit nicht.

Sie seufzte tief. «Was ich will, Franz, ist ein Kind. Einen Ehemann, der sich um mich kümmert. Der mit mir zu Bällen und Festessen geht, mir neue Kleider kauft, der Geld verdient und abends nach Hause kommt.» Plötzlich wurde Roswitas Gesicht weicher. «Eine Scheidung kommt für mich nicht in Frage. Ich habe viel nachgedacht seit jener Nacht. Ich will deine Frau bleiben. Ich kann ...» Sie schloss einen Moment die Augen, und es sah aus, als bereitete ihr das, was sie sagen wollte, körperliche Schmerzen. Ihre Stimme war so leise, dass er sie kaum hörte. «Ich kann hinnehmen, was du bist. Solange du es von mir fernhältst.»

Franz konnte nicht fassen, was sie da sagte. Roswita streckte plötzlich die Hand aus, und wie in Trance ergriff er sie und stand auf.

«Wir brauchen einander, Franz. Verstehst du das? Du brauchst mich genauso wie ich dich. Wir können uns ein angenehmes Leben schenken. Du behandelst mich mit Respekt, ich lasse dir dein Leben – wenn du mir auch eines ermöglichst. In welcher Ehe gibt es schon Liebe? Liebe ist ein Privileg, das nur den wenigsten zuteilwird.» Sie ging vor ihm auf und ab. «Ich habe lange darüber nachgedacht. Mir gefällt es genauso wenig wie dir. Aber es gibt nur diesen einen Weg!»

Franz blickte stumm vor sich hin. Ihm dämmerte, was sie ihm sagen wollte. Aber konnte es wirklich so einfach sein? Langsam nickte er. «Und du kannst damit leben … dass ich bin, was ich bin? Denn eines kann ich dir sagen, es wird nicht weggehen. Ich habe mein ganzes Leben lang alles versucht. Ich habe das akzeptiert. Kannst du das auch?»

Plötzlich sah sie unsicher aus. «Du wirst deine Andersartigkeit so diskret ausleben wie irgend möglich?»

«Selbstverständlich.» Er lachte freudlos. «Wie sollte es auch anders gehen?»

«Gut. In ein paar Jahren, wenn die *Luxoria* Gewinne abwirft und die neue Linie etabliert ist, können wir in ein eigenes Haus ziehen. Dann haben wir getrennte Schlafzimmer, und alles wird einfacher.» Plötzlich war da wieder dieser entschlossene Ton, dieser Gesichtsausdruck, den er so gar nicht an ihr kannte. «Wir können einander viele Freiheiten schenken, vergiss das niemals, Franz. Aber wir haben eine Abmachung. Und ich erwarte, dass du deinen Teil einhältst!»

Sie sah ihm ohne das geringste Anzeichen von Furcht oder Scham in die Augen, und er fragte sich erneut, wo die verletzliche, maulige Roswita hin war, die er geheiratet hatte. Das hier vor ihm, das war eine neue Frau.

Er nickte wortlos.

Sie nickte ebenfalls. Schließlich drehte sie sich um und ging davon. Ihre Röcke raschelten leise über den Boden, die Tür klackte, dann war sie verschwunden.

Franz ließ sich verblüfft wieder in seinen Stuhl sinken. Das Blut rauschte ihm in den Ohren. Das Buch bohrte sich schmerzhaft in seinen Oberschenkel. Er nahm es in die Hand, schlug es

auf, blätterte ein wenig und seufzte leise. Aber Roswitas Forderung war ein geringer Preis für das, was sie ihm in Aussicht gestellt hatte.

2

Es war, als würde das Haus um sie her den Atem anhalten. Barfuß schlich Lily die Treppe hinunter. Immer wieder blieb sie stehen, lauschte auf die Stille. Alle schliefen, Henry war fort. Es würde nichts passieren. Sie sagte sich das bereits zum Hundertsten Mal.

Trotzdem schlug ihr das Herz bis zum Hals.

Die Küche lag in tiefe Schatten getaucht. Als sie den Riegel zur Hintertür aufschob, knirschte er laut, und sie hielt erstarrt inne, horchte mit prickelndem Nacken, ob jemand etwas bemerkt hatte. Aber die Angestellten schliefen unter dem Dach, niemals würden die Geräusche bis zu ihnen nach oben dringen.

Sie schob die Tür auf und trat in den Garten. Ein leichter Wind brachte die Büsche zum Rascheln, und sie zog ihre Strickjacke enger um sich. Es war nicht kalt, aber sie zitterte trotzdem. Einen Moment dachte sie, er wäre nicht da.

Dann löste sich Jos dunkle Gestalt aus den Schatten.

Lilys Hals war wie zugeschnürt, sie konnte nicht sprechen. Aber als sich ihre Körper in der Dunkelheit fanden, reichte der Geruch seiner Haut, um die letzten drei Jahre der Trennung auszulöschen. Es war, als hätte es die Distanz zwischen ihnen nie gegeben. Er zog sie in seine Arme, Lily spürte seinen Mund an ihrem Hals, seinen warmen Atem an ihrem Ohr, und klammerte sich an ihn wie eine Ertrinkende.

Lily führte Jo an der Hand die Treppe hinauf, sie spürte seine Präsenz hinter sich und dachte, dass sie gleich verrückt werden würde vor Verlangen nach ihm. Der Wind war ihr Verbündeter. Als wüsste er, dass sie in dieser Nacht Schutz brauchten, heulte er immer lauter ums Haus und zerstreute alle Geräusche in der Dunkelheit.

Sie hatte geglaubt, dass sie leidenschaftlich aufeinander losstürzen würden, wenn sie erst alleine wären. Aber eine ganze Weile konnten sie sich nur anstarren. Im Kamin loderte das Feuer und tauchte Jo in orangefarbenes Licht. Es ließ seine Augen dunkler wirken, als sie sie in Erinnerung hatte, malte Schatten auf sein Gesicht. Trotzdem war er genau der Mann, den sie so lange vermisst hatte. Niemand anderes, niemand Fremdes. Ihr Jo. Sie konnte nicht glauben, dass er wirklich hier war. Und doch fühlte es sich so an, als wären sie nie getrennt gewesen.

Er hielt sie eine Armeslänge von sich entfernt und betrachtete sie beinahe nachdenklich, schien jeden Millimeter in sich aufzusaugen, als müsste auch er sich vergewissern, dass sie wirklich da war.

Schließlich hielt Lily es nicht mehr aus, sie stürzte auf ihn zu, presste ihren Mund auf seinen, ihre Finger fuhren gierig über seinen Körper, zerrten ungeduldig an seinem Pullover, weil plötzlich jede Sekunde, die sie nicht seine Haut an ihrer fühlte, eine Sekunde zu viel war. Mit einem Mal spürte sie die Narbe an seinem Bauch. Sie wollte sie genauer betrachten, wollte noch einmal hören, was geschehen war.

Doch Jo schüttelte stumm den Kopf und zog sie an sich. Sie küssten sich so heftig, dass es ihr den Atem nahm. Als er ihr wenig später das Nachtkleid über den Kopf zog und den großen blauen Fleck auf ihrer Taille sah, entfuhr ihm ein überraschter Laut. Er hielt inne, aber nun ließ Lily ihn nicht zu Wort kommen. «Es ist nichts weiter!», keuchte sie, presste sich an ihn und küsste seinen Hals, seine Brust, seinen Bauch, bis er nachgab und sie zusammen aufs Bett fielen.

Jo spürte ihr Herz schlagen. Er drückte seine Nase in ihre Locken, atmete ihren Duft ein, und beinahe fühlte es sich an wie ein Rausch. Sie war wirklich hier. Noch nie hatte er einem Treffen so sehr entgegengefiebert wie diesem, und noch nie hatte die Realität so sehr mit seinen Träumen übereingestimmt. *Hoffentlich wache ich nicht auf und merke, dass es doch alles nicht wahr ist,* dachte er, als er einen Moment die Augen schloss. Aber seine Finger fuhren über ihren nackten Rücken, sie gab einen wohligen Laut von sich, und er wusste, dass er nicht träumte. Lily schien es ähnlich zu gehen, die letzten Stunden hatte sie immer wieder innegehalten und sein Gesicht betrachtet, war mit den Fingern über seine Wangen gefahren, hatte ihre Nase an seine Haut gepresst. Auch sie musste sich wohl davon überzeugen, dass das hier die Wirklichkeit war.

Obwohl er sich glücklich und entspannt fühlte wie seit Jahren nicht, öffnete er die Augen, richtete sich auf und zog vorsichtig die Decke von ihrem nackten Körper. Mit gerunzelter Stirn betrachtete er den großen dunklen Fleck, wanderte mit den Fingerspitzen über ihre Haut, suchte nach weiteren Spuren. Als er sie fand, kroch Wut in ihm hoch, so dunkel und roh, dass ihm ein erstickter Laut entfuhr.

«Reg dich nicht auf», flüsterte Lily. Sie hatte sich bereitwillig untersuchen lassen, aber nun richtete sie sich auf und küsste ihn, hielt sein Kinn fest und lenkte seinen Blick von den Malen auf ihrem Körper zu ihrem Gesicht. «Wir können nichts ändern. Und es passiert nicht mehr oft.» Eindringlich sah sie ihn an.

Er schüttelte den Kopf. «Aber du …», begann er zu protestieren, doch sie ließ ihn nicht weitersprechen, sondern begann wieder, ihn zu küssen.

«Ich will nicht darüber reden», sagte sie an seinen Lippen und zog ihn auf sich. «Ich will ihn heute Abend nicht in meine Gedanken lassen.»

Jo konnte nicht anders, als ihre Küsse zu erwidern, trotzdem rasten seine Gedanken vor Zorn. Er wusste, dass sie recht hatte. Er konnte nichts tun. Dennoch stellte er sich vor, wie er Henry an den blonden Locken packte und sein Gesicht wieder und wieder in den Boden rammte.

———— • ◆ • ————

S ie traute sich nicht hinaus. Also kam Jo herein. Es war so einfach, dass Lily jedes Mal den Kopf schüttelte, wenn sie nachts durch das dunkle Haus schlich, um den Hintereingang zu öffnen. Niemand würde je auf den Gedanken kommen, dass sie so dreist, so skrupellos handelte, nicht einmal Henry. Sie war ja selbst überrascht, dass sie es wagten. Aber sie hatten keine Wahl. Jo nicht zu sehen, war keine Option.

So gefährlich es war, so leicht war es auch. Die Dienstboten mussten in aller Frühe aufstehen, und der Schlaf war ihnen heilig. Selbst wenn einer von ihnen wach werden sollte, war es ohnehin nicht schicklich, nachts durch das Haus der Herrschaften zu laufen.

Immer wenn Henry bei Elenor war, stellte Lily nun ein Licht in ihr Fenster. Jo konnte nicht jeden Abend vorbeikommen und darauf warten, ob das Licht anging, und oft blieb Lily die halbe Nacht vergebens auf. Aber genauso oft kam er auch. Er schlich durch das dunkle Haus zu ihr hinauf, und sie liebten sich im

Schein der kleinen Lampe. Beieinander zu sein wurde das Wichtigste auf der Welt, wichtiger noch, als es früher gewesen war. Denn jetzt wusste sie, dass es jederzeit vorbei sein konnte. Wie frei waren wir, damals, als wir nichts hatten, dachte Lily oft. Wie frei und undankbar.

Jede Minute war nun ein Geschenk. Sie gingen ins Kinderzimmer, Jo beobachtete Hanna im Schlaf, und Lily betrachtete sein Gesicht, wenn er seine Tochter ansah. Er hatte sie noch nie wach erlebt, noch kein Wort mit ihr gesprochen. Und Hanna wusste nicht, dass er existierte.

Lily war so im Freudentaumel gefangen, so verzaubert davon, Jo tatsächlich wiederzuhaben, dass sie die erste Zeit wie in Trance durch die Gegend lief. Nichts konnte sie mehr irritieren, nicht einmal Henrys Drohung. Sie tat alles, damit er keinen Grund hatte, seinen Plan in die Tat umzusetzen, spielte die brave Ehefrau, während sie hinter seinem Rücken den schlimmsten Verrat beging.

Da seine Drohung scheinbar Wirkung zeigte, entspannte Henry sich merklich. Bald war keine Rede mehr davon, dass er Lily wegbringen lassen wollte. Er wurde im Gegenteil zugewandter, freundlicher. Und Lily, die von Jos Liebe wie beflügelt war, fiel es nicht schwer, ihm etwas vorzugaukeln. Sie lebten die größte Lüge, die man sich vorstellen konnte, und beide taten es mit einem Lächeln auf den Lippen. Ob er denkt, dass ich einfach vergessen habe, dass er mich wegsperren und den Schlüssel fortschmeißen wollte?, dachte Lily manchmal, wenn sie am Tisch saßen und zumindest vor Hanna so taten, als wären sie ein normales Ehepaar.

Doch als der Zauber des Anfangs nachließ, konnte sie nicht mehr dauerhaft verdrängen, dass sie dieses Leben nicht lange durchhalten würden. Sie hatten ihr Glück auf Sand gebaut, einem Fundament aus Millionen kleinen Körnchen. Schon ein Windhauch konnte es ins Wanken bringen. Jo würde sich nicht für immer nachts zu ihr ins Haus schleichen können. Schon jetzt war ihm die Müdigkeit anzusehen, die Anspannung, die Unsicherheit. Jedes Mal wenn er ging und Lily allein blieb, wurde die Lücke größer, die er hinterließ. Wir werden nie zusammen sein können, dachte sie dann, und Tränen der Wut und der Verzweiflung verschleierten ihr den Blick. Das hier ist alles, was wir haben. Und eines Tages wird irgendetwas passieren. Es wird schiefgehen, wir werden auffliegen, und dann werden wir auch das verlieren.

Tag und Nacht grübelte sie über Alternativen. Aber es gab keine.

Weil Lily Michel unbedingt wiedersehen musste und auch er ununterbrochen nach ihr fragte, entwickelten sie bald einen so riskanten wie genialen Plan. Kurzerhand nahm Lily ihre Tochter, Mary und Hannas Lehrerin mit zu Spaziergängen um die Alster. Dort trafen sie irgendwann zufällig auf Charlie und Michel, die Lily als alte Bekannte ausgab. Mary und die Lehrerin machten zwar große Augen, als sie Michel das erste Mal sahen, aber natürlich hatten sie nicht zu entscheiden, mit wem Lily ihre Zeit verbrachte, und Charlie und Michel zogen für die Treffen ihre beste Kleidung an und traten so freundlich und charmant auf, dass sie nichts zu sagen wagten. Als Mary auf Henrys Erkundigung hin einmal berichtete, sie hätten einen netten rothaarigen Mann mit seinem kranken Sohn getroffen, verzog er zwar verwundert das Gesicht, akzeptierte diese Erzählung jedoch fraglos.

Bald trafen sie sich regelmäßig zu ausgiebigen Spaziergängen, und da immer mindestens eine der Begleiterinnen zugegen war, kam Henry nicht einmal auf die Idee, dass etwas faul sein könnte.

Mary und die Lehrerin spazierten meist in einem gewissen Abstand in ihre eigenen Gespräche vertieft hinter ihnen her, und so konnten Lily und Charlie sich sogar relativ frei unterhalten. Eines Tages wurden Charlie und Michel von einem Freund begleitet.

Als Jo Hanna auf diese Weise das erste Mal traf, drehte Lily sich erschrocken nach Mary um, denn Jos Gesicht verriet seine Emotionen wie ein offenes Buch. Aber Mary stand in einiger Entfernung plaudernd am Ufer. Jo ging in die Knie und lächelte Hanna an, die in ihrem kirschroten Kleid vor ihm stand und ihn misstrauisch musterte.

«Hier, das ist für dich!» Er reichte ihr die kleine Holzkatze.

Hanna nahm sie und betrachtete sie verwundert, dann zog ein Lächeln über ihr Gesicht. «Katzen können von Häusern springen!», erklärte sie ernst.

Jo hob amüsiert die Augenbrauen. «Tatsächlich?»

Sie nickte. «Und die Augen leuchten im Dunkeln!» Sie fasste seine Hand und zog ihn mit sich, plauderte wie ein Wasserfall auf ihn ein, als hätte sie ihr Lebtag nichts anderes getan. Lily und Charlie gingen stumm hinter ihnen her und hörten ihnen zu. Sie sah sogar von hinten, dass Jo über das ganze Gesicht strahlte.

Als sie einmal von einem dieser Spaziergänge zurückkamen und Mary Hanna ins Bett gebracht hatte, sagte die Hausdame plötzlich: «Es ist doch unglaublich, wie ähnlich Hanna ihrem Vater sieht, nicht wahr?»

Lily lachte. «Was? Aber sie sieht Henry kein bisschen ähnlich!», rief sie, während sie die Bücher einsammelte, die aufgeschlagen auf dem Diwan lagen.

Mary nickte. «Das sage ich ja auch nicht», erwiderte sie.

Lily erstarrte, aber Mary warf ihr nur ein vieldeutiges Lächeln zu und ging aus dem Zimmer.

Wenn man keine Zukunft hat, auf die man hinleben kann, keine Träume oder Hoffnungen, nur den Moment, dann wiegt jeder Augenblick unfassbar schwer. Lily war glücklich und verzweifelt zugleich. Sie sah, dass es Jo immer schlechter ging. Wenn sie sich trafen, roch sie den Alkohol. Seine Wangen waren hohl, unter den Augen hatten sich tiefe Schatten eingegraben. Er hatte ihr erzählt, was mit Alma geschehen war, und es grämte sie schrecklich, dass sie nicht da gewesen war, dass Hein und Marie nun Waisen waren und Jo die Bürde der Verantwortung ganz alleine trug. Dabei hatte doch alles mit ihrem Hut begonnen, damals, in jenem anderen Leben.

Stundenlang lagen sie zusammen wach und erörterten die Möglichkeiten, die ihnen blieben, aber jedes Mal wurde das Druckgefühl in Lilys Magen stärker, Jos Blick dunkler und verzweifelter. Denn sie kamen immer zum gleichen Ergebnis. Sie könnten mit Hanna fliehen, mit einem Schiff nach Amerika fahren. Aber dann müssten sie sich mit nichts durchschlagen, Jo könnte seine Mutter nicht mehr unterstützen, Hein und Marie würden auf der Straße enden, und das Schlimmste: Sie würden ihre Familien nie mehr wiedersehen. Sie müssten als verfolgte Straftäter ein Dasein im Verborgenen fristen, auf der Flucht, immer in Angst, dass man sie fand. Denn Hanna mitzunehmen wäre wie eine Entführung. Lily konnte den Gedanken, ihre Eltern und Michel für immer zu verlassen, nicht ertragen. Und Jo konnte seine Mutter und seine Brüder nicht im Stich lassen.

Als sie wieder einmal stundenlang jede Möglichkeit durchgesprochen hatten und Lily gerade dazu ansetzte, laut zu überlegen, ob sie nicht doch mit Henry eine Art Abkommen aushandeln könnte, unterbrach Jo sie plötzlich grob.

«Hör auf!», rief er und richtete sich ruckartig auf. Lily, die halb auf seinem Bauch gelegen hatte, gab einen überraschten Laut von sich. Er stieg aus dem Bett, sammelte seine Klamotten ein und fuhr mit wütendem Blick in die Hose. «Dieses Gerede bringt mich um. Du weißt so gut wie ich, dass wir mit Henry nichts aushandeln können. Meinst du, er sagt irgendwann: Oh, Johannes Bolten, du willst deine Tochter wiederhaben? Das Mädchen, das ich so liebgewonnen und aufgezogen habe wie mein eigenes Kind? Ja, natürlich, das verstehe ich, dann lass uns eine Vereinbarung treffen, wie wir sie uns teilen können.» Er schnaubte wütend. «Dieser Mann würde Hanna eher verkaufen, als dass er sie mir überlässt. Und das weißt du genau.»

Lily wickelte sich in die Decke und stand ebenfalls auf. Sie verstand seine Wut, und es gab nichts, was sie sagen konnte, um sie zu mildern. Nachdenklich ging sie zum Kamin und warf ein Scheit nach, blickte einen Moment in die knackenden Flammen und spürte, wie die Hoffnungslosigkeit sich wie eine Ratte durch ihren Brustkorb nagte. Jo war zur Anrichte gegangen, hatte Henrys Whiskey-Dekanter geöffnet und ein Glas bis zum Rand voll geschüttet. Er trank es in zwei großen Schlucken aus und füllte sofort nach. Wortlos trat Lily hinter ihn und schlang die Arme um seine Brust. Er versteifte sich, aber nach einer Weile griff er nach ihren Händen und hielt sie fest.

Er seufzte leise. «Ich liebe dich so sehr, wie man einen Menschen nur lieben kann», sagte er, und sie roch den Alkohol. «Aber ich weiß nicht, wie lange ich das hier ertrage. Es ist beinahe schlimmer als vorher, als ich euch nur vermisst habe. Da hatte ich wenigstens noch Hoffnung.»

Lily lud ihren Onkel Robert zum Tee und holte seinen rechtlichen Rat ein. Wenn sie sich scheiden lassen würde, dachte sie, vielleicht gab es dann ja doch eine Möglichkeit, Hanna zu behalten? Aber Robert schüttelte den Kopf.

«Es wird Henry ein Leichtes sein, dir Ehebruch zu unterstellen, nach allem, was in der Vergangenheit geschehen ist. Franz würde auf jeden Fall für ihn aussagen. Wenn du schuldig geschieden wirst, verlierst du nicht nur den Anspruch auf sein Vermögen, sondern auch deine Aussteuer. Dann bist du vollkommen auf deinen Vater angewiesen, du hast nichts mehr, was du dein Eigen nennen könntest.»

Lily biss sich auf die Lippen. Aber an diesem Punkt war sie schon einmal gewesen. «Ich kann arbeiten», sagte sie leise.

Robert nickte. «Das könntest du. Nur bringt dir das Hanna nicht zurück.»

Sie lächelte gequält. Als ob sie das nicht wüsste. «Henry hat seit Jahren eine Geliebte. Sie bekommt sogar ein Kind von ihm!», rief Lily.

Robert runzelte die Stirn. «Kannst du das beweisen?»

Kleinlaut schüttelte sie den Kopf. «Wie denn?», fragte sie. «Aber genauso wenig kann er doch meinen Ehebruch beweisen.»

Robert seufzte. «Im Bereich des Scheidungsgesetzes tobt seit Jahren ein erbitterter Kampf. Man arbeitet am BGB, einem Bürgerlichen Gesetzbuch, das für alle Länder des Reiches gelten soll und das Recht vereinheitlicht. Das preußische Scheidungsrecht ist vielen zu lasch, die Anzahl der Ehetrennungen ist sprunghaft gestiegen in den letzten zehn Jahren. Und achtzig Prozent dieser Verfahren gehen von Frauen aus. Die katholischen Staaten im Süden ringen mit Preußen, Bayern natürlich ganz vorweg. Jeder will seine Ansicht durchsetzen. Viele denken, dass ein zu schwaches Gesetz die Frauen ermutigt, sich wegen Lappalien scheiden zu lassen. Und gegen die norddeutsche liberale Rechtsprechung sind sie erst recht. Momentan sind so gut wie alle überzeugt, dass wir wieder strengere Gesetze brauchen, weil sonst die Scheidungsraten explodieren. Die Menschen befürchten Sodom und Gomorrha, du hast es sicher mitbekommen, die Presse berichtet ja fast jeden Tag über die Auseinandersetzungen. Das BGB ist zwar noch umstritten, aber es ist gut möglich, dass du nicht wieder heiraten könntest. Wir würden natürlich für Alimente kämpfen, aber da du und Henry damals so überstürzt geheiratet habt und alles … etwas anders war als gewöhnlich», er hüstelte, «hast du im rechtlichen Sinne nichts mit in die Ehe gebracht. Dass dein Vater für euer Leben bezahlt, wird, fürchte ich, in diesem Fall wenig Gewicht haben.»

«Es geht mir nicht um Geld. Ich will nur meine Tochter.»

Robert nickte und trank einen Schluck Tee. «Aber allgemein wird in diesen Belangen eher im Sinne des Mannes entschieden. Und bei deiner Vergangenheit … Außerdem hörte ich, du seist gesundheitlich angeschlagen? Was ist an diesem Gerede über hysterische Zustände, das mir zu Ohren gekommen ist? Franz erwähnte neulich etwas von einer Kur, wird das alles zu viel für dich? Ich kann dir sagen, so etwas ist auch nicht gut, wenn es um das Wohl des Kindes geht.»

Lily bohrte die Fingernägel mit solcher Kraft in das Sofa, dass ihr ein stechender Schmerz den Arm hinauffuhr.

3

S ie kommt nicht!» Sedas Augen schweiften suchend über den Jungfernstieg.

«Sie kommt», erwiderte Sylta ruhig.

Seda zuckte störrisch die Achseln. Ihr finsterer Blick verhärtete sich. Sie hatte die Lippen so fest aufeinandergepresst, dass sie zu einem weißen Strich geworden waren, und krallte die Hände ineinander. «Ich wusste, das ist eine schlechte Idee. Ich verliere einen ganzen Tag Lohn», brummte sie leise.

«Ich habe dir gesagt, dass ich dir das Geld gebe.»

«Und ich habe gesagt, dass ich Ihr Geld nicht will, Frau Karsten», erwiderte Seda bestimmt.

Sylta konnte sich einfach nicht daran gewöhnen, wie das Mädchen mit ihr sprach. So kalt und distanziert. Höflich zwar, aber ohne den Respekt, den sie von ihr kannte. Mädchen war auch nicht mehr der richtige Begriff für sie, Seda war in der kurzen Zeit um Jahre gealtert. Tiefe Furchen hatten sich auf ihrer Stirn eingegraben, ihre Wangen waren eingefallen, die Hände aufgerissen. Sie ging langsam, als hätte sie Rückenschmerzen, und zog die Schultern hoch. Sylta hatte ihren Augen nicht getraut, als sie sie das erste Mal wiedersah.

«Wir sollten gehen.»

«Sie wird kommen. So viel Geld wird einem nur einmal im Leben geboten», sagte Sylta überzeugt und bereute ihre Worte sofort. Sedas Gesicht zuckte, als hätte sie sie geohrfeigt. Hätten sie ihr damals das Geld angeboten, müssten sie beide jetzt nicht hier stehen und um Ottos Wohlergehen bangen. Beschämt blickte Sylta zu Boden.

Seda sagte nichts. Sie verschränkte die Arme vor der Brust und scharrte mit der Schuhspitze über den Kies. Aber Sylta konnte ihre Ablehnung beinahe körperlich spüren.

«Darf ich … dich etwas fragen?» Sylta wusste nicht recht, wie sie es formulieren sollte. Eine Sache nagte schon lange an ihr.

Seda nickte unwillig.

«Warum hast du aufgehört, die Unterstützung von Franz zu nehmen? Es hätte doch gereicht, um euch beide zumindest zu ernähren. Warum hast du Otto lieber weggegeben? Ging es dir so schlecht?»

Seda starrte sie an. «Es ist unglaublich», flüsterte sie, wie zu sich selbst, und schüttelte den Kopf.

«Was?», fragte Sylta und runzelte die Stirn. «Was ist unglaublich?»

Seda hielt inne. Ihre Augen brannten vor Wut. «Er hat die Zahlungen beendet», zischte sie.

Sylta trat einen Schritt zurück. «Das ist nicht wahr!»

Einen Moment schloss Seda die Augen. Es wirkte, als könnte sie nicht fassen, dass sie wirklich dieses Gespräch führen musste. Sie atmete tief ein. «Er hat mir anfangs Geld gegeben, das ist richtig. In der Schwangerschaft. Und auch noch eine Weile danach», sagte sie gepresst. «Aber dann hat er irgendwann geschrieben, dass er mir nur noch drei weitere Monate etwas schicken würde. Danach wäre ich auf mich gestellt. Er könne nicht sein ganzes Leben lang für uns beide verantwortlich sein, irgendwann müsse Schluss sein.»

Sylta konnte nichts erwidern. Bevor sie die richtigen Worte fand, stand plötzlich Paula vor ihnen. Sylta hatte sie nicht kommen hören. Heute sah das Mädchen ein wenig besser aus, immer noch verhärmt, offensichtlich mangelernährt und krank, aber die Haare waren ordentlich unter die Haube gesteckt, das Kleid zwar zerknittert, aber halbwegs sauber. Sie lächelte zaghaft und entblößte dabei ihre faulen Zähne. Syltas Besuch bei den Wieses war Ewigkeiten her. Sie hatte einfach keinen Weg gesehen, das Geld zu beschaffen, ohne dass Alfred etwas merkte. Irgendwann war ihr klargeworden, dass man für genau solche Fälle Freundinnen hatte. Zwar war es ihr wahnsinnig schwergefallen, aber sie hatte Gerda um Hilfe gebeten – und die Geldsumme sofort und ohne jede Nachfrage erhalten.

«Danke, dass Sie gekommen sind, Fräulein Wiese!» Sylta war erleichterter, als sie zugeben wollte, trat jedoch einen halben Schritt zurück. Sie hatte die Krätze nicht vergessen. Außerdem roch Paula auch heute alles andere als frisch. Verstohlen sah Sylta sich um, dann ging sie etwas nach links in den Schatten einer Hecke und winkte den beiden, ihr zu folgen. Paula war zwar dieses Mal besser beieinander, immer noch erkannte man aber auf den ersten Blick, dass es sich bei ihr nicht um jemanden handelte, mit dem eine Dame Kontakt pflegte. Sollte man sie hier zusammen sehen, würde es sofort Gerede geben.

«Sagen Sie Paula zu mir, das machen alle. Haben Sie das Geld?»

Sylta nickte. «Dies ist Ottos Mutter.» Sie zeigte auf Seda, die bisher noch kein Wort gesagt hatte. «Ich habe sie mitgebracht, weil auch sie unbedingt wissen will, wo er ist.»

Täuschte sie sich, oder sah Paula erschrocken aus? Ihr Blick glitt zwischen Sylta und Seda hin und her. Sie leckte sich über die trockenen Lippen. Sylta roch einen Hauch Alkohol und trat unauffällig einen weiteren kleinen Schritt zurück. Seda nickte Paula zu, sagte aber noch immer nichts. Ihr Blick war abweisend.

«Kam mir gleich bekannt vor», murmelte Paula und sah sich

noch einmal unruhig um, als warte sie auf jemanden. «Das war keine gute Idee», sagte sie dann an Sylta gewandt. «Sie mitzubringen.»

«Warum?», fragte Sylta überrascht.

Paula öffnete den Mund, um etwas zu erwidern, blickte dann zu Seda und schloss ihn wieder. Sie schüttelte den Kopf. Dann hielt sie mit derselben Geste die Hand auf wie neulich ihre Mutter: «Erst das Geld.»

Sylta gab es ihr. «Die Hälfte, wie abgemacht.»

Paula zählte nach, nickte und ließ die Münzen in den Tiefen ihres verschlissenen Rocks verschwinden. «Ich verstehe, wenn Sie mir die andere Hälfte später nicht mehr geben wollen», stotterte sie plötzlich. «Aber wenn ich es Ihnen sage, kann ich nicht mehr zu meiner Mutter zurück. Ich bin dann ganz allein. Und ich habe das alles nie gewollt.»

Sylta wurde unruhig. «Nun sagen Sie schon, wo er ist. Sie haben ja das Geld, und ich verspreche Ihnen, so schlimm es auch ist, Sie bekommen die andere Hälfte. Wenn wir ihn nur finden!»

Paula nickte langsam, zögerte einen Moment. «Und wenn Sie ihn nicht finden?», fragte sie dann.

Sylta seufzte ungeduldig. «Wenn Ihre Information ehrlich war, bekommen Sie trotzdem das Geld. Aber zunächst werden wir alles daransetzen, jeden Stein umkehren. Ein Kind verschwindet ja nicht einfach vom Erdboden. Ich werde nicht eher ruhen, bis wir wissen, wo er ist.»

Paula zögerte. «Ich meinte, wenn Sie ihn nicht finden … weil er nicht da ist.»

Sylta spürte ein dumpfes Ziehen im Bauch. «Wovon sprechen Sie?»

Paula sah erst Sylta an, dann wanderten ihre Augen zu Seda hinüber, die das Gespräch mit verkrampftem Gesicht verfolgte.

Plötzlich stand Mitleid in Paulas Blick. «Wenn Sie ihn nicht finden können … weil er nicht mehr lebt», sagte sie leise.

«Wie kommen Sie darauf?», hauchte Sylta, nachdem der erste Schock wie eine eisige Welle über sie hinweggebrandet war. «Hat man Ihnen das geschrieben? Was ist mit ihm passiert?»

Seda neben ihr hatte beide Hände vor den Mund gepresst und starrte Paula mit aufgerissenen Augen an. In ihrem Blick stand das pure Grauen. Sie schüttelte kaum merklich den Kopf, als wollte sie nicht wahrhaben, was das Mädchen soeben gesagt hatte.

«Sie verstehen nicht.» Paula hob hilflos die Schultern. «Meine Mutter … Sie nimmt das Geld für die Adoptionsvermittlung. Aber sie kennt keine einzige reiche Familie. Keines der Kinder hat unsere Wohnung je wieder verlassen. Ich habe es selbst gesehen, wieder und wieder. Mindestens zwei pro Jahr, manchmal mehr. Sie tötet sie und … verbrennt sie im Herd.» Ihre Stimme war beim Reden immer leiser geworden. Die letzten Worte hatte sie nur noch geflüstert. «Es tut mir sehr leid.»

Seda wich alles Blut aus dem Gesicht. Sie war so bleich geworden, dass Sylta Angst hatte, sie würde auf der Stelle ohnmächtig. Sie wankte und gab ein ersticktes Wimmern von sich.

«Hör doch nicht auf sie!», rief Sylta und fasste Seda am Arm. «Das ist natürlich vollkommener Unsinn! Wie können Sie so etwas sagen, sehen Sie nicht, was Sie anrichten!», zischte sie an Paula gewandt. «Er ist doch ihr Kind. Geben Sie mir sofort mein Geld zurück. Ihre Lügenmärchen können Sie behalten.»

Paula reagierte gar nicht. Ihr Blick hing auf Seda. «Otto ist tot», sagte sie, und ihre Stimme klang noch immer mitleidig, aber sie hatte auch nichts von ihrer Festigkeit verloren. «Ich war dabei, als sie ihn verbrannt hat. Sie können ihn nicht finden, weil es ihn schon lange nicht mehr gibt. Seine Asche wurde im Kohleneimer aus dem Haus getragen und in alle Winde zerstreut. Meine Mutter ist vorsichtig, sie hinterlässt keine Spuren.»

Seda begann zu zittern. Noch immer hielt sie beide Hände vor den Mund gepresst, ihre weit aufgerissenen Augen starrten Paula an und schrien geradezu danach, dass sie sie erlöste und ihr sagte, dass das alles nicht stimme.

Doch Paula schwieg.

Sylta konnte keinen einzigen Muskel bewegen. In ihr breitete sich eine grauenvolle Kälte aus. Es konnte nicht stimmen. Es durfte nicht stimmen.

«Sie hat auch mein Kind getötet.» Paulas Stimme war leise, beinahe monoton, als redete sie über das Wetter. Aber Sylta sah, dass ihr Kinn bebte. «Meinen Samuel. Er war erst zwei Tage alt.» Sie gab einen erstickten Laut von sich. «Ich hatte ihr die Schwangerschaft zu lange verheimlicht. Sie konnte es nicht mehr wegmachen, sonst wäre ich auch gestorben. Aber als er geboren war, wollte er nicht trinken. Wir mussten Milch kaufen. Sie hat gesagt, wir könnten ihn nicht ernähren. Ich kann nicht arbeiten mit einem kleinen Kind. Wir brauchen mein Einkommen. Geld war ihr schon immer das Wichtigste.» Tränen liefen Paula über die Wangen. Sie schloss einen Moment die Augen. Und als sie sie wieder öffnete und weitersprach, wusste Sylta, dass sie die Wahrheit sagte.

Sie verstand in diesem Moment, wie sich Entsetzen anfühlte. Es war, als hätte sich etwas Dunkles in sie hineingestohlen und von ihr Besitz ergriffen. Es schwelte faulig auf ihrer Zunge, kroch wie Gift durch ihren Körper, ließ etwas tief in ihrem Inneren erzittern.

«Ich war zu schwach von der Geburt, es hat mich fast entzweigerissen, ich konnte nicht aufstehen.» Paula erzählte mit ihrer seltsam emotionslosen Stimme weiter. Nebenbei registrierte Sylta, wie absurd die Situation war. Da standen sie an der Alster, an diesem sonnigen Nachmittag, ein paar Möwen schrien über ihnen am blauen Himmel, Kinder lachten in der Ferne, der Schwanenwärter zog seine Runde – und nichts war mehr wie zuvor.

«Als ich eingeschlafen bin, hat sie ihn genommen und in einem Eimer ertränkt. Direkt vor meinem Bett. Ich wachte auf und sah ihn noch strampeln. Aber bis ich bei ihr war, war er tot. Sein Gesicht war ganz grau. Er sah aus wie aus Wachs.»

Sylta spürte, wie ihr Galle die Speiseröhre hochstieg. Ich werde mich übergeben, hier, in aller Öffentlichkeit, dachte sie panisch. Neben sich hörte sie plötzlich ein Rascheln.

Seda war geräuschlos in sich zusammengefallen und zu Boden gesackt.

Gretas Gesicht war vom Weinen verquollen. Immer wieder zog sie schniefend an Jos Ärmel.

«Greta, versteh das doch …» Sein Blick verschwamm. Er hatte zu viel getrunken, war schon vorher vor Erschöpfung ganz benebelt gewesen, hatte eine Vierzehn-Stunden-Schicht hinter sich, war in der Nacht bei Lily gewesen. Im Hafen hatte es schon wieder eine Kesselexplosion gegeben, die den ganzen Arbeitsablauf durcheinander brachte. Er konnte sich nicht einmal mehr daran erinnern, wann er zuletzt nicht müde gewesen war. Und morgen musste er zu seiner Mutter, ihr Geld bringen, sich um Hein und Marie kümmern, der gut gelaunte Jo sein, der große Bruder, der die Familie zusammenhielt und dem nichts etwas anhaben konnte. Sie wussten ja nicht, wie viel ihn diese Scharade kostete.

Nur gut, dass Charlie endlich wieder auf die Beine gekommen ist, dachte er. Niemals hätte er vermutet, dass sein bester Freund und Emma sich verlieben würden, aber er hätte sich gar nicht stärker für die beiden freuen können. Auch wenn er Charlie jetzt kaum noch zu Gesicht bekam. Noch nie hatte er seinen Freund so glücklich gesehen, so – stabil. Wenigstens einer, dachte er grimmig, und zündete sich eine Zigarette an.

Vor seinen Augen löste sich Gretas Gesicht immer mal wieder kurz auf und setzte sich dann wieder zusammen. Eine Sekunde vergaß er, warum er hier war. Der Keller war laut und voll, wie jeden Abend. Die dicken Rauchschwaden hingen unter der Decke, waberten durch den Raum und gaben allem eine bläuliche Färbung. Plötzlich wurde ihm klar, dass sie auf eine Antwort wartete.

«Ich kann eben nicht», sagte er schließlich. Er wollte sie einfach nur loswerden. Wo blieb Fiete bloß? Er musste ihn unbedingt fragen, was heute im Hafen genau geschehen war. Es wurde gemunkelt, dass Männer gestorben waren.

«Wie meinst du das? Du kannst nicht?» Ihre Stimme war immer noch schrill, wenigstens hörte sie ihm jetzt etwas aufmerksamer zu.

«Wie ich es sage», er setzte das Glas an und trank es in einem Zug aus. Warum konnte sie es nicht einfach gut sein lassen? Er hätte ihr schon längst sagen sollen, dass es vorbei war, aber sie hatten sich drei Wochen nicht gesehen, weil ihr Mann auf Landgang, also daheim war, und Jo hatte feige die Konfrontation so lange wie möglich vor sich hergeschoben. Auch heute Abend hatte er keine Kraft, sich ihrem Gezeter zu stellen. Darum log er ihr mitten ins Gesicht.

«Ich … habe eine andere kennengelernt.»

Greta erstarrte. «Was?», zischte sie. «Du belügst mich doch, Jo

Bolten!» Sie war wieder laut geworden, und er hob schnell den Arm, packte sie im Nacken und zog sie an sich.

«Schhht, nicht so laut. Ich belüge dich nicht, Greta. Du weißt doch, dass das mit uns nie was Ernstes war. Du bist verheiratet. Was hast du dir vorgestellt, dass wir irgendwann zusammen durchbrennen und ein neues Leben anfangen?» Er lachte, aber als er ihr Gesicht sah, lenkte er rasch ein. «Du weißt, wie gern ich dich habe. Aber ich muss an meine Zukunft denken. Ich will irgendwann eine Familie haben …»

«Wie heißt sie?», fragte Greta unter Tränen. Auch sie war nicht mehr nüchtern, und man sah ihr an, dass sie sich nur mit Mühe unter Kontrolle hatte. «Wie heißt die Schlampe?»

«Ihr Name tut doch nichts …»

«Ich will wissen, wie sie heißt!»

«Jetzt kreisch nicht so!» Wütend fasste er sie erneut im Nacken, dieses Mal allerdings grob. «Sie heißt … Isabel.» Er biss sich auf die Lippen. Scham durchflutete ihn. Aber es war der erste Name, der ihm in den Sinn gekommen war. «Sie ist Lehrerin», setzte er hinzu und nahm einen langen Zug von seiner Zigarette. Er würde ohnehin in die Hölle kommen, was machte eine Lüge mehr oder weniger schon aus.

«Aber, das ist nicht fair!», schniefte Greta. «Du kannst mich doch nicht einfach fallenlassen!»

«Ach ja, und wann war das Leben das letzte Mal fair zu dir?» Jo drückte seine Nase in ihr Haar, zuckte dann aber schnell wieder zurück, als er den ranzigen Geruch wahrnahm. «Es tut mir leid, Gretaschatz, ich lasse dich ja nicht fallen. Aber mit uns, das ist erst mal vorbei. Vielleicht wird es ja nichts mit ihr, aber ich muss es zumindest versuchen. Außerdem kommt Fritz doch bald wieder zurück, oder?» Er merkte, dass er bereits nuschelte.

Sie nickte an seinem Hals. «Ja, er kommt bald zurück», flüsterte sie.

«Du weißt, dass ich gerade bis über beide Ohren im Geschäft stecke. Ich habe einfach keine Energie für zwei Frauen.» Er grinste dümmlich, und sie verzog das Gesicht. «Das war nur ein Witz. Ich bestell uns mal noch ein Bier», Jo hob die Hand und nickte Pattie zu. «Es ist ja nicht das Ende der Welt», sagte er und lächelte. «Wir sollten froh sein, dass es so lange geklappt und Fritz uns nie erwischt hat.»

«Ja», sagte Greta tonlos und blickte zu Boden. «Das stimmt. Wir sollten froh sein.»

In diesem Moment klopfte ihm jemand auf die Schulter. «Hab es gehört, Jo. Was soll man sagen …? Es ist zum Kotzen.»

Jo drehte sich um und blickte in das Gesicht eines Kranführers, den er flüchtig von der Arbeit und gut aus der Kneipe kannte. «Weißt du Genaueres? Das Schiff war wohl gerade erst eingelaufen? Hat bei uns auch alles lahmgelegt durch die scheiß Löscharbeiten.»

Der Mann sah ihn stirnrunzelnd an. «Ich meinte … wegen Fiete», erwiderte er stockend, und Jo erstarrte. «Weißt du es etwa noch nicht? Er war doch im Kessel.»

Fiete lebte. Das war die gute Nachricht. Aber das Feuer hatte seine Haut schmelzen lassen, seine Haare versengt, seine Lippen zerfressen. Er war bei der Explosion gegen einen Betonträger geschleudert worden und hatte sich mehrere Rippen gebrochen. Es würde Monate dauern, bis er wiederhergestellt war, vielleicht Jahre. Wenn er überlebte.

Als Jo endlich an seinem Bett stand, nachdem er stundenlang im Hafen herumgefragt hatte, schlief Fiete friedlich, vollgepumpt mit Morphium, dem Bruder des mächtigen Gottes der Träume.

Aber bald würde der Moment kommen, in dem sein Freund sich vor Schmerzen wand. Solche Verbrennungen konnte auch das beste Mittel der Welt nicht auf Dauer betäuben.

Er ließ sich auf einen Stuhl neben Fietes Bett sinken und vergrub das Gesicht in den Händen. Fiete würde vielleicht nie wieder arbeiten können.

Er fuhr zu Oolkert und bat ihn, genau wie damals für Paul Herder, um Unterstützung für seinen verletzten Freund. Und genau wie damals lachte man ihm ins Gesicht.

«Er hat für Sie gearbeitet», sagte Jo müde. «Er verdient es, dass man sich um ihn kümmert!»

Oolkert saß hinter seinem Schreibtisch im Palais und musterte ihn amüsiert. Seit er wusste, dass sein Vater für diesen Mann gestorben war, hasste Jo ihn noch mehr als früher. Aber keinem war gedient, wenn er diesen Hass jetzt gewinnen ließ.

Oolkert legte die Fingerspitzen aneinander. «Das wäre ein gefährliches Exempel, wenn ich ihm mehr zahlen würde, als die Pauschale es für solche Fälle vorsieht.»

Jo schnaubte. «Damit kommt er keinen Monat hin!»

Oolkert nickte. «Aber du kannst wohl kaum verlangen, dass ich nun lebenslang für den Mann verantwortlich bin. Arbeit birgt immer Risiken. Und ich werde den Sozialisten und ihren lächerlichen Forderungen nach mehr Versicherungen und Krankengeld wohl kaum in die Hände spielen, indem ich gegen meine Prinzipien handele und genau das tue, was sie fordern. Übrigens, was ist dran an dem Gemunkel, dass du in den Kneipen große Reden schwingst über Streiks und Lohnerhöhungen?»

Jo stand einfach da und sah ihn an. «Nichts», sagte er schließlich. «Ich weiß nicht, wovon Sie reden.»

Oolkert betrachtete ihn eine Weile, als wäge er ab, ob er ihm glauben solle. Schließlich seufzte er. «Gut, gut, gut. Weil du es bist. Aber es bleibt unter uns, hörst du. Nicht dass sich das rumspricht. Ich gebe dir die dreifache Pauschale. Aber das muss reichen.»

Auf dem Heimweg in der Bahn knirschte Jo vor Wut mit den Zähnen. Oolkert repräsentierte das System und seine Knechterei auf die anschaulichste Weise. Keinen Pfennig wollten sie hergeben, die reichen Pfeffersäcke. Männer starben, arbeiteten sich krank und krumm für ihre Villen, ihre feinen Klamotten. Zum Dank bekamen sie nichts. Und auch das Dreifache von nichts blieb nichts.

Es hätte Jo in seinem Glauben an den Arbeiterkampf bestärken sollen, hätte ihn noch wütender, noch entschlossener machen sollen. Aber alles, was er fühlte, war Erschöpfung. Wir werden niemals etwas erreichen, dachte er, blickte müde aus dem Fenster und ließ die Stirn gegen das Glas sinken. Wofür das alles? Am Ende gewinnen doch immer die mit dem Geld.

Sie brachten Seda zum Frauenstift. Emma und Ruth kümmerten sich voller Anteilnahme um die apathische junge Frau. Aber Sylta sah an Sedas Gesicht, dass ihre Mühen vergebens waren.

Seda aß nicht mehr. Sie sprach nicht mehr. Stumm saß sie auf ihrem Bett und wiegte sich hin und her, den Blick entrückt, ein kleines Strickhemd von Otto umklammert.

«Sie hat keinen Lebenswillen mehr.» Gerda, die zu Besuch gekommen war, schüttelte traurig den Kopf. «Das arme Ding, sie hat keine Kraft mehr. Wie furchtbar das alles ist.»

Sie wird sich nie erholen, dachte auch Sylta. Man kann in ihren Augen sehen, dass ihr Herz gebrochen ist.

Sie erzählte Alfred schließlich alles. Der Schock war zu groß, um damit alleine fertigzuwerden. Im Gegensatz zu ihr, die von lähmender Trauer erfasst war, reagierte er zunächst mit Fassungslosigkeit, dann mit Wut. Er zeigte Elisabeth Wiese an, und tatsächlich verhaftete man sie wenig später. Als ihr Fall in Hamburg publik wurde, meldeten sich weitere Personen, die ihre Kinder in die Obhut der Engelmacherin gegeben hatten. Es wurde ermittelt, und obwohl Elisabeth Wiese alles abstritt, fand man Beweise, die die Behauptungen ihrer Tochter und der Ankläger untermauerten. Sie wurde in einem schnellen öffentlichen Prozess zum Tod am Galgen verurteilt. Paula jedoch war verschwunden und wurde in Hamburg nie wieder gesehen.

Am Tag, an dem sie von dem Urteil erfuhren, verschwand Seda für immer aus dem Frauenstift. Sie nahm nichts mit. Nicht ihren kleinen Koffer mit ihren wenigen Habseligkeiten, nicht Ottos Strickhemdchen, das Einzige, was ihr noch von ihrem Sohn geblieben war. Sylta wusste, was das bedeutete, noch bevor sie den Brief las, den Seda für sie auf ihr Kissen gelegt hatte.

Als sie ihn mit zitternden Fingern auseinanderfaltete, erwartete sie bereits die Worte. Aber sie war dennoch überrascht, wie weh es tat.

Seda gab ihrer Familie die Verantwortung für alles, was geschehen war. Sie sprach nicht aus, dass sie ihrem Leben ein Ende setzen würde, aber das war auch nicht nötig.

Sylta saß eine Weile einfach da und starrte stumm vor sich hin, lauschte auf das Echo der Schuld, das in ihr widerhallte und von dem sie genau wusste, dass es nie mehr verstummen würde. Frau Wiese hatte recht gehabt, es gab keine Absolution. Von manchen Sünden konnte man sich nicht reinwaschen. Sie würde diese Bürde bis zum Tage ihres Todes mit sich tragen.

Sylta fuhr zu Lily in die Backsteinvilla, und zusammen weinten sie um die verlorene Freundin, um Lilys Neffen, Hannas Cousin und Syltas Enkel, den sie nie richtig kennenlernen durften.

«Sie war so eine reine Seele, und sie wurde fortgeworfen wie ein alter Lappen, den keiner mehr anfassen will, von Franz, von der Gesellschaft, von den Männern», sagte Lily bitter. «Und wir haben ihr nicht geholfen! Wir waren nur mit uns selbst beschäftigt.»

Sylta nickte. «Ich weiß, Lily», sagte sie leise. «Ich weiß. Wir haben auf ganzer Linie versagt. Wir alle.»

4

Was war das vorhin?» Charlie sah auf, als Emma zu ihm in den Hof trat. Sie hatte ein Tuch um die Schultern geschlungen. Es war ein lauer Abend, und die frische Luft half ihr, wieder einen klaren Kopf zu bekommen. Charlie hackte Holz, und Michel war in sicherer Entfernung damit beschäftigt, kleine Späne zum Anzünden in einem Korb zu sammeln. «Ich habe das Geschrei gehört.» Charlie sah verstohlen zum Haus und zog sie dann an sich, drückte ihr einen Kuss in den Nacken.

Sein warmer Atem ließ sie wohlig schaudern. Emma seufzte tief und presste sich an ihn, doch dann sah sie eine Bewegung hinter den Fenstern und trat sicherheitshalber einen Schritt zurück. Die Frauen hier kümmerte es zwar wenig, aber sie wollte Gerede vermeiden. Besonders nach dem, was gerade vorgefallen war. «Ach nichts», erwiderte sie ausweichend.

Charlie fasste sanft ihr Kinn und sah sie an. «Wer war das vorhin?», fragte er. «Du siehst müde aus.» Rasch ergänzte er: «Die schönste müde Frau, die ich kenne, natürlich!» Er lächelte sein entwaffnendes Lächeln und zog sie wieder an sich.

Diesmal verschwendete sie keinen Gedanken an die Blicke aus den Fenstern. Dann erklärte sie kurzum, was geschehen war.

«Und jetzt bekommst du Ärger?», fragte Charlie. Sie drehte sich um, lehnte sich gegen ihn. Er stützte sein Kinn auf ihr Haar, und gemeinsam beobachteten sie Michel, der eifrig weiter Späne aufsammelte und ab und an mit freudigen Rufen ein Huhn verscheuchte, wenn es ihm zu nahe kam.

«Ich weiß es nicht.» Sie schüttelte den Kopf. «Ich denke eigentlich nicht.» Kurz schloss Emma die Augen. Würde sie für immer verleugnen müssen, was sie war?

Es hatte harmlos begonnen, eine Nachbarin hatte von ihr gehört und gefragt, ob sie sich ihr Kind anschauen könne, es habe doch so Husten. Dann Verwandte von den Witwen, die im Stift wohnten. Dann andere Nachbarn, der Postbote, die Waschfrau … Eigentlich durfte sie nicht mehr tun, als sich nach der allgemeinen Gesundheit zu erkundigen, vielleicht einmal Fieber zu messen und den richtigen Arzt zu holen, falls sie ernsthafte gesundheitliche Gefahren fürchtete.

Sie hatte den Arzt kein einziges Mal geholt.

Was sie tat, war höchst riskant, das wusste sie. Mehr als einmal hatte jemand, dem sie eine schlechte Prognose gegeben oder eine unerwünschte Diagnose gestellt hatte, sie verflucht, war wütend aus dem Haus gestürmt, mit der Drohung, sie anzuzeigen. Bisher war nichts geschehen.

Doch heute war es anders gewesen.

Frau Kramer war unauffällig, als sie hereinkam. Eine fröhliche dicke Frau, der man die Spuren des harten Lebens nur wenig ansah. Bloß einmal nach dem Kind sehen sollte Emma, die Mutter hatte doch gesagt, es müsste sich langsam bewegen, und sie machte sich Sorgen, weil sie nichts spürte. Eine Hebamme oder einen Arzt hatte sie noch kein einziges Mal aufgesucht, dabei war ihr Bauch schon sichtlich gerundet. «Warum soll ich dafür Geld ausgeben? Meine Mutter hat vierzehn Kinder und meine Schwestern noch einmal sieben, die wissen alles, was nötig ist», hatte sie gesagt, als sie Platz nahm.

Emma merkte schnell, dass etwas nicht stimmte. Die Brüste der Frau waren nicht geschwollen, und die Form des Bauches war ungewöhnlich für eine Schwangerschaft. Als sie der glücklichen werdenden Mutter erzählen musste, dass sie kein Kind erwartete, sondern Bauchwassersucht hatte, sie also unter einem starken Leberschaden oder einem Tumor litt, wurde Frau Kramer ganz still. Alle Farbe wich ihr aus dem Gesicht, sie saß da und blickte Emma an, ohne zu blinzeln. Dann begann sie zu schreien. Sie bekam einen Tobsuchtsanfall, wie Emma es selten erlebt hatte, fegte alles vom Tisch, was sie zu fassen kriegte, stieß die Stühle um und trat gegen die Wand.

«Ich werde dafür sorgen, dass Sie ins Gefängnis kommen!», kreischte sie, als sie hinausstürmte. «Sie Hexe!»

Emma hatte seither die ganze Zeit an ihre Augen denken müssen. Dieser leere Blick, das Grauen, als ihr klarwurde, was ihr diagnostiziert worden war.

Charlie drückte sie noch einmal fest an sich. «Es kann nicht immer gutgehen. Aber sie weiß, dass du ihr helfen wolltest. Mach dir keine Sorgen, das hat nichts zu bedeuten!»

Sie küssten sich, dann brachte er Michel nach oben, der sich für das Abendessen umziehen und vom Hühnerdreck befreien sollte – er schlich nämlich immer wieder heimlich in den Stall, um die Nester auf Eier abzusuchen.

Emma sah ihnen nach und hoffte, dass Charlie recht hatte. Müde ging sie wieder ins Haus. In der kleinen Küche war Ruth gerade damit beschäftigt, den Tisch zu decken. «Was für ein Tag», seufzte Emma und rieb sich die schmerzenden Schultern.

Ruth nickte beklommen. «Wir müssen vorsichtiger sein, es wird einfach zu viel», sagte sie.

Emma verzog das Gesicht. «Ich weiß», murmelte sie. Sie setzte sich und kostete eine Gabel von dem Bohnengemüse, das schon auf dem Tisch stand. Doch in ihrem Mund wurde es zu einem breiigen Klumpen. Nicht einmal mehr Hunger hatte sie, so erschöpft war sie. Sie stand wieder auf und begann, Brot zu schneiden. Eigentlich sollte sie daheim mit ihrer Mutter essen, aber Ruth behielt ihr immer einen Teller vom Abendbrot zurück, weil Emma meist so lange blieb, dass sie vor Hunger bereits ganz schwach war. Und sie mochte es, mit Charlie und Michel zu essen. Die wenigen Stunden zu dritt waren ihr heilig. Als sie an die beiden dachte, wurde ihr warm ums Herz. Sie konnte immer noch nicht fassen, wie sehr sie sich in Charlie verliebt hatte. Sie und ein opiumsüchtiger Hafenarbeiter mit scheußlichen Ringen in den Ohren … Das Leben hat doch manchmal Humor, dachte sie und musste trotz ihrer Müdigkeit lächeln. Sie war verrückt nach ihm. Charlies Äußeres stand in extremem Kontrast zu seiner Seele. Er war ein durch und durch guter Mensch. Aufbrausend manchmal und voller Stolz, wild gemacht durch die Jahre im Hafen, das heimatlose Dasein, die Einsamkeit. Sie hatte keine Ahnung, wohin das mit ihnen führen würde, und jeden Tag, wenn sie ins Stift kam, fürchtete ein kleiner Teil von ihr, Charlie könnte verschwunden sein. Sicherlich hatten sie keine Zukunft, wie sollte das funktionieren? Sie wusste nur eins: dass sie sich ruhig fühlte in seiner Gegenwart. Als wäre sie genau da, wo sie hingehörte.

Als sie sah, wie müde und abgespannt Ruth wirkte, fasste sie sie sanft am Arm. «Zieh dich ruhig schon zurück, ich decke fertig, und dann sehe ich noch einmal nach Frau Leisert, ihr Husten ist schlimmer geworden.»

Ruth nickte dankbar. «Gut, dann werde ich …»

In diesem Moment hämmerte es an die Haustür.

Beide Frauen zuckten zusammen. «Polizei, aufmachen!» Wieder erklangen dumpfe Schläge, die durch das ganze Haus dröhnten.

Die beiden Frauen sahen sich angstvoll an. «Sie hat sie wirklich geholt!», flüsterte Ruth. Ihre Hände krampften sich in das Tischtuch.

«Rasch, geh nach hinten und räum meine Sachen weg», flüsterte Emma. «Der Arztkoffer, alles andere ist egal. Und dann renn nach oben und sag Michel und Charlie, dass sie durch die Hintertür verschwinden sollen. Ich versuche, sie hinzuhalten!»

Ruth nickte mit panischem Blick und verschwand im Flur. Emma näherte sich der Haustür. «Wer ist da?»

«Polizei! Sofort aufmachen!»

Emma schwitzte. «Woher weiß ich, dass Sie wirklich von der Polizei sind?», rief sie durch die geschlossene Tür.

«Aufmachen!», wieder der gebrüllte Befehl. Emmas Herz klopfte wie wild. Einen Moment dachte sie an Charlie oben in der Dachkammer. Sie betete, dass er die Rufe nicht hörte und herunterkam. Oder schlimmer noch: die Polizisten zu ihm hinauf.

«Moment, ich hole den Schlüssel!» Emma ließ sich Zeit, klapperte mit dem Schlüssel im Schloss, brauchte eine Ewigkeit, bis er sich endlich drehte. Gerade als sie die Tür öffnete, tauchte Ruth schwer atmend an ihrer Seite auf.

«Erledigt», flüsterte sie. «Ich hoffe nur, Charles ist so vernünftig, draußen zu bleiben und sich nicht einzumischen!»

Das rote Gesicht von Wachtmeister Beets schob sich durch den Türspalt. Mit grimmiger Miene baute er sich vor den zwei Frauen auf. Ein Trupp von fünf Konstablern folgte ihm. «Seht euch genau um!», blaffte er den Männern zu, und sie verschwanden ohne ein Wort und verteilten sich im Haus.

«Darf ich fragen, worum es geht?» Emma verschränkte die Arme vor der Brust. Sie wollte sich von diesem Mann nicht einschüchtern lassen, aber in Wahrheit machte er ihr Angst.

«Wir haben eine Anzeige gegen Sie vorliegen!» Beets sah mit undurchdringlicher Miene auf sie herab.

«Gegen wen?», fragte Emma und hoffte, dass sie erstaunt genug wirkte.

«Gegen Sie!» Beets bohrte ihr den Zeigefinger in die Brust. «Uns wurde zugetragen, dass Sie diesen Ort nutzen, um illegal Menschen medizinisch zu behandeln! Und das ist nicht die erste Aussage dieser Art. Vor ein paar Wochen haben wir einen Hinweis von einem gewissen Herrn Kross von der Armenhilfe bekommen.»

Emma schüttelte den Kopf. «So ein Unsinn. Ich arbeite hier ehrenamtlich als Krankenschwester, das wissen Sie. Ja, ich untersuche die Frauen auch, messe Fieber, höre die Lunge ab. Aber alles andere überlasse ich selbstverständlich dem Arzt!»

Beets' Augen wurden schmal. «Da habe ich aber ganz anderes gehört!», widersprach er. «Heute kam eine aufgelöste junge Frau zu uns. Sie behauptet, Sie hätten gesagt, ihr Kind sei tot? Haben Sie Frau Kramer gynäkologisch untersucht, ja oder nein?»

Emma seufzte theatralisch. «Ach, darum geht es!» Sie machte eine wegwerfende Handbewegung. Ihr Puls raste. Sie hatte weniger Angst um sich als um Charlie. Wenn er mitbekam, was hier passierte, würde er sich einmischen, und mit seinem Hang zur Eskalation wäre das ganz und gar nicht gut. «Heute kam eine junge Frau zu uns, die ärztlichen Rat wollte. Ich habe ihr gesagt, dass mir ihr Bauch danach aussieht, als habe sie eine Leberkrankheit. Doch selbstverständlich empfahl ich ihr, sich von einer Hebamme und einem Arzt untersuchen zu lassen. Einen solchen Rat zu geben ist nicht strafbar!»

Plötzlich erklangen aufgeregte Stimmen oben auf der Treppe. Ein paar der Bewohnerinnen waren von dem Tumult im Erdgeschoss aufgescheucht aus ihren Zimmern gekommen und lugten nun ängstlich über das Geländer. «Was ist passiert? Wir haben Rufe gehört!»

«Nichts, nichts, meine Damen. Eine kleine Verwechslung. Der Herr Wachtmeister und seine Männer wollten uns nur ein paar Fragen stellen!», rief Emma zu ihnen hinauf und versuchte, einen unbekümmerten Ton anzuschlagen. «Gehen Sie nur wieder ins Bett.»

«Wir werden uns auch in den Obergeschossen umsehen», sagte Beets. Seine Männer waren inzwischen wiedergekommen und schüttelten die Köpfe. Sie hatten nichts gefunden. «Gut, dann oben. Befragt die Weiber. Aber seid nett, wir wollen ja niemanden verschrecken!» Die Männer stiegen die Treppen hinauf. Emma hoffte, dass sie die Dachkammer nicht finden würden. Sie hörte eiliges Getrappel, als die Frauen verschreckt in ihre Zimmer zurückhuschten.

«Herr Beets, hier wohnen nur bedürftige Frauen, ich weiß nicht, was es bringen soll …», setzte Emma an, doch er unterbrach sie grob.

«Wir werden alles durchsuchen, ob es Ihnen passt oder nicht. Sie warten solange hier unten!»

In diesem Moment ertönte ein aufgeregter Schrei aus dem ersten Stock. Beets seufzte. Er winkte Ruth herbei. «Gehen Sie rauf und beruhigen Sie die Frauen. Sagen Sie ihnen, wir sind nur zu ihrem Schutz hier. Machen Sie schon!»

Ruth nickte beklommen und eilte die Treppe hinauf.

«So, und jetzt zu Ihnen!» Beets packte Emma am Arm und schob sie in die Küche.

«He, was soll das!», rief sie, doch er ließ nicht los, presste sie mit seinem Körper gegen den Tisch. «Ich weiß genau, was Sie hier treiben!», zischte er. So nah war er, dass sein Atem ihre Wange streifte. Emma spürte, wie sie zu zittern begann, Beets war riesig und hielt sie mit aller Gewalt fest, seine Finger gruben sich in ihre Arme, und seine Hose presste sich gegen ihren Rock. Sie wollte zurückweichen, aber der Tisch versperrte ihr den Weg.

«Ich wollte schon lange mal mit Ihnen alleine sein!» Beets grinste hämisch. «Was für eine Verschwendung, eine Frau wie Sie hier unter den ganzen verschrumpelten Weibern.» Emma lehnte sich so weit sie konnte nach hinten. Er presste ihr die Arme gegen den Körper, die Kante des Tisches schnitt ihr schmerzhaft in die Hüfte.

«Lassen Sie mich sofort los!», rief sie entsetzt. Plötzlich löste er seine Hand und versuchte, ihr über den Hals zu streicheln. Sofort nutzte sie die Chance und kratzte ihn so fest sie konnte im Gesicht. Er schrie auf und fasste sich an die Wange. Als er die Finger zurückzog, glänzten sie rot. Einen Moment sah er sie einfach nur an. Dann holte er aus und schlug ihr so fest mit der Faust ins Gesicht, dass ihr Kopf herumgeschleudert wurde und ihre Zähne aufeinanderknirschten. Einen Moment wurde ihr schwarz vor Augen, und ehe sie wieder ganz bei sich war, hatte er sie herumgedreht und über den Tisch geworfen.

«Du kleine Schlampe», zischte er in ihr Ohr. «Das wirst du bereuen. Ich wollte dir gerade ein Geschäft vorschlagen, ich übersehe, was du hier treibst, gegen ein wenig Gefälligkeit. Aber ich hab's mir anders überlegt. Auch wenn wir heute nichts finden, werden wir wiederkommen, so lange, bis ich dich drankriege.» Emma trat nach ihm, aber er lachte nur, presste ihren Kopf mit der Hand auf die Tischplatte und machte sich an ihrem Kleid zu schaffen.

«Was ist hier los?»

Ruth war hereingekommen. Entsetzt starrte sie auf die Szene, die sich ihr bot.

Sofort lösten sich seine Hände von ihr. Benommen rappelte Emma sich auf. Sie schmeckte Blut, ihre Wange fühlte sich seltsam weich an.

«Um Himmels willen!» Ruth eilte zu ihr und befühlte ihr Gesicht. «Was haben Sie mit ihr gemacht?», keifte sie dann so energisch, wie Emma sie noch nie gesehen hatte. Sogar Beets zuckte kurz zusammen. Doch er hatte sich schnell wieder in der Gewalt.

«Sie hat sich mir widersetzt», sagte er. «Kann froh sein, dass ich sie nicht direkt mit auf die Wache nehme!»

In diesem Moment kamen zwei der Männer in die Küche. Sie hielten stirnrunzelnd inne. Emma wusste nicht, ob sie es sich nur einbildete, aber einer von ihnen schien sie besorgt zu mustern und schaute dann grimmig zu Beets hinüber. Er wirkte nicht überrascht.

«Wir haben nichts gefunden, oben ist alles sauber!», verkündete der andere.

Beets hielt inzwischen ein Taschentuch gegen seine Wange gepresst. Er nickte. «Wir gehen!», ordnete er an.

Langsam drehte er sich zu Emma und fixierte sie mit seinen stechenden Augen. «Aber wir kommen wieder. Ich weiß genau, was hier vor sich geht, und ich werde es nicht länger dulden, haben Sie gehört? Sie sind eine Gefahr für die Allgemeinheit!»

Emma und Ruth sahen ihnen stumm hinterher. Sobald die Tür ins Schloss gefallen war, fuhr Ruth herum. «Was war denn los?», rief sie aufgeregt, aber Emma winkte ab. Schwer ließ sie sich auf einen Stuhl fallen.

«Bringst du mir etwas Bier?», fragte sie. «Ich muss mir den Mund ausspülen.»

Ruth nickte. «Sie waren auch in der Dachkammer», berichtete sie, während sie ein Glas füllte. Emma fuhr erschrocken herum, aber Ruth lächelte schelmisch. «Keine Sorge. Sie wollten wissen, wer dort wohnt, aber ich habe gesagt, dass wir da schlafen, wenn wir Nachtschicht haben, und sie haben es ohne weiteres geschluckt. Vermutet ja auch keiner, dass wir 'nen Iren und 'nen kleinen Jungen unterm Dach verstecken!» Sie lachte.

Emma fiel ein Stein vom Herzen. «Gott sei Dank!», flüsterte sie.

Als Charlie Emmas Gesicht sah, war es, als hätte ihn jemand geohrfeigt. «Scheiße, was ist passiert?», rief er entsetzt und griff nach ihr, aber sie trat hastig einen Schritt zurück. «Ich verstehe gar nichts mehr, was war denn überhaupt los? Plötzlich kommt Ruth reingestürmt und sagt mir, wir sollen uns verstecken, und jetzt dein Gesicht ...» Wieder streckte er die Hand aus, diesmal zaghafter, und Emma ließ es zu, dass er vorsichtig ihr Kinn und die Wange untersuchte. «Das wird 'ne Weile übel weh tun. Und blau wird es auch», diagnostizierte er, nachdem er sie genau unter die Lupe genommen hatte. «Aber ich glaube, gebrochen ist nichts.»

Emma lächelte. «Danke für den fachmännischen Rat», nuschelte sie mit bereits geschwollenen Lippen.

Charlie grinste. «Ich bin vielleicht ein ungebildeter Idiot, aber mit blauen Flecken kenne ich mich aus», brummte er. Dann führte er sie zum Küchenstuhl und bedeutete ihr, sich zu setzen. Ruth war oben und versuchte, Michel zu beruhigen. «So. Und jetzt will ich wissen, was da los war!»

Stockend erzählte sie. Er lauschte ihr aufmerksam und betrachtete hin und wieder das Profil dieser schönen Frau, die mit einem Akzent sprach, den er eigentlich hassen sollte, aber nicht mehr hassen konnte. Er liebte Emma, das wurde ihm in diesem Moment klar. Anders als Claire. Aber er liebte sie.

Während sie redete, merkte er, wie es in ihm zu kochen begann. Es kostete ihn alle Selbstbeherrschung, sich seine Wut nicht anmerken zu lassen. So energisch sie war, so selbstsicher und ruhig sie immer wirkte, er konnte sehen, dass sie Angst vor Beets hatte. Und er war fast sicher, dass sie ihm nicht alles erzählte. Während sie redete, krallten ihre Finger sich immer wieder in ihr Kleid. Er sagte nicht viel, aber als sie stumm zu weinen begann, hielt er sie fest.

Eine Woche später fand man Wachtmeister Beets hinter der Hüttenwache in einer Mülltonne. Beinahe hätten ihn die Arbeiter der städtischen Abfuhr übersehen und in ihren Wagen gekippt, nur das ungewöhnliche Gewicht der Tonne ließ sie hineinsehen. Der nackte, zitternde Mann, den sie herausholten, war mehr tot als lebendig. Er konnte nichts sehen, seine Augen waren hinter lilafarbenen Fleischlappen verschwunden, und auch nicht sprechen, da seine Zunge auf die doppelte Größe angeschwollen war. Beide Arme und die Nase waren gebrochen, ihm fehlten drei Zähne, und er schrie bei jeder Bewegung auf, weil jemand seine Rippen so mit Fußtritten bearbeitet hatte, dass sie ihm wie Messer in die Lunge stachen. Selbst seine Kollegen erkannten ihn nicht, als sie ihn sahen.

Emma erfuhr nie davon. Und als Beets sich so weit erholt hatte, dass er wieder sprechen konnte, gab er an, sich nicht zu erinnern, wer ihn überfallen hatte. Doch er wusste es genau. In seinen Träumen tauchte er jede Nacht auf, der rothaarige Hüne mit den Tätowierungen, der plötzlich hinter ihm in der Gasse stand und ihn ohne Vorwarnung angriff. Aber er sprach nie über ihn. Er hatte viel zu viel Angst, dass er seine Drohung wahrmachen, zurückkommen und beenden würde, was er angefangen hatte.

5

An einem sirrend heißen Montag im Juli, als die Sonne wie eine gleißende Scheibe am wolkenlosen Himmel leuchtete und ganz Hamburg stillzustehen schien, klingelte das Telefon in der Backsteinvilla. Lily rannte von der Veranda, wo sie mit Hanna Limonade getrunken hatte, ins Haus. Das brachte ihr einen tadelnden Blick von Mary ein, die, genau wie Lilys Großmutter früher, die Lippen spitzte, sobald Lily sich schneller als in Trippelschritten bewegte.

«Wirklich, Frau von Cappeln, nun rennen Sie nicht! Ich nehme doch ab!», rief sie, aber Lily eilte wortlos an ihr vorbei. Ein Telefonat bedeutete Kontakt mit der Außenwelt, und dafür riskierte sie jeden Tadel und jeden missbilligenden Blick.

Sie wusste sofort, dass es keine guten Nachrichten waren. Emma klang schrecklich aufgelöst. «Isabel. Sie ist schon wieder verhaftet worden», rief sie, und Lily fing ihren eigenen erschrockenen Blick im Spiegel über dem Vertiko auf. «Sie hat anscheinend Flugschriften an Prostituierte verteilt und sich gewehrt, als zwei Polizisten sie aufforderten, es zu unterlassen. Oh, Lily, ich habe diesmal gar kein gutes Gefühl!»

«Alles in Ordnung?» Henry steckte den Kopf aus seinem Studierzimmer, um zu sehen, wer am Telefon war. Er runzelte die Stirn, als er Lilys Miene sah.

«Henry, es ist Isabel, sie … liegt im Krankenhaus. Ein Unfall!», keuchte Lily.

Überrascht hielt er inne. «Was ist denn passiert?»

«Ich weiß es nicht genau. Emma, wie genau kam der Unfall zustande?», fragte sie in den Hörer.

Emma gab einen verwunderten Laut von sich. «Was? Nein, Lily, sie ist nicht im Krankenhaus, sie ...»

«Sie weiß auch nichts Genaues», gab Lily an Henry weiter.

Er verschränkte die Arme vor der Brust. «Liegt sie in Eppendorf?»

«Henry fragt, ob sie in Eppendorf liegt?», wiederholte Lily, und diesmal verstand Emma.

«Ach so!», sagte sie hastig. «Jaja, genau, in Eppendorf.»

Lily nickte. «Henry, wir müssen hinfahren. Ich muss wissen, was mit ihr ist.»

Er schüttelte den Kopf. «Nach Eppendorf sind wir eine Stunde unterwegs, Minimum. Du weißt, ich habe heute noch ein Seminar zu leiten!»

«Oh, bitte, du musst mit mir hinfahren!», rief Lily und fasste ihn am Arm.

Ärgerlich schüttelte er ihre Hand ab. «Nein wirklich, es geht nicht!», beharrte er, aber als er ihre Miene sah, verdrehte er die Augen. Er griff nach dem Hörer. «Frau Wilson?»

Lily hörte, wie ihre Freundin auf Henry einsprach, und biss sich die Fingernägel ab vor Aufregung. Aber an Emma schien eine Schauspielerin verlorengegangen zu sein, denn wenig später nickte Henry.

«Das klingt nicht gut. Ich sende Genesungswünsche.» Er reichte Lily den Hörer zurück. «Gut, dann fahr», seufzte er. «Aber in spätestens drei Stunden bist du wieder hier!»

Dieses Mal konnten sie niemanden bestechen. Ein fremder Wachtmeister hatte Dienst und verweigerte ihnen beharrlich, Isabel zu sehen. Aus Protest setzten sie sich in den Flur und warteten. Bald traf auch Martha ein. Stundenlang geschah nichts, man ließ sie sitzen, wo sie waren, ohne jede Information. Lily sah durchs Fenster, wie die Sonne immer tiefer sank. Henry würde schon bald zum Abendessen nach Hause kommen.

«Du musst gehen», sagte Emma, die ihre Unruhe bemerkte.

Doch Lily schüttelte den Kopf. «Ich bleibe!»

Sie warteten stumm. Schließlich erbarmte man sich und teilte ihnen mit, dass Isabel schon vor Stunden ins Gefängnis gebracht worden war.

Sofort nahmen sie eine Droschke und fuhren los. Zu Lilys Erstaunen erlaubte man ihnen dort, Isabel zu sehen. Die Freundin war guter Dinge, erklärte ihnen durch die Gitterstäbe der überfüllten Zelle, dass sie sich keine Sorgen machen sollten. Sie sah wach und frisch aus, ganz anders als beim letzten Mal. Augenscheinlich hatte es keine körperliche Auseinandersetzung gegeben. Lily, Emma und Martha versprachen ihr, sie zu besuchen, alles zu tun, um sie herauszuholen, und fuhren mit gemischten Gefühlen zurück in die Stadt.

Als Lily endlich erschöpft nach Hause kam, tobte Henry vor Wut. Doch sie merkte, wie wenig es sie noch kümmerte. «Es hat eben länger gedauert, ich konnte sie nicht einfach alleine da liegen lassen. Du weißt, dass sie keine Familie hat», sagte sie. Sollte er doch herumschreien, sie schütteln und ankeifen. Isabel war bereit, alles aufs Spiel zu setzen für ihre Wahrheit. Alles zu ertragen. Und was tat sie?

Es dauerte mehr als zwei Wochen, bis Lily Isabel wieder besuchen konnte. Henry überwachte sie strenger als sonst, sodass sie keine Gelegenheit fand, sich aus dem Haus zu schleichen. Aber ohnehin durfte Isabel nur wenig Besuch empfangen, und natürlich ließen die Freundinnen Martha den Vortritt. Emma berichtete Lily übers Telefon, was Martha erzählte. Offenbar hatte sich Isabels Zustand gewendet. Sie verweigerte aus Protest das Essen.

Schließlich hielt Lily es nicht mehr aus. Sie verabredete mit ihrer Mutter einen Besuch in der Karsten-Villa, den Henry absegnete, fuhr dann aber statt zu ihren Eltern ins Gefängnis. Über einen Boten ließ sie Sylta eine Nachricht zukommen, dass sie leider verhindert sei. Sie hoffte nur, dass ihre Eltern nicht bei Henry nachhakten.

Als sie vor Isabels Zelle stand, entfuhr ihr ein Aufschrei. Isabel kam langsam zu ihr an das Gitter. Ihre Lippen waren so geschwollen, dass sie aussahen wie Schläuche, dunkelblau und blutend. Sie konnte den Mund nicht richtig schließen und schluckte laut und krampfhaft nach jedem Wort. Sie zitterte. Auch an ihrem Hals waren Blutergüsse und Kratzer zu sehen und ein dicker Striemen, wo man sie offensichtlich festgebunden hatte. Ihre Haare waren strähnig, die Augen entzündet.

«Oh Gott. Was ist denn nur passiert?», fragte Lily entsetzt. Isabel versuchte zu sprechen, aber Lily verstand sie nicht. «Langsam. Ganz langsam», sagte sie und spürte, wie ihr die Tränen kamen. Wie konnte man einen Menschen nur so grausam zurichten?

Isabel versuchte zu erklären, aber es gelang ihr nicht. Lily verstand einzelne Wörter, aber sie sah, wie viel Kraft es die Freundin kostete. Irgendwann gab sie auf und schüttelte hilflos den Kopf.

«Sie haben sie geholt!» Eine Stimme aus einer dunklen Zellenecke ließ sie zusammenzucken. Eine von Isabels Mitinsassinnen kam langsam auf sie zu. «Haben sie zwangsernährt, heut in der Früh.» Ihre Augen funkelten amüsiert.

«Was?» Lily hatte dieses Wort noch nie zuvor gehört, hatte

nur eine vage Vorstellung, was es bedeuten konnte. «Aber …
warum?», keuchte sie.

Die kleine Frau mit den strähnigen Haaren kicherte. «Hat aufgehört zu fressen, darum!», sagte sie. Isabel hatte sich inzwischen
an die Wand gelehnt und beobachtete mit fiebrigen Augen den
Austausch. Sie hob die Hand und wischte sich mit abwesendem
Gesichtsausdruck Blut vom Mund.

«Aber ich verstehe nicht. Warum haben sie das gemacht?
Und warum isst du nicht?», fragte Lily ihre Freundin. «Jetzt rede
schon!», fuhr sie kurz darauf die kleine Frau an. Ihr feixendes
Gesicht ließ Wut in ihr hochkochen. Warum zum Teufel fand
diese Hexe Isabels Leid so unterhaltsam?

«Was weiß ich? Nicht ganz dicht im Kopf?», sagte die und
lachte meckernd.

«Es ist ihr Protest!», mischte sich eine andere Stimme ein.
Eine junge hochschwangere Frau kam an das Gitter gewankt. Sie
trug einen enormen Bauch vor sich her. Besorgt betrachtete sie
Isabel. «Hör nicht auf die Alte, sie ist verrückt. Verschwinde in
deine Ecke!», zischte sie die kleine Frau an, und die zuckte zusammen und humpelte davon.

«Wie meinen Sie das?», fragte Lily.

«Das ist ihr Widerstand. An dem Tag, an dem sie sie eingeliefert haben, hat sie aufgehört, etwas zu sich zu nehmen. Sie haben
ihr angedroht, dass es passieren würde. Und gestern Abend haben sie sie geholt. Und heute Morgen. Und heute Abend werden
sie sie wieder holen!»

«Aber das kann nicht erlaubt sein!», flüsterte Lily. Sie streckte
die Hände nach Isabel aus, und die trat mit einem gequälten Lächeln auf dem Gesicht zu ihr. «Du musst essen, Isabel. Wie sollst
du sonst hier rauskommen?», rief sie und nahm ihre Hände. Sie
waren eiskalt. Isabel reagierte nur mit einem Zucken. «Es wird

bald besser werden», flüsterte Lily und streichelte ihr über das verfilzte Haar.

In Isabels Augen konnte sie lesen, dass sie daran nicht glaubte. Aber sie sah auch den Willen, der stark wie eh und je in ihrem Blick loderte. Sie hatten sie vielleicht misshandelt, aber sie hatten sie nicht gebrochen. Unter der zugerichteten Hülle war sie immer noch die stolze, mutige Frau, die sie vorher gewesen war. Lily wusste in diesem Moment, dass Isabel freiwillig nicht wieder anfangen würde zu essen. Ihr Herz zog sich zusammen, als ihr klarwurde, was das bedeutete.

Plötzlich wurde ihr auch bewusst, wie rot Isabels Wangen glühten. Sie fühlte ihre Stirn. «Du verbrennst ja!», rief sie erschrocken. «Isa, du musst dich hinlegen! Ich werde eine Wärterin holen, du brauchst Medizin!»

Die Freundin schüttelte nur stumm den Kopf. Wieder versuchte sie, etwas zu sagen, aber sie spuckte nur und würgte und fasste sich mit tränenden Augen an den Hals. Ein Speichelfaden lief ihr aus dem Mund.

Eine dunkle Welle der Wut brandete über Lily hinweg. Gleichzeitig fühlte sie sich schrecklich hilflos. Wenn nur Emma hier wäre, dachte sie verzweifelt. Sie wüsste, was zu tun ist.

Aber Emma war nicht hier. Sie musste das selbst regeln.

Lily drehte sich um und eilte davon, stürmte über die Flure und betrat wenig später ohne anzuklopfen das Zimmer der Aufseherin des Frauentraktes. «Was haben Sie mit ihr gemacht?», rief sie.

Die Wärterin zuckte zusammen. «Anklopfen», blaffte sie empört, aber Lily beachtete es nicht.

«Sie haben Frau Winter misshandelt!», zischte sie und warf die Tür hinter sich zu. «Sie haben sie gefoltert!»

Die Frau stand hinter ihrem kleinen Schreibtisch auf und funkelte sie an, nicht weniger zornig als Lily selbst. «Was glauben Sie, wer Sie sind, hier einfach so reinzuplatzen?»

«Was haben Sie mit meiner Freundin getan?», brüllte Lily so laut, dass die Frau tief Luft holte.

«Wir haben sie am Leben erhalten!», rief sie dann. «Sie hat aufgehört zu essen! Wir hatten keine Wahl. Glauben Sie, ich will, dass mir eine politische Gefangene am Hungerstreik eingeht und ich mir dann von aufgebrachten Weibern wie Ihnen und Ihren reichen Familien Ärger machen lassen muss?»

«Ich werde Ihnen auch jetzt Ärger machen!» Lily schlug mit der flachen Hand auf den Schreibtisch. «Das kann nicht erlaubt sein, einen Menschen so zuzurichten!»

Die Frau schnaubte. «Sie hat sich selbst so zugerichtet. Sie hatte jede Chance, normal zu essen. Sie wusste, was ihr droht, wir haben zwei ganze Wochen gewartet, aber irgendwann muss Schluss sein! Das sind die Regeln hier drin. Seien Sie lieber froh, dass sie heute noch da ist, ohne mich würde ihr Leichnam jetzt bei uns im Keller verrotten. Denn ich sage Ihnen eines: Sie hat irgendwann auch aufgehört zu trinken. Lange hätte ihr Körper das nicht mehr mitgemacht.»

Lily ballte die Hände zu Fäusten. «Aber warum ist sie so verletzt? Warum bluten ihre Lippen, warum kann sie nicht sprechen?»

Die Frau gab ein verächtliches Lachen von sich. «Deswegen», sagte sie und zeigte in die Ecke, wo an einem Seil über einem Waschbecken ein paar dicke schwarze Schläuche trockneten. Daneben lagen Trichter auf einem Handtuch. Lily stockte der Atem. Instinktiv fasste sie sich an den Hals, sie konnte sich nicht vorstellen, dass jemand es überlebte, einen solchen Schlauch in den Rachen gesteckt zu bekommen. «Das ist … unmenschlich», stammelte sie. «Das können Sie doch nicht tun.»

Die Frau setzte sich wieder, ihr Gesicht zeigte keine Regung. «Wir können, und wir werden. So lange, bis sie vernünftig wird und wieder anfängt zu essen. Wenn sie sich nicht so gewehrt hätte, sähe sie jetzt auch nicht so aus. Hat einem meiner Wärter ins Gesicht gebissen, er blutet immer noch. Können sich ja vorstellen, dass sie nun nicht gerade mit Samthandschuhen angefasst wird. Das hat sie sich selber zuzuschreiben. Hier drin sterben schon genug Menschen. Unter meiner Wache wird sie nicht draufgehen, jedenfalls nicht am Hungerstreik. Haben Sie verstanden? Und jetzt raus hier!» Lily starrte sie ungläubig an. «Raus!», rief sie noch einmal, diesmal so laut, dass Lily zusammenzuckte.

Sie drehte sich um, aber bevor sie ging, sah sie der Wärterin noch einmal in die Augen. «Frau Winter kämpft für die Rechte der Frauen. Für Ihre Rechte», sagte sie langsam. Zu ihrem Ärger stellte sie fest, dass ihre Stimme zitterte. «Dafür, dass Sie mitbestimmen dürfen, was in Ihrem Land geschieht. Dass Sie nicht mit vierzig Jahren sterben müssen, weil Sie sieben Kinder geboren haben und Ihr Körper nicht mehr mitmacht. Dass Sie sich scheiden lassen dürfen, ohne dafür geächtet zu werden, wenn Ihr Ehemann Sie misshandelt», sagte sie leise. «Das Schlimmste daran ist nicht, wie sie zugerichtet wurde. Sondern, dass es eine Frau war, die ihr das angetan hat.»

Die Wärterin sah ihr ohne jede Gefühlsregung in die Augen. Sie antwortete nicht, sondern zeigte mit dem Finger zur Tür. «Raus», befahl sie leise.

«Sie hat Fieber. Jemand muss sie versorgen.»

«Erzählen Sie mir nicht, wie ich meine Arbeit machen muss!»

Lily ging. Im Flur brach sie in Tränen aus.

Sie sprang in die wartende Kutsche und fuhr zu ihrem Onkel Robert. Er war ihre einzige Hoffnung. Sie fühlte sich so elend, als wäre sie selbst krank, die Stadt rauschte vorbei, ohne dass sie es wahrnahm, sie sah nur Isabels Gesicht, ihre blutenden Lippen, ihren abgemagerten Körper. Vor dem imposanten Stadthaus, in dem ihr Onkel seine Kanzlei hatte, stand sie einen Moment auf der Straße und blickte an der Fassade empor. Es war ein warmer Sommertag, aber sie fröstelte. Als sie den Türklopfer ergriff, überwältigte sie plötzlich das drohende Gefühl von Unheil. Sie musste sich anlehnen, so schwach fühlte sie sich.

Als sie in sein Büro geführt wurde, sah Robert Karsten erstaunt auf. «Lily!» Er erhob sich von seinem Stuhl am Schreibtisch. «Das ist ja eine schöne Überraschung ...», begann er, aber dann stockte er. «Um Himmels willen, Kind, was ist denn passiert?»

Eine Viertelstunde später hatte Lily alles erzählt, es war nur so aus ihr herausgesprudelt, und ihr Onkel hatte schweigend zugehört. Als sie endete, sah er sie lange an.

«Lily, ich will ganz deutlich sein. Ich heiße es nicht gut, was deine Freundin getan hat. Ich bin nicht grundsätzlich dagegen, dass Frauen mehr Rechte zugesprochen werden. Aber die Art und Weise, wie sie versuchen, es durchzusetzen, ist einfach widerwärtig», erklärte er nachdrücklich.

Lily sah stumm zu Boden. Es war immer das Gleiche. Alle waren nicht grundsätzlich dagegen, aber sie wollten auch nicht hören, dass sich bisher rein gar nichts geändert hatte. Dass sie anders nicht vorankamen. Dass sie laut und unangenehm sein mussten, weil sonst nichts geschah.

«Wir probieren es doch mit anderen Mitteln», sagte sie verzweifelt. «Niemand hört uns zu. Man lacht uns aus. Kein Mann in dieser Stadt nimmt die Frauenfrage wirklich ernst. Ihr alle denkt doch, dass wir nur ulkige kleine Püppchen sind, denen es zu Hause zu langweilig geworden ist und die sich zur Abwechslung mal in der Politik versuchen.» Er blinzelte überrascht. Offenbar hatte er keine Ahnung gehabt, wie sehr sie selbst für dieses Thema brannte. «Isabel ist eine wunderbare, intelligente Frau voller Mut und Energie. Du solltest sie einmal reden hören, sie würde dir gefallen.»

«Das denke ich kaum», erwiderte er kalt, und sie spürte seinen Widerwillen beinahe körperlich. Er schob seinen Stuhl zurück, und ihr war klar, dass er das Gespräch beenden wollte.

«Sie stirbt, Onkel Robert», sagte Lily leise. «Sie stirbt da drinnen, wenn wir nichts tun! Sie wird niemals klein beigeben.»

Ihr Onkel ließ sich seufzend zurück auf den Stuhl sinken. Eine Weile sah er auf seine Hände, die Stirn in tiefe Falten gelegt. Lily dachte, dass sein Bart sehr weiß geworden war in letzter Zeit. Als sie schon glaubte, dass er gar nichts mehr sagen würde, sprach er doch.

«Ich werde mit deinem Vater reden. Wenn er einwilligt, werde ich sie besuchen, sie beraten, was sie tun kann.» Lily setzte sich kerzengerade auf. «Aber nur», fügte Robert hinzu und sah sie ernst an, «nur, wenn dein Vater zustimmt. Ich kann das nicht hinter seinem Rücken oder gegen seinen Willen tun, Lily. Wenn ich es schon gegen meinen mache, dann muss ich wenigstens seine Zustimmung haben. Er würde es mir nie verzeihen, wenn ich mich einmische, ohne vorher mit ihm gesprochen zu haben.»

Lily nickte, die Erleichterung war so groß, dass sie sich plötzlich ganz schwach fühlte. «Danke!», flüsterte sie. «Ich habe nur noch eine Bitte. Könntest du … meinem Mann nichts davon erzählen?»

Er sah sie einen Moment verblüfft an. Dann nickte er langsam. «Solange es bei dieser einen Sache bleibt», sagte er.

«Danke!», wiederholte Lily erleichtert. Wenn er nur sah, was sie mit Isabel angestellt hatten, wie krank sie war, würde er sicher verstehen, wie dringend die Angelegenheit war. «Wann sprichst du mit Vater?», fragte sie.

Er sah auf die Uhr über dem Kaminsims. «Ich könnte morgen Nachmittag …», begann er, aber sie fiel ihm hastig ins Wort.

«Das ist zu spät!»

Überrascht zog er die Augenbrauen hoch. Sie hatte ihn noch nie unterbrochen.

«Verzeih, aber das ist zu spät, Onkel Robert. Sie ist zu krank! Und sie werden es wieder tun, jetzt gerade rammen sie ihr wahrscheinlich den Schlauch in den Hals. Und morgen früh wieder und morgen Abend erneut. Sie hat hohes Fieber!»

«Gut. Ich werde heute Abend mit Alfred reden. Dann kann ich morgen früh nach Ohlsdorf rausfahren.» Er stand auf und seufzte. «Als ob ich nicht genug zu tun hätte.»

Die Erleichterung darüber, dass sie nicht mehr alleine kämpfte, dass es jemanden gab, der ihr helfen wollte, war so groß, dass Lily aufstand und ihrem Onkel in die Arme fiel. Und als sie sich an seine Brust lehnte und den vertrauten Geruch nach Pfeife und Herrenparfum einatmete, der sie an ihren Vater erinnerte, begann sie plötzlich, hemmungslos zu schluchzen.

Überrascht tätschelte Robert ihr den Kopf. «Na, na, mein Mädchen. So schlimm ist es schon nicht. Ich werde mich doch kümmern», murmelte er, offensichtlich überfordert von ihrem Gefühlsausbruch. Aber Lily konnte nicht aufhören zu weinen. Sie hatte nicht geglaubt, dass sie ihn wirklich dazu überreden könnte, ihr zu helfen. Jetzt wird alles gut!, dachte sie erschöpft. Dann bekam sie Schluckauf und musste sich hinsetzen.

«Aber das kann nicht sein!» Lily blickte in die starren Gesichter ihres Onkels und ihres Vaters. Sie hatten ihr soeben eröffnet, dass Robert Isabel nicht helfen würde. Lilys Vater hatte es abgelehnt.

«Aber Papa …», begann sie verzweifelt, doch er unterbrach sie, die Lippen bebend vor Zorn.

«Du weißt genau, wie ich zu diesen Frauen stehe. Dass du es wagst, unsere Familie zu involvieren, nach allem, was wir deinetwegen durchgemacht haben, uns bittest, ins Gefängnis zu gehen und für sie zu sprechen. Du hast wieder gelogen, Lily. Henry hat mir erzählt, Isabel hätte einen Unfall gehabt und wäre im Krankenhaus. Stattdessen erfahre ich, dass sie gegen das Gesetz verstoßen hat. Eine Straftäterin. Wie kannst du so etwas von mir fordern? Und wie bist du überhaupt ins Gefängnis gekommen? Henry hätte dir das doch nie und nimmer gestattet.»

«Er weiß nichts davon», gab sie zu, und seine Augen weiteten sich erstaunt. «Aber ich musste sie doch sehen! Es geht ihr so schlecht. Papa, bitte, wir müssen …»

«Ich will nichts mehr davon hören! Es ist unfassbar, nichts hat sich geändert, rein gar nichts!»

Lily konnte es nicht glauben. Ihr Vater war konservativ in vielen Dingen, aber er war ein guter Mensch, der richtig und falsch voneinander unterscheiden konnte. Er musste doch sehen, worum es hier ging. «Sie ist krank, Papa. Und sie hat keine Familie, niemanden, der zu ihr geht und ihr hilft. Sie hat doch nichts Schlimmes getan!», rief sie. «Sie wollte diesen Frauen nur helfen!»

«Wenn sie nichts getan hätte, säße sie jetzt nicht hinter Gittern, oder? Das Gefängnis ist kein Folterkeller, sie zwingen sie schließlich nicht dazu, das Essen zu verweigern, es ist ihre eigene törichte Entscheidung. Weil sie ihren sturen Kopf durchsetzen will, sollen wir in die Sache hineingezogen werden? Auf keinen Fall!»

Franz, der etwas abseits stand und die Unterhaltung verfolgte, nickte bekräftigend. «Sie ist selbst schuld, Lily. Diese hysterischen Weiber müssen sehen, dass sie nicht mit allem durchkommen.»

«Aber sie …»

«Diese Unterhaltung ist beendet!», blaffte ihr Vater. «Und du wirst dich hüten, noch einmal dorthin zu fahren. Sonst muss ich deinen Mann über deine Unwahrheiten unterrichten. Was ich ohnehin längst hätte tun sollen.»

Damit wurde sie ohne weitere Diskussion aus dem Büro geworfen.

Lily verbrachte den Rest des Tages in einer Art ohnmächtiger Trance. Emma und Martha konnten genauso wenig ausrichten wie sie, aber wenigstens stand es ihnen frei, ins Gefängnis zu fahren und um Besuchszeit zu bitten. Nicht einmal das konnte Lily.

Am nächsten Morgen war ein Brief von ihrem Onkel für sie in der Post.

Lily,

mein Gewissen hat es nicht zugelassen, dass ich dir deinen Wunsch verwehre. Wenn es familiäre Konsequenzen haben sollte, so werde ich sie tragen. Ich wollte dir nur mitteilen, dass Isabel sich weigert, meine Hilfe anzunehmen. Du hast recht, was dort mit ihr geschieht, ist unmenschlich, aber sie hat es sich selbst zuzuschreiben. Es liegt in ihrer Hand, die Dinge zu ändern. Ich kann nichts mehr für sie tun.
Dein Onkel Robert

Lily hatte den Brief noch in der Halle aufgerissen. Die Worte verschwammen vor ihren Augen. *Ich kann nichts mehr für sie tun.* Nun gab es nichts und niemanden mehr, der ihnen helfen konnte. Emma hatte Geld, aber Geld alleine reichte in diesem Fall nicht, man brauchte Einfluss. Sie versuchten bereits, einen Anwalt für Isabel zu finden, aber es dauerte viel zu lange. Die Sorge um die Freundin brannte wie glühende Kohle in Lilys Eingeweiden.

Sie rief erneut in der Reederei an, um mit ihrem Vater zu sprechen, aber er unterbrach sie sofort und weigerte sich, sie auch nur anzuhören. Als Henry an diesem Abend zu Elenor fuhr, stellte Lily das Licht ins Fenster. Zwei Stunden später kam Jo tatsächlich herein, und sie fiel ihm weinend um den Hals.

«Es ist meine Schuld.» Jo schüttelte den Kopf. «Sie wollten meine Hilfe, Martha und Isabel. Sie wollten, dass ich mich mit ihnen verbünde. Und ich habe sie abgewiesen.»

Er sah furchtbar aus. Fietes Unfall hatte ihm sehr zugesetzt. «Jo, sie verweigert die Nahrung aus eigener Entscheidung!» Lily nahm sein Gesicht in beide Hände und strich ihm mit den Daumen über die stoppeligen Wangen. «Niemand kann etwas dafür.»

«Doch, Lily.» Jos Blick flackerte. «Sie muss das Gefühl gehabt haben, dass niemand auf ihrer Seite steht. Dass es keinen gibt, der zuhört. Wenn sogar jemand wie ich, der im Grunde genommen alle ihre Ziele richtig findet, seine Hilfe verweigert …» Er schloss einen Moment die Augen und schüttelte den Kopf. «Was bleibt dann noch?»

Isabel starb an einem Sonntag. Lily hatte durch Emma von ihrem kritischen Zustand erfahren und sich am Montag, nachdem Henry in die Universität gefahren war, auf den Weg gemacht. Es war ihr egal, was passieren würde, sie musste die Freundin sehen. Doch sie bekam die Nachricht schon am Besuchereingang. Man ließ sie nicht einmal mehr in das Gebäude hinein.

«Lungenentzündung», sagte der Wärter an der Pforte und betrachtete sie mitleidig. «Wenn man geschwächt ist, ist das schnell tödlich. Sie sollte heute ins Krankenhaus verlegt werden, aber sie hat die Nacht nicht geschafft. Geht es Ihnen gut?», fragte er erschrocken, als er ihr Gesicht sah, doch Lily konnte nicht einmal nicken. Sie starrte den Mann nur an.

Tot, hallte es in ihrem Kopf. Wie meinte er das? Es konnte nicht bedeuten, was es zu bedeuten schien.

Der Wärter blätterte in seinen Unterlagen. «Sie lassen sie noch ein paar Tage liegen, um sicherzugehen. Das machen wir immer so. Manchmal wachen welche wieder auf, wissen Sie. Die Ärzte sind solche Stümper, die wissen nicht mal mit Sicherheit, wann jemand tot ist. Dann wird sie auf dem Gelände beerdigt, wenn ihre Familie sie nicht abholt.»

«Sie hat keine Familie», krächzte Lily und spürte, wie ihr ganzer Körper zu vibrieren begann.

Isabel war tot. Sie hatte gewusst, dass das passieren könnte, aber dass es wirklich geschehen war, dass sie fort war, für immer, dass sie niemals wieder mit ihr sprechen würde, das war so ungeheuerlich, dass der Gedanke in ihrem Kopf keinen Platz zu haben schien. Die wunderschöne, energische, wütende Isabel sollte nicht mehr da sein? Sie presste die Hände gegen den Bauch, als eine Welle der Übelkeit in ihr hochschwappte.

«Gut, dann erledigen wir das», sagte der Mann. «Datum und Uhrzeit können Sie morgen erfragen und … he!» Erschrocken stand er auf, als Lily in die Knie sank und sich langsam an der Wand auf den Boden gleiten ließ. Der Mann eilte aus seinem Häuschen und klopfte ihr auf die Wangen. «Um Gottes willen, das tut mir leid, ich hätte es Ihnen schonender beibringen müssen!», murmelte er. «Wir brauchen etwas zu trinken!», herrschte er eine Putzkraft an, die gerade vorbeilief. Aber Lily hörte ihn nicht mehr. Sie übergab sich keuchend auf den Boden neben dem Häuschen.

Als sie zu sich kam, lag sie daheim auf ihrem Bett in der Backsteinvilla. Sie blinzelte, richtete sich auf und entdeckte Henry, der in einem Sessel am Fenster saß. Als er ihre Bewegung sah, stand er auf und kam zu ihr. Sein Gesicht war wie aus Stein.

«Du hast mich die ganze Zeit belogen!»

Lily rieb sich benommen die Stirn. «Meine Freundin ist tot. Heb dir deine Schau für ein anderes Mal auf», flüsterte sie. Alles flutete wieder über sie herein, und sie fühlte, wie ihr erneut übel wurde. Ob Martha es schon wusste? Und Emma? «Ich muss telefonieren!» Sie schwang die Beine über die Bettkante und stand auf.

«Ich habe das Telefon vorübergehend entfernen lassen.»

«Was?» Lily fuhr herum. «Aber ich muss es Emma sagen!»

«Du musst gar nichts. Du wirst dieses Haus bis auf weiteres nicht verlassen!»

Lily wusste nicht, ob es die Trauer war, die Wut, die Benommenheit, alles zusammen, aber sie fuhr auf ihn zu, stieß ihm beide Hände gegen die Brust, sodass er überrascht zurücktaumelte, und zischte: «Du kannst mir gar nichts verbieten! Ich habe mit meinem Vater gesprochen. Er würde es niemals erlauben, dass du mich irgendwo in ein Sanatorium sperrst oder mir meine Tochter wegnimmst. Ich habe ihm alles erzählt, von deinem Doktorfreund und deinem hübschen Plan. Du wirst damit niemals durchkommen.»

Einen Moment lang erwiderte er nichts, sah sie nur an, und in seinen Augen sah sie so viel Hass, dass sie plötzlich Angst bekam. Dann packte er sie bei den Schultern und schmetterte sie mit solcher Gewalt gegen den Schrank, dass sie zu Boden sank. Noch immer war sein Gesicht so von Wut verzerrt, dass Lily schon dachte, er würde zutreten. Aber er richtete sich nur die Krawatte und setzte eine unbeteiligte Miene auf. «Du wirst dieses Haus nicht mehr verlassen. Und Hanna wirst du auch nicht sehen!», sagte er und knallte die Tür hinter sich zu.

Lilys Schulter pulsierte. Sie lag auf dem Boden, halb gegen die offene Schranktür gelehnt, und stöhnte leise vor Schmerz. Aber auf ihrem Gesicht breitete sich ein triumphierendes, bitteres Lächeln aus. Eins zu null für mich, dachte sie und rappelte sich mühsam auf.

Sie ließ Emma eine Nachricht zukommen, wagte es aber nicht, sich wieder aus dem Haus zu schleichen. Eine Woche lang hielt sie sich an Henrys Regeln. Sie hatte sich den Arm geprellt und konnte ihm das schlechte Gewissen ansehen. Trotzdem durfte sie Hanna nur minutenweise sehen, und egal, wie sehr das Mädchen auch tobte und nach seiner Mutter schrie, er blieb hart. Lily nahm es hin, schlich dafür nachts in Hannas Zimmer und legte sich heimlich neben sie, um wenigstens so ein bisschen Zeit mit ihr zu verbringen. Sie wusste, dass Henry bald nachgeben würde. Mit ihrem Vater wollte sie nicht sprechen. Seinen Beistand hob sie sich als letzte Möglichkeit auf. Sie würde ihn sicher noch brauchen.

«Du fährst nicht!» Henry faltete seine Frühstückszeitung zusammen und fegte dabei ein paar Eierschalen über den halben Tisch. «Gar keine Frage. Das fehlte noch.»

Es war der Tag von Isabels Beerdigung. Das Telefon war inzwischen wieder installiert, Henry benutzte es selbst zu oft, um längere Zeit darauf zu verzichten, und Emma hatte sie über den bevorstehenden Termin informiert. Lily erwiderte nichts, nickte nur stumm. Doch nachdem er das Haus verlassen hatte, packte sie ihr Trauerkleid in eine Tasche und marschierte die Einfahrt hinunter.

Mary, die von Henry strikte Anweisungen bekommen hatte, rannte verzweifelt hinter ihr her und versuchte, sie aufzuhalten. «Keine Sorge, Mary, ich werde ihm sagen, dass Sie alles versucht haben», sagte Lily.

Der Kutscher durfte sie nirgendwohin fahren, und so ging sie den ganzen Weg zu Fuß. In der Villa ließ sie sich von Lise ankleiden.

Sylta saß hinter ihr auf dem Bett und rang nervös die Hände. «Lily, du solltest das nicht tun. Henry hat es dir doch verboten, und auch dein Vater wird es ganz und gar nicht gutheißen!», rief sie.

Lily betrachtete ihre Mutter im Spiegel. Mit der Nachricht von Ottos Tod hatte Syltas altes Leiden einen starken Schub bekommen, der sie ans Haus und an manchen Tagen sogar ans Bett fesselte. Aber Lily konnte sie nicht schonen. «Papa hat sich geweigert, ihr zu helfen, wusstest du das?»

Sylta sah sie mit großen Augen an. «Er wollte sicher das Richtige tun!»

Lily nickte grimmig. «Genau das will ich auch! Unsere Vorstellungen davon, was das Richtige ist, liegen nur leider sehr weit auseinander.»

Als sie wenig später mit einem schwarzen Schleier vor dem Gesicht die Treppe hinablief, eilte Sylta hinter ihr her. «Lily, dein Vater hat das doch nicht gewollt!», rief sie, das Gesicht vor Kummer ganz grau.

«Aber er hat es getan!», erwiderte Lily und verließ das Haus, ohne zurückzublicken.

Alfred und Franz waren in der Reederei, niemand konnte sie aufhalten, auch wenn Hertha, Agnes und ihre Mutter sie bis zuletzt anflehten, nicht zu gehen. Sie lief die Bellevue entlang und stieg in die Pferdebahn. Neugierige Blicke und Getuschel umgaben sie, es war ganz und gar nicht ziemlich, dass eine feine Dame in Trauerkleidung öffentliche Verkehrsmittel benutzte. Lily war es gleichgültig. Als sie daran dachte, wie sie das letzte Mal in dieser Bahn zum Friedhof gefahren war, mit Jo an ihrer Seite, die Luft prickelnd von der Spannung zwischen ihnen, legte sie erschöpft die Stirn gegen die Scheibe. Es schien Jahrhunderte her zu sein.

Emma und Martha hatten in letzter Sekunde erwirkt, dass Isabel nicht in einem anonymen Grab auf dem Gefängnisgelände, sondern auf dem Ohlsdorfer Friedhof beigesetzt wurde, was sie eine Menge Energie und nicht weniger Geld gekostet hatte. Jo war auch gekommen. Zum ersten Mal waren sie alle bei Tageslicht zusammen. Lily hätte sich keinen traurigeren Anlass vorstellen können.

Es begann zu regnen, als die kleine Prozession zwischen den Gräbern entlangschritt. Der Pfarrer ging voran, zog mit einem Blick in den Himmel die Schultern an und beschleunigte sein Tempo, sodass die Männer, die Isabel trugen, nur mit Mühe hinterherkamen. Als der Sarg in der Erde verschwand, sich die Glockentöne dumpf mit dem Regen mischten und über den Friedhof hallten, hörte Lily das erstickte Schluchzen ihrer Freundinnen neben sich. Martha presste sich ein Tuch vor das bleiche Gesicht, Emma weinte stumme Tränen, gefasst wie immer, aber bleich vor Kummer, und sogar Jos Augen schimmerten hell. Lily konnte nicht mehr weinen. Sie spürte den Regen nicht, sie betrachtete die kleinen Tropfen auf dem Sarg und fühlte gar nichts mehr. Jo stand neben ihr und hielt ihre Hand.

Wie sollte es nur weitergehen?

Stumm wie ein Schatten stand Greta hinter der Friedhofsmauer. Als die junge Frau mit den roten Haaren durch das Tor trat und eine Sekunde später Jos Mütze auftauchte, zuckte sie zusammen.

Sie hatte es geahnt, aber nicht wirklich daran geglaubt.

Vor Schreck biss sie sich schmerzhaft auf die Unterlippe. Er hat gelogen, dachte sie. Ihr Blick glitt über die wunderschön frisierten Locken, die funkelnden kleinen Ohrringe, und Gretas Augen wurden zu schmalen Schlitzen. Ein wütendes Zischen entwich ihr, aber sie bewegte sich nicht, rückte noch ein wenig tiefer in die Schatten und beobachtete die beiden. Die Frau zog gerade ihre Handschuhe aus, schwarz schimmerten sie im Licht der Nachmittagssonne, die nun wieder hinter den Regenwolken hervorblitzte. Greta betrachtete ihre eigenen Hände, rau und fleckig von der Farbe, die sie den ganzen Tag rührte, die Knöchel aufgesprungen, die Nägel brüchig und gelb. Noch nie in ihrem Leben hatte sie Handschuhe getragen.

Lily Karsten lächelte traurig und strich über Jos Arm. Auch er lächelte, wischte sich über die Augen, und als ihr einer der

Handschuhe zu Boden fiel, bückte er sich rasch und hob ihn auf. Verstohlen blickte er sich um, und als er sicher schien, dass niemand sie beobachtete, küsste er sie auf den Mund. Gretas Augen wurden noch ein wenig schmaler.

Der Kuss ärgerte sie, er machte sie wütend, ließ ihren Nacken kribbeln, aber sie hatte damit gerechnet. Womit sie nicht gerechnet hatte, war die Frau. So schön, so elegant. So reich. So anders als sie selbst.

Ihre Haltung, ihre Kleider, die weiße Haut, der Schmuck, das saubere, frisierte Haar. Sie spürte, wie Eifersucht und Hass in ihr zu brodeln begannen.

Sie hatte nicht gewusst, dass Lily zurück war. Ihr Blick glitt erneut über das Kleid. Niemals hatte sie ein so schönes Kleid auch nur berührt. Die Säume schleiften im Dreck, und es schien Lily nicht im mindesten zu kümmern. Hätte Greta ein solches Kleid besessen, sie hätte es gehegt und gepflegt, gehütet wie ihren Augapfel. Aber wahrscheinlich wäscht eine ganze Dienerschar es ihr wieder sauber, dachte sie und presste die Lippen zusammen. Wie musste es sein, ein solches Leben zu führen?

Greta war in den dunkelsten Tiefen des Altstädter Gängeviertels aufgewachsen, hatte bereits mit fünfzehn geheiratet, nur um von daheim wegzukommen. Wie sich herausstellte, war es ein fliegender Wechsel von einer Hölle in die nächste gewesen. Fritz war Seemann und das halbe Jahr über auf dem Wasser. Wenn er heimkam, trank er. Sie hasste ihn. Nichts an diesem stinkenden Mann erinnerte sie mehr an den lächelnden Fritz, der sie zum Altar geführt hatte. Er schlug sie immer so, dass niemand es sah und die Flecken und schmerzenden Stellen unter ihrem Kleid verborgen waren. Ihre Kolleginnen wussten natürlich trotzdem, was los war, sie kannten die Bewegungen einer Frau, die zu Hause

einen prügelnden Ehemann hatte, das schreckhafte Zusammenzucken, wenn jemand die Stimme erhob, das langsame, qualvolle
Bücken, wenn jede Rippe schmerzte. Jo wusste nichts von Fritz'
Launen; wenn ihr Mann an Land war, sahen sie sich nicht, und
sie wartete jedes Mal, bis die Stellen halbwegs verblasst waren,
bevor sie wieder an seine Tür klopfte.

Sie liebte Jo nicht. Aber sie wusste, dass sie als seine Frau nie
wieder Angst haben würde. Er sah so gut aus, konnte charmant
sein, war selbstsicher, hatte sie nie schlecht behandelt, nie geschlagen. Er bedeutete Sicherheit, arbeitete hart, fütterte seine
Mutter und jüngeren Geschwister durch, die sich allesamt auf
ihn verließen. Und in diesem Moment hinter der Friedhofsmauer, als sie die beiden davongehen sah, so eng nebeneinander,
dass ihre Arme sich streiften, wurde ihr in aller Deutlichkeit
bewusst, dass er ihre einzige Hoffnung auf ein besseres Leben
war.

Sie würde niemals einen anderen Beruf ausüben können. Sie
konnte froh sein, überhaupt einen zu haben, sie hatte keinerlei
Ausbildung, konnte weder lesen noch schreiben, ihre Hände
würden wahrscheinlich noch Jahre die Spuren der Farben tragen, sodass niemand sie jemals als Dienstmädchen einstellen
würde. Sie würde arbeiten, bis sie umfiel. Zum Glück war endlich Fritz' Mutter gestorben, drei Jahre lang hatten sie die Alte
mit durchfüttern müssen, am Ende hatte sie nicht mehr das Bett
verlassen. Wenn Greta dann heimkam, nach einem zermürben-
den Tag, der sie alle Kraft gekostet hatte, musste sie die Alte waschen, die sich tagsüber eingekotet hatte, ihr Essen kochen, ihre
Klagen anhören, ihren stinkenden Husten ertragen. Sie hatten
nur zwei Zimmer, kleine dunkle Kammern mit schiefem Boden.
Die Mieten in den Gängevierteln waren horrend, und was übrig
blieb, versoff Fritz, sobald er es in den Händen hielt.

Sie hatte oft überlegt, das langsame Sterben der Alten zu beschleunigen. Viele Male hatte sie vor ihr gestanden, wenn sie schlief, hatte ihrem rasselnden Atem gelauscht und mit dem Verlangen gekämpft, ihr ein Kissen aufs Gesicht zu drücken. Jedes Mal wenn sie ihr den Kot vom Körper kratzte, wünschte sie ihr den Tod. Es war ihr größter Fehler gewesen, Fritz zu heiraten.

Vor ein paar Wochen hatte sie sich ein neues Kleid kaufen wollen. Eisern hatte sie gespart, bereits im letzten Herbst kleine Summen zurückgelegt, wochenlang nur das Nötigste gegessen, das Geld unter einem losen Dielenbrett versteckt. Der Gedanke an das Kleid hatte sie aufgeheitert, er hatte ihr den dunklen Alltag versüßt. Und dann war sie eines Abends heimgekommen, und der kleine Spalt unter den Dielen war leer gewesen. Sie hatte lange dagesessen, auf den Knien, und ins Leere gestarrt, zu erschöpft, um zu weinen. Fritz war erst am nächsten Tag wieder in die Wohnung getorkelt, so besoffen, dass er kaum noch stehen konnte. Er hatte sie ins Bett zerren wollen, aber sie war so wütend gewesen, hatte ihn angekeift und sogar versucht, ihn zu kratzen, sodass er nur erstaunt zurückgewichen und schließlich einfach hingefallen und eingeschlafen war. Die Rechnung hatte sie am nächsten Tag bekommen. Und das Geld hatte sie natürlich nie wiedergesehen. Aber an diesem Abend, als sie dasaß, alleine in ihrer kalten Wohnung, und verstand, dass sie kein neues Kleid haben würde und überhaupt nichts Schönes mehr in ihrem Leben, dass sie ein Jahr umsonst gespart hatte, da war ihr in aller Deutlichkeit klargeworden, dass es nicht besser werden würde, sondern nur immer schlimmer.

Es wird sich nie etwas verändern, dachte sie auch jetzt und wurde plötzlich panisch. Er würde so weitermachen, bis er am Suff verreckte. Und bei ihrem Glück würde sie vorher schwanger

werden. Und wahrscheinlich würde er das Kind aus ihr heraus-
prügeln, oder sie würde sterben beim Versuch, es loszuwerden.

Jo war ihre einzige Hoffnung, der einzige Lichtblick. Und er
ging gerade an der Seite einer anderen Frau davon.

6

Charlie betrachtete Claires Gesicht. Im Halbdunkel des Zimmers schien ihrem Lächeln heute etwas Trauriges anzuhaften. Vielleicht war es, weil er das Bild in letzter Zeit nur noch ab und an hervorgeholt hatte, meistens nachts, wenn Michel schlief. Manchmal schaffte er es beinahe, sie zu vergessen.

Aber nur beinahe.

Er hockte vor seinem Bett und strich zärtlich mit dem Daumen über ihr Abbild. Plötzlich ging hinter ihm die Tür auf, und Emma kam herein. Er hatte ihre Schritte auf der Treppe nicht gehört.

«Was ist das?» Lächelnd kam sie auf ihn zu und bückte sich, um ihn zu küssen. Dann nahm sie ihm mit gerunzelter Stirn das Papier aus der Hand und betrachtete die Zeichnung. Er erhob sich, und Emma blickte zu ihm auf. «Ist das … Claire?», fragte sie vorsichtig.

Es war seltsam, ihren Namen aus einem anderen Mund zu hören. Er nickte. Sein Hals war wie zugeschnürt. Emma setzte sich langsam auf die Bettkante, das Bild noch immer in den Händen.

«Sie ist sehr schön», murmelte sie leise.

«War», erwiderte Charlie und setzte sich neben sie.

«Du hast mir nie erzählt, was mit ihr passiert ist.» Zögernd warf sie ihm einen Seitenblick zu.

Seine Hand zuckte. Es war eine kaum merkliche Bewegung, aber Emma sah sie trotzdem. Sie nahm seine kalten Finger in die ihren. «Ist schon gut. Du musst es mir nicht sagen.»

Charlie räusperte sich. Er warf einen Blick auf das Bild, und plötzlich schien Claire nicht mehr zu lächeln. Überrascht runzelte er die Stirn. Sie wirkte wütend. Er zögerte einen Moment. «Doch», sagte er dann und atmete einmal tief ein und aus. «Doch, ich muss.» Und als er weitersprach, war er überrascht, wie leicht es ihm plötzlich fiel.

«Hast du schon einmal etwas von den Magdalenen-Heimen gehört?», fragte er, und Emma nickte überrascht.

«Natürlich. Gibt es nicht auch welche hier in Hamburg?»

«Ja.» Er stand auf und begann, langsam im Zimmer auf und ab zu gehen. «Aber das ist etwas anderes. Bei uns ist man ... wie soll ich sagen, viel katholischer.» Er schüttelte traurig den Kopf. «Wie du vielleicht weißt, ist es in Irland verboten, ein uneheliches Kind zu bekommen. Hier hat man dafür Lösungen. Die Kinder werden abgegeben, kommen ins Kloster, oder es wird schnell geheiratet, um die Sache zu vertuschen. Nichts davon ist gut, aber es ist erträglich. In meiner Heimat jedoch haben sie Heime für Frauen, die vor der Ehe schwanger werden. Es ist ...» Er stockte. «Es ist grauenvoll dort. Waisenkinder, gefallene Frauen, Schwangere, sie alle erleben das Gleiche. Sie werden eingekerkert, der Willkür der Nonnen ausgeliefert. Die Frauen müssen schuften wie Sklavinnen, meist als Wäscherinnen, bis zum Tage der Niederkunft. Bei der Geburt wird ihnen keine Hilfe zur Seite gestellt. Wenn sie sterben, sieht man es als göttliche Fügung an. Als ihre eigene Schuld.»

Emma sah ihn entgeistert an. «Aber das ist ja schrecklich!», flüsterte sie.

Ihrer Miene entnahm er, dass sie bereits wusste, was er ihr erzählen würde. Er drehte sich um und blickte aus dem Fenster, weil er es nicht ertragen konnte, sie anzusehen. Denn wenn er sie anschaute, spürte er, wie sehr er sie liebte. Und das fühlte sich immer noch nach Verrat an, auch nach so vielen Jahren.

«Wir wollten heiraten. Aber ich hatte nicht genug Geld, und ihre Familie versprach sie einem anderen. Da war sie bereits schwanger.» Er räusperte sich, spürte, wie ihm die Tränen den Hals zudrückten. «Das Kind kam mit den Beinen zuerst. Sie lag drei Tage lang in den Wehen. Niemand hat ihr geholfen. Ich durfte sie nicht sehen. Ich durfte das Kind nicht sehen. Aber das Schlimmste ist …» Er stockte. Diesen Teil hatte er noch nie jemandem erzählt. Nicht einmal Jo.

«Nachdem alles vorbei war, habe ich eine der Schwestern bestochen, damit sie mich zu ihr lässt. Ich wollte mich wenigstens verabschieden. Aber sie sagte, dass ich den Anblick nicht ertragen würde. Sie hatten ihr den Bauch aufgeschnitten, um das Kind zu retten. Anscheinend wollten sie es zur Adoption verkaufen. Claire hat … Sie hat noch gelebt, als sie …»

Er konnte nicht weitersprechen. Die Worte lockten das ganze Grauen wieder hervor, das er all die Jahre verdrängt hatte.

Mit einem Mal spürte Charlie, wie Emma ihn von hinten umarmte. Sie sagte kein Wort, und er war dankbar dafür, denn es gab nichts, was es einfacher gemacht hätte. Aber sie hielt ihn fest, und während er stumm dastand, die Stirn gegen das Fenster gelehnt, fühlte er den Schmerz so stark, als wäre es erst gestern geschehen. Doch er fühlte auch etwas anderes. Er fühlte, dass er damit nicht länger vollkommen alleine war auf der Welt.

Du wirst zu spät zu deiner eigenen Eröffnung kommen!» Unwirsch richtete Lily sich vor dem Spiegel in Franz' kleinem Flur die Haare.

Henry lehnte neben ihr an der Wand. Er hielt Hanna auf dem Arm. Ihre Eltern unterhielten sich leise im Wohnzimmer mit Roswita. Sie alle trugen ihre feinsten – und unbequemsten – Kleider und warteten ungeduldig auf Franz. Sie wollten zusammen zur Eröffnungsfeier der *Luxoria* fahren, die heute eingeweiht und in See stechen würde. Sylta hatte vorgeschlagen, dass sie die Gelegenheit nutzen sollten, um sich endlich Franz' kleine Stadtwohnung anzuschauen. Lily hatte zugestimmt. Ihr war jeder Anlass recht, der ihren Alltag unterbrach, sogar wenn sie dafür Franz und seine langweilige Wohnung sehen musste, die sie nicht im Geringsten interessierte.

Im Flurspiegel warf sie einen letzten Blick auf ihr Kleid, ein Schneiderkunstwerk aus zartrosa Spitze. Der schlicht geschnittene Rock war mit durchsichtigen Perlen durchwebt, an der Brust und an den Ärmeln hatte es gepufften Volantstoff und eingeflochtene Seidenbänder. Mary hatte ihre Haare kunstvoll in Wellen gelegt, und anstelle eines Hutes trug Lily heute eine große Feder als Kopfschmuck, die seitlich in der Frisur steckte. Früher wäre sie für ein solches Ensemble gestorben, heute fühlte sie sich wie ein verkleideter Pfau. Der Anblick ihrer eingeschnürten Taille verursachte ihr Übelkeit.

Die Jungfernfahrt des luxuriösen Vergnügungsdampfers war eine so wichtige Veranstaltung für die Reederei, dass sie Ärger hatte vermeiden wollen. Als sie sich aber jetzt sah, biss sie sich wütend auf die Lippen. Isabels Beerdigung war einen Monat her. Sie dachte an ihre Freundin und fühlte sich, als hätte sie sie verraten.

Lily drehte sich um, wischte Hanna mit dem Daumen über die Wange und band die Schleife ihres kleinen Hutes neu, die ihr ein wenig fest ums Kinn gezurrt schien.

«Mama, du bist so sööön!» Hanna beugte sich aus Henrys Arm vor, um Lily zwei feuchte Küsschen auf die Wangen zu drücken. Sie war gerade in einer Phase, in der sie Komplimente verteilte wie Süßigkeiten, da Mary begonnen hatte, mit ihr damenhaftes

Benehmen zu üben. Sie spielten nachmittags oft feine Teegesell-schaft und überboten sich dabei mit Höflichkeitsfloskeln. «Du siehst aus wie meine Puppe.»

Lily lächelte kokett. «Vielen Dank auch für das Kompliment, Mademoiselle, Sie sehen ebenfalls ganz reizend aus!», erwiderte sie und machte einen kleinen Knicks, der Hanna zum Lachen brachte.

«Küss die Hand!», kicherte ihre Tochter und reichte Lily ihre speckige Kinderhand, wie sie es geübt hatte, damit ihre Mutter einen Kuss darauf hauchen konnte.

Henry beobachtete die beiden mit einem halben Schmunzeln. «Ich habe die zwei hübschesten und wohlerzogensten Frauen Hamburgs an meiner Seite», sagte er zu seiner Tochter. «Es wäre nur schön, wenn wir endlich hier rauskämen und ich sie der Welt auch vorführen könnte.» Ungeduldig blickte er Richtung Schlafzimmer. Lily war erstaunt über seine gute Laune. Henrys gesamte Familie würde ebenfalls an Bord der *Luxoria* mitfahren, und Lily wusste, dass es ihn grämte, als Einziger nicht gefragt worden zu sein.

Lily runzelte die Stirn. «Fraaaanz!», rief sie erneut.

«Ich komme ja gleich!», antwortete ihr Bruder.

Lily schüttelte den Kopf. «Was macht er denn so lange?»

«Ich gehe mit Hanna schon runter, wir warten draußen auf euch», seufzte Henry, und sie nickte.

Die beiden traten auf den Flur hinaus, und sie hörte, wie Henry Hanna einen Kinderreim aufsagte, während er mit ihr die Treppe hinunterging. Bei jeder Stufe hielt er an und ließ Hanna die Strophe beenden, die er begonnen hatte. Die Kleine kicherte und machte konzentriert mit. Lily stand an der Wohnungstür, sah ihnen nach und spürte ein Ziehen im Bauch. Wie konnte ein Mensch nur zwei so unterschiedliche Gesichter haben?

Als sie gegangen waren, raffte sie ungeduldig ihre Röcke und eilte mit forschem Schritt ins Schlafzimmer. «Wir warten alle!»

Kai saß auf einem Schemel vor dem Fenster und polierte eifrig ein paar schwarze Herrenschuhe. Franz stand vor dem Spiegel und zwirbelte seinen Bart mit zwei Fingern. «Er will heute nicht», knurrte er. Nervös wischte er sich über die Stirn.

Lily rollte mit den Augen. «Niemand interessiert sich für dein kümmerliches kleines Kaiserbärtchen.»

Franz lächelte. «Die Crème de la Crème Hamburgs kommt heute zusammen, um mein Schiff zu sehen, kleine Schwester», erwiderte er kühl. «Die wichtigsten Männer der Stadt, alle auf einem Haufen. Nur meinetwegen. Natürlich interessiert es da, wie ich aussehe!»

«Und die wichtigsten Frauen», korrigierte Lily. «Die Männer kommen außerdem wohl kaum, um deinen Bart anzustarren, sondern um kostenlos Champagner zu trinken und sich gegenseitig zu versichern, wie wohlhabend und erfolgreich sie sind.»

Franz verzog das Gesicht. «Es gibt keine wichtigen Frauen, Lily. Und du hast einen sehr negativen Blick auf die Männer, die dir dein Leben finanzieren.»

«Ich könnte mir mein Leben gut selbst finanzieren, wenn diese Männer mich lassen würden», konterte Lily unbeeindruckt. «Wie du sehr genau weißt. Und jetzt komm endlich.»

«Ja, Herrgott. Ich kann schließlich nicht auf Socken gehen!» Franz blickte über die Schulter, und Kai trat sofort herbei und brachte ihm die Schuhe.

Lily stöhnte genervt und verschränkte die Arme vor der Brust. Sie sah sich im Zimmer um. Alles war schlicht gehalten, eine Abweichung vom vorherrschenden Stil, der diktierte, dass man mit seiner Einrichtung zeigte, wie viel Geld man besaß, und jedes Zimmer möglichst vollstopfte und pompös dekorierte. Aber gut,

Franz muss hier ja auch keine Gäste empfangen, dachte sie und schlenderte zum Bücherregal. Er kam lediglich ab und an zum Schlafen her. Es gab nicht einmal eine Küche, zum Essen ging er in die Wirtschaft. Gelangweilt fuhr sie mit dem Finger die Reihen entlang. Sicher hatte Franz die Bände noch nie angefasst. Früher hatte er Bücher geliebt, sie erinnerte sich, dass er ihr sogar oftmals vorgelesen hatte, als sie noch Kinder waren.

Aber damals hatten sie sich auch noch gemocht.

Einen Moment betrachtete Lily den Hinterkopf ihres Bruders. Wann hatte er angefangen, sie so abzulehnen? Es war, als wäre er eines Tages aufgewacht und ein anderer gewesen. Sie dachte nicht mehr oft an den Franz von früher, den lustigen, schlauen Jungen mit dem ansteckenden Lachen, der ihr vorgelesen und bei Bällen mit ihr getanzt hatte. Aber manchmal blitzte er noch vor ihrem inneren Auge auf und erinnerte sie daran, dass nicht alles an Franz schlecht war. Er hatte einen guten Kern. Nur war der irgendwo tief in ihm vergraben und für die Außenwelt nicht zugänglich.

Während Kai ihrem Bruder noch ein letztes Mal über die Schuhe polierte, drehte Lily sich nachdenklich wieder zum Bücherregal.

Und plötzlich sah sie es.

Es steckte etwas weiter hinten zwischen den anderen, war fast verborgen. Aber weil sie den Titel kannte, blieben ihre Augen daran hängen. *The Sins of the Cities of the Plain.*

Das Buch, das Mary in Liverpool verbrannt hatte.

Und plötzlich wurde ihr alles klar. Langsam drehte sie sich um und starrte ihren Bruder an. Im Spiegel sah sie gerade noch, wie er Kai ein dankbares Lächeln zuwarf. Aber es war nicht nur dankbar, es war … liebevoll.

Es ergab alles einen Sinn. Franz hatte nie Interesse an Frauen gehabt. Ja, er hasste sie, sprach immer voller Abscheu von ihnen. Ihre Mutter war die einzige weibliche Person, der er so etwas wie Wärme oder Respekt entgegenbrachte. Er hatte Roswita nicht heiraten wollen. Und jetzt, da er dazu gezwungen worden war, trieb er sie mit seiner Boshaftigkeit in die Esssucht. Und dann Roswitas Geschichten von ihren Eheproblemen.

Als sich jetzt in ihrem Kopf langsam die Teile zu einem Bild zusammensetzten, war es, als rücke jemand die Realität um sie her plötzlich in ein neues Licht. Einen kurzen Moment hatte Lily das Gefühl, das Herz müsste ihr brechen, für den fröhlichen kleinen Jungen, der ihr Bruder einmal gewesen war. Vielleicht war da gar nichts Böses in ihm, wie sie immer angenommen hatte. Vielleicht hatte die Welt ihn zu diesem verbitterten Mann gemacht. Eine Welt, die ihn nicht wollte, vor der er sein wahres Gesicht verstecken musste. Dann aber packte sie kalte Wut. Wenn das stimmt, dann muss er doch besser als jeder andere wissen, wie es ist, wenn man jemanden liebt, den man nicht lieben darf, dachte sie fassungslos. Warum hat er mir das alles nur angetan?

Doch sie glaubte, es bereits zu wissen. Franz hatte sein Leben lang dafür gearbeitet, die Fassade einer funktionierenden, erfolgreichen Familie aufrechtzuerhalten. Einer normalen Familie. Und Lily hatte diese Fassade zerstört. Und nicht nur das ... Er muss mich hassen dafür, dass ich das Leben leben könnte, das er nicht haben kann, und es gar nicht will, dachte sie.

«Was schaust du denn so?», fragte Franz plötzlich giftig, der ihren Blick im Spiegel aufgefangen hatte.

Lily zuckte zusammen. Sie öffnete den Mund, stockte, schüttelte kaum merklich den Kopf. «Ich schau doch gar nicht», erwiderte sie dann, ebenso giftig. Sie holte tief Luft, raffte ihr Kleid und verließ den Raum. «Jetzt beeil dich endlich!», blaffte sie und hörte, wie er ihr etwas Unfreundliches hinterherknurrte.

Die *Luxoria* war sogar noch größer, als Jo sie sich vorgestellt hatte. Was für ein sinnloser Prunk, dachte er, zog an seiner Zigarette und betrachtete aus sicherer Entfernung das Gewimmel am Anleger. Oolkert war natürlich da, seine Löwenmähne stach aus der Menge heraus. Er führte seine Frau Eva am Arm. Auch Franz Karsten hatte Jo schon erspäht. Henry stand neben einem Haufen Koffer und Hutschachteln und überwachte den Transport des Gepäcks seiner Familie. Es wirkte, als hätten sie ihren kompletten Hausstand für die Reise eingepackt. Lily hatte Jo erzählt, dass die von Cappelns von ihrem Vater Plätze in der ersten Klasse geschenkt bekommen hatten. Sie würden bei der Jungfernfahrt des Luxusdampfers dabei sein, genau wie Hunderte andere Mitglieder der Hamburger Oberschicht. Lily und Hanna warteten etwas abseits, beide trugen gerüschte helle Sommerkleider. Bei ihrem Anblick spürte er ein giftiges Ziehen im Brustkorb. Seine Mädchen. Und er durfte nicht zu ihnen gehen.

Hanna sagte etwas zu ihrer Mutter, Lily lachte und beugte sich zu ihr hinunter. Sie wussten nicht, dass er hier war, aber er sah, wie Lilys Augen immer wieder suchend über die Menge streiften. Wahrscheinlich vermutete sie, dass er irgendwo im Gewimmel stand und sich die Gelegenheit, sie bei Tageslicht zu sehen, nicht entgehen ließ.

Er blickte am Schiff empor. «Luxusdampfer», murmelte er abfällig. «So ein hirnrissiger Schwachsinn.» Es war ein völlig neuer Gedanke, dass man das Meer rein zum Vergnügen überqueren sollte. Für Männer wie ihn bedeutete das Meer einzig und allein harte Arbeit.

Er beobachtete eine Weile, wie die Kofferträger sich abmühten, die unvorstellbaren Gepäckberge an Bord zu schaffen. Die absurde Situation im Hafen repräsentierte ihrer aller Leben: die reichen Hamburger mit ihren teuren Kutschen, edlen Kleidern und der vollkommen verrückten Idee einer Luxusreise auf der einen Seite. Die hart arbeitenden Männer, die alles erst ermöglichten, die man aber nicht sah, auf der anderen. Henry mit Lily und Hanna in ihren hellen Kleidern. Jo abseits, versteckt. Allein in der Menge.

Der Wunsch, zu Lily und Hanna zu gehen, beherrschte seine Gedanken. Sein Blick blieb an Henry hängen, den blonden Locken, dem teuren Anzug. Er lachte gerade und winkte Lily, zu ihm und seiner Mutter zu kommen. Warum darf dieser Mann lachen?, dachte er. Warum steht er dort drüben und hat alles, und ich stehe hier und habe nichts?

Manchmal stellte er sich vor, Henry zu töten. Nachts, wenn er alleine war, wachlag und die Verzweiflung an ihm nagte. Aber Henry war Hannas Vater. Sie liebte ihn. Jo konnte ihn ihr nicht wegnehmen.

Was bleibt mir?, fragte er sich. Was bleibt uns? Er trat seine Zigarette aus. So konnte es nicht weitergehen, irgendetwas musste geschehen.

Er hatte einen Plan, aber den wollte er nur im äußersten Notfall umsetzen. Wenn Lily sich doch scheiden ließe, wären sie auf sich allein gestellt. Sie bräuchten Geld, um den Sorgerechtskampf vor Gericht austragen zu können.

Inzwischen hatten er und seine Männer wie geplant aufgehört, Opium zu entwenden. Sie hatten sich so weit etabliert, dass sie das Geschäft selbständig weiterführen konnten. Dadurch ging es langsamer voran, und die Nachfrage überstieg das Angebot, aber sie liefen auch weniger Gefahr aufzufliegen. Die Lage hatte sich beruhigt. Als die Listen wieder stimmten, hatte Oolkert das

Ganze auf unzuverlässige Tallyleute und falsche Absprachen mit den Lieferanten in Indien geschoben und die Sache auf sich beruhen lassen. Jo hatte es in den Fingern gejuckt, ihm unter die Nase zu reiben, dass sie sich darauf vorbereiteten, das Geschäft in der Stadt ganz zu übernehmen und Oolkert durch niedrige Preise auf Dauer konkurrenzunfähig zu machen. Er besaß das Geld, sicher. Aber Jo hatte die Kontakte. Oolkert hatte noch nie einen Fuß in einen Keller oder eine Höhle gesetzt. Männer wie er machten sich nicht die Hände schmutzig. Jo kannte so gut wie jeden im Geschäft, und so gut wie jeder schuldete ihm den einen oder anderen Gefallen. Den Männern war es egal, wo ihr Geld herkam. Sie würden überlaufen, ohne zu fragen. Und unter den Chinesinnen, die in den Höhlen arbeiteten, hatte es sich inzwischen herumgesprochen, dass man bei Jo nicht nur besser bezahlt wurde, sondern auch besser beschützt. Es war ein Plan, der langsam, Stück für Stück, Jahr für Jahr, immer stärker greifen würde, bis Oolkert irgendwann vor vollendeten Tatsachen stand.

Aber Jo würde jederzeit aus diesem Plan aussteigen, wenn es nötig war. Sollten sie Geld brauchen, würde er einen letzten großen Coup landen, eines der Schiffe komplett ausräumen und die Beute verkaufen. Danach gäbe es kein Zurück mehr, aber von dem Geld könnte er Fiete etwas geben, seine Mutter wäre für ein paar Jahre versorgt, und er hätte den Rest, um mit Lily zu fliehen oder an ihrer Seite um Hanna zu kämpfen.

Doch dazu würde es nicht kommen. Denn sie wussten beide, dass Lily das Sorgerecht nicht zugesprochen werden würde. Nicht ohne den Einfluss ihrer Familie. Und die würde einer Scheidung niemals zustimmen.

Nichts, dachte er, zog seine Mütze tiefer in die Stirn und verschwand in der Menge. Wie man es auch dreht und wendet. Uns bleibt nichts.

Franz war beinahe betrunken vor Aufregung. Dies war wohl der bedeutendste Tag seines Lebens. Er stand inmitten der Menge, sah zu, wie die Menschen an Bord gingen, winkten und riefen, und wusste, dass sie alle nur seinetwegen hier waren. Wegen seiner Innovation, seines Pioniergeistes, seines Mutes. Alle wollten sie ihm die Hand schütteln, sich für die Presse mit ihm ablichten lassen. Roswita stand an seiner Seite, und zum ersten Mal im Leben war er froh, dass sie da war. Trotz ihrer Schwangerschaft hatte sie stark abgenommen in letzter Zeit, sah gut aus, rosig, war beinahe genauso aufgeregt wie er. Den Bauch konnte man noch nicht sehen, aber sie ließ immer wieder bedeutungsvoll ihre Hände darauf ruhen, und natürlich erzählte sie es hinter vorgehaltener Hand jedem, den sie zu fassen kriegte. So hatte er heute schon einige wohlwollende Blicke und das eine oder andere Schulterklopfen geerntet. Zusammen gaben sie ein gutes Bild ab, ein solides Bild, ein Bild, das man von einem Mann wie ihm erwartete. Und war es nicht genau das, was er sein Leben lang gewollt hatte? Er lächelte ihr zu, und sie fing seinen Blick auf, errötete und lächelte schüchtern zurück. Er legte ihr die Hand in den Rücken, und überrascht schmiegte sie sich an ihn.

Seine Eltern standen etwas abseits und hielten sich bedeckt. Gut so, dachte Franz. Das hier ist mein Tag! Alles würde bestens laufen, er hatte es im Blut. Alles würde sich fügen. Die *Luxoria* war ein voller Erfolg, die Tickets waren innerhalb kürzester Zeit ausverkauft gewesen. Sie hatten so viel investiert, waren ein unwägbares Risiko eingegangen. Es zahlte sich bereits aus. Und nicht nur das, er hatte so etwas wie Frieden gefunden. Niemals hätte er es für möglich gehalten, aber auch Roswitas und seine Abmachung war ein Erfolg. Er hatte Kai, er hatte nach außen eine solide, glückliche Ehe, bald würde er Kinder haben.

Was wollte man mehr?

Plötzlich stand Oolkert neben ihm. Die Sonne, die eben noch hell und warm auf den Hafen gestrahlt hatte, verschwand im selben Moment hinter einer Wolke, und Franz fragte sich zähneknirschend, ob dieser Mann sogar das Wetter beherrschte. «Mein Lieber!» Oolkert klopfte ihm auf den Rücken. «Man darf gratulieren.» Er lächelte ihn an.

Franz nickte und konnte sich ein Grinsen nicht verkneifen. «Danke», erwiderte er. «Man tut, was man kann.»

«Das tut man. In der Tat, das tut man», sinnierte Oolkert. «Von Roswita höre ich ebenfalls nur das Beste über dich. Meine Tochter ist sehr zufrieden. Schau dir an, wie glücklich sie aussieht.» Roswita stand jetzt in einem Schwarm Frauen und ließ sich bewundern, sonnte sich in der Aufmerksamkeit.

Oolkert stützte sich auf seinen Stock. «Ich bin zufrieden mit dir», sagte er, und Franz hasste sich selbst dafür, dass ihm dieser Satz runterging wie Öl.

«Danke», erwiderte er. «Ich denke …»

Da drehte Oolkert sich zu ihm um und musterte ihn scharf. Mit einem Mal änderte sich sein Ton. «Doch da wäre noch eine Sache.»

Franz schluckte. «Ach ja?», fragte er stirnrunzelnd.

Oolkert trat einen Schritt näher. Er beugte sich vor und flüsterte: «Du hast nicht wirklich gedacht, dass du damit durchkommst, mein Junge. Oder?»

Der Lärm der Menge schien wie durch ein Tuch erstickt. Franz nahm nichts mehr wahr außer den Augen des alten Mannes vor ihm, die sich in ihn hineinzubohren schienen. Oolkert lächelte, aber es war ein berechnendes Lächeln ohne jede Freude. Dann klopfte er ihm auf die Schulter. «Wenn du nach Hause kommst, wartet eine Überraschung auf dich. Aber jetzt genieße deinen Tag, mein Junge. Man muss das Glück auskosten, solange es anhält.»

Die bleiche Mondsichel hing direkt über der Wasserkante im wabernden Dunst. Der herangrauende Morgen würde sie schon bald in der Elbe ertrinken lassen. Um diese Zeit sah man nur die schillernde Oberfläche, es war, als wäre der Fluss aus dunklem Glas. Alles konnte sich darunter verbergen. Aber Charlie dachte, wenn die Elbtöchter ihm nicht wohlgesinnt wären, hätten sie schon mehr als genug Gelegenheiten gehabt, es zu zeigen.

Er streifte die Kleider ab, ließ sie am Ufer liegen und watete durch den dunklen Schlamm. Als er tief genug war, tauchte er unter, und der kalte Fluss füllte seine Ohren, seine Nase, seinen Mund, rauschte in seinen Gedanken und vertrieb für ein paar Sekunden alle Sorgen. Trotz seiner Angst vor dunklem Wasser hatte er schon immer gerne in der Elbe gebadet. Alle Arbeiter machten es von Zeit zu Zeit, es ging schneller, als sich daheim mühselig über der Schüssel zu waschen, und bot im Sommer eine willkommene Abkühlung.

Aber heute war er nicht nur zum Baden gekommen.

Er ging langsam zurück ans Ufer und zog das Bild aus der Tasche seines Hemdes. Einen Moment überkam ihn das schlechte Gewissen, als er sah, wie zerknickt es war. Er wusste, dass er es nicht auseinanderfalten sollte. Trotzdem konnte er nicht anders.

«Es ist Zeit», flüsterte er, als er ihr Gesicht sah. Es gab so vieles, was er ihr gerne gesagt hätte, aber er war kein Mann der großen Worte, und er hatte in den letzten Tagen begriffen, dass er einem Traumbild hinterherweinte. Und dass dieses Traumbild ihn am Leben hinderte.

Er konnte es nicht verbrennen. Er konnte es nicht zerreißen. Und er konnte es schon gar nicht einfach wegwerfen. Aber ihm war klar, dass er es auch nicht behalten konnte. Langsam watete er zurück in den Fluss. Kam es ihm nur so vor, oder zog der Sog der Strömung nun stärker an seinen Beinen? Als er so tief im Wasser war, dass es ihm bis zur Brust reichte, ertränkte er mit zitternden Händen das Bild seiner großen Liebe in der Elbe.

Claire versank langsam. Das Blatt wogte hin und her, zuckte, bog sich. Als die Strömung es ergriff und mit sich in die Tiefe zog, erhaschte er einen letzten Blick auf ihr Gesicht. Es schien ihm, als habe sich ihr Mund zu einem erschrockenen Schrei geöffnet. Charlie schloss die Augen. Als er sie wieder öffnete, war Claire fort.

«Du riechst nach dem Fluss», sagte Emma leise, als er zurückkam. Er trat zu ihr ins Untersuchungszimmer, wo sie gerade Kräuter in einem Mörser zerrieb, und lehnte sich erschöpft gegen ihren Rücken. «Warst du baden?» Er konnte hören, dass sie lächelte. «Warum hast du Michel nicht mitgenommen?»

«Ich musste einen Moment allein sein», brummte er und grub die Nase in ihr Haar. «Hör mal kurz auf.» Er griff sanft ihre Hände, und Emma ließ den Mörser los und drehte sich erstaunt zu ihm um.

Charlie sah sie an. «Ich habe mir etwas überlegt. Es kommt sicher überraschend. Aber wie wäre es, wenn wir ... zusammen nach Irland gehen?»

Emmas Augen weiteten sich, sie öffnete den Mund und schüttelte dann den Kopf. «Was?», fragte sie und lachte.

«Ich vermisse meine Heimat», sagte Charlie leise, und es war eine Erleichterung, den Gedanken endlich zulassen zu können. «Ich habe es mir nie eingestanden, aber die Musik, die Luft, das Meer. Das alles ist ein Teil von mir. In den letzten Jahren habe ich versucht, es zu vergessen, es zu betäuben, mit allen möglichen Mitteln ... wie du weißt.»

Emma nickte verwirrt.

«In Hamburg bin ich nie angekommen. Ich habe ja nicht einmal eine Wohnung hier, alle meine Besitztümer passen in einen Seesack. Vielleicht, weil ich tief in mir wusste, dass ich nicht für immer hier bleibe. Ich dachte, dass ich nie wieder zurückkann. In Irland warten die schlimmsten Erinnerungen auf mich. Aber auch die besten. Meine Familie ist tot. Aber ich bin es nicht. Und ich möchte endlich …» Er zögerte. «Wieder leben.»

Emma wollte etwas erwidern, aber er unterbrach sie. «Lass mich das kurz sagen, ja?», bat er sanft, und sie nickte erneut mit Erstaunen in den Augen. «Du bist hier nicht glücklich. Du kannst nicht richtig praktizieren. In Irland wäre das leichter. Deine Mutter wird bald sterben. Es ist hart, aber wir wissen es beide. Wir könnten versuchen, Michel mitzunehmen. Er hätte endlich eine Familie, die ihn nicht verstecken muss. Wie wäre es, wenn wir neu anfangen? Und du … meine Frau wirst.»

«Was?» Sie lachte auf, aber als sie sah, dass er nicht scherzte, wurde ihr Blick beinahe angstvoll. «Aber ich … Du …», stotterte sie.

Charlie sah sie ruhig an. Er wusste genau, was er wollte. Noch nie war es ihm so klar gewesen. Zum ersten Mal seit Jahren dachte er an die Zukunft, an ein Morgen, ein Leben, das man nicht versuchte, irgendwie zu überstehen, sondern zu genießen. Und er wollte dieses Leben mit Emma verbringen.

«Du kannst doch nicht … Meinst du das ernst?», fragte sie.

Er nickte. «Worauf noch warten?»

In Emmas Kopf wirbelte alles durcheinander. Niemals hätte sie gedacht, dass sie noch einmal jemanden fand, der sie bat, sie zu heiraten. Und sie liebte ihn so sehr. Manchmal konnte sie es selbst kaum fassen. Wie konnte das passieren?, zog es ihr durch den Kopf. Wie konnte das so schnell gehen? Gerade erst war sie doch noch alleine gewesen, verbrachte die Abende mit ihrer kranken Mutter, die sie kaum noch erkannte, oder mit Isabel und Martha. Und dann plötzlich war er da, vollkommen unverhofft. Wie nervenaufreibend sie ihn anfangs gefunden hatte, wie seltsam und ungehobelt, grob und stur. Und wie schnell sich das gewandelt hatte.

Sie wollte Charlies Frau werden. Sie wollte nichts lieber auf dieser Welt, das wurde ihr in diesem Moment klar, auch wenn sie es vorher keine einzige Sekunde auch nur in Erwägung gezogen hatte. Aber so leicht war es leider nicht. Voller Liebe sah sie ihn an. «Ich kann dich nicht einfach so heiraten, Charles», sagte sie leise. «Die Institution der Ehe ist für mich gleichbedeutend mit der Unterdrückung der Frau. Und auch wenn ich weiß, dass du es niemals ausnützen würdest … ich muss noch ein bisschen darüber nachdenken. Ich hoffe, du verstehst, dass das nichts mit dir zu tun hat.»

Er schluckte schwer und nickte mit gebrochenem Blick. Doch bevor er etwas sagen konnte, sprach sie hastig weiter.

«Aber alles, was du eben gesagt hast, können wir trotzdem haben.» Sie zögerte. «Ich *möchte* es haben. Unbedingt.»

Charlie sah so erleichtert aus, dass es ihr fast das Herz brach. «Natürlich», sagte er mit rauer Stimme. «Natürlich. Das verstehe ich vollkommen. Lass dir Zeit. Hauptsache, wir sind zusammen.»

Sie sahen sich an und Emma hatte das Gefühl, vor Glück zu platzen. Aber etwas hielt sie noch davon ab, einfach ja zu sagen, ihm in die Arme zu fallen und dieses Glück auch zuzulassen. Etwas Tiefsitzendes, das sie seit vielen Jahren definierte und das sie nicht einfach abstreifen konnte. Sie wollte es nicht sagen, wollte diesen Gedanken nicht einmal zulassen. Doch es brach einfach aus ihr heraus: «Aber … willst du denn nicht … eine *normale* Frau?»

Verdutzt zog Charlie die Augenbrauen hoch. Dann lachte er. «Findest du mich vielleicht normal?»

Emma lächelte zaghaft und schüttelte den Kopf. «Nicht besonders, nein.»

«Na also.» Charlie schloss sie in die Arme und küsste sie sanft aufs Haar. «Was soll ich dann bitte mit einer normalen Frau?»

Emma sprach noch am nächsten Tag mit Sylta. Zuerst war sie schockiert, ja ärgerlich, dass Emma es wagte, so etwas Ungeheuerliches überhaupt vorzuschlagen. Aber als diese sanft auf sie einsprach, ihr erklärte, was das für Michel bedeuten konnte, begann Sylta nachzudenken. Es war eine Entscheidung, die Zeit brauchen würde. Die Karstens mussten sie gemeinsam fällen, sie würde ihr Leben für immer verändern. Aber Emma konnte in Syltas Blick sehen, dass sie es ernsthaft in Erwägung zog. Sie würde das Wohl und das Ansehen der Familie nicht noch einmal über das Glück ihres Kindes stellen, das wusste Emma. Und wenn sie fortgingen, gab es für Michel in Hamburg kein Glück, sondern nur weitere Kompromisse. Es war eine Chance, die dem Jungen nicht wieder geboten werden würde, genau wie es auch eine Chance für Emma und Charlie war, denn sie liebten ihn inzwischen wie einen eigenen Sohn.

Syltas Zögern reichte Emma für den Moment. Sie hatten es nicht eilig. Charlie und sie hatten einander gefunden.

Alles andere würde sich fügen.

Die Fliege schnürte ihm den Hals zu. Franz hätte am liebsten selbst die Zügel übernommen und die Pferde gepeitscht, so eilig hatte er es, endlich nach Hause zu kommen. In ihm schwelte eine giftige Ahnung. Seine Handflächen waren von kaltem Schweiß bedeckt. Roswita saß ihm gegenüber und hielt sich selig lächelnd den Bauch.

«Was für ein Tag, findest du nicht?», fragte sie jetzt und strahlte ihn an. «Alle waren so begeistert von deinem Schiff. Ich wünschte, wir könnten selbst mitfahren, so wie Henrys Familie. Was meinst du, wollen wir bei der nächsten Fahrt nicht eine Kabine buchen?»

Er nickte, ohne sie anzusehen.

Erstaunt legte sie den Kopf schief. «Was ist denn mit dir?», fragte sie, beugte sich vor und strich ihm über das Knie, er musste an sich halten, um ihre Hand nicht wegzuschlagen. «Den ganzen Tag schon machst du so ein komisches Gesicht. Hast du dir den Magen verdorben? An den Geschäften kann es ja nicht liegen.»

«Es ist nichts!», erwiderte er schroff. «Es war nur anstrengend heute.»

Sie schien das als Erklärung ausreichend zu finden, denn wieder begann sie davon zu plappern, wen sie alles gesehen und mit wem sie geredet hatte.

«Hast du deinem Vater irgendetwas erzählt von … du weißt schon?», unterbrach er sie plötzlich, und sie verstummte abrupt und riss die Augen auf.

Dann lachte sie. «Ja, bist du von Sinnen? Meinst du, dann säßen wir jetzt hier? Natürlich nicht. Kein Sterbenswort.» Erschrocken sah sie ihn an. «Warum fragst du?»

Er machte eine wegwerfende Bewegung mit der Hand, zog sich die Fliege aus und schleuderte sie von sich. «Ach nichts, er hat heute so eine komische Bemerkung gemacht.»

«Eine Bemerkung?», fragte sie alarmiert.

«Ja. So etwas in der Art, dass ich nicht damit durchkommen werde. Er kann doch nur eine Sache meinen, oder? Aber wenn du es ihm nicht erzählt hast, woher soll er es dann wissen?»

Plötzlich sah Roswita schrecklich besorgt aus. «Du meinst doch nicht … Klara wird doch nichts gesagt haben?», flüsterte sie.

Franz erstarrte. «Klara?», fragte er, und ihm wurde kalt bis ins Mark. «Klara weiß es?»

Sie nickte beklommen. «Aber sie würde niemals …», rief sie hastig, doch Franz schnellte vor, presste eine Hand um ihren Hals.

«Dein Kammermädchen weiß davon, und du hast es nicht für nötig befunden, mir das zu erzählen?», brachte er hervor und drückte sie mit all seiner Wut ins Polster.

Roswita gab ein ersticktes Keuchen von sich und strampelte mit den Beinen. «Ich wollte dich nicht aufregen … Ich habe dafür gesorgt, dass sie nichts verrät, Franz, ich schwöre es. Ich habe ihr gedroht, dass ich sie rauswerfe, wenn sie …»

Franz hätte ihr in diesem Moment am liebsten den Schädel eingeschlagen. Voller Abscheu ließ er sie los, stand auf und donnerte mit der Faust zweimal gegen die Decke der Kutsche. «Schneller, Mann, schneller!», brüllte er und hörte, wie Toni mit der Zunge schnalzte und die Pferde in einen raschen Trab verfielen. Erschöpft ließ er sich auf die Bank zurückfallen.

«Es tut mir leid!», wimmerte Roswita und hielt sich den Hals.

Er beachtete sie nicht. Franz blickte nach draußen auf die vorbeirauschende Stadt, und nun war es nicht mehr die Fliege, sondern die Angst, die ihm die Kehle zuschnürte.

Als sie endlich in der Villa angekommen waren, schien alles wie immer. Seine Eltern, die schon früher gefahren waren, saßen beim Tee im Salon und wirkten vollkommen normal. Erleichterung durchflutete ihn.

Sie gingen nach oben, um sich umzukleiden, und halb rechnete er damit, Oolkert in ihrem Schlafzimmer vorzufinden. Aber alles war leer. Kein Brief wartete auf sie, kein Telegramm.

«Siehst du, es ist gar nichts, du hast ganz umsonst so ein Theater gemacht», schalt Roswita. «Ich sage dir doch, sie würde niemals etwas verraten. Was hätte sie auch davon? Ich nehme jetzt ein Bad.» Vorwurfsvoll sah sie ihn an, doch er reagierte nicht.

Langsam ließ er sich aufs Bett sinken. Es würde sicher noch kommen. Oolkert machte keine leeren Drohungen. Eine Überraschung, hatte er gesagt. Nun, das konnte alles bedeuten.

Er klingelte nach Kai, er musste ihn zumindest warnen. Roswita hatte sich inzwischen zurückgezogen. Nicht zu fassen, dass sie ihm nichts gesagt hatte! Weiber, dachte er und streifte die Schuhe ab, schmiss seinen Hut in die Ecke. Wie konnte man nur so naiv sein. Klara mussten sie natürlich loswerden, das stand außer Frage. Ein solches Risiko konnte er keinen Tag länger unter seinem Dach dulden. Um die Details würde er sich später kümmern, jetzt wollte er erst einmal mit Kai reden.

Die Tür ging auf, und erleichtert erhob er sich, doch zu seiner Überraschung kam Lise ins Zimmer.

«Wo ist Kai?», fragte er erschrocken.

Sie knickste schüchtern. «Ich weiß es leider nicht, wir können ihn schon den ganzen Tag nicht finden», erklärte sie. «Ich habe die Klingel gehört, und Agnes meinte …»

Franz spürte, wie ihm das Blut zu Eis gefror. «Ihr könnt ihn nicht finden?», flüsterte er, und kleine Nadelstiche prickelten ihn am ganzen Körper.

«Klara auch nicht. Agnes hat gesagt, erst mal kein Grund zur Beunruhigung, wir wollten noch warten und haben die Herrschaften soeben erst benachrichtigt.» Sie senkte den Blick und lächelte dann. «Vielleicht sind sie ja zusammen durchgebrannt», flüsterte sie verschwörerisch.

Da kam Roswita ins Zimmer gepoltert, das Kleid halb auf-geschnürt, die Haare gelöst. «Wann kommt Klara denn endlich? Lise, würdest du sie bitte holen und ihr sagen, dass ich auf sie warte?», keifte sie. «Ich will ein Bad nehmen!»

«Es tut mir leid, Madame. Wir hätten es Ihnen schon früher sagen sollen, aber wir können Klara nicht finden. Wir haben schon alles abgesucht, aber sie und Kai sind verschwunden. Si-cher werden sie bald zurückkommen. Kann ich Ihnen solange ein Bad einlassen?», fragte sie.

Roswita erstarrte mitten in der Bewegung. Langsam hob sie den Blick, und ihre Augen trafen sich. Franz fühlte, wie sich der Boden unter ihm öffnete. Wie er immer tiefer und tiefer fiel und nichts ihn aufhalten konnte.

Er wusste, dass er Kai niemals wiedersehen würde.

7

Der Tag schlich sich heran wie jeder andere. Still. Normal. Unauffällig. Später dachte Lily, dass sie es doch hätten spüren müssen. Dass es sich irgendwie hätte ankündigen müssen. Ein Rumpeln vielleicht, das die Erde erschütterte und sie alle warnte, dass bald nichts mehr sein würde wie zuvor.

Aber das passierte nicht.

Es klingelte nur an der Tür.

Sommerregen trommelte gegen die Scheiben der Backsteinvilla. Lily und Hanna saßen auf dem Sofa im Salon. Vor sich hatten sie Hannas neue Puppenstube aufgebaut, und das Mädchen sortierte konzentriert mit seinen kleinen Fingern die Teller in den Hängeschrank der Miniaturküche.

«Schau mal, sogar einen Weihnachtsbaum gibt es hier im Salon!» Begeistert hob Lily den festlich geschmückten Baum ins Licht, um ihn näher zu betrachten. «Mit echten Kugeln. Und ein Schaukelpferd!»

«Vorsicht, Mama. Nicht kaputt machen!» Mit tadelndem Blick nahm Hanna ihr rasch den Tannenbaum wieder ab und setzte ihn an seinen Platz zurück.

Lily musste lächeln. «Ich schau doch nur!», protestierte sie, aber Hanna schüttelte den Kopf.

«No, no. You are a clumsy little girl, my darling», flötete sie und ahmte dabei Marys Ton nach, mit dem sie Hanna tadelte, wenn ihr etwas herunterfiel oder sie unachtsam war.

Lily lachte schallend. «Ich lasse ja schon die Finger davon!», rief sie und hob ergeben die Hände.

Schmunzelnd betrachtete sie ihre Tochter, die mit jedem Tag größer wurde, mit jedem Tag besser sprach, neugieriger wurde, wacher in die Welt blickte. Henry schien die Tatsache, dass zwischen ihnen eisige Kälte herrschte, an Hanna wiedergutmachen zu wollen und hatte ihr extra aus Russland dieses aufwendig gearbeitete Puppenhaus kommen lassen. Lily wusste nicht recht, was sie von diesem Geschenk halten sollte. Sie mochte es nicht, wenn er sich Hannas Liebe zu erkaufen versuchte. Andererseits sah sie, welche Freude Hanna daran hatte, und sie musste zugeben, dass sie selbst ganz entzückt von den liebevoll gearbeiteten Details war. Sogar ein Klavier gab es.

Als es klingelte, polierten sie und Hanna gerade die Möbel im Schlafzimmer. Lily sah erstaunt auf, Hanna jedoch ließ sich nicht stören. Wer konnte das sein? Sie bekamen so gut wie nie unangemeldet Besuch. Sie hörte, wie Mary in die Halle ging und öffnete, dann erklang gedämpftes Gemurmel.

«Entschuldige mich kurz, mein Schatz!» Lily küsste Hanna aufs Haar und ging nachschauen.

Die Frau war klein und hager. Ihre Kleidung wirkte ärmlich, aber man sah ihr an, dass sie sich Mühe gegeben hatte mit ihrem Erscheinungsbild. Nervös zupfte sie an ihrem Hut. Etwas an ihrem Anblick schickte einen Schauer über Lilys Rücken. Sie kannte diese Frau, hatte sie schon einmal irgendwo gesehen. Aber sie wusste nicht, wo.

Die Frau sah sie im Türrahmen stehen und erstarrte. Sie trug einen Hut, und Lily konnte ihr Gesicht im Schatten der Halle nicht richtig erkennen.

«Hier entlang, bitte, ich kündige Sie an.» Mary fing Lilys Blick auf. «Oh, Frau von Cappeln, gehen Sie ruhig wieder hinein, es ist für Ihren Mann», erklärte sie lächelnd.

Erleichtert nickte Lily. Sie machte die Tür wieder zu und drehte sich zu Hanna um.

Woher kenne ich diese Frau?, dachte sie und setzte sich nervös wieder auf das Sofa.

Henry saß hinter seinem Schreibtisch und starrte mit glasigem Blick vor sich hin. Vor ihm, neben ihm und sogar auf dem Boden stapelten sich die Papiere, es sah aus, als hätte jemand einen Korb mit Dokumenten ausgeschüttet und wild darin herumgewühlt. Müde rieb er sich die Augen und dachte kurz an seine Eltern und seinen Bruder, die gerade jetzt wahrscheinlich auf dem Deck der *Luxoria* saßen und ihre Nasen in den italienischen Wind hielten. Voller Verbitterung verzog er das Gesicht. Manche haben es eben besser als andere, dachte er. Er war einfach nur vollkommen überlastet. Sein Seminar über Chirurgie, das er leiten musste, um endlich seinen Abschluss zu bekommen, entglitt ihm mehr und mehr. Die Studenten waren alle so schlau, so strebsam.

So viel besser als er.

Zweimal schon war es zu bloßstellenden Situationen gekommen, in denen er vor Scham feuerrot angelaufen war. Er hatte immer gewusst, dass er nicht zu den klügsten Köpfen gehörte und das Geld seines Vaters entscheidend dabei mitgewirkt hatte, dass er sein Medizinstudium antreten konnte. Dass er aber so würde kämpfen müssen, hatte er nicht vorausgesehen. Seine Professoren machten ihm immer mehr Druck. Dazu kam die Belastung daheim. Elenors Bauch war inzwischen riesig und ihre Laune exponentiell zu seinem Umfang in den Keller gerutscht. Sie beschwerte sich über alles. Ihre Brüste spannten, sie hatte Rückenschmerzen, Blähungen, geschwollene Füße und zu allem Überfluss auch noch schlechte Haut bekommen, was sie wahnsinnig machte. Außerdem hatte ihr Bauch feine blaue Risse, die aussahen wie kleine Blitze. Sie weinte fast jeden Tag. Henry fand sie genauso schön wie sonst, vielleicht sogar noch schöner, weil sie jetzt noch üppiger war, aber sie wollte nicht, dass er sie anfasste. Die Mietkosten für ihre Wohnung, um die er ja schlecht Alfred bitten konnte, mussten aus eigener Tasche bezahlt werden. Genau wie all die anderen Dinge, die sie plötzlich brauchte, Wiegen und neue Kleider, Spielzeug, Wickelsachen, weichere Bettwäsche, Badesalze. Die Liste verfolgte ihn in seine Träume.

Für Lily verspürte er mittlerweile nur noch einen schwelenden Hass. Es war ein Hass, so intensiv und herzzerfressend, wie man ihn nur für Menschen empfinden kann, die einem wirklich etwas bedeuten, das wusste er. Sie verachtete ihn. Manchmal sah er sich mit ihren Augen und verachtete sich selbst. Dafür hasste er sie noch mehr.

In diesem Moment klopfte es, und Mary steckte den Kopf zur Tür herein. «Herr von Cappeln, es tut mir leid, Sie zu stören, aber ein unangemeldeter Gast macht seine Aufwartung, ein junges … Fräulein», sie zog die Augenbrauen hoch, «das Sie unbedingt sprechen will. Sie sagt, es ist dringend und geht um eine persönliche Angelegenheit.»

Henry runzelte die Stirn. Wer konnte das jetzt sein? Er nickte. «Schicken Sie sie herein, Mary!»

Er hatte die Frau, die kurz darauf das Zimmer betrat, noch nie gesehen. Sie sah sich mit großen Augen um, wirkte arm und ungepflegt, und er fragte sich, warum um Himmels willen Mary sie überhaupt ins Haus gelassen hatte. Es war auf den ersten Blick klar, dass sie Geld erbetteln würde. Was ist denn nur mit ihren Händen los, dachte er angeekelt, sie sind ja ganz schwarz.

Die Frau nahm den Hut ab und räusperte sich nervös. «Guten Tag», sagte sie. «Mein Name ist Greta Hauser.»

Lily hörte schnelle Schritte in der Halle, dann knallte die Haustür. Rasch lief sie ans Fenster und sah kurz darauf die Kutsche die Einfahrt hinunterjagen. «Nanu», murmelte sie erstaunt.

Im selben Moment kam Mary ins Zimmer. Sie knetete die Hände und schien durcheinander. «Ihr Mann … Er musste kurz ausfahren. Der Besuch hat ihn sehr aufgeregt, ich weiß auch nicht, was da los war, er wollte mir nichts sagen. Aber er wirkte … wütend.» Angstvoll sah sie Lily an.

«Ach, sicher etwas an der Universität. Sein Seminar ist ziemlich nervenaufreibend.» Lily winkte ab, aber plötzlich hatte sie ein Druckgefühl im Magen. Sie setzte sich wieder zu Hanna und nahm ihr Buch zur Hand. Aber sie konnte sich nicht auf die Worte konzentrieren. Nervös biss sie auf ihrer Unterlippe herum.

Sie sollte nicht lange warten müssen.

Eine Stunde später hörte sie, wie die Kutsche wieder zurückkam. Kurz darauf ging die Salontür auf, und Henry trat ein. Er hatte Regentropfen im Haar. «Ah, hast du Freude an deinem neuen Puppenhaus, Liebling?», fragte er und gab Hanna einen Kuss auf den Kopf. Lily merkte sofort, dass etwas an seiner Stimme nicht stimmte.

Hanna nickte abwesend. «Heute ist Großreinemachen», erklärte sie, und er lächelte auf sie herab.

«Sehr gut!», sagte er. «Früh übt sich.» Lily ignorierte er, wie immer in letzter Zeit. Jetzt aber sah er sie an. «Komm kurz her», sagte er und winkte sie ans Fenster. Es war keine Frage, sondern ein Befehl. Überrascht stand Lily auf.

Henry verschränkte die Arme vor der Brust. Seine Augen waren zu Schlitzen verengt, aber er schien nüchtern. «Elenor wird ab heute bei uns wohnen.»

Lily meinte, sich verhört zu haben. Sie blinzelte und lachte laut auf. «Wie bitte?»

Henry lachte nicht. Er zog seine Handschuhe aus und verschränkte die Arme vor der Brust. «Da du offensichtlich beschlossen hast, diese Ehe zu einem Krieg werden zu lassen, habe ich mir gedacht, dass ich es mir alles ein bisschen einfacher machen kann.» Er schnaubte. «Wozu noch den Schein wahren? Wir haben Platz im Haus. Sie muss irgendwo wohnen. Warum soll ich ihr eine Wohnung bezahlen, wenn sie genauso gut auch bei uns leben kann?» Er straffte die Schultern. «Ich hatte vorhin Besuch von einer gewissen Greta. Sie hat mir erzählt, dass du mit Bolten auf der Beerdigung warst. Und dass ihr euch geküsst habt.»

Lily erstarrte. Plötzlich fiel es ihr wie Schuppen von den Augen. Die Färberin, die sie damals im Keller gesehen hatte.

Henry musterte sie. «Ich muss sagen, ich hätte nicht einmal dir diese Dreistigkeit zugetraut», flüsterte er und warf einen Blick auf Hanna. «Aber gut, wie man sich bettet, so liegt man. Von heute ab weht hier ein anderer Wind. Elenor ist meine Cousine aus Berlin, die uns auf unbestimmte Zeit besucht.» Langsam kam er um den Tisch herum auf sie zu. «Du wirst freundlich zu ihr sein, hast du gehört?», fragte er. Er trat auf sie zu und fasste ihr Kinn, presste hart ihren Kiefer zusammen. Lily versuchte, seine Hand wegzuschlagen, aber er packte sie am Unterarm und hielt sie fest. «Wenn du zu deinen Eltern läufst, wird dir niemand glauben. Sie werden alle denken, du bist hysterisch.» Er lächelte kalt. «Aber versuch es ruhig!»

«Mama?» Hanna hatte sich herumgedreht und sah sie beide mit aufgerissenen Augen an. Sofort ließ Henry Lily los. «Alles gut, Liebling, deine Mama und ich machen nur Spaß», erklärte er.

In diesem Moment ging die Tür auf, und Mary kam herein. Hinter ihr trat, mit energischen Schritten und sich neugierig umsehend, eine sehr schwangere Dame im Rüschenkleid ins Zimmer. Lily gab einen entsetzten Laut von sich.

Es war die schöne Frau vom Schiff.

Lily war zu erstaunt, um zu reagieren. Nicht einmal ihre Gedanken kamen hinterher, es war eine solche Demütigung, dass er es einfach nicht ernst meinen konnte. Die Frau kam auf sie zu und blieb stehen, ein etwas nervöses Lächeln auf den Lippen.

«Schön, Sie wiederzusehen!» Sie streckte Lily doch tatsächlich die Hand entgegen.

Lily starrte sie an, ohne einen Muskel zu rühren. Irgendwo am Rande ihrer Wahrnehmung klingelte das Telefon in der Halle, das Feuer knackte im Kamin, und Hanna war aufgestanden und betrachtete die fremde Frau mit neugierigem Blick. Beim Anblick ihrer Tochter kam wieder Leben in Lily. «Bist du jetzt vollkommen übergeschnappt?», zischte sie und fuhr zu Henry herum.

Er betrachtete sie mit seinem üblichen abfälligen Lächeln. «Sag mir nur eins, Lily. War er hier im Haus?»

Sie erstarrte. Das war alles, was Henry als Bestätigung brauchte. Er nickte. «Dachte ich es mir. Und warum sollte nur dir dieses Recht vorbehalten sein?», fragte er.

«Aber du kannst doch nicht … Sollen wir vielleicht zusammenleben wie eine große glückliche Familie?», rief Lily schrill.

Die Frau hatte inzwischen ihren Hut abgenommen und sah sich neugierig im Zimmer um.

«Mäßige deine Stimme», sagte Henry eisig. «Oder soll ich deiner Tochter erzählen, was ihre Mutter wirklich ist? Eine Lügnerin. Eine Ehebrecherin. Eine Betrügerin.»

«Genau wie du!», rief Lily empört, aber er lachte nur.

In diesem Moment ging die Tür auf, und Mary kam erneut herein. Lily sah an Henrys Stirnrunzeln, dass etwas nicht stimmte, und wandte sich zu ihr um.

Mary zitterte, sie hatte beide Hände vor den Mund gepresst. «Herr von Cappeln, Sie müssen sofort kommen», flüsterte sie, und sie alle drei sahen gleichzeitig, dass ihre Kräfte sie gleich verlassen würden, und liefen los, um sie zu festzuhalten. Henry war als Erster bei ihr. Er fasste sie am Arm und führte sie zum Sofa.

«Mary, was haben Sie denn?»

Sie schloss die Augen und deutete mit zitterndem Finger in Richtung Halle. Lily und Elenor sahen sie fragend an, dann folgten ihre Blicke Marys ausgestrecktem Zeigefinger. «Das Telefon», flüsterte Mary und fasste sich an den Hals, als bekäme sie keine Luft. «Das Telefon, Herr von Cappeln. Ich weiß nicht, wie ich es Ihnen sagen soll.» Sie schluchzte auf. «Die *Luxoria*. Sie ist gesunken.»

Es war, als hätte man ihnen eröffnet, dass die Erde stillstand. Lily gab ein leises Krächzen von sich. Elenor fasste sich schockiert an den Bauch und ließ sich neben Mary aufs Sofa sinken. Henrys Gesicht verlor jeden Ausdruck. Er starrte Mary geschlagene fünf Sekunden an, ohne zu reagieren. Dann rannte er in die Halle. Lily folgte ihm hastig, auch Elenor sprang wieder auf und lief hinter ihnen her.

Sie standen beide neben ihm, während er telefonierte. Er hatte die linke Hand gegen die Stirn gepresst und bellte in den

Hörer, sein Gesicht verriet, dass nicht Wut, sondern Entsetzen und Trauer seine Stimme so hart machten. Offenbar gab es nur eine Handvoll Überlebende. Henrys Familie gehörte nicht dazu. Als klarwurde, dass Mary nichts falsch verstanden hatte, hörte Lily kein Wort mehr. In ihrem Kopf war nur noch ein Gedanke: Wie würde ihr Vater diese Nachricht verkraften? Ich muss sofort nach Hause, dachte sie. Als sie sah, wie Elenor mit kalkweißem Gesicht neben ihr an der Wand lehnte, nahm Lily sie bei der Hand und führte sie zu einer kleinen gepolsterten Eckbank. «Setzen Sie sich. Ich hole Ihnen etwas zu trinken.»

Elenor sah sie erstaunt an und nickte schwach. «Danke», flüsterte sie.

Lily ging wie in Trance in die Küche. Als sie wiederkam, hatte Henry aufgelegt. Er stand nun genau wie Elenor zuvor gegen die Wand gelehnt, hatte die Augen geschlossen und rieb sich mit beiden Händen übers Gesicht. Lily trat zu ihm und fasste ihn sanft am Arm. «Henry, es tut mir so leid», flüsterte sie.

Er öffnete die Augen, und sie schrak zurück. Er weinte, aber es war, als wären seine Pupillen aus Glas. «Das war ja klar, dass du jetzt plötzlich freundlich wirst.»

Lily war zu schockiert, um zu reagieren. «Wie bitte?», flüsterte sie.

Es wirkte beinahe, als würde er die Zähne fletschen. «Nun. Das ist doch eine ganz wunderbare Fügung, nicht wahr? Ab jetzt sind die Spielchen vorbei, Lily. Meine Familie ist tot. Gestorben auf *eurem* Schiff. Es ist niemand mehr übrig. Niemand. Außer mir.»

Lily wurde im selben Moment klar, was das bedeutete, als Henry sie auch schon an den Haaren packte. Sie schrie überrascht auf, aber er ließ ihr keine Zeit zu reagieren. Er zog sie mit sich und schleifte sie die Treppe hinauf, seine Hand so fest in ihre Locken gekrallt, dass Lily meinte, er würde ihr die Haut vom Kopf reißen. Sie schrie und sah durch das Treppengeländer, wie Hanna in die Halle gerannt kam. Elenor fing sie auf und hielt sie fest, auch sie blickte ihnen erschrocken hinterher. Hanna weinte und rief nach ihr, streckte ihre kleine Hand nach ihr aus, und Lily spürte, wie die Panik sie überflutete.

«Fass meine Tochter nicht an!», schrie sie, aber dann taumelte sie gegen eine Kommode, und der Schmerz nahm ihr den Atem.

Henry schleuderte sie in ihr Schlafzimmer hinein. Sie fiel auf den Boden und hörte, wie etwas in ihrem Fuß laut knackste, aber sie rappelte sich hoch, so schnell sie konnte.

Doch es war zu spät. Er hatte die Tür hinter sich zugeknallt und den Schlüssel aus dem Schloss gezogen. Lily warf sich dagegen und trommelte an das Holz. «Damit kommst du nicht durch!», rief sie, gleichzeitig schluchzend und keifend vor Wut. «Mein Vater wird es niemals zulassen, dass du mich wegsperrst!»

Er lachte nur boshaft. Und dann hörte sie, wie sich seine Schritte entfernten.

Lily sank gegen die Tür gelehnt zu Boden. Es war dunkel im Zimmer, aber sie hatte nicht einmal mehr die Kraft, den Arm zu heben und das Licht anzuknipsen. Der verletzte Fuß sendete gleißende Schmerzwellen ihr Bein hinauf, doch noch schlimmer war der Druck auf der Brust. Sie hyperventilierte, rang verzweifelt nach Atem, es fühlte sich an, als wäre ihr Körper zu eng für ihre Lungen. Irgendwann wurde sie ruhiger. Mit einem Mal hörte sie Geräusche von draußen. Sie erhob sich zitternd, wischte sich das Gesicht an ihrem Kleid ab und humpelte zum Fenster. Draußen war der Hof hell erleuchtet, die Kutsche stand vor dem Tor, und Mary trug gerade zwei Taschen hinaus. Entsetzt beobachtete Lily das Geschehen. Plötzlich erschien Henry. Er hatte Hanna auf dem Arm und hob sie in die Kutsche.

Und Lily begriff.

Er würde nicht sie wegsperren.

Er würde Hanna fortbringen.

Entsetzt riss sie das Fenster auf. «Was tust du?», brüllte sie. Erst in diesem Moment wurde ihr wirklich bewusst, was es bedeutete, dass Henrys Familie auf einen Schlag ausgelöscht worden war. Henry war nun der Alleinerbe. Und nichts stand mehr zwischen ihm und seinem Hass gegen Lily.

«Mama!» Hanna sah sie oben am Fenster und reckte ihre Arme in die Luft. Sie begann zu weinen. «Mama, ich will zu meiner Mama!» Als Henry nicht reagierte, begann sie, wie am Spieß zu schreien und auf ihn einzutreten. Aber er setzte sie in die Kutsche und schlug ihr die Tür vor der Nase zu.

«Du machst es ihr nur schwerer!», rief er zu Lily hinauf, und ohne sie noch eines Blickes zu würdigen, ging er zur anderen Tür und stieg ebenfalls ein. Der Kutscher knallte mit der Peitsche, und die Pferde zogen an.

Lily konnte nicht einmal mehr schreien.

———•◆•———

Sie schreckte auf, als es an der Tür raschelte. Lily war in eine Art Dämmerschlaf verfallen. Nachdem sie eine Stunde lang weinend und schreiend wie ein eingesperrtes Tier im Zimmer auf und ab gehumpelt war, hatte sie nur noch auf der Bettkante gesessen und mit leerem Blick vor sich hin gestarrt. Für ein paar kostbare Minuten hatte sie nichts mehr gefühlt. Nur noch Erschöpfung. Bleierne, dunkle Müdigkeit, die ihre Lider flattern und schließlich ihr Kinn auf den Brustkorb sacken ließ.

Es raschelte wieder, und sie fuhr hoch. In diesem Moment klickte es leise, und die Tür ging auf. Elenors bleiches Gesicht lugte fragend um die Ecke, dann schob sich ihr Bauch ins Zimmer.

«Ich wäre schon früher gekommen, aber ich habe gewartet, bis alle schlafen gegangen sind», sagte sie leise und trat einen Schritt auf sie zu.

Lily blinzelte erstaunt.

Elenor wirkte müde und erschüttert, aber kein bisschen ängstlich. «Sie sollten zu Ihrer Familie fahren», sagte sie mit fester Stimme. «Es war sicher ein entsetzlicher Schock für alle.»

Lily nickte langsam. «Wissen Sie, wo er meine Tochter hinbringt?», fragte sie mit vom Weinen rauer Stimme.

Elenor schüttelte den Kopf. «Es tut mir leid. Ich habe keine Ahnung. Sicher wird er sich wieder beruhigen und dann klarsehen. Er liebt Hanna, ihr wird nichts passieren, machen Sie sich keine Sorgen.»

Einen Moment sahen sich die beiden Frauen in die Augen. Plötzlich strömte alles wieder auf Lily ein, der Schmerz, die Angst, die Panik. «Ich muss zu meinem Vater», flüsterte sie. Sie drehte sich um und humpelte zum Schrank, holte einen Koffer hervor und begann, wahllos ein paar Sachen hineinzuwerfen. Das Einzige das sie bewusst einpackte, war die kleine lesende Frau aus Holz, die Jo ihr damals geschnitzt hatte. Alles andere war ihr egal. Sie wusste, dass sie nie wieder in die Backsteinvilla zurückkehren würde.

«Haben Sie sich verletzt?», fragte Elenor.

«Es ist nichts!», erwiderte sie schroff. Dann drehte sie sich um. Elenor stand da, die Hand auf den ausladenden Bauch gepresst, sah sich im Raum um, und fast wirkte es, als sei dies ihr Zimmer und Lily der Störenfried. Was in ihren Augen ja vielleicht auch so war.

«Elenor, würden Sie versuchen, mir eine Droschke zu rufen?», fragte Lily, und nach einem Moment des Zögerns nickte Elenor.

Sie drehte sich um, hielt dann aber inne und sah Lily an. «Ich wollte Ihnen nur sagen, dass es mir leidtut.» Sie blickte ihr direkt in die Augen. «Ich habe das so nicht gewollt. Es ging nie um Sie oder darum, Sie zu vertreiben. Ich musste nur … an mich denken!»

Lily erwiderte nichts. Was sollte sie darauf auch antworten? Beinahe konnte sie Elenor sogar ein bisschen verstehen. «Was sagen Sie ihm, warum Sie mich rausgelassen haben?», fragte sie schließlich.

Elenor zuckte die Schultern. «Ich sage ihm, dass man seine Frau nicht so behandelt.» Ein Lächeln zuckte um ihren Mund. «Machen Sie sich keine Gedanken. Mir wird schon was einfallen. Ich habe keine Angst vor ihm.»

Lily sah, dass es stimmte. Nun, er hat ihr wohl auch noch nie einen Grund dazu gegeben, dachte sie bitter, als Elenor aus dem Zimmer ging.

Sie blickte ihr nach, dann trat sie an den Schrank, beugte sich tief hinein und zog eine kleine Schatulle hinter der Wäsche hervor, die sie ganz unten in ihrer Tasche verstaute.

Als sie eine halbe Stunde später in der Droschke saß, warf sie keinen einzigen Blick zurück.

———————◆•———————

Lily fuhr nicht zu ihrem Vater, sie fuhr zuerst zu Jo. Nur er konnte verstehen, was es bedeutete, dass Henry ihnen die Tochter wegnahm. Dass er nun genügend Geld und Macht besaß, um Hanna für immer von ihnen fernzuhalten. Dass der Untergang der *Luxoria* alles verändert hatte.

Als er erstaunt und schlaftrunken die Tür öffnete und sie in seine Arme sank, hüllte sein vertrauter Geruch nach Tabak, Schafwolle und Kaminfeuer sie ein wie eine schützende Decke. In der Droschke hatte sie nur dagesessen und vor sich hin gestarrt, zu betäubt, um etwas zu fühlen. Nun begann sie, so sehr zu weinen, dass ihr ganzer Körper von Schluchzern geschüttelt wurde.

«Was ist passiert?», fragte Jo immer wieder, aber sie brauchte eine Weile, bis sie es ihm erzählen konnte. Er führte sie zum Bett, ging zum Kamin und warf ein Scheit nach. Das winzige Zimmer wurde sofort heller. Dann füllte er ein Glas mit einer klaren Flüssigkeit und reichte es ihr. «Trink das. Nicht langsam. Alles auf einmal», wies er an.

Lily gehorchte. Sie musste husten, aber es half, dass sie wieder ein wenig klarer denken konnte. Schließlich schaffte sie es zu erzählen.

Jos Gesicht wurde dunkel vor Zorn.

«Ich muss zu meinem Vater. Vielleicht gibt es ja eine Chance, dass ...»

«Lily, du weißt selbst, dass er dem niemals zustimmen wird. Gerade jetzt, wo die Familie vor der schlimmsten Katastrophe steht, die sie jemals erlebt hat. Meinst du, da setzt er noch einen Skandal obendrauf?» Jo war aufgesprungen und tigerte im Zimmer hin und her. Plötzlich blieb er stehen. Er kniete sich vor sie hin. «Ich kann Geld besorgen, Lily. Viel Geld. Wir werden uns den besten Anwalt der Stadt nehmen. Wir brauchen deine Familie nicht.» Er nahm ihre Hand. «Wir können das auch alleine schaffen.»

Verblüfft sah Lily ihn an. «Woher willst du denn so viel Geld nehmen? Weißt du, was ein guter Advokat kostet? So ein Prozess kann sich Ewigkeiten hinziehen. Henry ist jetzt einer der reichsten Männer der Stadt. Er kann ...»

«Lass das meine Sorge sein. Ich weiß einen Weg!», unterbrach er sie.

«Aber wie ...»

Er seufzte. «Es gibt vieles, was du nicht über mich weißt, Lily», sagte er, und er blickte sie dabei nicht an, sondern sah auf den Boden. «Ich hatte eigentlich gehofft, dass du es nie erfahren müsstest. Ich werde dir alles erzählen. Aber erst werde ich das Geld beschaffen.»

Sie nahm sein Gesicht in die Hände. «Jo. Ich weiß, dass du nicht nur ein Hafenarbeiter bist. Ich habe es gewusst seit jener Nacht, in der Charlie im Keller in der Schmuckstraße beinahe gestorben wäre.»

Verblüfft hob er den Kopf. «Du weißt ...»

Lily lächelte. «Ich weiß, dass man in dieser Welt nicht immer die Wahl hat, wie man sein Geld verdient. Das habe ich dir damals schon gesagt, als wir uns über die Prostituierten gestritten haben, erinnerst du dich?» Sie schniefte leise. «Ich habe immer darauf gewartet, dass du es mir irgendwann sagen würdest.»

Seine Augen weiteten sich erstaunt.

«Aber Jo.» Lily betrachtete sein Gesicht und fragte sich, wie man einen Menschen so sehr lieben konnte. «Du darfst dich nicht in Gefahr bringen, um Hanna zu helfen. Davon hat niemand etwas.»

«Ich werde nicht ...»

Lily schüttelte den Kopf. «Nein!», sagte sie bestimmt. «Wir brauchen nicht nur ein Mal Geld. Wir müssen auch danach von etwas leben. Ich gehe zu meinem Vater. Dann können wir immer noch weitersehen.» Sie schluckte hörbar. Sie wusste genau, dass ihr Vater sie aus dem Haus werfen würde, wenn er nicht gleich an Ort und Stelle einen Herzanfall bekam. Und Franz war schließlich auch noch da. Selbst wenn ihr Vater vielleicht doch zögerte, da es ja um Hanna ging, ihr Bruder würde ganz sicher keine Sekunde überlegen.

Aber sie musste es wenigstens versuchen.

Jo sah wohl in ihrem Blick, dass er sie nicht umstimmen würde. «Also probier es», murmelte er leise. «Vielleicht musst du es erst aus seinem Mund hören. Aber wenn du wiederkommst und er dich zur Hölle geschickt hat und wir niemanden mehr haben außer uns – dann lässt du es mich auf meine Weise regeln.»

Sie nickte. Dann küssten sie sich, lange, leidenschaftlich, verzweifelt. Lily merkte erst, dass sie wieder weinte, als sie ihre eigenen Tränen schmeckte.

Jo stand im Türrahmen und sah ihr nach, bis sie im dunklen Treppenhaus verschwunden war, in seinen Augen ein Ausdruck, den sie noch nie an ihm gesehen hatte. Sie fragte sich, ob es Furcht war.

J o wartete, bis er unten im Haus die Tür zuschlagen hörte. Dann drehte er sich um und nahm seinen Pullover vom Stuhl. Während er rasch alles zusammensuchte, was er brauchte, zündete er sich eine Zigarette an und trank zwei Gläser Kümmel. Dann schob er den Kaminabzug zu und lief mit großen Schritten die Treppe hinunter.

Draußen war die Luft warm und süß, eine perfekte Sommernacht. Er blieb einen Moment stehen und blickte in den Himmel, aber der Mond versteckte sich hinter den Hausdächern.

Er verstand, dass Lily es versuchen musste. Aber auch wenn das Wunder geschah und die Karstens sie unterstützen würden – *ihn* würden sie niemals akzeptieren. Sie würden weiter versuchen, sie von ihm fernzuhalten. Nein, er musste dafür sorgen, dass sie auch alleine zumindest eine Chance hatten.

Und leider gab es dafür nur noch diese Nacht.

Die *Cordelia* lag schon drei Tage vor Anker. Er wusste, dass es höchst riskant war, Oolkert hatte nach den Diebstählen Wachen abgestellt. Natürlich waren sie bestechlich, wie jeder andere Mann im Hafen. Trotzdem war es etwas anderes, ein paar Pakete zu entwenden, als das komplette Schiff vor ihren Augen auszuräumen. Die Wachen würden Oolkerts geballten Zorn zu spüren bekommen, und Jo konnte nur hoffen, dass sie sich auf einen Deal einließen. Wenn nicht, würde er eben andere Methoden einsetzen müssen. Zum Glück war Roy nicht zimperlich. Jetzt konnte er bloß hoffen, dass der heute keine Nachtschicht schob.

Eine Viertelstunde später hämmerte Jo gegen seine Tür, und zu seiner Erleichterung öffnete Roy keine drei Sekunden später. «Was?», brummte er ärgerlich und schlaftrunken.

«Ich brauche dich», erwiderte Jo knapp.

Roy musterte ihn einen Moment, dann nickte er, verschwand in der Wohnung und kam kurz darauf mit ausdrucksloser Miene und einer Mütze auf dem Kopf hinaus.

Jo erklärte ihm, was er vorhatte.

«Alles?», fragte Roy ungläubig. «Nur wir beide?»

Er nickte. «Es wird die ganze Nacht dauern. Danach musst du natürlich untertauchen. Aber das wird nicht schwierig sein. Wenn wir die Ware erst versetzt haben und du deinen Anteil bekommen hast, kannst du dir eine neue Identität kaufen.» Er lachte freudlos.

Roy sah ihn nur an, es war unmöglich zu sagen, was er dachte. «Und die Keller?»

Jo zuckte die Achseln. «Verkaufen, denke ich», sagte er. «Wir werden sie kaum weiterführen können, Oolkert wird jeden Stein in der Stadt umdrehen.»

Roy verschränkte die Arme vor der Brust. Eine ganze Weile lang sagte er nichts. «Dir ist klar, dass die Wachen nicht am Leben bleiben können?», fragte er dann.

Jo zögerte. Dann dachte er an seine Tochter. Er nickte.

Sie nahmen die gleiche kleine Jolle wie sonst. Verbissen und stumm ruderten die beiden Männer über den dunklen Fluss, es war nichts zu hören außer ihrem keuchenden Atem und den Schlägen im Wasser.

Als sie in der Mitte der Elbe angekommen waren, hörte Roy plötzlich auf zu rudern. Verwundert drehte Jo sich zu ihm um. Der Mond war inzwischen aufgegangen und stand hell hinter ihm am Himmel, sodass Roys Gesicht im Schatten lag.

«Was ist los?», fragte Jo.

Plötzlich stand Roy auf, das Boot schwankte gefährlich. Instinktiv griff Jo nach den Seiten, um es zu ruhig zu halten.

«Was machst du, Mann?», zischte er. Da sah er das Messer in Roys Hand.

«Nimm es nicht persönlich, Bolten. Du weißt, dass du mir scheißegal bist.»

Jo stand nun ebenfalls auf, und das Boot schwankte so stark, dass beide Männer ins Straucheln gerieten.

Roy fing sich als Erster.

«Sei kein Idiot, du kannst das alleine niemals durchziehen!» Jo spürte plötzlich seinen Herzschlag im Hals. Er hatte sein Messer im Stiefel, aber wenn er sich bückte, würde Roy ihm in den Kopf stechen.

Roy lachte leise. «Das werde ich auch nicht», erwiderte er. «Oolkert hat mir schon vor Wochen Geld geboten, wenn ich ihm den Drahtzieher hinter dem Opiumdiebstahl liefere.»

«Aber ich habe dir …»

«Mehr Geld geboten, das stimmt. Leider hat sich die Lage jetzt geändert.»

Um sie her plätscherte leise das Wasser gegen die Jolle. Noch immer konnte er Roys Gesicht nicht sehen, aber die lange Klinge schimmerte im Mondlicht.

«Wenn wir die Keller verkaufen und das Geschäft beenden, muss ich in einem Jahr wieder sehen, wo das Geld herkommt», sagte Roy. «Wenn ich Oolkert aber den Verräter liefere, der ihn um seine Ware betrogen hat, wird nicht nur deine Stelle als sein Handlanger frei. Er wird sich auch sonst höchst erkenntlich zeigen.»

Jo wollte etwas sagen, ihn umstimmen, ihm mehr Geld bieten, aber bevor er den Mund öffnen konnte, sprach Roy bereits weiter.

«Wie gesagt, nimm es nicht persönlich.» Jo konnte an der Bewegung seiner Wangenknochen sehen, dass er grinste. «Nicht ich bringe dich um. Oolkert macht sich nur nicht gerne selbst die Hände schmutzig.»

In der Villa war trotz der späten Stunde jedes Fenster erleuchtet. Als die Kutsche die lange Einfahrt hinaufklapperte und neben dem Brunnen hielt, spürte Lily wieder dieses beklemmende Gefühl in der Brust, das ihr den Atem nahm. Bevor sie hinauskletterte, hielt sie einen Moment inne, um sich zu sammeln. Aber da sah sie durch das Buntglasfenster der Eingangstür bereits Agnes auf sich zueilen und hatte keine Zeit mehr, um nachzudenken.

Dann ging alles ganz schnell.

Die Hausdame weinte, ihr Gesicht war geschwollen, und aus dem Haarknoten, den Lily in ihrem ganzen Leben noch nie in Unordnung gesehen hatte, hatten sich kleine Strähnen gelöst.

Sie umarmten sich, und Agnes geleitete Lily in die Halle. «Wie geht es meinem Vater?», fragte Lily.

«Er ruht. Aber er hatte zum Glück keinen weiteren Anfall. Dr. Selzer ist bei ihm. Um Franz mache ich mir mehr Sorgen. Er hat seither noch kein Wort gesprochen», flüsterte Agnes mit rotgeweinten Augen und deutete mit dem Kopf in Richtung Salon, aus dem leises Murmeln drang.

Als Lily eintrat, hoben Roswita, ihre Mutter und Onkel Robert gleichzeitig den Kopf. Franz jedoch, der zwischen ihnen auf dem Sofa saß, starrte weiter geradeaus, als hätte er sie gar nicht wahrgenommen. Nach ein paar Sekunden merkte Lily, dass es auch so war. Ein Blick genügte, um zu sehen, dass ihr Bruder unter Schock stand. Sein Hemd war bis zur Brust aufgeknöpft, die Haare waren zerzaust. In der linken Hand hielt er eine Zigarette, die vor sich hin schwelte und deren Asche auf den Teppich fiel, ohne dass er an ihr zog.

«Lily!» Sylta stand auf und schloss sie in die Arme. Sie wirkte um Jahre gealtert.

«Franz, es tut mir so leid!», flüsterte Lily. Sie setzte sich neben ihren Bruder, nahm seinen Arm. Seine Augen wanderten instinktiv in ihre Richtung, aber sie wusste, dass er sie nicht sah. «Hat Dr. Selzer schon nach ihm geschaut?», fragte sie leise Roswita, die Franz' rechte Hand festhielt und beruhigend streichelte.

Sie nickte. «Er hat einen Schock und soll sich ausruhen, aber er will sich nicht hinlegen», wisperte sie.

Lily stand wieder auf. Hier konnte sie nichts ausrichten.

«Ich muss mit Papa reden», sagte sie zu ihrer Mutter, und Sylta erhob sich erstaunt und trat an ihre Seite. «Ich hoffe, es ist nichts Ernstes. Er muss sich schonen und verträgt keine weitere Aufregung.»

Traurig sah Lily ihre Mutter an. «Es ist leider ernst. Aber ich kann es nicht aufschieben.» Sie küsste Sylta auf die Stirn. «Ich erzähle dir gleich alles in Ruhe. Mach dir keine Sorgen», flüsterte sie und drückte ihre Hand.

Dann humpelte sie die Treppe hinauf in den ersten Stock.

Alfred Karsten saß mit einem dicken Kissen im Rücken auf dem Bett und blickte zum Fluss hinunter. Er regte sich nicht, als Lily hereinkam.

«Papa?» Zögerlich trat sie ans Bett. «Wie geht es dir?»

Er zuckte zusammen und drehte den Kopf. «Ah, Lily. Ich habe dich gar nicht kommen hören.»

«Ist alles in Ordnung mit dir?» Sie ließ sich an seiner Seite nieder. «Was macht das Herz?»

Er nickte und schloss einen Moment die Augen. Als er sie wieder öffnete, sah sie, dass er weinte. «Mir geht es gut, Lily», erwiderte er mit belegter Stimme. «Ich muss nur immerzu an die Menschen denken. Die vielen Kinder. Die alten Frauen. Wie es wohl ist zu ertrinken? Zu wissen, dass dieses tiefe, dunkle Wasser einen verschlingen wird, dass es nichts gibt, was einen retten kann», wisperte er so leise, dass sie es kaum verstand.

Lily schluckte.

«Papa», sagte sie vorsichtig. «Ich weiß, dass es dir gerade sehr schlecht geht und dass ich keinen unpassenderen Zeitpunkt wählen könnte. Aber ich muss dir etwas sagen.»

Langsam und so behutsam wie möglich erzählte sie ihm, was geschehen war.

Dann stand sie auf, zog etwas aus der Tasche und legte es vor ihrem Vater auf das Betttuch. Es waren Fotografien, eine ganze Reihe davon.

Erst schien Alfred nicht zu verstehen. Er nahm sein Lesemonokel vom Nachttisch, kniff es sich ins Auge und beugte sich über die Bilder. Dann zog er scharf die Luft ein. Er nahm eines nach dem anderen hoch und betrachtete es wortlos. Lily konnte dabei zusehen, wie sein Gesicht in sich zusammenfiel. «Bist das … alles du?», fragte er schließlich, und seine Stimme brach.

Lily nickte. «Ich kann nicht mehr, Papa», sagte sie leise. «Ich werde mich scheiden lassen. Ich weiß, dass du das nicht verstehen kannst. Aber ich habe meine Entscheidung getroffen. Ich hoffe, dass du mich trotzdem unterstützt. Wenn nicht bei meiner Scheidung», sie stockte, «dann doch im Kampf um meine Tochter.» Sie merkte, wie sie am ganzen Körper zitterte. «Ich kann das nicht alleine schaffen, Papa. Ich brauche eure Hilfe.»

Das Gesicht ihres Vaters erinnerte sie an eine Statue. Er bewegte sich nicht.

Lily wartete. Sie wartete mindestens eine Minute in vollkommener Stille, und sie erschien ihr wie eine nicht enden wollende Ewigkeit.

Aber irgendwann ging auch diese Ewigkeit vorbei.

Und noch immer hatte ihr Vater nichts gesagt.

Als er nicht reagierte, sie nicht einmal ansah, nickte sie. Schließlich stand sie auf und ging zur Tür. Was hatte sie nur geglaubt? Natürlich würde er ihr nicht helfen. Nach all dem, was ihre Familie getan hatte, um den eigenen Ruf zu schützen, würden sie jetzt nicht …

«Bleib!» Alfreds Stimme hallte durch den Raum.

Lily zuckte zusammen. Langsam drehte sie sich um.

«Bleib noch, Lily», sagte Alfred leise.

Verunsichert ging sie zurück zum Bett und versuchte, dabei so wenig wie möglich zu hinken. Die Situation erinnerte sie plötzlich auf unheilvolle Weise an King Lear und Cordelia. Als Lear seine Tochter bat, doch noch zu bleiben, war es bereits zu spät.

Alfred hatte noch eines der Bilder in den Händen, es war das, welches sie im Salon in Liverpool aufgenommen hatte. Ihr Vater hob den Blick, und Lily hatte das Gefühl, dass er sie das erste Mal, seit sie wieder hier war, wirklich ansah.

Er räusperte sich. «Michel wird mit Emma und Charlie nach Irland gehen.»

Mit allem hatte sie gerechnet, nur nicht damit. «Was?», flüsterte sie.

Alfred nickte. «Deine Mutter und ich, wir haben es zusammen entschieden. Er wird mit ihnen gehen, und sie werden ihn als ihren Sohn annehmen. Es ist das Beste für den Jungen. Es wird ihn glücklich machen.»

«Aber, ich verstehe nicht», stotterte Lily.

Alfred blickte auf die Fotografie in seinen Händen. «Ich werde meinen Sohn ein zweites Mal verlieren, Lily», sagte er leise, und seine Stimme hatte einen Ton, den sie nicht kannte. Er holte tief Luft. «Aber ich werde meine Tochter nicht auch noch verlieren.»

Lily meinte, sich verhört zu haben. Ungläubig sah sie ihren Vater an.

Er nickte langsam, als würde er sich selbst überzeugen. «Du wirst dich von diesem Mann scheiden lassen. Ich werde dich dabei mit allem, was ich habe, unterstützen. Wir werden Hanna zurückbekommen. Das verspreche ich dir.» Er sah sie an, und jetzt war sein Blick vollkommen klar. «Ich verspreche es dir, Lily. Ich will nicht zu spät bereuen und noch mehr Entscheidungen treffen, die ich nicht wiedergutmachen kann.»

Da wusste Lily, dass auch ihr Vater in diesem Moment an King Lear dachte und sie seine Botschaft damals richtig gelesen hatte.

Einen Moment hielten ihre Augen einander fest. Lilys Erleichterung war so groß, dass es ihr schien, als hätte jemand ein bleischweres Gewicht von ihren Schultern genommen.

Alfred räusperte sich. Er sah sie nicht an, aber er nahm kurz ihre Hand und drückte sie. «So», sagte er und setzte sein Monokel wieder ab. «Und jetzt hol Dr. Selzer herein. Er soll sich deinen Fuß anschauen.»

«Diese Bilder sind wichtig. Sie beweisen zwar nichts, aber sie können die Richter für dich einnehmen.» Robert seufzte und beugte sich über den Schreibtisch, auf dem er die kleinen Fotografien aufgereiht hatte. Es war mitten in der Nacht. Franz war aus seiner Starre erwacht, und als Lily und Robert sich zu einer Beratung in Alfreds Büro hatten zurückziehen wollen, hatte er darauf bestanden, anwesend zu sein. Nun stand er mit vor der Brust verschränkten Armen am Fenster und starrte in den dunklen Garten hinaus. Er hatte noch kein Wort gesagt. Robert musterte ihn und wartete offensichtlich auf eine Reaktion. Als keine kam, sprach er an Lily gewandt weiter: «Denn wenn du schuldig geschieden wirst, wenn er dir also Ehebruch nachweisen kann, dann hast du so gut wie keine Chance, Hanna wiederzubekommen. Andersherum jedoch, wenn wir ihm nachweisen können, dass er dich betrogen hat … Aber wie sollte das möglich sein, seine Mätresse wird ja kaum gegen ihn aussagen.»

«Ich habe Zeugen. Mary und die anderen Angestellten. Wenn wir ihnen Geld bieten, werden sie vielleicht …»

«Man kann Zeugen nicht bestechen, Lily!», unterbrach er sie.

Sie stockte. «Vielleicht sagen sie ja trotzdem für mich aus.»

Er seufzte tief. «Es ist eine Brandmarkung, Lily. Es wird dich für immer verfolgen. Überlege es dir gut.»

Lily stand auf. «Das habe ich bereits!», erwiderte sie entschlossen, und Onkel Robert nickte niedergeschlagen. «Ich dachte es mir.»

Während er in den Unterlagen auf dem Schreibtisch kramte, packte Franz Lily plötzlich am Arm und zog sie in eine Ecke beim Fenster.

«Wenn du das tust, wirst du Vater umbringen.» Er sah furchtbar aus, seine Augen waren blutunterlaufen, die Wangen hohl.

«Er weiß es bereits», erwiderte Lily. «Er hat mir seine Unterstützung zugesagt.»

Wenn das überhaupt möglich war, wurde Franz noch blasser. «Denkst du eigentlich immer nur an dich?», zischte er.

Lily spürte, wie sie einfach nicht mehr kämpfen konnte. Nicht auch noch gegen Franz. «Gerade du solltest doch wissen, wie es ist, mit jemandem verheiratet zu sein, den man nicht ausstehen kann. Und jemanden zu lieben, von dem die anderen nicht einmal wissen dürfen!», flüsterte sie.

Er hielt inne. «Wie bitte?»

Lily hob den Blick und sah ihn an. «Ich weiß es, Franz. Ich weiß es seit dem Tag der Eröffnungsfeier», sagte sie ruhig. «Ich habe das Buch in deinem Zimmer gesehen. Und ich habe gesehen, wie du Kai angelächelt hast. Mir musst du nichts mehr vormachen. Es erklärt alles. Es erklärt, warum du so bist, wie du bist.»

Franz öffnete den Mund, aber kein Laut kam heraus. Er starrte sie an, als hätte er einen Geist gesehen. «Was redest du denn?», wisperte er schließlich tonlos.

Lily seufzte. Dann fasste sie ihn am Arm. «Ich würde es niemals jemandem erzählen. Du bist mein Bruder», sagte sie. «Und auch wenn du mein Leben ruiniert hast und ich dich dafür hasse, wirst du immer mein Bruder bleiben.» Dann zuckte sie die Achseln, als gäbe es nichts weiter zu sagen, und ließ ihn stehen.

«Wir müssen uns eine Strategie überlegen.» Robert machte sich bereits eifrig Notizen. «Und wir müssen schnell handeln. Nicht dass er Hanna ins Ausland bringt, das würde alles extrem verkomplizieren.» Er sah Lily an. «Erzähl mir noch einmal ganz genau, was er gesagt hat. Wort für Wort.»

Sie nickte und spürte, wie sich ihr Hals zuschnürte. Schnell zog sie einen Stuhl heran und setzte sich ihm gegenüber. Gerade wollte sie beginnen, da trat mit einem Mal Franz neben sie.

«Wir sollten den Fall der Hafenpolizei melden. Vielleicht versucht er, sie auf ein Schiff zu bringen. Ich werde ein paar Telefonate führen, ich habe Leute in den Docks. Sie sind ja ziemlich auffällig. Wenn wir genug Augen aktivieren, wird irgendwer sie schon finden.» Seine Stimme war seltsam monoton, als müsse er sich zum Sprechen zwingen.

Lily sah erstaunt zu ihm auf. Franz beachtete sie nicht, sondern blickte mit starrem Ausdruck Onkel Robert an. Der lehnte sich im Stuhl zurück und nickte, ebenfalls überrascht über seine Einmischung.

«Du hast recht. Es gilt, keine Minute zu verlieren.»

«Ich kümmere mich!», Franz ging mit großen Schritten auf die Tür zu. Noch immer hatte er kein Wort zu ihr gesagt, aber bevor er das Zimmer verließ, fing Lily seinen Blick auf. Sein Gesicht war immer noch weiß, noch immer grimmig und unnahbar.

Aber als ihre Blicke sich kreuzten, nickte Franz ihr kaum merklich zu.

8

Jo hatte das Gefühl, dass der Himmel kippte. Mit ausgebrei-
teten Armen fiel er nach hinten ins Wasser. Die Zeit von der
Sekunde, in der er realisierte, was geschehen war, bis zu seinem
Aufprall kam ihm unendlich vor. Es war, als hätte jemand die
Welt langsamer gedreht.

Er spürte nichts. Nicht das Messer in seiner Brust. Nicht das
kalte Wasser, als er auf dem Fluss aufschlug, nicht die Angst,
die eigentlich da sein sollte. Als er versuchte einzuatmen, drang
keine Luft in seine Lungen. Er konnte sich nicht bewegen, nicht
rufen, nicht um sich schlagen. Für den Bruchteil einer Sekunde
war da Karls Gesicht im Mond, Lilys Lachen im Wind.

Dann versank Jo in der schwarzen Elbe.

Einen Moment lang dachte er, dass er es hätte wissen müssen.
Männer wie Oolkert gewannen immer. Als seine Lungen sich
mit Wasser füllten, hatte sein Bewusstsein bereits ausgesetzt.
Und als sein Herz aufhörte zu schlagen, war er schon fast auf
dem Grund angekommen. Seine Augen waren geöffnet, starrten
blicklos in die Dunkelheit.

Über ihm setzte die Elbe ihr ewiges Auf und Ab von Schwell
und Sog fort. Die Ewer, Schuten und Dampfer fuhren über ihn
hinweg, die Möwen kreischten, das Wasser plätscherte gegen die
Ufer, die Boote und Kaimauern.

Jo starb, den Pulsschlag Hamburgs in den Ohren, wurde zu
einem Teil der Elbe, einem Teil des Hafens, einem Teil der Stadt.

Und fand endlich Frieden.

EPILOG

Sein Leichnam wurde nie gefunden. Aber Lily wusste, dass Jo tot war. Er hätte sie kein zweites Mal verlassen.

Sie brauchte kein Denkmal, keine Grabstätte, um sich an ihn zu erinnern. Die Stadt war ihre Erinnerung. Er war hier, in den Gassen und Twieten, den Durchgängen und Hinterhöfen, im Hafen, am Fluss, in dem Geräusch der klappernden Fahnenmasten im Wind, im Geruch von Tabak, Schafwolle und Kaminfeuer.

Er war ein Teil Hamburgs.

Für sie würde er immer hier sein.

In den Wochen und Monaten nach seinem Verschwinden ging Lily wie in einen Mantel aus Dunkelheit gehüllt durch die Welt. Alles schien ihr schwer und grau. Sie glaubte nicht, dass es jemals wieder farbig werden würde.

Lily wusste, dass sie nie wieder jemanden so lieben würde, wie sie Jo geliebt hatte. Und dass sie nie wieder glücklich werden würde. Auf eine Weise war mit seinem Tod auch ihr Leben vorbei. Beinahe jeden Tag dachte sie darüber nach, allem ein Ende zu setzen.

Aber sie tat es nicht.

Hannas Leben begann gerade erst. Und Lily würde da sein, um daran teilzuhaben. Sie würde ihre Tochter wiederbekommen. Aber es würde ein harter Kampf werden. Und für diesen Kampf musste sie stark sein.

Man konnte auch mit einem gebrochenen Herzen weiterleben, das hatte sie inzwischen gelernt.

Manchmal, wenn sie an einem stürmischen Frühlingstag an der Elbe stand, auf das dunkle Wasser hinausstarrte und das Gefühl hatte, ihr Herz würde brechen, meinte sie, Jo zu spüren. Dann dachte sie, dass sie es im Grunde schon immer gewusst hatte.

Sie hatten nie eine Chance gehabt.

Für eine Liebe wie die ihre gab es keinen Platz in dieser Welt.

Liebe Leserin, lieber Leser,

ich hoffe, unsere gemeinsame Reise ins Hamburg des 19. Jahrhunderts hat Ihnen Spaß gemacht und Sie konnten auch in *Elbstürme* wieder in Lilys und Jos Geschichte eintauchen.

Gleich zu Beginn dieses Nachworts möchte ich sagen: Jo liegt mir sehr am Herzen. Ihm und Lily das gemeinsame Glück zu verweigern, war eine schwere Entscheidung. Aber ich wollte dem Buch ein realistisches Ende geben. Mit einem Happy End wäre es mir so ergangen wie Lily mit ihren Liebesromanen: Es hätte sich falsch angefühlt. So wie die Geschichte sich entwickelt hat und die Gesellschaftsstrukturen damals aufgebaut waren, gab es schlicht keine Möglichkeit für Lily, Jo und Hanna, zusammen zu sein. Ich wollte eine Liebesgeschichte schreiben und gleichzeitig die Realität der Zeit nicht verklären. Ich hoffe, Sie verzeihen es mir. Immerhin konnte ich ein anderes, nicht weniger bedeutendes Happy End einschmuggeln. Ich mag die Vorstellung sehr, dass Charlie, Emma und Michel in Irland glücklich werden.

Ein großer Rahmen, der diesen zweiten Teil mit dem ersten Buch, *Elbleuchten*, zusammenhält, ist die Literatur. Lily, Jo, Emma, nicht zuletzt Sylta und die Frauen des Zirkels, ja sogar Kittie, Roswita und Franz lernen, indem sie lesen. Dadurch finden sie nicht nur Dinge über das Buch und die Welt, sondern vor allem auch Dinge über sich selbst heraus. Es ist eine wunderbare Tatsache, die sich niemals ändern wird: Was man hört, schaut und liest, beeinflusst, wie man denkt und letztlich, wer man ist. Durch Bücher sehen wir aus neuen Perspektiven und mit anderen Augen. Shakespeares Werke, obwohl beinahe 300 Jahre vor ys Zeit geschrieben, sind für sie Stütze und Inspirationsquelle zugleich, lassen sie die Gesellschaft, die Beziehung zu ihrer Familie und nicht zuletzt sich selbst hinterfragen.

Flaubert soll einmal gesagt haben: «Madame Bovary, c'est moi» – «Madame Bovary, das bin ich.» Auf den ersten Blick scheint es absurd, die Lebenswelt des Schriftstellers hatte nichts gemeinsam mit der Realität, die er in seinem Roman für die Protagonistin Emma Bovary schuf. Wahrscheinlich wollte er mit diesem Satz sagen, dass er und Emma viele der gleichen Kämpfe durchstehen mussten, dass ihre Probleme, ihre Wünsche, Träume und Ängste sich auf gewisse Weise ähnelten, wie sie sich bei allen Menschen ähneln. Dies wollte ich auch in der Ambivalenz meiner Figuren zeigen. Selbst der skrupelloseste Antagonist ist nicht ausschließlich schlecht, auch er hat eine Geschichte, eine Vergangenheit, einen Grund, warum er geworden ist, wie er ist. Kann man nicht irgendwie auch verstehen, warum Franz sich so kalt und abweisend gibt, Oolkert so berechnend und skrupellos ist, Roswita so angepasst und naiv? In jedem von ihnen, in ihrer Menschlichkeit, können wir Teile von uns selber wiederfinden, und seien sie auch noch so klein.

Bei der Recherche zu *Elbleuchten* und *Elbstürme* gab es viele Dinge, die mich erschüttert haben. Vorweg die Lebensrealitäten der Frauen der Arbeiterklasse. Die Epoche der Industrialisierung war eine Zeit tiefgreifender Veränderungen. Alles geriet ins Wanken, auch der Arbeitsmarkt blieb davon nicht verschont. Fabriken schossen wie Pilze aus dem Boden. Wo Frauen früher «nur» für Haushalt, Kinder und allenfalls ein kleines Nebeneinkommen zuständig waren, mussten sie nun zusätzlich als billige Arbeitskräfte herhalten. Wenn man sich vor Augen führt, was es bedeutete, in dieser Zeit einen Familienalltag zu bewältigen, dann wird deutlich, was das die Frauen gekostet haben muss.

Plötzlich öffneten sich die «Männergewerbe», und wo es vorher als undenkbar und gänzlich unschicklich galt, dass Frauen arbeiteten, war es mit einem Mal kein Problem mehr: Nachfrage bestimmte in diesem Fall die Regeln der Moral. Leider bestimmte die Nachfrage nicht den Lohn. Frauen verdienten für die gleiche Arbeit einen Bruchteil vom Gehalt der Männer.

Aber war der Alltag der wohlhabenden Damen besser? Diese Frage habe ich mir während des Schreibens oft gestellt, und es ist eine Frage, die auch Lily umtreibt. Sicherlich war ein Leben im Wohlstand dem in Armut und Elend vorzuziehen. Aber aus überlieferten Tagebuchaufzeichnungen lässt sich die gähnende Langweile herauslesen, der die Damen der Gesellschaft ausgesetzt waren. Immer gleiche Abläufe des Alltags, ein Dasein als Zierde des Hauses, ohne Aufgabe, ohne Ziele, ohne Sinn und ohne die Freiheit, eigene Entscheidungen zu treffen. Als ich diese Zeitzeugnisse las, wurde mir klar, dass die Realität hinter dem schönen Schein der Oberschicht wenig begehrenswert war.

Besonders beeindruckt hat mich die Geschichte des Opium-Handels, über die man eine ganze Romanreihe schreiben könnte. Dass alles mit Tee begann, passt wunderbar ins Bild unserer heutigen Zeit und regt dazu an, über unsere Konsumgesellschaft nachzudenken. Schon damals wussten die Menschen oftmals nicht, wo die Dinge, die ihnen den Alltag versüßten, eigentlich herkamen, welche Schicksale an ihrer Herstellung hingen und wie viel Arbeit, Leid und Aufwand, dass es sogar Kriege kostete, sie so selbstverständlich auf den Tisch zu bringen. Ist es nicht seltsam, wie wenig sich seither geändert hat?

Genau wie für *Elbleuchten* habe ich mich auch für *Elbstürme* historischer Eckdaten bedient, die Zeit aber ein wenig gebogen, wenn es für die Geschichte notwendig war. Albert Ballin, der Direktor der HAPAG, hat zum Beispiel erst ein Jahr später seine

...ndäre erste Luxuskreuzfahrt von Hamburg aus organisiert. ...890 wusste noch niemand, dass sich Jos Befürchtungen bezüglich der Wasserfiltrierung in nicht einmal zwei Jahren auf geradezu prophetische Weise erfüllen würden. Als 1892 die Cholera über Hamburg hereinbrach, die sich heimlich und unsichtbar mit dem Wasser in die Stadt stahl und Tausende Menschen in einen qualvollen Tod riss, traf es vor allem die Gängeviertel. In Steinstraße und Springeltwiete war die Sterblichkeitsrate in dieser Zeit doppelt so hoch wie in anderen Quartieren Hamburgs. Hier, wo man sein Wasser noch aus den stinkenden, gammelnden Fleeten bekam, den Unrat oft noch in die offenen Rinnsteine kippte und sich die Krankheit durch die Enge in rasender Geschwindigkeit verbreitete, hatten die Menschen keine Chance gegen die Seuche.

Als «Engelmacherin von St. Pauli» erlangte Elisabeth Wiese gegen Ende des 19. Jahrhunderts traurige Lokalberühmtheit. Während meiner Recherchen über Hamburgs Vergangenheit hat mich ihr Schicksal fasziniert. Ich wusste sofort, dass ich sie in irgendeiner Form in die Romane einbringen wollte. Elisabeth Wiese brachte ein uneheliches Kind zur Welt und war damit stigmatisiert. Zusätzlich stand sie nun vor dem Problem, gleichzeitig arbeiten und ihre Tochter Paula versorgen zu müssen: damals so gut wie unmöglich, wie wir an Seda gesehen haben. Elisabeth Wiese heiratete in den folgenden Jahren, versuchte aber bald, ihren Mann zu vergiften, um an sein erspartes Geld zu kommen. Seinen spärlichen Kesselflicker-Lohn soll er ausschließlich in Alkohol investiert haben, sodass sie und ihr Kind hungern mussten. Als ihre Tochter Paula größer war, verkaufte Elisabeth Wiese sie in die Prostitution und behielt das Geld für sich. Die Annonce, die sie damals in einer Hamburger Zeitung schaltete, ist im genauen Wortlaut überliefert: *Junge Dame bittet einen edel denkenden Herrn um eine Unterstützung von 30 Mark gegen dankbare Rückzahlung.*

Als Paula es nicht mehr aushielt und nach England floh, brauchte Elisabeth Wiese eine neue Einnahmequelle. Sie nahm Kinder zur Adoptionsvermittlung an, tötete sie jedoch und verbrannte sie in ihrem Küchenofen oder versenkte sie in der Elbe. Armut macht erfinderisch. Und oft auch skrupellos.

Obwohl sie ihre Unschuld beteuerte, wurde sie 1903 wegen fünffachen Mordes zum Tode verurteilt und von einem Scharfrichter hingerichtet. Die Realität selbst schreibt die gruseligsten und tragischsten Geschichten, das zeigt sich an der historischen Person Elisabeth Wiese wie in einem gesellschaftskritischen Spiegel.

Auch den *Eheführer* von Dr. Weißbrodt gab es tatsächlich, und ich habe mir sagen lassen, dass er noch zu Zeiten meiner Großeltern auf vielen Nachttischen zu finden war. Die meisten der darin enthaltenen Tipps und Regeln fürs Ehebett erscheinen heutzutage geradezu absurd. Als ich sie las, fragte ich mich entsetzt, wie es gewesen sein muss, diese als ernsthafte Handlungsanweisungen und oftmals einzige Aufklärungsmöglichkeit zu besitzen.

An kleinen Alltäglichkeiten wie dem Maggie-Gewürz in der Suppe und Coca-Cola gegen Kopfschmerzen wollte ich deutlich machen, dass uns die Welt des ausgehenden 19. Jahrhunderts gar nicht so fremd ist, wie sie manchmal scheinen mag (obwohl man damals Obst für ungesund hielt). Im Gegenteil: Ich fand es faszinierend zu sehen, wie sich gewisse Dinge in der Geschichte, der Kultur fortsetzen.

Isabels Schicksal und die jungen Frauen des Zirkels stehen beispielhaft für unzählige Frauenrechtskämpferinnen, die um die Jahrhundertwende und noch lange danach auf der ganzen ı gegen ihre Unterdrückung auf die Straße gingen. Durch sie ollte ich zeigen, wie neu unsere heutige vermeintliche Gleichstellung eigentlich ist. Sie wurde hart erkämpft von mutigen Vorreiterinnen wie Isabel, denen wir mit verdanken, dass wir heute so leben können, wie wir es tun. Es war ein steiniger Weg, der noch lange nicht beendet ist und es vielleicht niemals sein wird. Einen Schritt in die Geschichte zurückzugehen und sich die Anfänge anzuschauen, hilft dabei, sich das zu vergegenwärtigen. Und wir dürfen nicht vergessen, dass in vielen anderen Ländern die Realität auch heute noch erschreckend der des 19. Jahrhunderts im Kaiserreich gleicht, der Welt von Lily und Jo, die ich Ihnen mit meiner Saga hoffentlich ein kleines bisschen näherbringen konnte.

Ich danke Ihnen für Ihre Zeit.

Ihre Miriam Georg

DANKSAGUNG

Obwohl auf dem Umschlag nur mein Name steht, waren – wie bei jedem Buch – sehr viele Menschen an der Entstehung dieser Saga beteiligt.

Allen vorweg das gesamte tolle, fleißige Verlagsteam, vom Marketing über den Vertrieb bis zur Herstellung, und meine wunderbare Lektorin Iris Homann, ohne die es Lily und Jo nicht gäbe. Vielen Dank für deinen unermüdlichen Einsatz und die vielen Nachtschichten. Ich finde, es hat sich wirklich gelohnt!

Ich danke besonders meiner Außenlektorin Hanne Reinhardt, die den Text auf brillante Art geschliffen hat, und meiner Agentin Dorothee Schmidt, die die spannendsten Ideen hat und meine Bücher besser durchschaut als ich.

Meinem Vater und größten Fan, der alles, was ich schreibe, mit Begeisterung verschlingt (während er parallel die Hörbücher hört), um mich dann sofort anzurufen und mir zu sagen, was er am besten fand.

Meinen tollen Schwestern, die mich unterstützen und inspirieren (und dabei immer erfrischend ehrlich sind).

Meinen Freundinnen, die sich bei jedem Corona-Spaziergang tapfer meine neuen Plotentwicklungen angehört haben – und besonders meiner Testleserin Rebekka Knoll. Danke für deine Hilfe, die Hunderten Sprachnachrichten, die tollen Gespräche über das Schreiben und deine Begeisterung für Lily und Jo, die mir über so manche Krise hinweggeholfen hat.

Der größte Dank gilt meiner Mutter, der diese Saga gewid-

ist und von der ich nicht nur die Liebe zu Büchern und
...schichten geerbt habe, sondern die auch hinter mir und dem
Schreiben steht wie niemand sonst. Danke für alles.

Verwendete Literatur und Fremdtexte

S. 19 u. a.: William Shakespeare: «König Lear». Übersetzt von August Wilhelm Schlegel. In: «William Shakespeare, Sämtliche Werke», R. Löwit, Wiesbaden (o. J., Druck 1973)

S. 94 ff., 483 f., 599: Jack Saul: «The Sins of the Cities of the Plain, Or, The Recollections of a Mary-Ann, With Short Essays on Sodomy and Tribadism», London 1881

S. 113: Gothaer Programm der Arbeiterpartei, 1875, zit. nach: Karl Marx: «Randglossen zum Programm der Deutschen Arbeiterpartei», Vereinigung internationaler Verlags-Anstalten, Berlin, Leipzig 1922, S. 22

S. 188: Ovid: «Metamorphosen». Übers. und Hg.: Michael von Albrecht, Reclam, Stuttgart 1994

S. 245 f., 278 f.: Maria Möring: «A. Kirsten, Hamburg», Wirtschaftsgeschichtliche Forschungsstelle e. V. (Hg.), Hamburg 1952, S. 97

S. 374: Michael Grüttner: «Arbeitswelt an der Wasserkante. Sozialgeschichte der Hamburger Hafenarbeiter 1886–1914», Vandenhoeck & Ruprecht, Göttingen 2011, S. 145

S. 426: Clara Zetkin, zit nach: Annette Kuhn (Hg.): «Die Chronik der Frauen», Chronik Verlag, Dortmund 1992, S. 369

‍‍: Dr. Karl Weißbrodt: «Die eheliche Pflicht. Ein ärztlicher ‍‍‍rer zu heilsamem Verständnis und notwendigem Wissen im ‍‍helichen Leben», zit. nach der Ausgabe des Heel Verlags, Königswinter 2005, S. 93, 105–107

S. 475: Andrea Purpus: «Frauenarbeit in den Unterschichten, Lebens- und Arbeitswelt Hamburger Dienstmädchen und Arbeiterinnen um 1900 unter besonderer Berücksichtigung der häuslichen und gewerblichen Ausbildung», LIT Verlag, Hamburg 2000, S. 287

Weitere Titel

Die Hamburger Auswandererstadt

Das Tor zur Welt: Träume

Das Tor zur Welt: Hoffnung

Eine hanseatische Familiensaga

Elbleuchten

Elbstürme